OSCAR
MODERNI
CULT

ALBA DE CÉSPEDES

# DALLA PARTE DI LEI

Introduzione di Melania G. Mazzucco

I edizione La Medusa degli italiani agosto 1949
I edizione Scrittori italiani settembre 1994
I edizione Oscar Moderni aprile 2021


ISBN 978-88-04-73661-5


Questo volume è stato stampato
presso ELCOGRAF S.p.A.
Stabilimento - Cles (TN)
Stampato in Italia. Printed in Italy


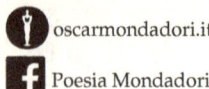 oscarmondadori.it

 Poesia Mondadori


Anno 2021 - Ristampa 1 2 3 4 5 6 7



 librimondadori.it

# Tutte le donne sono innocenti

di Melania G. Mazzucco

«Subito allora mi figuravo vestita di una toga, in tribunale» ricorda Alessandra, rievocando le fantasticherie della sua adolescenza, dalla cella della casa di pena dove, alcuni anni dopo, attende il nuovo processo. «Dietro di me sedeva una donnetta di mezza età, che posava le mani sui ginocchi. Io parlavo, mi sfibravo. "Salvatela" dicevo: "è innocente." Ripetevo: "Signori giurati, è innocente, tutte le donne sono innocenti".»

Esiliata da Roma in un paesino dell'Abruzzo per volontà del padre – che trapiantandola nel mondo arcaico della montagna spera di sottrarla all'esempio materno e agli studi liceali e di ricondurla al dovere femminile della sottomissione –, la diciottenne Alessandra prende coscienza del «sordido destino» delle donne e per un istante si immagina avvocato. «Sentivo» spiega «che era mio compito far qualche cosa per le donne, dovevo farlo, a costo di annullarmi» (p. 206).

Il romanzo di Alba de Céspedes è proprio questo. La narratrice agisce in modo tale da "annullarsi", fino a mettersi nel ruolo della processata, al posto della «donnetta» che immaginava di difendere. Ma una volta divenuta colpevole, si sdoppia, indossando quella toga. Ai lettori/giurati popolari confessa il suo crimine: che in realtà non è aver ucciso il marito, semmai la madre, che ha "trascinato a fondo" semplicemente col peso della sua esistenza. Argomenta il doppio delitto con motivazioni stringenti allo scopo di ottenere l'assoluzione morale – per la donna che è stata e per tutte le umiliate e oppresse che rappre-

senta. *Dalla parte di lei* è quindi insieme un memoriale di autodifesa e l'arringa di una penalista che chiede le attenuanti per la sua cliente. De Céspedes si propone come avvocata delle donne.

Parabola esemplare di una rivolta di genere, *Dalla parte di lei* appare oggi un romanzo programmatico in ogni scena e parola. Ma la coerenza concettuale ne nasconde la gestazione sofferta, l'elaborazione più volte interrotta, e la messa a fuoco progressiva. Basti pensare che il titolo – pure fortunatissimo, tanto da traslarsi intatto nella rubrica che de Céspedes tenne sul settimanale «Epoca» fra il 1952 e il 1958 – emerse tardivamente, solo al termine della stesura della prima parte.* Il titolo provvisorio, annotato nel diario e proposto dall'autrice all'editore Mondadori nel luglio del 1945, *Confessione di una donna*, lo avviluppava ancora nell'intimismo diaristico, così come il secondo, domestico ed elegiaco, *Finestra sul cortile*, e ancor più i successivi *Esser sempre sole, Siamo sempre sole*.

Appare inoltre un romanzo asincrono. Saldamente ancorato alla contemporaneità (che costituisce anzi oggetto di analisi) e però dalla conclusione asintotica rispetto alla riconciliazione in atto nel Paese dopo le elezioni del 1948; profetico anticipatore del dibattito femminista che solo vent'anni dopo sarebbe riemerso nella cultura italiana, e anche di progetti letterari ben posteriori, come la trilogia di Ingeborg Bachmann sugli "omicidi psichici" commessi dagli uomini sulle donne: de Céspedes aveva già descritto quello commesso dal marito sulla protagonista come un "omicidio morale". Audace esperimento di contaminazione di generi – diario, novella naturalista, romanzo psicologico, racconto lungo neorealista, rifles-

---

* *Dalla parte di lei* è stato pubblicato per la prima volta nel 1949, suddiviso in tre parti; nella versione qui data a testo, riveduta dall'autrice nel 1994, la suddivisione in parti scompare.

sione metaletteraria sulla scrittura –, è un monumento impressionante per il suo radicalismo appena agghindato con gli stracci della trama.

Fu pubblicato nell'agosto del 1949, a nove anni dalla precedente prova narrativa dell'autrice (la raccolta di racconti *Fuga*). Alcuni mesi prima, nel giugno del 1948, era uscito *Menzogna e sortilegio* di Elsa Morante, al quale – per la fiducia nella tradizione del grande romanzo ottocentesco, la sinfonia femminile delle generazioni e la tormentata voce narrante – *Dalla parte di lei* è stato paragonato. Ma la stessa de Céspedes percepiva affine il romanzo dell'altra, perché scaturito da analoghe motivazioni antagoniste: «lei deve superare il marito col suo libro, io la mia fama» (così nel diario, gennaio 1947, dopo una lunga conversazione con Morante).

Nello stesso 1949 invece erano apparsi, fra gli altri, *Ultimo viene il corvo* di Italo Calvino, *La guerra è stupida* di Marise Ferro, *La bella estate* di Cesare Pavese, *Un eroe del nostro tempo* di Vasco Pratolini, *L'Agnese va a morire* di Renata Viganò, *Le donne di Messina* di Elio Vittorini. Testi eterogenei, espressioni di tendenze disparate: dalle macerie della guerra la letteratura italiana rinasceva vigorosa, ma divisa. Gli scrittori già affermati si reinventavano, gli esordienti sbocciavano come fiori selvatici nella luce aurorale di una libertà nuova, che non era solo politica. Ma la politica investiva le coscienze e sovvertiva i ruoli e le gerarchie.

Alba de Céspedes era una scrittrice amatissima, e il suo romanzo giovanile, *Nessuno torna indietro* (1938), uno dei maggiori successi editoriali degli anni Quaranta. Il clamoroso riscontro popolare l'aveva gratificata ma anche disorientata, poiché temeva di essere relegata dalla critica – che pure l'aveva accolta con favore, lodando il suo ampio respiro di romanziera e la capacità di descrivere ambienti, situazioni e psicologie – tra le scrittrici commerciali, "alla Peverelli". (Un'intuizione peraltro giusta, perché il fraintendimento puntualmente si verificò, e tanto più i romanzi di de Céspedes incontravano il favore del pubblico o lo ritrovavano grazie a fortunati adattamenti per la televisione, tanto più la critica si sarebbe mostrata sospettosa.) Voleva quindi superarsi nel romanzo successivo. Si era invece smarrita, e solo nella nota del diario del 15 settembre 1943 affermava di avere «una gran voglia, malgrado tutto, di scrivere, di lavorare!» (Di Nicola 2005, *Diari di guerra*, p. 193).

Ma le circostanze avevano disposto altrimenti. Il 23 settembre era fuggita da Roma col suo amore, Franco Bounous, diplomatico al ministero degli Esteri. Si erano rifugiati in una stalla di Torricella, in Abruzzo, dove avevano trascorso un angosciante autunno, con Bounous fiaccato dalla malaria, costretti a fuggire di notte nell'impenetrabile bosco della Defensa per sottrarsi alle retate naziste. Gli Alleati tanto attesi non erano arrivati e il 20 novembre de Céspedes e Bounous si erano decisi a passare la linea del fronte per raggiungere la zona libera. Il 1° dicembre de Céspedes aveva iniziato a lavorare per Radio Bari, dirigendo la trasmissione *Italia combatte*, destinata ai partigiani e agli italiani dell'Italia occupata. Nella rubrica «La voce di Clorinda» – l'eroina guerriera del Tasso – parlava lei stessa.

La fuga, l'occupazione, la guerra, la partecipazione militante alla lotta di liberazione e poi l'avventura di «Mercurio» – il «mensile di politica, arte, scienze» da lei ideato e diretto subito dopo il ritorno nella Roma libera (settembre 1944) – l'avevano maturata e trasformata, trascinandola al di fuori del recinto protetto della letteratura e riconnettendola alla gloriosa tradizione familiare maschile dei de Céspedes, eroi, patrioti e padri fondatori di Cuba. Ci si era tuffata con l'irruenza della novizia e l'orgoglio dell'erede.

Nel luglio del 1945, nella casa di via Eleonora Duse ai

Parioli, fortificata da un'orgogliosa consapevolezza intellettuale che la riparava dai cedimenti sentimentali cui l'avrebbero indotta le disillusioni amorose (subito dopo le seconde nozze, con Bounous, si era scontrata con l'indifferenza del marito alle sue ambizioni), iniziò finalmente a scrivere il nuovo romanzo. Abbandonato in Abruzzo il chimerico "romanzo cubano" (ispirato alla storia della sua famiglia e ideato dopo il soggiorno a Cuba in occasione della morte del padre), aveva cominciato – e poi ripreso a Napoli nel 1944 – *Il bosco*, ambientato a Torricella e autobiografico, derivato dai suoi diari di guerra, nel frattempo in parte pubblicati su «Mercurio». Nel febbraio del 1945 *Il bosco* aveva finito per sembrarle «sbagliato completamente» e rimase frammentario, ma travasò nel romanzo il tema resistenziale e l'utilizzo – come materiale di costruzione – della scrittura diaristica. Dalla quale derivava infatti la scelta letteraria fondamentale: la narrazione in prima persona. La composizione si sviluppava per scene, scritte (per quanto possiamo desumere dalle notazioni del diario) non nell'ordine cronologico né definitivo. Il finale non era prestabilito.

La stesura del libro iniziò il 12 luglio 1945 e la occupò per tre anni, gli stessi cruciali 1945-48 nei quali gli italiani erano impegnati nella ricostruzione materiale, morale e istituzionale di un Paese inaridito e distrutto dal fascismo. L'urgenza del rinnovamento costringeva ad affrontare la questione femminile. La battaglia per il diritto di voto alle donne (e poi per la loro eleggibilità e rappresentanza) occupò partiti, associazioni, comitati e costituenti fino al marzo del 1946; subito dopo, nel 1947, si accese quello sull'ingresso delle donne nella magistratura – in questo caso però l'emendamento venne bocciato, e la decisione rinviata. Nella rivista «Mercurio» de Céspedes ne diede ampio resoconto, ma gli echi risuonano in più punti anche nel romanzo. I coevi dibattiti politici e sociali fluivano per osmosi nella narrativa, fornendole un supporto ideologico e teorico.

Tuttavia de Céspedes aveva imboccato un sentiero divergente, deviando dalla letteratura neorealista e resistenziale che andava imponendosi e alla quale pure voleva contribuire, per addentrarsi in un personalissimo, impenetrabile "bosco". Il romanzo divenne il suo rifugio – il baluardo che eresse fra sé e la morte. Scriverlo, e poi assegnarsi il «dovere di finirlo», divenne l'unica ragione di vita in anni in cui la assediavano disillusione, depressione, malanni fisici e psichici e tentazioni suicide. Oscillava fra euforia e felicità di scrivere e desiderio disperato di abbandonare tutto. Le balenava il sogno di «arrendersi, accettare il matrimonio, rinunciare alla lotta», deporre finalmente la maschera della "donna forte" e conformarsi all'ideale femminile che abitava perfino il marito tanto amato, il quale pretendeva da lei che tralasciasse le sue idee (la scrittrice provava simpatia per il comunismo), in fondo anche i suoi romanzi, per dargli dei figli e appoggiarlo nella carriera. Così la ferita privata (segreta origine dell'opera e perciò irraggiungibile e inconfessabile *in primis* a se stessa) slabbrava il tessuto della trama.

La Storia – che conduce la vicenda – viene elusa e allusa, respinta finché possibile come un sordo rumore di fondo. Mai nel romanzo viene nominata la parola "fascismo", e Mussolini è solo "la voce" odiosa che blaterando dalla radio infesta la vita di tutti (soltanto all'annuncio dell'armistizio Alessandra, scoppiando a piangere, può rammaricarsene, umiliata «che la voce arrogante fosse stata proprio la voce del mio tempo e della mia età», p. 398). Le uniche date esplicitate nel testo sono legate a fatti privati (l'incontro di Alessandra con Francesco Minelli tra le statue della Galleria Borghese, i compleanni e gli onomastici), e solo nella terza parte gli Eventi (come l'entrata in guerra dell'Italia o l'ingresso degli Alleati a Roma) irrompono nella narrazione fino a diventare diegetici. Sono sempre pagine ispirate, per nulla cronachistiche, anzi fra le più notevoli mai scritte su quegli episodi: si vedano la partenza dei soldati per il fronte, in un clima mesto, opposto a quello, festoso, della Prima guerra mondiale («Ai giovani, che possedevano solamente il futuro, non rimaneva nulla», p. 253), i brani sulla Roma povera, buia e spaventata del 1942, o la passeggiata di Alessandra e Tomaso fra le macerie di San Lorenzo, maleodoranti di carogna, dopo il bombardamento del luglio del 1943.

Riscrivere "dalla parte di lei" la storia italiana degli ultimi anni aveva infatti delle conseguenze impreviste. Le scelte e le motivazioni della protagonista nella stagione della guerra non reggevano senza una premessa. Il passato prossimo si rattrappiva davanti al passato remoto, la prospettiva si capovolgeva. Spazio e tempo deflagravano. Così il romanzo breve sulla Resistenza diventava il fluviale romanzo della formazione, mancata, di una ragazza bionda, alta come un giunco, androgina e solitaria, nella meschina Roma del Ventennio. Solo ampliando la sottostoria particolare dell'amata madre, «suicida per amore», vittima della illusoria "favola" romantica che aveva ingannato le donne della generazione precedente, l'evoluzione di Alessandra, che culminava col rifiuto di ripeterne il destino, acquistava valore universale.

«Dirò tutto» si giustifica Alessandra, «con spietata sincerità, con crudezza. Forse solo da questo punto, la storia incomincia ad essere veramente importante ai fini per cui è stata scritta» (p. 274). È «una lunga memoria, infatti, perché infinitamente lunga è, giorno dopo giorno, ora dopo ora, anche la breve vita di una donna; e raramente è una sola la causa che la costringe a un'improvvisa ribellione» (p. 524).

Per questo de Céspedes costruisce un edificio asimmetrico, dedicando metà di *Dalla parte di lei* a quello che potrebbe sembrare l'antefatto – preistoria della famiglia Corteggiani, infanzia e adolescenza romana della protagonista e parentesi abruzzese – e strozzando in un finale accelerato il clamoroso omicidio.

La rivoltella di Francesco Minelli appare (nel comodino) solo a pagina 395 (strategia drammaturgica collaudata: Čechov sosteneva che, se in un romanzo compare una pistola, bisogna che spari); 23 pagine dopo Francesco insegna a Alessandra a usarla, spiegandole che «a volte si tratta di difendersi»; Alessandra la nasconde nella poltrona durante la perquisizione dell'ufficiale tedesco e infine, già a p. 519, con gesto brutale la scarica nella schiena del marito addormentato. "L'imprevisto delitto" di Alessandra parve a Arnoldo Mondadori per primo, e poi alla maggior parte dei recensori (uomini), gratuito e incomprensibile.

Così nelle prime due parti i capitoli, intervallati da semplici stacchi, si snodano col ritmo sonnolento, ma trascinante e inesorabile, della corrente del Tevere. Il fiume di Roma, che inghiotte il fratello e la madre di Alessandra, e separa la riva destra del passato dalla sinistra di un futuro sognato, possibile e poi respinto, è una presenza simbolica quasi ossessiva nel romanzo – peraltro alquanto spoglio di simboli e oggetti metaforici: oltre al fiume, solo la finestra (immagine ricorrente in tutta la produzione di de Céspedes) e la poltrona (acutissime le pagine sul diritto negato delle donne a possedere una poltrona propria nelle loro case: sicché la poltrona tutta per sé che Alessandra riesce poi ad acquistare e difende dalle svendite per fame della guerra vale più della stanza di Virginia Woolf).

Gli spazi sono soffocanti, gli itinerari prestabiliti. I personaggi si muovono in una topografia minimale, circoscritta al quartiere allora grigio e impiegatizio di Prati (Alessandra ci informa subito, burocraticamente, dell'indirizzo, via Paolo Emilio 30): il Gianicolo arioso dove svetta la villa dei Pierce è già sognata terra straniera (inglesi infatti sono i proprietari e il misterioso Hervey). A parte le passeggiate sulla riva del fiume, ancora punteggiata di canneti, rare sono nella prima parte le scene in esterni: i personaggi sono prigionieri delle cucine, delle scale, delle camere da letto, dei muri (al massimo sono concessi loro terrazzini e loggiati). De Céspedes ricostruisce senza tregua e cedimento riti, aspirazioni, vizi e consuetudini della piccola borghesia italiana, immiserita da una grettezza che tarpa ogni slancio e ideale (e conduce alla supina indifferenza e accettazione del fascismo). Lo squallore della routine che acceca (anche letteralmente, nella terza parte) il padre, impiegato statale (personaggio memore dei tristi travet del naturalismo) rima con l'esistenza angusta delle donne del casamento umbertino di via Paolo Emilio, dipinta con un distacco da Neue Sachlichkeit.

Ma l'ipersensibile Alessandra, pur sigillata in un microcosmo asfittico e da una prospettiva che le offre una visibilità limitata, impara a percepire il contesto sociale e decifrarne i segni. Registra le minime increspature, i dissensi minoritari (non essere "contento" è l'espressione che nel romanzo identifica gli oppositori politici), la vigliaccheria, la rassegnazione, e poi gli slanci dei resistenti e il loro quotidiano eroismo. Sullo sfondo, tratteggiati appena (si veda l'ingegner Mantovani) restano i persuasi, i fanatici, gli opportunisti. De Céspedes faceva dolorosamente i conti con la sua stessa vicenda. Arrestata nel 1935 a ventitré anni per contatti con gli ambienti antifascisti, tenuta in carcere alcuni giorni a scopo intimidatorio, ricattata con la minaccia di non poter più scrivere, si era prestata a una sorta di abiura pubblica, scrivendo un romanzo di boxe, *Io, suo padre*, francamente fascista e infatti prescelto per rappresentare l'Italia alle Olimpiadi di Berlino del 1936.

Con la stessa analitica lucidità Alessandra smaschera il pregiudizio degli uomini verso il lavoro femminile (tralascia gli studi per il matrimonio e un lavoro da segretaria e viene avvisata che l'indipendenza concessa alle donne dalla guerra non reggerà alla pace, come già avvenuto dopo il 1918) e il classismo (la suocera, vedova benpensante di un magistrato, disprezza la nuora senza dote e senza *status*).

Benché notevoli siano svariati personaggi maschili – il

padre, il debole zio Rodolfo, ma anche l'usciere Salvetti e il portiere dei Parioli –, restano indeterminati il fidanzato abruzzese Paolo e il gentile innamorato Tomaso. E l'antagonista, Francesco Minelli – professore di filosofia del diritto, amato in esterni, alla brezza del Lungotevere, antifascista privato dell'insegnamento e dal regime ridotto in miseria per umiliarlo, poi attivista nella Resistenza, prigioniero a Regina Coeli, politico rispettato nella nuova Italia e deputato *in pectore* –, rimane stranamente sfocato, come se la distanza ravvicinata da cui la narratrice (e l'autrice) lo guardano creasse una distorsione ottica. E di lui resta memorabile solo il "muro di spalle" che nel letto oppone alla moglie, pure amata, fin dall'inizio della loro convivenza.

Perciò la parte più vitale del romanzo la si deve rintracciare nelle donne, di ogni estrazione sociale e provenienza geografica, che lo affollano. E se Alessandra – ragionatrice implacabile – si offre ai lettori «presuntuosa e antipatica», come la giudicano i compagni di liceo, e la madre Eleonora – innamorata dell'impalpabile Hervey – rischia di somigliare a un'eroina convenzionale da romanzo liberty, potente è il coro delle altre. La domestica sarda Sista, la petrosa nonna abruzzese, matriarca padrona della casa, della terra e della famiglia, le zie Sofia e Violante, la compagna Denise, la bambina anonima figlia del portiere, e soprattutto le frivole Lydia e Fulvia, vicine di casa in via Paolo Emilio, succubi della loro procacità e del desiderio maschile, condannate entrambe al ruolo subalterno dell'amante (Fulvia viene molestata a quindici anni dal padre di Alessandra in una pagina di aspra concisione). Ed è proprio Fulvia al centro della scena più lodata del romanzo (fra gli altri da Emilio Cecchi e Anna Banti), che vede le due donne, ormai adulte, sole in camera da letto. Elegante – ma non reticente – esplorazione del desiderio erotico femminile.

La varietà delle situazioni, la stupefacente esattezza

dei ritratti e dei dialoghi, la dovizia politonale del romanzo confermavano le qualità di una «narratrice per dono di Dio», come avrebbe scritto Goffredo Bellonci. Eppure insoddisfazioni e ripensamenti, che tormentavano de Céspedes già durante la stesura (trovava la storia «rovinata dal pensiero della tesi, del disegno fisso. È un errore, è un torto»), riaffiorarono subito dopo la consegna del manoscritto all'editore. Dopo la rilettura, nell'agosto del 1948, annotò amaramente nel diario: «sarebbe meglio smettere. Non sarò mai una grande scrittrice». La revisione delle bozze si protrasse più di sei mesi, costringendo Mondadori a rimandare la pubblicazione. E quando lesse la prima copia del libro, in America, dove aveva seguito il marito (in effetti aveva lasciato che il suo personaggio tirasse il grilletto, mentre lei in qualche modo si era «arresa»), gli riconobbe un difetto, benché veniale: «è troppo ricco». Come ricca si sentiva lei stessa: «rischio di far troppo, di strafare». (Ghilardi 2005, p. 108).

Nel 1952 ne individuò un altro. Al diario confidò: «c'era in me il desiderio di stupire la critica col mio stile, il perfetto possesso dei mezzi di espressione. Era l'Anti-Nessuno, e aveva tutti i difetti delle polemiche» (Ghilardi 2005, p. 113). Nel 1950-51, per la traduzione in lingua inglese sfrondò il testo di un centinaio di pagine, allestendo una versione ridotta e stilisticamente più controllata, confidando in riedizioni italiane future (quella che leggiamo oggi è appunto il frutto di tale revisione). L'impressione di "eccesso" tuttavia rimane. E in realtà è proprio questa la ragione della tenuta del romanzo e della sua forza intatta. *Dalla parte di lei*, che pure all'uscita non sembrava destinato a ripetere i trionfi di *Nessuno torna indietro*, fu continuamente ristampato in Italia, tradotto e apprezzato nelle principali lingue e, col trascorrere dei decenni, scoperto da nuove generazioni di lettrici. Il titolo stesso è entrato nel linguaggio comune, fino a diventare proverbiale.

Ma *Dalla parte di lei*, che si presenta come un esempio da manuale narratologico di focalizzazione interna, si rivela piuttosto un teatro cinese, un sofisticato gioco di specchi. La figura del doppio è la sua chiave, non solo nella scissione fra la «donnetta» e l'avvocata. Alessandra è l'ombra di Alba, di cui assorbe vita, esperienze, pensieri, parole. «Alessandra sono io» affermava de Céspedes nel diario a gennaio del 1947, e ancora, nel mese di settembre, riteneva che tutti lo avrebbero compreso: «Graffiando un poco il gesso della patina, sotto Alessandra sarebbe facile trovare Alba». Alessandra è il suo alibi. Vi sono in realtà due narratrici – una palese e una occulta: non combaciano e si alternano, il commento di una accompagna le vicende dell'altra come una didascalia. Ma a rivelarlo non sono tanto gli inserti provocatori, quasi saggistici, sulla catena del destino delle donne, l'elogio della vecchiaia, le obiezioni alla maternità, i commenti metaletterari (alla scrittura o a testi altrui, come le lettere dei condannati a morte della Resistenza), i quali pure coincidono, talvolta puntualmente, con le opinioni e i pensieri dell'autrice. È che ogni personaggio, luogo, parola, evento, è un'ombra proiettata ("gettata", nel linguaggio artistico) da una sorgente nascosta. E questo conferisce al romanzo la sua ambiguità dolorosa – sicché rimane non perfettibile la definizione che ne diede Goffredo Bellonci: «avvincente e inquietante».

Perché *Dalla parte di lei* non è, come fu scritto, la «rivincita di Emma Bovary», né un romanzo di adulterio, che la protagonista – consapevole di non essere padrona neppure del suo corpo – si nega proprio per rivendicare la sua dignità. Non è «la cronaca esatta» di un «tragico avvenimento», come pretende l'io narrante. E in fondo non è neppure un'orazione in difesa. Infatti Alessandra non sa né vuole difendersi nel giudizio in tribunale, ma lo fa nella scrittura – che trasforma la confessione in requisitoria, e la narrazione nel processo implacabile non a una donna assassina del marito, ma all'autrice di cui è schermo, alla società e all'Italia in cui è vissuta. Italia che, al momento della consegna del manoscritto a Mondadori, alla vigilia della partenza per l'America, de Céspedes poteva ancora sperare emendabile. Nel 1994, prima dell'ultima ristampa, dalla Parigi che ormai aveva eletto a nuova patria, constatava invece amaramente il fallimento della ricostruzione e del Paese intero – un protettorato americano divenutole estraneo, nient'altro che la «filiale di un supermercato».

Eppure, molte delle battaglie da lei combattute – le donne in magistratura, il lavoro femminile, il divorzio, la liberazione sessuale – erano state vinte. Forse già presagiva quelle future. Le italiane del XXI secolo non si uccidono più per amore, né uccidono per questo. Uomini e donne sono sempre «pianeti diversi», e «ognuno gira sul proprio asse» (p. 45), ma la parola "amore" si è degradata a pretesto. E proprio in nome del cosiddetto amore le donne vengono uccise dagli uomini che hanno amato.

*Riferimenti bibliografici*

I diari di Alba de Céspedes, ancora inediti, sono conservati presso la Fondazione Arnoldo e Alberto Mondadori di Milano.

Ulla Åkerström, *Tra confessione e contraddizione. Uno studio sul romanzo di Alba de Céspedes dal 1949 al 1955*, Aracne, Roma 2004.
Anna Banti, *Romanticismo polemico*, in «L'illustrazione italiana», 14 novembre 1949.
Goffredo Bellonci, *Dalla parte di lei*, in «Il Giornale d'Italia», 14 dicembre 1949.
Emilio Cecchi, *La nuova de Céspedes*, in «L'Europeo», 23 ottobre 1949.
Laura Di Nicola, *Raccontare la Resistenza*, in *Alba de Céspedes*, a cura di Marina Zancan, Il Saggiatore-Fondazione Arnoldo e Alberto Mondadori, Milano 2005, pp. 226-55.
Laura Di Nicola, *Diari di guerra di Alba de Céspedes*, in «Bollettino di italianistica», II, n. 1, 2005, pp. 189-226.
Laura Di Nicola, *Notizie sui testi*, in Alba de Céspedes, *Romanzi*, Mondadori, Milano 2011, pp. 1630-48.

Paola Di Nicola, *La giudice. Una donna in magistratura*, Ghena, Roma 2012.

Margherita Ghilardi, *Dalla parte di lei. Le due redazioni*, in *Alba de Céspedes*, a cura di Marina Zancan, cit., pp. 106-24.

Marina Zancan, *Cronologia*, in Alba de Céspedes, *Romanzi*, cit., pp. LXIII-CXLIX.

# Dalla parte di lei

*From childhood's hour I have not been*
*As others were; I have not seen*
*As others saw; I could not bring*
*My passions from a common spring.*
*From the same source I have not taken*
*My sorrow; I could not awaken*
*My heart to joy at the same tone;*
*And all I loved, I loved alone.*

POE

Il testo che qui si riproduce è quello dell'edizione pubblicata nella collana "Scrittori italiani", Mondadori, Milano 1994. Appositamente per tale edizione Alba de Céspedes scrisse anche una Prefazione, che però giunse in casa editrice quando il libro era già in stampa, e che uscì quindi solo sul «Corriere della Sera» il 20 ottobre 1994 con il titolo *Quando l'Italia perse le illusioni*. La riproponiamo in Appendice.

Incontrai per la prima volta Francesco Minelli a Roma, il venti ottobre del mille novecento quarantuno. Io stavo allora preparando la tesi di laurea e mio padre, da un anno, era divenuto quasi cieco a causa di una cateratta. Abitavamo in uno dei nuovi casamenti sul Lungotevere Flaminio, dove avevamo preso alloggio subito dopo la morte di mia madre. Io potevo considerarmi figlia unica sebbene, prima della mia nascita, un mio fratello avesse avuto il tempo di venire al mondo, rivelarsi un fanciullo prodigioso e morire annegato a tre anni. Di lui si vedevano, in casa, molte fotografie nelle quali la sua nudità era appena difesa da una camiciola bianca che scivolava sulle spalle rotonde; era anche ritratto bocconi sopra una pelle d'orso ma mia madre, fra tutte, ne prediligeva una piccola che lo mostrava in piedi, con una mano tesa verso la tasticra del pianoforte. Ella sosteneva che, se fosse vissuto, sarebbe stato un grande compositore come Mozart. Si chiamava Alessandro e quando io nacqui, pochi mesi dopo la sua morte, mi venne imposto il nome di Alessandra per rinnovare la sua memoria e nella speranza che in me si manifestassero alcune di quelle virtù che avevano lasciato di lui un inestinguibile ricordo. Questo legame al piccolo fratello defunto pesò moltissimo sui primi anni della mia infanzia. Non riuscivo mai a liberarmene: quando mi si rimproverava era per farmi notare che avevo tradito, nonostante il mio nome, le speranze che mi erano state affidate; né si tralasciava di aggiungere che Alessandro mai avrebbe osato agire in tal modo; e finanche quando meritavo un buon voto a scuola, o davo prova di diligenza e lealtà, mi si toglieva metà del merito insinuando che fosse Alessandro ad esprimersi attraverso me. Quest'abolizione della mia personalità mi fece crescere forastica e taciturna e, più tardi, io scambiai per fiducia nelle mie doti ciò che era soltanto l'affievolirsi del ricordo di Alessandro nei nostri genitori.

Tuttavia alla spirituale presenza di mio fratello, col quale mia madre comunicava per mezzo di un tavolino a tre gambe e con l'aiuto di una medium chiamata Ottavia, io attribuivo un malefico potere. Non dubitavo che egli si fosse stabilito in me, ma – al contrario di quanto i miei genitori sostenevano – solo per suggerirmi azioni riprovevoli, cattivi pensieri, malsane voglie.

Perciò mi abbandonavo ad essi, giudicando inutile combatterli. Alessandro rappresentava, insomma, ciò che per altre bambine della mia età era il diavolo o lo spirito maligno. "Eccolo" pensavo, "è lui che comanda." Credevo che potesse impadronirsi di me come del tavolino.

Mi lasciavano spesso sola in casa, affidata a una vecchia serva di nome Sista. Mio padre era in ufficio, mia madre usciva ogni giorno e rimaneva assente molte ore. Era insegnante di pianoforte e avrebbe potuto manifestare un notevole ingegno, compresi più tardi, se le fosse stato possibile rivolgerlo verso l'arte invece di piegarlo alle esigenze e ai gusti dei borghesi ricchi dei quali doveva istruire i figliuoli. Prima di uscire ella mi preparava qualche passatempo, acciocché potessi distrarmi durante la sua assenza. Sapeva che non amavo i giuochi rumorosi e violenti: perciò mi faceva sedere in una poltroncina di vimini adatta alla mia statura e disponeva accanto a me, su un tavolino basso, ritagli di stoffa, conchiglie, margherite da infilare a guisa di braccialetti o collane, e alcuni libri. Presto, dietro la guida affettuosa di lei, avevo imparato a leggere e scrivere discretamente; e, a mio dispetto, anche questa precocità era stata attribuita all'influsso di Alessandro. In realtà io ragionavo e mi esprimevo come se avessi avuto il doppio dei miei anni, e mia madre non se ne maravigliava perché mentalmente sostituiva alla mia età quella che avrebbe avuto Alessandro. Mi lasciava leggere, perciò, libri adatti a ragazzine più mature. Tuttavia oggi posso giudicare che la scelta di tali libri era ottima e suggerita da una solida cultura.

Dunque ella usciva, dopo avermi baciata appassionatamente come per un lungo distacco, e io rimanevo sola. Veniva dalla cucina l'acciottolìo dei piatti, nel corridoio passava la magra ombra di Sista: al crepuscolo Sista si chiudeva nella sua cameretta, al buio, e la sentivo recitare il rosario. Allora, certa di non essere sorpresa, io abbandonavo i libri, le conchiglie, i braccialetti di margheritine e andavo alla scoperta della casa.

Non mi era permesso di accendere la luce perché vivevamo nella più stretta economia. Incominciavo ad aggirarmi nella penombra, camminando lentamente, tendendo le braccia al modo di una sonnambula. Mi avvicinavo ai mobili, vecchi e massicci, che, a quell'ora, sembravano uscire per me dalla loro ferma quiete e animarsi di misteriose apparenze. Aprivo le porte, frugavo nei cassetti, spinta da una curiosità febbrile, e infine, vedendo la luce ritirarsi dalle cupe stanze, mi acquattavo in un canto, pervasa da una tremenda paura e dal godimento che essa mi procurava.

D'estate, invece, andavo a sedermi sulla loggia che dava nel cortile comune oppure m'affacciavo alla finestra con l'aiuto di un panchettino. Non sceglievo mai le finestre sulla strada: preferivo una finestra che s'apriva su un cortiletto foderato di glicine, il quale divideva la nostra casa da un convento di suore. Le rondini calavano volentieri nell'ombra del cortile e, al loro primo strido, io m'alzavo come chiamata, accorrevo alla finestra. Lì m'attardavo seguendo con lo sguardo le rondini, i mutevoli disegni delle nubi e la vita della segreta comunità femminile che trapelava dalle finestre illuminate. Dietro gli schermi bian-

5

chi che difendevano le finestre del convento, le monache passavano leste proiettando grandi ombre cinesi. Le strida crudeli delle rondini erano frustate che aizzavano la mia fantasia. Zitta, nell'angolo della finestra buia, io saccheggiavo tutto quanto era attorno. Questo ineffabile stato d'animo era da me definito "Alessandro".

Poi mi rifugiavo da Sista che sedeva presso i fornelli nella cucina arrossata dai carboni accesi. Mia madre tornava, accendeva la luce: dall'ombra affioravamo la vecchia serva ed io, istupidite dal buio e dal silenzio. I muti colloqui col piano e con le rondini mi affaticavano tanto da averne gli occhi pesti. Mia madre allora mi toglieva in braccio, per farsi perdonare l'assenza, e mi raccontava di donna Chiara e donna Dorotea, le giovani figliuole di una principessa alle quali da anni andava insegnando la musica senza alcun risultato.

Mio padre rincasava piuttosto tardi, secondo l'uso dei meridionali. S'udiva la chiave girare nella toppa – una chiave lunga e magra che sempre gli sporgeva dal taschino del panciotto – e poi lo scatto secco dell'interruttore. Noi eravamo in cucina, mia madre aiutava Sista nel preparare la cena: ma appena udiva il rumore della serratura, prima ancora che il marito fosse entrato in casa, ella, rassettandosi frettolosamente i capelli, passava nella stanza da pranzo e sedeva con me sul rigido divano. Prendeva un libro e fingeva di leggere, assorta; poi chiedeva: «Sei tu, Ariberto?» con una voce squillante che esprimeva gioiosa sorpresa. Durante i primi anni della mia vita, la mamma inscenava ogni sera questa piccola commedia che a me parve, per lungo tempo, incomprensibile. Non riuscivo a capire perché ella aprisse febbrilmente il libro, se poi non poteva proseguirne la lettura; tuttavia ogni sera restavo affascinata da quel richiamo che echeggiava armoniosamente nella casa, facendo apparire romantico il brutto nome di mio padre.

Mio padre era un uomo alto e robusto, dai capelli tagliati a spazzola. Quando m'accadde, fatta adulta, di vedere alcune fotografie che lo ritraevano negli anni della sua gioventù, compresi come potesse avere avuto buon successo con le donne. Aveva occhi profondi, nerissimi, e il labbro pesante e sensuale. Vestiva sempre di scuro, forse perché era impiegato in un ministero. Parlava poco: si accontentava per lo più di scuotere la testa in segno di disapprovazione mentre mia madre discorreva vivacemente. Ella raccontava di cose viste o ascoltate in strada e condiva il racconto di osservazioni argute, lo arricchiva con la fantasia. Mio padre la guardava e poi crollava il capo.

Litigavano spesso, ma senza scenate, dispute chiassose. Si parlavano a voce piuttosto bassa, lanciandosi abilmente, in un serrato duello, frasi secche e pungenti. Io li guardavo sbigottita benché non comprendessi i loro discorsi folti di allusioni. Se non fosse stato per l'ira contenuta nei loro sguardi non mi sarei neppure avveduta che litigavano.

In quei momenti Sista – che era sempre in ascolto dietro la porta – veniva a prendermi, mi conduceva in cucina, mi obbligava a rispondere al rosario, alle litanie; talvolta, per distrarmi, mi narrava la storia della Madonna di Lourdes che appare alla pastora Bernadette o di quella di Loreto che viaggia con la casa trasportata dagli angeli.

I miei genitori intanto s'erano chiusi nella loro camera. Attorno alla vecchia serva e a me s'addensava il silenzio. Io temevo di vedere apparire nel vano della porta uno di quegli spiriti che la medium Ottavia evocava il venerdì e che nella mia immaginazione infantile raffiguravo simili a scheletri candidi e scricchiolanti. «Sista, ho paura» dicevo; e Sista mi domandava: «Di che?», ma aveva una voce incerta e spesso guardava verso la camera di mia madre, come se anche lei avesse paura.

Parlavano sottovoce, perciò non mi riusciva di cogliere una sola parola. Il segno della burrasca era dato dal silenzio che si diffondeva nel corridoio buio e nelle quattro stanze della casa: un ambiguo silenzio che sfuggiva di sotto la porta chiusa e avanzava, saturava l'aria, insidioso come una fuga di gas. Sista abbandonava sulle ginocchia il lavoro a maglia, le mani scosse da un tremito. Alla fine, dando in manifesti segni d'impazienza e d'ansietà, mi conduceva nella mia camera, quasi per trarmi in salvo, e incominciava a spogliarmi, affrettatamente, mi nascondeva sotto le lenzuola; io ubbidivo, zitta, lasciavo che spegnesse il lume, zitta, vinta dal silenzio che partiva dalla camera nuziale.

Spesso, nella notte, dopo queste angosciose serate, mia madre entrava in punta di piedi, si chinava sul mio letto e mi stringeva convulsamente a sé. Non accendeva la luce; nell'ombra intravvedevo la sua camicia bianca. Io mi avvinghiavo al collo di lei, la baciavo. Era un attimo: poi ella fuggiva via e io chiudevo gli occhi, spossata.

Mia madre si chiamava Eleonora. Da lei io avevo ereditato il colore chiaro dei capelli. Era così bionda che, quando sedeva contro la luce della finestra, i suoi capelli sembravano candidi e io rimanevo attonita a guardarla come se avessi avuto una visione della sua futura vecchiezza. I suoi occhi erano azzurri, la pelle trasparente: questi caratteri le venivano dalla madre austriaca, la quale era stata un'artista drammatica piuttosto nota e aveva abbandonato le scene per sposare mio nonno, italiano, ufficiale d'artiglieria. Infatti alla mamma era stato dato quel nome per ricordare la *Casa di bambola* di Ibsen che ella soleva rappresentare nelle sue serate d'onore. Due o tre volte l'anno mia madre – nei rari pomeriggi di vacanza che si concedeva – mi faceva sedere accanto a sé, apriva la grande scatola detta "delle fotografie" e mi mostrava i ritratti della nonna. Figurava sempre molto elegante nei suoi vestiti di scena, con vistosi cappelli adorni di piume o vezzi di perle tra i capelli sciolti; io stentavo a credere che quella fosse veramente la nonna, nostra parente, e avrebbe potuto venire a trovarci nella casa in cui abitavamo, entrare nel nostro portone dove sempre risonava il martello del portinaio ciabattino. Conoscevo a memoria i titoli dei drammi da lei rappresentati e i nomi delle eroine che interpretava. La mamma voleva che io prendessi dimestichezza con il teatro: perciò mi raccontava le trame delle tragedie, me ne leggeva le scene più importanti, rallegrandosi che io ritenessi i nomi dei personaggi come quelli di nostri familiari. Erano ore bellissime. Sista seguiva queste narrazioni seduta in un canto, le mani sotto il grembiule, quasi volesse asseverare, con la sua presenza, la veridicità di tali storie maravigliose.

Nella stessa scatola erano conservate fotografie dei parenti di mio padre: una famiglia di piccoli possidenti abruzzesi, poco più che contadini. Donne dal seno colmo, stretto nel busto nero, i capelli spartiti e calanti in due grevi smerli ai lati del volto massiccio. C'era anche una fotografia del mio nonno paterno in giacca scura, cravatta a fiocco. «Sono brava gente» mia madre diceva: «gente di paese.» Da loro ci giungevano, spesso, sacchi di farina e cesti di fichi imbottiti, saporitissimi; ma nessuna delle mie zie si chiamava Ofelia o Desdemona o Giulietta, e io non ero abbastanza ghiotta da preferire la torta di mandorle alle amorose tragedie di Shakespeare. La parentela abruzzese, perciò, in tacito accordo con la mamma, era sprezzata. I cesti ricoperti di tela ruvida, cucita tutta in giro, venivano aperti senza interesse e anzi – nonostante la nostra povertà – quasi con tolleranza. Soltanto Sista ne apprezzava il contenuto e lo riponeva gelosamente.

Sista aveva per mia madre una trepida, assoluta devozione. Avvezza a servire, in case povere, donne che usavano espressioni sciatte e volgari, e che limitavano i loro interessi nell'ambito delle dispense e delle cucine, ella era stata subito conquistata dalla sua nuova padrona. Quando mio padre non c'era la seguiva dovunque in casa, rifacendosi poi, col lavoro notturno, del tempo perduto. Se la udiva sonare il pianoforte, lesta abbandonava ogni altra cura, rialzava da un lato il grembiule e accorreva in salotto; ascoltava scale, studi, esercizi, allo stesso modo delle sonate.

Le piaceva sedere nell'ombra, in silenzio: durante la mia infanzia il buio fu sempre animato dai suoi lucidi occhi di nuorese. Parlava pochissimo, credo che non mi accadde mai di udire un suo discorso filato. Sembrava legata alla nostra casa dall'attrazione irresistibile che la persona di mia madre esercitava su di lei, svelandole un mondo che ella aveva ignorato persino al tempo della breve giovinezza. Perciò, bigotta, rimaneva al nostro servizio benché mia madre non andasse mai a messa e non mi educasse secondo una morale strettamente cattolica. Io credo che ella si considerasse in peccato, vivendo tra di noi; forse si confessava della sua permanenza in casa nostra, prometteva di troncarla e si trovava, invece, sempre più insabbiata in questo peccato abituale. Certe volte, quando mia madre era assente, la casa doveva apparirle simile a una vena svuotata dal sangue: le lunghe ore del pomeriggio trascorrevano solitarie e logoranti; se la padrona ritardava appena un poco, subito le veniva fatto di temere che, distratta e svagata com'era, fosse stata travolta dalle ruote di un tram, di una carrozza: immaginava il corpo di lei, disteso, inerte sulle selci della strada, le tempie pallide, i capelli verniciati di sangue. Io sapevo che un lacerante guaito di cane le stava nella gola mentre ella sedeva, muta e immobile, la mano sui grani del rosario o sullo scaldino. Tuttavia un remoto senso di pudore le impediva di aspettare mia madre alla finestra. Anch'io, del resto, in quei momenti venivo colta da un irragionevole, agghiacciante timore e mi stringevo al fianco di Sista. Ella pensava, forse, che avrebbe ripreso a servire signore grasse, ottime massaie; io sarei stata condotta in Abruzzo, dalla Nonna. La luce calava a strati, ondate di buio ci sommergevano: erano momenti tristissimi. Infine la mamma tornava e dall'ingresso annunciava festosamente: «Eccomi!» come rispondendo a un nostro disperato richiamo.

Sista serviva anche mio padre con fedeltà e mansuetudine. Lo serviva e lo rispettava: era un uomo, il padrone di casa. Anzi, se doveva chiedere qualcosa, parlare a lui le riusciva più facile poiché lo riconosceva della sua razza, umile, inferiore. Le sue squallide avventure amorose, delle quali ella, come seppi più tardi, per mille segni era al corrente, non la infastidivano neppure perché aveva visto, al suo paese prima e in città poi, molti altri uomini sposati agire allo stesso modo.

Io non riuscivo a comprendere, dapprima, perché i miei genitori si fossero sposati né ho mai saputo come fosse avvenuto il loro incontro. Mio padre non differiva dal comune modello di marito piccolo borghese, mediocre padre di famiglia, mediocre impiegato che, nelle ore libere, la domenica, ripara gli interruttori o costruisce ingegnosi apparecchi per risparmiare il gas. La sua conversazione era sempre la stessa, scarsa, dispettosa; di solito egli criticava governo e burocrazia, con meschini argomenti; si lagnava di piccole beghe d'ufficio, servendosi di un linguaggio convenzionale. Anche il suo aspetto fisico era privo di qualsiasi spiritualità. Alto e corpulento, esprimeva una materiale prepotenza nella larga struttura delle spalle. I suoi occhi neri, tipicamente mediterranei, erano dolci e umidi come fichi settembrini. Solo le sue mani – alla destra usava portare un anello d'oro a foggia di serpente – erano singolarmente belle e recavano nella nobiltà della forma e del colore le impronte di una razza antichissima. La pelle, liscia e sottile, scottava come se imprigionasse un sangue ricco. Fu questo ardore segreto a rivelarmi confusamente ciò che aveva spinto mia madre verso di lui. La loro camera era attigua alla mia e la sera, talvolta, io m'indugiavo sveglia, ginocchioni sul letto, con l'orecchio schiacciato contro la parete. Ero rosa dalla gelosia e il sentimento che mi spingeva a quelle basse azioni mi sembrava veramente "Alessandro".

Un giorno – ero molto piccola, non avevo ancora dieci anni – entrando nella stanza da pranzo li sorpresi abbrac-

11

ciati. Volti alla finestra, mi davano le spalle. Una delle mani di mio padre posava sul fianco della mamma e si abbassava e si sollevava in colpettini golosi. Ella indossava una veste leggera e certo avvertiva il calore secco e bruciante della pelle di lui; ma non ne provava fastidio, era evidente. Ad un tratto egli le posò le labbra sul collo, di lato, dove la spalla ha inizio. Immaginavo che le sue labbra scottassero come le sue mani: mia madre aveva un collo bianco e lungo, delicatissimo, sul quale sarebbe stato facile lasciare un marchio rosso come una bruciatura. Mi aspettavo di vederla ribellarsi con uno dei suoi scatti estrosi e invece rimase stretta a lui, divenuta pigra, lenta, ingorda. Io feci per fuggire e urtai in una sedia: al rumore i miei genitori si volsero e mi guardarono sorpresi. Avevo il viso contratto, lo sguardo irato. «Che hai, Sandi?» la mamma mi domandò. E non veniva verso di me, non mi abbracciava, non fuggivamo insieme. Anzi, ebbe un riso futile, manierato. «Sei gelosa?» mi domandò scherzando. «Sei gelosa?» Io non risposi. La guardavo fissa, soffrendo acerbamente.

Tornai nella mia camera e consumai in silenzio il mio sordo livore. Avevo ancora negli occhi il viso di mio padre che sorrideva in maliziosa complicità con la mamma. Per la prima volta l'avevo sentito entrare nel nostro raccolto mondo femminile come un insidioso nemico. Mi era sembrato fino allora che egli fosse una creatura di razza diversa, a noi affidata, cui si dovessero soltanto cure materiali. Solo queste, infatti, sembravano interessarlo: spesso noi mangiavamo avanzi del pasto precedente mentre per lui si coceva una bistecca: i suoi vestiti erano stirati di frequente e i nostri appesi sulla loggia, all'aria, perché perdessero le più evidenti spiegazzature. Da tutto ciò avevo tratto la convinzione che egli vivesse in un mondo diverso dal nostro e nel quale avevano posto preminente quelle stesse cose che mia madre col suo esempio m'aveva insegnato a disprezzare.

In quel tempo cominciai a pensare al suicidio credendo

che la mamma tradisse la nostra intesa segreta. Da allora quest'idea tornò innumerevoli volte a tentarmi, quando temevo di non poter superare un momento arduo, o soltanto una notte di incertezza e di angoscia.

La mia scarsa educazione religiosa mi ha sempre impedito di accettare con rassegnazione una vita infelice considerandola soltanto transitoria. Anzi il pensiero del suicidio, sempre presente in me come estrema risorsa, mi fu di grande aiuto nei giorni difficili. Grazie ad esso potevo, anche nel più cupo sconforto, apparire gaia e disinvolta. Da bambina immaginavo di uccidermi impiccandomi alla finestra della mia camera, che era munita di una grata; talvolta, invece, pensavo che bastasse abbandonare la casa, uscire nella notte e camminare camminare, fino a cadere esausta e inanimata. Impresa che, peraltro, non mi sembrava attuabile visto che mio padre ogni sera, prima di andare a dormire, chiudeva la porta di casa con tre giri di chiave.

Il sonno placava la mia disperazione e i miei propositi. Tuttavia, spesso, in quel periodo, pregavo Sista di accompagnarmi in chiesa. Somigliavo la mamma nei suoi improvvisi slanci; anche lei a volte per tre o quattro giorni consecutivi si recava in chiesa al crepuscolo, si inginocchiava, cantava, rapita dalla musica. Ma io chiedevo al Signore la grazia di farmi morire. Né consideravo sacrilega la mia invocazione: nel grande casamento in cui abitavamo Dio veniva chiamato a difendere le più inconfessabili cause. Una volta, anni più tardi, si diffuse la notizia che l'amante della signora del secondo piano fosse in procinto di morire per una polmonite. Si seppe anche che la signora aveva ordinato d'urgenza alla vicina parrocchia un triduo "secondo la sua intenzione". Intenzione che tutti ormai ben conoscevano: che cioè l'amante vivesse, riprendesse forza e salute e con lui ella potesse continuare a tradire il marito. Al triduo le inquiline del casamento intervennero tutte. Nel primo banco, inginocchiata, era la signora del secondo piano, col viso nascosto tra le mani. Le altre non si affollavano intorno a lei perché volevano, in certo modo, rispettarne il pudore, l'onorabilità e il segreto: assistevano alla funzione, come se fossero passate di là per caso, l'una presso l'acquasantiera, l'altra davanti a un altare secondario. E tutte però si rivolgevano a Dio con uguale fervore, sdegnate quasi che continuasse a far soffrire quella poveretta.

Io uscivo di casa verso sera, appesa alla mano di Sista: camminavo seria e compunta come se in me non fosse un desiderio abominevole, ma un voto di santità. Attraverso le grigie strade del nostro quartiere ci dirigevamo a una chiesa che s'alzava, agile e bianca, tra i palazzoni del Lungotevere. Era quello l'estremo limite concesso alle nostre passeggiate, come se il fiume segnasse il confine del nostro feudo e, insieme, della nostra libertà.

Sul Lungotevere, nella stagione felice, i passeri gremivano i platani: e al tramonto, quando essi capricciosamente andavano scegliendosi il ramo più adatto al riposo, i vecchi alberi ronzavano come alveari ed erano tutti smossi da voli brevi e inquieti. Mi sarebbe piaciuto godere della vista di quegli alberi: invece, al braccio di Sista, mi inabissavo nel cupo antro della chiesa. Sotto le navate stagnava un odore grasso di corpi umani, il profumo oleoso dell'incenso e incombeva l'ombra alla quale Sista ed io, nell'assenza di mia madre, eravamo condannate. Io conoscevo a mala pena le prime preghiere della nostra religione; ma quella penombra rossastra, quei canti, quel torbido profumo, subito eccitavano la mia fede, la rendevano accesa, fiammeggiante.

Mi guardavo le mani, che tremavano nella luce dei ceri; le fissavo intensamente sperando di scorgervi il sangue delle stigmate; sentivo il mio viso affilarsi, come quello di santa Teresa in una statua che piaceva a mia madre. A poco a poco perdevo il mio peso di carne, mi sollevavo nell'aria pura del cielo e le stelle mi brillavano tra le dita. Un fiume dolce e selvaggio di parole mi inondava il petto, insieme con la musica dell'organo; erano le stesse parole che mia nonna recitava sul teatro, le parole più belle che conoscessi, e con quelle m'indirizzavo a Dio. Egli mi rispondeva usando lo stesso linguaggio: e così fin da allora imparai a riconoscerlo nelle parole amorose meglio che nelle pale degli altari.

Tutti, nella chiesa, mi apparivano gravi e tristi: non provavano gioia nella preghiera e neppure nel canto. Io li amavo, volevo che fossero felici, e sapevo che sarebbe bastato insegnare loro a pregare con quelle amorose parole. Avrei potuto salvarli e non osavo: mi tratteneva il pensiero di Sista che mi credeva soltanto Alessandra, una bambina. Tutti mi credevano soltanto una bambina. Ma quando la funzione finiva, e le ultime note dell'organo ci sospingevano sul Lungotevere, le rondini mi riconoscevano e mi salutavano gioiosamente, come salutavano Dio.

Noi abitavamo in un grande casamento della via Paolo Emilio, costruito nell'epoca umbertina. L'androne era angusto, buio, e la polvere vi si accumulava, perché il portiere, ho già detto, s'industriava a fare il ciabattino e la moglie era pigra.

La scala, grigia, a spirale, prendeva luce soltanto da un alto lucernario. Nonostante l'aspetto segreto e quasi equivoco del portone e della scala, il grande casamento era abitato da borghesi di condizione modesta. Gli uomini vi si vedevano raramente, nel corso della giornata: erano quasi tutti impiegati, gente avvilita dalle continue strettezze, i quali uscivano presto al mattino, rientravano a ore fisse con un giornale in tasca o sotto il braccio.

Il grande casamento sembrava, quindi, abitato soltanto da donne: a loro, in realtà, apparteneva l'incontrastato dominio di quella scala buia che esse scendevano e salivano innumerevoli volte durante il giorno, con la sporta vuota, con la sporta colma, con la bottiglia del latte ravvolta in un giornale, accompagnando i figli a scuola col

15

paniere e il portapranzo, riconducendo i figli dal grembiulino azzurro sfuggente di sotto il cappottino troppo corto. Salivano senza neppure guardarsi attorno: conoscevano a memoria le scritte che istoriavano i muri, il legno della ringhiera era lucido pel continuo scorrervi delle loro mani. Solo le ragazze scendevano svelte, attratte dall'aria aperta; i loro passi tinnivano sugli scalini come la grandine sul vetro. Dei giovanotti che abitavano la casa non ricordo gran che: erano dapprima maschietti sguaiati che vivevano tutto il giorno in istrada, andavano a giocare a calcio nel giardinetto parrocchiale e poi, giovanissimi, venivano assorbiti dall'ufficio paterno; e del padre presto prendevano l'aspetto, gli orari e le abitudini.

Ma il casamento, all'esterno abbandonato e triste, respirava attraverso il suo grande cortile come attraverso un generoso polmone. Strette logge dalle ringhiere rugginose passavano davanti alle finestre interne rivelando, nel loro assetto, la condizione e l'età dei pigionanti. Alcuni vi ammucchiavano mobili vecchi, altri stie di polli, o giocattoli. La nostra era adorna di piante.

Nel cortile le donne vivevano a loro agio, con la dimestichezza che lega coloro che abitano un collegio o un reclusorio. Ma tale confidenza, piuttosto che dal tetto comune, nasceva dal fatto di conoscere reciprocamente la faticosa vita che conducevano: attraverso le difficoltà, le rinunce, le abitudini, un'affettuosa indulgenza le legava, a loro stessa insaputa. Lontane dagli sguardi maschili, si mostravano veramente quali erano, senza la necessità di portare avanti una gravosa commedia. Il primo sbattere delle imposte era il segno d'avvìo alla giornata, come la campanella in un convento di monache. Tutte, rassegnate, accettavano, col nascere di un nuovo giorno, il peso di nuove fatiche: si davano pace considerando che ogni loro gesto quotidiano era appoggiato a un altro gesto simile compiuto, al piano di sotto, da un'altra donna ravvolta in un'altra sbiadita vestaglia. Nessuna avrebbe osato arrestarsi, per tema di arrestare il moto di un preciso ingranaggio. E, anzi, in tutto ciò che faceva parte della loro vita casalinga inconsapevolmente avvertivano la presenza di un modesto valore poetico. Una cordicella che correva da una loggia all'altra per meglio stendere i panni era simile a una mano che si tendesse premurosa; cestini saltellavano da un piano all'altro soccorrendo, con un utensile prestato, un'improvvisa necessità. Tuttavia, nel corso della mattinata le donne parlavano poco tra loro: talvolta, nei momenti di pausa, qualcuna veniva ad appoggiarsi alla ringhiera e guardava il cielo dicendo: «Che bel sole, oggi». Nel pomeriggio, invece, il cortile era vuoto e silenzioso; dietro le finestre si intuivano stanze, cucine rassettate. Qualche vecchia sedeva sulla loggia a cucire e le serve a sgranare i piselli o a pelare le patate che lasciavano cadere in una pentola posta accanto a loro, in terra. Poi, verso sera, anch'esse rientravano per le faccende e quella era l'ora nella quale io vivevo solitaria nel cortile come se m'appartenesse per diritto.

In estate, spesso, dopo cena, anche gli uomini sedevano sulle logge, in maniche di camicia o in pigiama addirittura: nel buio si vedevano palpitare le rosse lucciole delle sigarette. Ma le donne si dicevano appena «Buonasera», e la loro voce era diversa. Qualche volta parlavano delle malattie dei bambini. Tutti perciò, tediati, rientravano presto, chiudendo le imposte, e fra le logge si scavava un grande vuoto nero.

Mia madre appariva raramente nel cortile e solo, come ho detto, per annaffiare i fiori. Questa riservatezza che indispettiva le inquiline, le valeva però la loro ammirazione. Così la nostra famiglia, sebbene poverissima, godeva di una considerazione speciale a causa della gentile bellezza, del portamento elegante di mia madre, e del suo umore sempre lieve e sereno.

Non mancavano nel palazzo donne graziose e disinvolte; alcune avevano anche un po' di cultura, perché prima di sposarsi erano state maestre o impiegate in un ufficio. Però mia madre non scambiava con loro che un rapido buongiorno o un fuggevole commento sul tempo o sul mercato. La sola eccezione era costituita da una signora che abitava al piano di sopra e che si chiamava Lydia.

La mamma mi conduceva spesso in casa di questa signora perché giocassi con Fulvia, la figliuola di lei: ci lasciavano sole nella camera della bambina, sempre ingombra di giuochi, o in un terrazzino interno che serviva anche da ripostiglio. Loro due si sdraiavano sul letto, parlavano sottovoce e così animatamente che, se noi andavamo ad interromperle chiedendo uno scialle per giocare o un foglio di carta o un pennino, subito ci accordavano qualsiasi permesso pur di essere lasciate in pace. Sulle prime io non riuscivo a comprendere i motivi dell'amicizia di mia madre con una donna alla quale nessuna affinità la legava. Senonché, in breve, m'avvidi che anch'io andavo subendo l'influsso della figlia che da allora fu la mia unica amica. Pareva maggiore di me sebbene fosse, invece, di qualche mese più giovane. Era graziosa, bruna, dai lineamenti accentuati e vivaci: a dodici, tredici anni era già così formata che, quando uscivamo insieme accompagnate da Sista, gli uomini la guardavano passare. Somigliava alla madre, la quale era una donna piacente, grassottella e fresca, che prediligeva i vestiti di seta lucida scollati fino a mostrare il florido canaletto del seno.

Madre e figlia vivevano quasi sempre sole perché il signor Celanti era viaggiatore di commercio. Quando egli tornava era come se ospitassero un estraneo e non si peritavano di fargli comprendere l'impaccio che portava, con la sua presenza, al ritmo abituale della loro vita: mangiavano in fretta, andavano presto a letto, rispondevano laconicamente al telefono, l'una simulava lunghe emicranie, l'altra insisteva nei più noiosi e petulanti giuochi di bambina: la loro casa, che era meta di frequenti visite da parte delle inquiline, veniva disertata non appena Lydia annunciava: «È arrivato Domenico». Infine, forse senza volerlo, entrambe rendevano la casa così inospitale, disordinata e uggiosa che il signor Celanti presto ripartiva con la sua valigetta, non senza aver lodato i vantaggi della vita d'albergo e la cucina delle città del Nord.

Subito dopo la partenza di lui, Lydia e Fulvia ritrovavano il loro abituale carattere e modo di vivere: la madre riprendeva le sue inesauribili telefonate e, nel pomeriggio, usciva lasciandosi dietro, come una sciarpa, per tutta la lunghezza delle scale, un acuto profumo di garofano.

Andava dal capitano. Era di questo capitano che discorreva sottovoce con mia madre. Fulvia ed io lo sapevamo bene. Lo chiamava pel suo grado solamente: «il capitano dice... al capitano piace...», come se ignorasse il nome e il cognome di lui. Ma ciò, allora, non mi pareva strano: altre signore del palazzo avevano "l'ingegnere" o "l'avvocato" e anche di costoro non si sapeva nulla di più preciso.

Lydia raccontava degli amorosi convegni, delle lunghe passeggiate, delle lettere che riceveva con la complicità di una servetta. Mia madre l'ascoltava palpitando con lei. Quando fui più grandicella notai che queste visite all'amica seguivano, generalmente, le sere in cui ella si chiudeva in camera con mio padre e il silenzio si spandeva per la casa.

Si erano conosciute a causa di alcune lezioni di piano che ella avrebbe dovuto impartire a Fulvia. Lydia era venuta a bussare alla nostra porta e – com'è d'uso in quelle case dove si teme sempre, arrivando inaspettati, di trovare le stanze in disordine e le persone malvestite – aveva insistito per non entrare, dire quel che voleva restandosene sulla soglia. La sua visita aveva suscitato un certo stupore: nessuno si era mai rivolto a noi, neppure per la consuetudine diffusissima di chiedere in prestito un po' di sale o qualche foglia di basilico. Mia madre volle assolutamente riceverla in salotto, una stanza tetra che non prendeva mai aria. Lydia confessò – più tardi – d'essere venuta soltanto per vedere mia madre da vicino poiché sul conto di lei, così bella e sempre riservata, circolavano dicerie e leggende. Ottenne un successo immediato: Lydia era fresca, odorosa di talco, viva e colorita come una pianta alla quale sia stata data acqua in quel momento. Mia madre era una donna linfatica, aveva poco seno. Fu attratta da quel seno colmo e florido che pareva vivere da solo una propria vita animale, estranea a chi lo possedeva. Dopo poche lezioni, che Fulvia prendeva contro voglia, contentandosi di apprendere quanto bastava per strimpellare le canzonette in voga, divennero amiche. Mia madre si recava da loro a un'ora precisa come dalle altre alunne. Ma, appena entrata, Lydia la chiamava dalla sua camera: «Entra di qua, Eleonora» e subito, vivacemente, incominciava a discorrere, a dipanare i suoi racconti, le offriva le sigarette. Così passavano ore.

Io divenni gelosa con quella veemenza che testimonia l'autenticità di ogni mio sentimento. Istigata da Sista, una sera mi arrischiai ad andare a chiamare mia madre perché tornasse a casa. Era la prima volta che salivo le scale oltre il nostro pianerottolo; mi sentivo in un mondo nuovo. Esitavo. Sista da sotto mi incitò: «Coraggio», e bussai. «Dica a mia madre che è molto tardi» dissi severa, gli occhi aggrondati. Lydia sorrise. «Entra» mi invitò e poiché apparivo incerta: «entra» ripeté: «vieni a dirglielo tu stessa.»

Ero stata rare volte in casa d'altri: perciò subito fui presa dalla curiosità di vedere in che modo vivessero, come fossero le loro camere, i loro letti, quali cose posassero sui mobili. Lydia richiuse la porta e io rimasi estatica di fronte ad alcune stampe che rappresentavano soggetti mitologici, ninfe che ballavano in un prato. «Ti voglio presentare Fulvia, diventerete amiche.» Era d'estate. Fulvia era in camera sua, seminuda in un lungo vestito di velo della madre. Aveva i capelli rialzati, le labbra dipinte. «Sono Gloria Swanson» mi disse e, poiché io non capivo, m'iniziò al giuoco: «vieni» disse sciogliendomi le trecce: «ti vestirò come Lillian Gish.»

In breve Fulvia s'attaccò a me come Lydia a mia madre. Ciò fu dovuto in gran parte alla nostra ingenuità che le pungolava e al desiderio, forse inconsapevole, che esse avevano di distruggere il nostro ordine. Eccitate dallo stupore che suscitavano in noi, ci svelavano la vita segreta del grande casamento nel quale da anni abitavamo. Le stesse donne che avevamo incontrato ogni giorno, tante volte sfiorato col gomito salendo per le scale, ci apparivano, attraverso i racconti di Lydia e di Fulvia, arricchite di romantiche storie come i personaggi che la nonna impersonava sul teatro. Comprendevamo infine la causa del silenzio che piombava, il pomeriggio, nel cortile deserto. Libere dai loro ingrati doveri, e anzi per un gesto di coraggiosa polemica verso la sorda vita alla quale erano costrette, nel pomeriggio le donne fuggivano le stanze buie, le cucine grigie, il cortile che inesorabile attendeva, col calare dell'ombra, la morte di un'altra giornata di inutile giovinezza. Come pilastri, a guardia delle case rassettate e silenziose, rimanevano le vecchie, intente in un lavoro di cucito: ed esse non tradivano le giovani, le aiutavano, anzi, quasi fossero affiliate alla stessa congrega. Le univa un muto, annoso disprezzo per la vita degli uomini, pel loro ordine tiranno ed egoista, un rancore che si tramandava, soffocato, di generazione in generazione. Al mattino, alzandosi, gli uomini trovavano il caffè pronto, il vestito stirato, e uscivano nell'aria frizzante, svincolati dal pensiero della casa e dei figli. Dietro si lasciavano le camere intanfite dal sonno, i letti scomposti, le tazze sporche di caffellatte. Tornavano sempre a un'ora precisa, talvolta in piccoli gruppi, proprio al modo degli scolari, poiché s'incontravano nel tram o sul ponte Cavour, e proseguivano insieme discorrendo; d'estate facendosi vento col cappello. Appena entrati domandavano: «È pronto?», si toglievano la giacca, mostrando le bretelle lise, dicevano «La pasta è scotta, il riso è lungo» e, con una frase di queste, seminavano il cattivo umore. Poi sedevano nell'unica poltrona, nella stanza più fresca, e leggevano il giornale. Da questa lettura traevano sempre funesti auspici; il pane aumenterà, i salari diminuiranno, concludevano sempre: «Bisogna fare economia». Non trovavano mai niente di buono nel giornale. Presto tornavano a uscire; s'udiva la porta sbattere alle loro spalle mentre, un minuto prima o un minuto dopo, sbattevano le porte agli altri piani. Rientravano quando la casa era in ombra, i bambini assonnati, la giornata chiusa, consumata, finita. Di nuovo si toglievano la giacca, sedevano presso la radio, ascoltavano le conversazioni politiche. Non avevano mai nulla da dire alle donne, neppure: "Come ti senti? Sei stanca? Hai un bel vestito". Non raccontavano niente, non amavano la conversazione, gli scherzi, sorridevano poco. Quando si rivolgevano alla moglie dicevano: «Voi fate... voi dite...» imbrancandola con i figli, la suocera, la serva: gente pigra, dispendiosa e sconoscente.

Eppure i loro fidanzamenti, secondo l'usanza borghese del Meridione, erano durati a lungo. I giovani avevano atteso ore e ore soltanto per vedere l'amata affacciarsi alla finestra o seguirla mentre usciva a passeggiare con la madre. Avevano scritto lettere appassionate. Non di rado le ragazze avevano pazientato molti anni prima di sposarsi perché era difficile trovare un solido impiego, risparmiare il denaro sufficiente per acquistare la mobilia: avevano atteso preparando il corredo, fiduciose, nella speranza di un'amorosa felicità; e invece avevano trovato quella vita estenuante, la cucina, la casa, il gonfiarsi e lo sgonfiarsi del loro corpo per mettere al mondo i figli. Man mano, sotto una parvenza di rassegnazione, era nato nelle donne un livido rancore per l'inganno nel quale erano state tratte.

Tuttavia esse solevano tirare avanti la gravosa vita quotidiana senza neppure lamentarsi. Né più rammentavano al marito le ragazze che erano state, e le promesse che avevano ricevuto di una vita armoniosa e felice. Avevano tentato, sul principio: avevano trascorso molte notti piangendo, mentre i mariti dormivano al loro fianco. Avevano usato civetterie, malizie, finto svenimenti. Le più evolute avevano tentato di appassionare i loro compagni alla musica, ai romanzi, li avevano condotti nei giardini dove usavano andare a passeggiare al tempo dell'amore, sperando che potessero comprendere e ravvedersi. Ma altro non avevano fatto che distruggere quei cari luoghi nel ricordo poiché lì, dove erano state dette le prime trepidanti parole e scambiati i primi baci ancor tutti pervasi di desiderio insoddisfatto e curiosità, altro i coniugi non avevano trovato da dirsi che cose indifferenti e trite. Nei primi anni di matrimonio parecchie di queste signore avevano avuto crisi isteriche e di convulso pianto. Una, Lydia diceva, aveva tentato di avvelenarsi col veronal. Infine alcune avevano accettato di essere ormai irrimediabilmente vecchie, aver perduto ogni incanto e attrattiva. Ma erano quelle sposate da poco, o quelle che una castigata fede cattolica costringeva: la maggior parte delle altre ormai aspettava che nel pomeriggio il marito dicesse «Vado» e s'udisse sbattere la porta. Quelle che avevano le ragazze già grandi attendevano che anch'esse uscissero, con le amiche della loro età: poi – dopo aver loro preparato accuratamente la merenda, in un pacchettino – mandavano i figliuoli minori ai giardinetti, accompagnati dalla serva. Tutti uscivano per i propri piaceri o interessi. Nessuno domandava loro: «E tu che fai?». Le lasciavano tra cumuli di biancheria da rammendare, ceste di panni da stirare, attaccate alla loro opprimente ruota.

D'inverno – Fulvia diceva – la vita era più sopportabile. Impigrite dal freddo presso un braciere o in cucina le donne contemplavano la pioggia scivolare sui vetri, premurosamente curavano le malattie stagionali dei figli. D'inverno accadeva che in quella raccolta vita domestica trovassero persino un amaro appagamento. A sera, esauste, cadevano in un sonno opaco e smemorante.

Ma quando s'avvicinava la felice stagione, mettendo

gemme rosse sugli alberi che fiancheggiano le squallide strade dei Prati, le mimose e i caprifogli pigiati dietro le cancellate diffondevano nell'aria un odore acutissimo che penetrava anche nel vecchio cortile. Allora le donne aprivano le finestre per ascoltare i richiami delle rondini che passavano e ripassavano davanti alla finestra, insistentemente invitandole. Non resistevano più: si scioglievano dai dubbi e dai rimorsi come da lacci odiosi, dicevano «Gesù perdonami» passando nel corridoio dinanzi all'immagine del Sacro Cuore, e andavano a chiudersi nelle loro camere. Ne uscivano, poco dopo, trasformate. Prediligevano, tutte, i vestiti a fiori su fondo nero e i larghi cappelli che ombreggiano il viso. Usavano cipria odore rossetto, guanti trasparenti; così vestite, si presentavano alle vecchie, che sedevano presso una finestra. Le vecchie non le guardavano quasi; riconoscevano il profumo, la voce risoluta che diceva: «Io esco». E se anche si trattava della moglie del figlio, non osavano dir nulla: una solidarietà più forte della parentela le legava.

Gli amanti, Fulvia mi disse – e io riuscivo talvolta a intravvederli dalla finestra – aspettavano all'angolo della strada. Era un accorgimento superfluo poiché tutti li conoscevano, nel quartiere. Spesso erano uomini più giovani di loro e di condizione un poco superiore. Io immaginavo che un amante dovesse essere un uomo assai bello, di romantico aspetto, ben vestito. Stupivo nel vedere che, in genere, non aveva alcuno di questi caratteri. Ma poi tutto mi fu chiaro quando Fulvia mi disse che l'avvocato della signora matura del terzo piano la chiamava sempre «Ninì».

Turbate da questi racconti, dalla misteriosa presenza di quegli uomini che di lontano tenacemente assediavano la nostra casa, mia madre e io, svagate e sognanti, scendevamo le scale in silenzio. Rientravamo nella nostra casa buia, tra i mobili scuri, i libri, e il pianoforte. Io andavo subito a coricarmi, mia madre spegneva la luce e si sedeva sul mio letto. In quei momenti, se il marito la chiamava, ella gli rispondeva con voce secca e astiosa. Intanto in me Alessandro si svegliava, ponendomi scabrose domande, sollevando un tumulto di sentimenti nuovi e inconfessabili. Bianche nei miei occhi passavano le lettere delle quali Fulvia mi parlava: lettere d'amore che circolavano per le mani delle servette e del vecchio portiere. Avrei voluto leggerle tutte, rubarle.

Mia madre si tratteneva sul mio letto, in silenzio; infine si staccava da me senza baciarmi. Vedevo la sua figura esile uscire dalla porta. Poco dopo entrava Sista: mi scoteva dal dormiveglia: «Sei stata da *quelle*. Di' l'atto di contrizione, l'Ave Maria».

Poi accaddero due fatti notevoli: la conoscenza che mia madre fece della famiglia Pierce e le prime sedute con la medium Ottavia.

Erano i Pierce una famiglia di origine inglese trasferitasi in quell'anno da Firenze a Roma. La madre, americana, era ricchissima, e – al contrario di molte altre sue connazionali – non sprecava il suo danaro per offrire balli o feste mondane, ma per acquistare opere d'arte e aiutare i giovani musicisti. Abitavano una villa sul Gianicolo circondata da alberi folti e alte palme. Di lì si godeva una vista incantevole: le cupole erano incorniciate nelle finestre al modo di quadri di famiglia e si vedeva il Tevere entrare e uscire dai ponti come un nastro in una trina. In quei tempi spesso mia madre poneva come meta delle nostre passeggiate domenicali il colle del Gianicolo perché il babbo ed io potessimo, di lontano, ammirare il parco della villa. Talvolta, anzi, ci spingevamo fino ai cancelli secondari. Allora ella mi faceva salire sul muretto e m'indicava tre grandi finestre al primo piano. Erano quelle della sala da musica: lì dentro stavano il grande pianoforte a coda che la signora Pierce aveva fatto venire dall'America, l'arpa che ella sonava, e un grammofono modernissimo che cambiava i dischi da solo.

Era una villa molto bella, di antica architettura; la foltezza della vegetazione rendeva impraticabile il giardino. Si vedevano passare cani grandi ed eleganti, e mia madre mi assicurava che sui prati c'erano anche alcuni pavoni bianchi che tuttavia non riuscii mai a vedere. Eravamo entrambe affascinate da quella dimora. Mio padre non condivideva il nostro entusiasmo, forse per l'istintiva antipatia che le persone di condizione modesta provano verso chi gode di una vistosa agiatezza. Ci sollecitava, mostrandosi impaziente di recarsi in una vicina trattoria a bere la gazosa.

Ogni domenica, alla fine della giornata, egli ci conduceva al caffè. Io sono stata sempre ghiotta di gelati. Ma, dopo aver contemplato di lontano il parco di villa Pierce, rimanevo distratta e pensosa, giocherellavo col cucchiaino, lasciando che gran parte del gelato si sciogliesse in acqua giallastra. Mia madre faceva altrettanto: e questa nostra facilità di rimanere soprappensiero irritava mio padre oltre ogni dire. Egli vedeva in essa, erroneamente, un disprezzo per la nostra condizione e per la incapacità che egli aveva di guadagnare danaro.

Né mia madre né io, invece, facemmo mai alcun caso del nostro tenore di vita. Ella indossava per anni gli stessi vestiti e, seppure li rinfrescasse ogni tanto con una fibbia, un nastro – o forse proprio per questo – erano ormai così lontani dalla moda che il portarli sembrava una ostentata stravaganza. Non aveva pelliccia, ma solo un cappottino nero, striminzito, col quale andava incontro a tutti i rigori dell'inverno. I suoi bellissimi capelli – che conservava lunghi e annodati sulla nuca – erano avviliti sotto modesti cappellucci che una donna anziana avrebbe sdegnato. La nostra mensa era frugalissima, i divertimenti si limitavano a queste passeggiate della domenica. Ambedue contemplavamo a lungo quella villa solo perché eravamo attratte dai grandi alberi che la circondavano, riuniti in gruppo o a coppie come personaggi, e apprezzavamo il privilegio che la famiglia Pierce aveva di dilettarsi della loro vista. Né questo privilegio era il solo, d'altronde; mia madre li reputava fortunati anche perché essi potevano, grazie al loro danaro, indirizzare la propria vita spirituale secondo la naturale inclinazione, senza piegarla alle esigenze quotidiane.

Prese da questi pensieri sedevamo intanto a un tavolinetto di ferro su un marciapiede gremito di altri tavolinetti come il nostro dove gente simile a noi sedeva, madre padre e ragazzini. Attorno si alzavano grandi casamenti grigi dalle finestre fitte e, da quelle finestre, gli inquilini spiavano con astio il nostro gelato finché non era esaurito nel piattino. Il tram passava rasente il marciapiede e, ogni volta, un aspro stridore di ferro copriva la nostra pigra conversazione. E io non potevo a meno di tornare col pensiero alla grande cancellata dietro la quale vivevano gli alberi coperti d'edera e muschio, ai prati umidi e verdi sui quali passeggiavano i pavoni bianchi che non avevo veduto, e a quelle tre alte finestre dal timpano chiuso dietro le quali stavano, soli nella penombra, il pianoforte e l'arpa.

La grande attrattiva che mia madre provava verso quel pianoforte non era dovuta soltanto al suo ottimo rendimento, ma anche al fatto che esso non le serviva ad insegnare scale, studi o sonatine tediose, ma a sonarvi liberamente come se fosse in casa propria. I motivi per i quali ella era stata chiamata a villa Pierce erano, infatti, piuttosto originali. Il primo giorno in cui ella si era recata lassù, la padrona di casa non l'aveva ricevuta frettolosamente, come le altre signore facevano, presentandole subito la nuova allieva e lasciandole sole dopo pochi minuti; l'aveva invitata a prendere il tè, le aveva parlato delle sue collezioni d'arte, dei suoi viaggi e, infine, della sua famiglia. La quale era composta del padre, un industriale che nelle ore di svago collezionava farfalle brasiliane, di una figlia sposata che risiedeva a Londra e dei due figli minori, Hervey e Arletta, i quali abitavano con lei benché il primo, malato – ella disse sorvolando –, fosse molto spesso in viaggio.

Era di Arletta che mia madre avrebbe dovuto occuparsi; non per insegnarle il pianoforte, bensì per far nascere in lei un qualche interesse verso la musica così come altri professori andavano interessandola alla pittura e alla poesia. Poiché questa ragazza – la madre confessò a mezza voce – non aveva alcuna sensibilità artistica. Spiegò che ciò era penoso per altre persone di famiglia le quali vivevano quasi esclusivamente di tali valori. Hervey si allontanava spesso da Roma anche per questo. Infatti, partito da poco, sarebbe rimasto fuori circa un anno. La personalità di Arletta diveniva così ingombrante che non la si poteva ignorare nella vita quotidiana della casa. Ella mostrava di preferire le canzonette alla musica da camera, e i più scadenti romanzi ai classici della letteratura. Perciò bisognava educare il suo gusto, gradualmente; la ragazza era molto giovane, dotata di buona volontà e quindi, forse, guaribile.

Poco dopo entrò Arletta e, dato che poteva supporre ciò che, prima del suo ingresso, era stato detto di lei, mia madre confessò l'aver patito un certo imbarazzo stringendole la mano; mi disse che se l'era figurata diversa: vivace, ardita, pronta alla polemica e all'ironia. Era, invece, una ragazza della mia età, piuttosto grassottella: dall'aria casalinga. S'offrì subito di guidarla alla sala da musica, e mia madre dal modo con cui la ragazza girò l'alta maniglia dorata, intuì il timore reverenziale che quella stanza le incuteva.

Dentro, la vasta sala era in penombra: lievi rami s'intrecciavano davanti alle finestre e il sole pomeridiano, passando attraverso le foglie nuove degli alberi che s'alzavano fino ai davanzali, metteva nel luogo un color verde di profondità sottomarina, una nebulosità vaga di acquario. Simile a un'isola sorgeva in un angolo la forma scura del pianoforte; e, raggiunto dalla polvere del sole, brillava il discreto oro dell'arpa. La grande sala non aveva mobilia eccetto alcune sedie di stile Impero, ingentilite da una lira sullo schienale, e due divani segnati da impronte profonde. Alti, presso una finestra, quattro leggii per violino gettavano, sulla bianca parete, grandi ombre trasparenti come scheletri. Mia madre e Arletta camminavano in punta di piedi, timorose di turbare quel silenzio e quell'ordine. Al centro della sala la ragazza bruscamente s'arrestò: le braccia bianche, la veste bianca, nella luce che veniva dalla finestra, la rendevano simile a una grande medusa.

«Signora» disse «ho paura. Mio fratello non vuole che io entri in questa sala.» Appariva davvero intimorita. «Mi sente come un elemento refrattario alla musica» aggiungeva, «anzi, avverso. Non è colpa mia: non capisco. Hervey ha ragione. Lui compie lunghi viaggi soltanto per sentire un pianista e quando è a Roma si può dire che viva qui dentro, solo, coi dischi e il violino. Non vuole che io vi entri perché, lo so bene, ha paura che qualcosa di mio resti nell'aria e lo disturbi anche quando non ci sono. È penoso per me, signora, è come se avessi una malattia nascosta, contagiosa. Lei deve guarirmi. Forse bisognerà cominciare dalle cose facili, adatte ai bambini. Debbo guarire» disse risolutamente. Poi concluse sottovoce: «Perché io amo al disopra di tutto mio fratello Hervey».

Mia madre le prese le mani, ringraziandola per essersi aperta con lei. Aprì i vetri, affinché l'aria misteriosa che s'era formata nella sala si dissipasse, e un ramo di abete entrò dalla finestra come un animale rimasto lungamente in agguato; ma, ciononostante, la grande sala si ostinava a rimanere impenetrabile, segreta: gli strumenti da musica erano simili a personaggi che avessero sentimenti e pensieri. «È Hervey» Arletta ripeteva, guardandosi intorno timorosa. E anche mia madre incominciava a sentirsi a disagio.

«Neppure la mamma osa venire qui dentro a sonare quando lui non c'è» Arletta diceva, indicando una sedia di raso bianco presso l'arpa. «Quando mia madre suona, Hervey si stende sul divano e chiude gli occhi per ascoltarla.» «E tu?»

«Io rimango nella mia camera, o passeggio in giardino. Lontano, perché lui dalle finestre non mi veda.»

Mia madre s'arrischiò a biasimare questo bizzarro comportamento, ma Arletta difese il fratello con animazione.

«Oh, no, signora. Hervey è un artista. Suona il violino, oppure siede al piano e improvvisa. La mamma dice che si tratta di cose bellissime. No» disse, «la colpa è proprio mia.» E aggiunse con mestizia: «Lady Randall, cioè mia sorella Shirley che vive a Londra, suona benissimo il pianoforte».

Per dar posto a questa nuova lezione mia madre dovette abbandonarne altre, giacché si tratteneva a villa Pierce quasi l'intero pomeriggio, due volte la settimana. Mio padre l'aveva sconsigliata di far questo, pur ignorando la speciale natura di quelle lezioni: temeva che una volta perduti gli allievi che studiavano con lei da qualche anno, sarebbe stato difficile trovarne altri se, per una improvvisa partenza della famiglia Pierce, questo cespite di guadagno fosse venuto a mancare.

Ma ella si mostrò decisa, anzi ostinata. Nei giorni in cui doveva recarsi da Arletta era, fin dal mattino, irrequieta e ansiosa come se l'aspettasse una festa. Dato il mio carattere, e il sentimento che nutrivo per lei, io sarei stata gelosa della nuova allieva se, al ritorno, ella non si fosse mostrata più espansiva del solito. Infatti, dopo aver trascorso qualche ora a villa Pierce, mia madre appariva infervorata da un entusiasmo nuovo. Rincasava e la vivace lievità del suo passo scoteva le stanze tetre e sonnolente.

Spesso ci portava qualche dolce, un sacchetto di confetti, di cui le veniva fatto dono lassù: ciò irritava mio padre e io stessa li mangiavo malvolentieri. Forse egli temeva che sua moglie, conoscendo un modo di vivere tanto diverso dal nostro, potesse rammaricarsi della vita che conduceva durante il resto della settimana. Infatti, la maggior parte degli allievi che mia madre aveva avuto fin lì era composta di piccoli borghesi, ragazze che studiavano per divenire a loro volta insegnanti e così guadagnarsi da vivere. Perciò dal suo lavoro ella non traeva alcuna soddisfazione personale e mai, nelle case dove si recava, le accadeva di incontrare persone in qualche modo notevoli o interessanti; quindi solo per aiutare mio padre a sovvenire ai nostri bisogni materiali ella doveva uscire con qualsiasi tempo, pigiarsi nel tram, salire, scendere scale simili alle nostre, entrare in piccoli appartamenti sordidi che rivelavano, con gli odori, le pietanze della sera e del mattino. Mi rallegravo, perciò, che i pomeriggi trascorsi a villa Pierce rappresentassero per lei una felice vacanza, e volentieri aiutavo Sista per togliere a mia madre il peso delle faccende di casa. Imparai a rammendare, anche; era un lavoro che non mi spiaceva, perché potevo restarmene in silenzio alla finestra prediletta lasciando correre i miei pensieri.

I quali erano stati non poco turbati dalla conoscenza fatta – attraverso la medium Ottavia – dei misteriosi e terrificanti personaggi che abitavano il cielo ove, al tramonto, vedevo passare le rondini.

Questa donna frequentava già da parecchio tempo la casa delle Celanti; Fulvia mi aveva parlato spesso di lei quando ci avevano lasciate sole a discorrere, in camera o sul terrazzino. Una volta l'avevo intravveduta nelle scale: era una donna di mezza età, vigorosa, dai capelli grigi tagliati in foggia maschile. Portava sempre con sé una grande borsa – nella quale erano contenute immagini sacre, medaglie legate a nastri rossi, corni di corallo e sacchetti d'erbe contro il malocchio – ed era seguita da un ragazzino che presentava quale suo nipote, un ragazzino quindicenne sempre rasato a zero, anche nei mesi più crudi dell'inverno. Ella aveva la gamba sinistra difettosa e perciò zoppicava, ma senza fatica o mortificazione: ogni suo passo era un picchiare arrogante, un punto fermo. Enea – ché così si chiamava il ragazzino – la seguiva, mantenendosi a una certa distanza; e, per quel che ricordo, vestiva sempre di nero, portava calze e guanti neri, che gli conferivano l'aspetto di un giovane prete. Aveva la carnagione lucida, olivastra: e gli occhi – scuri, morbidi, cigliuti – somigliavano agli occhi di mio padre.

A dire delle Celanti la medium Ottavia già da parecchi anni circolava per la scala buia del nostro casamento. Aveva un modo speciale di annunciarsi, con tre tocchi discreti e precisi, per essere certa che gli uomini non fossero in casa; altrimenti fingeva di aver sbagliato piano. Ciò accadeva nella giornata del venerdì, la più propizia a tali sedute. Il venerdì, fin dal mattino, un grave sentore d'incenso impregnava la scala. Sui pianerottoli gli usci si socchiudevano, le ragazze andavano da un appartamento all'altro, guardinghe, recando in prestito un drappo bianco o un tavolino. Insomma un malcelato fervore animava la giornata del venerdì.

Fin dal mattino, infatti, tutti i morti tornavano ad abitare le loro case. «È zio Quintino» Fulvia diceva tranquilla, udendo un rumore nella stanza attigua. Le donne si alzavano più presto, quel giorno, si prodigavano nelle faccende, forse acciocché i morti ricordassero quale bene amaro era la vita. Si rivolgevano verso il posto che essi avevano occupato per anni, e parlavano loro duramente, ironicamente, incolpandoli della morte come di un tradimento, un'astuta fuga. A volte sospiravano fissando la sedia vuota che era stata della madre o della nonna: poi spolveravano la spalliera adagio, con delicatezza, quasi assestassero uno scialle. Dalla sedia vuota, quel giorno, occhi fermi e rassegnati le guardavano. Anch'io, sebbene esclusa dai colloqui spiritici, avvertivo attorno a me un'invisibile presenza: bastava uno scricchiolìo a farmi volgere, mezza di sudore, col cuore in tumulto. «Alessandro» mormoravo spaurita; sentivo che egli non si rassegnava, come gli altri, ad essere una muta ombra: voleva partecipare alla nostra vita, servendosi di me.

Mia madre, invece, non sembrava provare interesse per

quelle pratiche né credere a illuminati vaticinî: del resto ella non era curiosa di conoscere il futuro, non avendo, allora, alcuna speranza che la nostra monotona vita cambiasse: mio padre sarebbe rimasto impiegato al ministero, fino al momento di andare in pensione: ella avrebbe continuato a insegnare fino a tarda età. E i sogni che qualche volta ci confidava – la possibilità di divenire una pianista famosa, la casa di campagna che avremmo potuto avere – non duravano mai oltre il tempo che impiegava per narrarceli. Tuttavia, dopo che ebbe preso a frequentare villa Pierce, manifestò maggiore interesse per quelle sedute; rideva invogliata, udendo Lydia descriverle come le predizioni degli spiriti si fossero sempre avverate. Però fu solo quando Lydia accennò alla possibilità di comunicare con Alessandro attraverso gli scritti di Ottavia che lei, pur respingendo ancora questo invito, si mostrò esitante e disse: «Vedremo».

Ho già detto che mio fratello Alessandro morì annegato. È molto raro che un bambino di quella età possa annegare nel Tevere, un fiume costretto e difeso da alti muraglioni. Tutto avvenne per l'incuria di una bambinaia e perciò mia madre non volle mai assumerne una per me: preferiva lasciarmi intieri pomeriggi in casa, suggerendomi di uscire a prendere aria sulla loggia, piuttosto che affidarmi ad una sconosciuta. Malvolentieri accondiscendeva a lasciarmi andare fino alla chiesa con Sista.

Alessandro era stato affidato – come si usa tra coloro che non dispongono di danaro – a una ragazzetta poco più che tredicenne vissuta fino allora in campagna. Gli stenti alberelli e la ghiaia polverosa dei giardini urbani non attraevano questa ragazza, abituata a sentire sotto i piedi nudi l'umida freschezza dell'erba. I grandi casamenti, le strade rumorose la impaurivano addirittura: passava lunghe ore a piangere, nella sua stanzetta priva di finestra, disperata d'esser lontana dai prati e dal fiume. Perciò, disobbedendo agli ordini della padrona, ella ogni giorno, col bambino in braccio, percorreva a piedi un buon tratto di strada per recarsi sulla riva del Tevere, poco oltre il ponte del Risorgimento, in una zona allora deserta di costruzioni che era detta della Piazza d'Armi. Lì, scesa sul greto, si toglieva le scarpe, le calze, e altrettanto faceva a mio fratello. Si stendeva sulla proda verde e, beata sotto l'arco del cielo, ascoltava il discorso dell'acqua e il canto degli uccelli, come al suo paese. Il bambino giocava presso di lei, appallottava la creta, correva tra il canneto e la riva. Sembra che, dopo la disgrazia, ella insistesse nel descrivere la felicità di Alessandro in quelle ore; confessava di averlo spinto lei stessa a prendere confidenza con l'acqua. Disse che tutto era avvenuto in un attimo. Lei era sdraiata sull'erba, all'ombra del canneto; aveva gli occhi chiusi, le braccia sotto la testa. Udì un tonfo e un breve grido, subito soffocato. Balzò in piedi, ma appena in tempo per vedere una piccola mano agitarsi sull'acqua come una bandierina. Poi, più nulla: l'acqua era liscia e lucida. Ella non chiamò aiuto: rimase sconcertata, delusa, come se il fiume le avesse portato via un fazzoletto.

Tornò a casa e disse: «Il bambino se l'è preso il fiume». Subito molta gente accorse sul luogo, i barcaioli frugarono, spalarono, il corpicciolo non si rinvenne mai. Mia madre per lunghi anni evitò, con ribrezzo, di guardare il fiume; quando passava sui ponti fissava ostinatamente dinanzi a sé; evitava finanche di parlarne. Ma ogni anno, il dodici di luglio, uscivamo di casa tutti e tre: mia madre vestiva di nero, io avevo un fiocco nero alla vita o tra i capelli: in silenzio raggiungevamo il ponte, poi scendevamo, adagio, per la sponda. Il triste luogo era ancora segnato dal gran ciuffo frusciante del canneto. Mia madre avanzava fino al limite estremo della riva e lì restava assorta guardando l'acqua, come se fosse il viso del bambino. Poi gettava nel fiume i fiori che aveva portato con sé: erano sempre grandi margherite bianche. Le gettava lentamente, a una a una, ed esse posavano appena sul pelo dell'acqua e filavano via trascinate dalla corrente. La sera ci chiamava nel salotto e sonava Bach.

A una fantasia libera e sfrenata qual era la sua, questo figlio rubato dall'acqua pareva destinato a straordinarie imprese. Ella mi amò sempre con tenerezza, eppure io sentivo che il suo amore per Alessandro era di diversa natura. In me ritrovava lo stesso carattere che lei aveva ereditato dalla madre: la stessa pericolosa sensibilità. Infatti, spesso io la sorprendevo intenta a fissarmi con uno sguardo amorosissimo, ma intriso di tanta sincera pietà che mi veniva voglia di piangere, pur senza comprenderne il motivo. A lei non sfuggiva la mia predilezione per la solitudine, per le lunghe soste alla finestra, il mio amore per la poesia. La scoperta di queste nostre affinità a volte le suggeriva improvvisi slanci di tenerezza, altre volte la sgomentava a tal punto che d'un subito, come se fossi minacciata da un invisibile pericolo, ella mi staccava dalla finestra e dai miei giuochi solitari, ordinandomi bruscamente: «Muoviti, va' su da Fulvia, non stare chiusa in questa casa, va' a giocare con le bambine della tua età, a prendere aria, via».

Mia madre era convinta che Alessandro sarebbe stato diverso da noi. Riteneva che egli sarebbe stato in grado di vincere nella vita tutto ciò che lei aveva perduto: sarebbe anche divenuto un pianista famoso. Immaginava i viaggi che noi avremmo fatto, accompagnandolo nelle grandi città europee: descriveva Parigi, Vienna, i ponti della Senna e sul Danubio, Buda e l'isola Margherita. Non era mai stata all'estero, ma conosceva a memoria queste città che la madre le aveva descritto minutamente. A me pareva quasi impossibile che tante maraviglie esistessero, a volte sospettavo che le inventasse: parlava della gente che avremmo conosciuto, regnanti, principi, e gli artisti dei quali si leggeva il nome sulle copertine degli spartiti. Descriveva le donne che Alessandro avrebbe incontrato; diceva che alcune avrebbero persino compiuto viaggi, attraversato oceani per conoscerlo. Io le pensavo belle e infelici, come Ofelia o Desdemona, e l'ascoltavo rapita; in quei momenti anche l'astio che sempre covava in me contro Alessandro si dissipava. Poi ella taceva e rimaneva assorta, a occhi fissi: immaginavo che vedesse dinanzi a sé la gola scura del ponte e il Tevere fuggire rapido e insidioso poiché, fatta pallida, si copriva il viso con le mani.

Ottavia venne per la prima volta in casa nostra un venerdì mattina. Mia madre, Sista ed io eravamo in piedi presso la porta aperta come quando, nei giorni della Pasqua, s'aspetta il prete per la benedizione. Anche le Celanti attendevano con noi.

Ottavia entrò, e subito chiese uno scaldino con un po' di fuoco acceso. Avutolo, vi gettò sopra una manciata di incenso tratto da un grosso involto che aveva nella borsa; porse lo scaldino al ragazzo che la seguiva e ordinò a mia madre di guidarla in un giro completo della casa. In ogni stanza ci arrestavamo e, mentre Enea scrupolosamente passava in ogni angolo lo scaldino col suo strascico di fumo denso e profumato, Ottavia rimaneva immobile a occhi bassi, recitando preghiere per i defunti. Poi riprendeva a camminare col suo passo duro e ineguale.

Quando avemmo visitato ogni recesso della casa, ella si arrestò e chiese:

«Dove?»

«Meglio il salotto» rispose Lydia, ottenendo con uno sguardo il consenso di mia madre.

Ci chiudemmo lì dentro. Era una stanza nella quale entravamo raramente, solo quando mia madre ci chiamava accanto al pianoforte, e in cui erano i mobili più solenni della casa: nemmeno l'aria vi poteva entrare, ostacolata da grevi cortinaggi di foggia provinciale e disusata. Ottavia volle che le finestre rimanessero chiuse, le cortine abbassate. Sista ci osservava con un cenno di rimprovero tra le severe rughe della fronte. Rapida, sicura, Ottavia pose sul tavolino la lampada dal paralume verde che mia madre usava al pianoforte, la sera, vi gettò accanto gli amuleti legati col nastro rosso, trasse carta e lapis e, disponendosi a scrivere, ci invitò al raccoglimento.

Io sedevo tra Fulvia ed Enea; la prima aveva un aspetto elettrizzato e incuriosito e l'altro mi fissava con tanta insistenza che ogni poco ero costretta a volgermi per rispondere al richiamo del suo sguardo: quel ragazzo che osava vivere quotidianamente in compagnia degli spiriti mi teneva in soggezione. Mia madre aveva preso posto accanto alla medium e posava le mani aperte sul tavolino: nel cerchio della luce, di nuovo ella mi parve una donna diversa dalle altre, diversa da tutte le altre donne del mondo; perciò mi infastidiva vederla accanto a Lydia che sapeva mantenersi disinvolta anche in quei momenti. La mano della medium incominciò a tremare sul foglio bianco. Fulvia mi sussurrò: «Eccolo».

Avevo paura. Ero impallidita, certo, come mia madre, e lo sguardo di Enea che mi scrutava incessantemente, rendeva più penoso il mio disagio. Ottavia scriveva, intanto, e leggeva via via che le sillabe si formavano: «Be-ne-di-co tut-ti vo-i che sie-te qui rac-col-ti».

Lydia, con l'aiuto di un occhialino, gettò uno sguardo sul foglio, poi, come se avesse riconosciuto la calligrafia di un parente, disse: «È Cola». E la medium annuì.

Questo Cola era uno spirito conduttore. Ottavia ci spiegò più tardi che egli doveva scontare la pena di rimanere legato al nostro mondo, mediante la vita umana di lei, fino al momento in cui avrebbe potuto salire nelle sfere più alte. Ottavia parlava di Cola come di una persona viva, un vecchio e lunatico parente che abitasse in casa sua, da molti anni, a pensione: ne descriveva il carattere, i gusti, e persino i capricci. Diceva che spesso, quando Cola voleva comunicare con lei e non la trovava pronta a scrivere, le si accaniva contro stizzosamente, facendole cadere ciò che recava in mano, nascondendole qualche oggetto, come fa una persona spazientita, finché

Ottavia prendeva carta e lapis, e incominciava a scrivere. Disse che lo aveva anche visto, qualche volta, ma di sera, al lume del moccolotto che teneva sempre acceso; era alto, e camminava curvo come se fosse triste o impensierito. Una volta sola ne aveva intravvisto il viso, per un attimo: non aveva fattezze precise e tuttavia esprimeva profonda mestizia. Quando si mostrava – Ottavia diceva – era segno che bisognava far dire una messa in suffragio di lui.

Quel primo giorno non fu possibile comunicare con Alessandro: quando Ottavia chiese di lui a Cola, mia madre s'aggrappò al tavolino e sbigottì.

Cola scrisse: "Vado a vedere" e ci lasciò, come se si recasse in una stanza contigua, col passo che Ottavia ci aveva descritto. Non potevo comprendere in qual modo riuscissero a camminare sulle nubi, nell'aria del cielo. Cola tornò, scrisse: "È occupato, adesso. Non può venire. Sarà per venerdì prossimo".

Mia madre chinò il capo udendo quel messaggio e quell'appuntamento; io incominciai a tremare, ed Enea mi prese una mano per darmi coraggio. Aveva una mano asciutta e scottante, simile a quella di mio padre. A quel contatto rabbrividii senza osare scostarmi: forse perché avevo i nervi già scossi, forse per quel profumo e per quel buio, certo è che provai un impetuoso desiderio di avvicinarmi a lui, riconoscendo in quell'arido calore una segreta e inconfessabile attrazione.

Intanto Cola dettava velocemente. Diceva di vedere, nel futuro, avvenimenti che avrebbero mutato il corso della vita di mia madre.

«Perché?» ella chiese sporgendosi sul tavolino con un'espressione ingenua e sorpresa.

Vi fu una lunga pausa nella scrittura. La matita si avvicinava al foglio, poi se ne staccava, esitante. D'improvviso, Cola prese a scrivere con tanta disuguale rapidità che Ottavia stentava a seguirlo.

Dopo che lo spirito ebbe dettato Ottavia rimase per un

momento pensosa, senza rivelarci il messaggio. La sua mano tremava ancora visibilmente. Infine ella alzò gli occhi su mia madre e aveva un'espressione grave: fece scorrere lo sguardo verso di me, forse domandandosi se fosse il caso di parlare liberamente. Mia madre annuì con un rapido cenno.

Lydia, non potendo più resistere alla curiosità, si chinò sul foglio e lesse attraverso l'occhialino. Poi abbassò le lenti e anche lei prese a fissare mia madre.

Sgomenta questa chiese:

«Parlate: è una cattiva notizia?»

Ottavia scosse la testa e annunciò, guardandola con deferenza: «Dice che lei avrà un grande amore».

Mia madre non replicò, rimase stupita, in viso il lieve rossore delle giovani spose. Subito Lydia la scosse battendole allegramente sul braccio o dicendole: «Oh, cara, cara»; intanto le cercava gli occhi, sorridendo allusiva e maliziosa. Anche la medium la guardava sorridendo, compiaciuta di aver scoperto in lei, nonostante la naturale modestia, questa insospettata e maravigliosa virtù. Trepida, vinta da quei sorrisi incoraggianti, anche mia madre sorrise candidamente. Poi mi guardò, sbigottita.

Ma io m'alzai di scatto e, rompendo il composto ordine della stanza, corsi ad abbracciarla.

Tutto ciò accadeva un anno prima della morte di mia madre e io avevo, dunque, circa sedici anni. Ero già molto alta, più alta delle mie coetanee, eppure mi pettinavo ancora con due lunghe trecce che mi pendevano sul petto. Le mie forme non avevano acquistato alcun incanto femminile; le camicette bianche che indossavo parevano nascondere il busto agile e magro di un ragazzo; e poiché il mio volto – di carattere nordico, piuttosto regolare e fermo – non mi consentiva neppure nel riso fossette o pieghe graziose, io temetti per lungo tempo che questa apparenza maschile fosse dovuta alla diabolica incarnazione di Alessandro in me.

Vivevo la maggior parte del giorno in solitudine. A scuola, il fatto di essere la prima della classe mi isolò presto in un cerchio di fredda diffidenza. Né io mi curavo di uscirne: la vita della scuola mi interessava poco e il buon esito dei miei studi era solo dovuto all'impossibilità che ebbi sempre di fare alcunché leggermente o senza fervore. D'altronde la svogliatezza dei miei compagni mi infastidiva e così la volgarità di certi loro atteggiamenti. Lo schernire gli insegnanti – che erano, a mio ricordo, giusti e benevoli –, l'usare modi sarcastici, risposte umilianti verso chi dedicava la propria attività a istruirci e migliorarci, mi parevano espressioni di animo grossolano e incivile. Forse da questi miei apprezzamenti non andava disgiunto il fatto che la persona da me sopra ogni altra amata al mondo – cioè mia madre – era insegnante, e perciò non sopportavo l'idea che anch'ella poteva essere, dai suoi allievi, trattata in quella guisa; né mi pareva spiritoso vantarsi della propria ignoranza e dei voti scadenti, mostrando così di non possedere gusto alcuno verso quanto serve ad affinare ed elevare lo spirito.

I miei compagni, naturalmente, si burlavano di me. Io mostrai di non offendermi e ciò accresceva la loro stizzosa ironia. Un giorno tuttavia accadde qualcosa che rischiò di farmi escludere dalla scuola, e che mi pare utile raccontare. Tra le compagne con le quali discorrevo qualche volta, ve n'era una di nome Natalia Donati, una ragazza non bella a causa, soprattutto, di certe spesse lenti che doveva portare; era d'intelligenza modesta, ma dolce e sensibile, pronta alla simpatia. Si diceva che ella fosse innamorata di un compagno maggiore di lei, chiamato Andreani, allievo della seconda liceale. In realtà ella non poteva vederlo passare senza mutar di colore e una volta, mentre rincasavamo insieme, ebbe a confessarmi che al solo scambiar qualche parola con lui, durante la ricreazione, sentiva le forze abbandonarla. Lo seguiva sempre con lo sguardo ed era forse importuna tentando di aggregarsi ai gruppi frequentati da lui, senza essere invitata.

Queste manovre non sfuggivano ai più smaliziati della classe, i quali ne approfittarono per imbastire uno scherzo di pessimo gusto. Natalia mi confidò, infatti, di aver ricevuto dall'Andreani una affettuosa lettera e poi una dichiarazione d'amore. In entrambe egli la supplicava di non rivelare ad alcuno né tradire, durante la ricreazione, il loro amoroso segreto, per non farlo cadere in balìa di commenti malevoli.

Ella mi lesse queste lettere in un giardinetto pubblico, il solo angolo verde in mezzo alle tetre e uniformi case dei Prati. Natalia aveva voluto che ci spingessimo fin lì poiché, diceva, «non mi piace leggere le sue lettere in istrada, tra la gente che passa». Questo mi parve un pensiero delicato. Ella sedeva sull'orlo della panca e la voce le si appannava nel ripetere le ardenti parole dell'amato; tuttavia avvedendomi, dalla sua commossa confusione, dell'importanza che attribuiva a quelle parole, e paragonando le espressioni scritte con l'assoluta indifferenza usata dall'Andreani nei suoi riguardi, incominciai a sospettare che quelle lettere fossero contraffatte e ad esse si dovesse la nuova ilarità che serpeggiava tra i banchi ogni volta che Natalia si alzava per rispondere alle interrogazioni.

Scoprii, infine, che le missive erano state compilate dal Magini, un ragazzo maggiore di noi che ripeteva la classe; egli le aveva scritte con l'approvazione e il consiglio di alcuni altri compagni, arditi e senza scrupoli. Non osai rivelare la scoperta a Natalia. Ormai spesso tornavamo a casa insieme, forse perché io ero la sola che fosse a conoscenza della segreta intesa e, nel lasciarmi, ella mi baciava sulle gote promettendo di confidarmi ancora tutte le sensazioni che questo sentimento suscitava in lei.

Un'altra lettera giunse e di nuovo Natalia me la lesse sulla panchina del giardinetto pubblico: quelle frasi abilmente combinate mi procuravano un'indicibile sofferenza; mi sentivo indotta a rivelarle la verità, ma non volevo essere proprio io a farle male. Credo che avessi in viso un'espressione addolorata, giacché lei mi guardò per un momento e poi mi abbracciò dicendomi che non dovevo avvilirmi, presto anche io avrei avuto un innamorato altrettanto devoto.

Tornammo a casa sottobraccio. Natalia parlava con tale entusiasmo da farmi quasi credere che si trattasse di una storia vera; ma quando ci salutammo e io la vidi allontanarsi raggiante, gettandomi un bacio sulle dita, mi parve così patetica nel cappottino verde, coi suoi occhiali spessi, che mi proposi di agire in qualche modo per difenderla.

L'indomani affrontai il Magini dopo la campanella del finis. Lo trattenni pel braccio mentre traversava l'atrio e presi a parlare sottovoce, in fretta.

Lo conoscevo poco, ma, trattandosi di un ragazzo già grande, mi pareva che avrei fatto meglio a parlargli francamente. Gli dissi dell'entusiasmo di Natalia, della sua sensibilità, dell'importanza che aveva attribuito a quegli scritti. Egli si rallegrò nel venire a conoscenza di tutto questo: disse che lo scherzo era riuscito e si batté la tasca dove, mi confidò, aveva una nuova lettera per Natalia nella quale era fissato un appuntamento per la domenica seguente, al Giardino del Lago. Lì, invece dell'Andreani, Natalia avrebbe trovato riuniti alcuni compagni che avrebbero riso di lei.

Impallidii e pregai il Magini di desistere dal suo proposito. Egli scoteva la testa ridendo. Mi rivolsi a lui con serietà: vincendo una mia istintiva riservatezza, tentai di fargli comprendere l'importanza che avevano per una donna i sentimenti amorosi e come fosse delittuoso scherzare con essi. Egli seguitava a ridere; anzi, da quel momento, oltre che di Natalia prese a ridere anche dell'amore. Lo guardai negli occhi lealmente, tentando ancora una volta di dissuaderlo e avevo un accento commosso, accorato. Mi rispose che la lettera sarebbe stata recapitata l'indomani e, se volevo, potevo andare con loro al Giardino del Lago.

Sentii un furore selvaggio invadermi, in un turbine. Il Magini era di contro a me e sorrideva, furbo, nel salutarmi. Allora, d'impeto, io alzai il braccio e con l'astuccio pesante dei compassi lo colpii alla tempia.

Era un ragazzo alto; cadde lungo disteso nell'atrio e i compagni s'affollarono attorno a lui, mentre il sangue che veniva giù dalla fronte gli impastava i peli duri dei sopraccigli.

Io fui condotta in direzione e lì lasciata sola. Vedevo sempre davanti a me quelle dense gocce scarlatte cadere dalla fronte del ragazzo sulla maglietta bianca che indossava. La vista del sangue mi era insopportabile, e così quella di due persone che si disputino scendendo a modi volgari. Non riuscivo a comprendere come io avessi potuto essere protagonista di una simile scena. Finalmente entrò il preside: era un uomo già anziano che mi conosceva bene, perché frequentavo la sua scuola da parecchi anni. Prima d'allora ero entrata nel suo studio soltanto per essere lodata. Mi parlò con bontà, invitandomi a spiegare il movente del mio atto gravissimo. Resistevo, lo guardavo negli occhi domandandomi se un uomo vecchio avrebbe potuto capire l'importanza di una storia d'amore, o ne avrebbe riso come il Magini. Di fronte al mio silenzio egli cominciò a interrogarmi, facendo alcune ipotesi. Io tacevo sempre. Infine, prendendomi le mani, insinuò che forse il Magini si era permesso con me qualche licenza e io avevo agito per difendermi. Allora, chiedendo il segreto, parlai. Gli dissi che, dopo, avevo avuto orrore del sangue, ma sul momento avrei desiderato che il Magini cadesse morto. Egli mi fissava impensierito e tuttavia disse: «Capisco». Parlò poi col Magini e con gli altri compagni. Grazie alla mia abituale lodevole condotta non venni esclusa dalla scuola. Fu detto che eravamo venuti a diverbio per un libro. Perdetti però l'amicizia di Natalia che mi giudicò una ragazza violenta e vendicativa.

Il giorno stesso confessai alla mamma l'accaduto.

La condussi presso la finestra che guardava nel giardino delle suore: lì, dove avevamo trascorso insieme tante ore di dolce confidenza, mi sembrava più facile parlarle. Rimasi in piedi davanti a lei e raccontai diffusamente con minuzia di particolari; non tanto per giustificarmi quanto per farle comprendere – e forse comprendere io stessa – come tutto ciò fosse potuto avvenire.

Ero intimidita dal suo sguardo: pensavo che ella dovesse giudicarmi ancora una bambina a causa del mio corpo magro e delle trecce. Mi ascoltava con attenzione, una mano poggiata sulla gota. E quando io dissi che l'avevo colpito alla fronte e che era caduto lungo disteso e dissi del sangue che colava giù dalla tempia sulla maglietta bianca, lei sussultò, ma non m'interruppe, non mi sgridò, rimase ad ascoltarmi sino alla fine.

Poi adagio si levò, mi prese per le spalle e guardandomi negli occhi mi domandò, come se parlasse con una donna adulta:

«Anche per te è così importante l'amore, vero, Sandi?»

La fissai accennando di sì, convulsamente, e scoppiai in un dirotto pianto, del tutto estraneo al gesto che avevo commesso. Sentivo aprirsi dentro di me un vuoto malinconico al quale mia madre, con quella inaspettata domanda, aveva dato nome e, impaurita, mi aggrappavo a lei allo stesso modo di quando ero bambina.

Così abbracciate guardavamo attraverso i vetri della finestra; e ci tenevamo vicine, guancia contro guancia. Fuori, lo ricordo benissimo, le nuvole erano basse e il vento soffiava forte prima di cedere alla pioggia e alla bufera. Nell'imminenza del ciclone, le monache avevano chiuso accuratamente ogni finestra e il muro del convento appariva impenetrabile. Le foglie più deboli s'erano lasciate staccare dai rami e volteggiavano in raffiche furiose.

Consolata nel tepore delle braccia che mi accogliavano, sentivo un'amara pace scendere in me. Ma d'improvviso mi scossi, mormorando:

«E il babbo?»

«Non diremo niente al babbo» ella rispose.

Dopo una pausa, aggiunse sottovoce:

«Non si può dire tutto al babbo. Gli uomini non capiscono queste cose, Sandi. Non valutano il peso di una parola o di un gesto; hanno bisogno di fatti concreti. E le donne sono sempre in torto di fronte ai fatti concreti.»

Riprese poi: «Non è colpa loro. Sono due pianeti diversi, i nostri; e ognuno gira sul proprio asse, fatalmente. Vi sono alcuni momenti rapidi d'incontro; attimi forse. Dopo, ognuno ritorna a chiudersi nella propria solitudine».

Il vento entrava dalle fessure, sibilando: mi faceva rabbrividire.

«Sei alta come me, quasi» disse mia madre. «Sei già una donna, la tua adolescenza è finita.»

In quel momento ricordo di aver intuito che ella non mi sarebbe rimasta a lungo vicina: le sue parole venivano già da un mondo distante, come se ella mi parlasse attraverso molta aria, o l'acqua. La stringevo per trattenerla quasi e non osavo guardare il suo viso temendo di cogliervi un cenno di congedo.

«Per questo avrei voluto che tu fossi un ragazzo» ella seguitò. «Gli uomini non hanno, come noi, tante sottili ragioni per essere infelici. Si adattano, gli uomini: sono fortunati. E io avrei voluto lasciare dietro di me un essere fortunato. Mia madre tentava a tutti i costi di staccarmi dalla musica, dai romanzi, dalla poesia: avrebbe voluto che io mi distraessi, fossi più forte di lei. Ero ancora piccola ed ella mi raccontava fosche e sanguinose vicende d'amore, sperando che in me nascesse un istintivo senso di difesa: erano racconti cupi, terribili, allucinanti, ed ella me li narrava con un tono di voce basso, tragico, manifestando la sua vocazione d'attrice. Io non potevo ascoltarla; piangevo, volevo andarmene e lei mi tratteneva per i polsi. Era

45

una donna singolare: mostrava una sorta di accanimento nel far questo, un crudele accanimento germanico. Io m'alzavo di notte per leggere le poesie, o il *Werther* che era molto difficile, in tedesco. Studiavo il piano con tanta passione da averne, una volta, un grave collasso nervoso. Cessò allora di trattarmi così; soltanto un giorno mi disse col gesto che aveva, quasi un vezzo, di dividermi i capelli sulla fronte: "Peccato, avrei voluto che tu fossi felice".»

«Era felice, la nonna?»

Mia madre esitò un momento, poi disse:

«Non credo. Forse prima di sposarsi, quando viveva ogni sera sulla scena una grande storia d'amore. Poi... No, poi non fu felice certamente. Il suo fu un matrimonio di passione, ma, a vederlo da vicino, pareva simile agli altri. Del sentimento irresistibile che l'aveva spinta a lasciare il teatro non era rimasto nulla, proprio nulla: sembravano finanche annoiati di vivere insieme. Non avevano molta pazienza e mia madre era una donna violenta. Morì piuttosto giovane, sicché di lei non ho molti ricordi. Ma di alcune cose mi rammento benissimo. D'estate, per esempio, mi conduceva a villeggiare in Tirolo. Andavamo a spasso rasente i campi di grano, tra le grandi montagne che ingigantivano la nostra voce, ogni parola detta. Ella camminava svelta, con una mano si teneva la lunga gonna, con l'altra mi trascinava dietro di sé. Intanto recitava ad alta voce brani di qualche dramma. Recitava in tedesco, io non capivo molto bene. E la sua voce era così diversa da quella consueta, che mi veniva fatto di sospettare che in lei abitasse un essere nascosto il quale si palesasse solo in quegli istanti; qualcuno che, in vece sua, seguitasse a vivere sulla scena nell'odore di cipria, di polvere e cerone, nel camerino adorno di alti cesti di fiori, dove, appesa nell'armadio insieme con la veste e la parrucca, ella trovava, ogni sera, una maravigliosa storia d'amore.» Aggiunse, dopo una pausa: «No, non fu felice davvero. Ricordo il modo disperato che aveva di stringersi a me, di baciarmi».

46

E intanto mi stringeva. Non lo sapeva, certo, ma anche il suo era un modo disperato di stringermi. Io rabbrividii, smarrita entro una improvvisa pietà per la mia condizione di donna. Eravamo, mi pareva, una specie gentile e sfortunata. Attraverso mia madre, e la madre di lei, e le donne delle tragedie e dei romanzi, e quelle che s'affacciavano nel cortile come alle sbarre della prigione, e le altre che incontravo in istrada e che avevano occhi tristi e ventri enormi, sentivo pesare su di me una secolare infelicità, una inconsolabile solitudine.

«Mamma» le chiesi con disperazione: «si può essere qualche volta felici per amore?»

«Oh, sì» disse lei; «credo di sì, bisogna aspettare, soltanto. A volte» aggiunse più piano «si aspetta tutta la vita.»

Questa conversazione mutò un poco i rapporti che correvano tra mia madre e me: pur senza farne cenno, da quel giorno, abbandonate certe blandizie, ella mi trattò con maggior confidenza, al modo di una sorella. Si curava meno dell'impiego delle mie giornate, sapeva che io rimanevo a lungo sola e certo intuiva che, in tal modo, avrei potuto approfondire la conoscenza di me stessa e pormi tutti gli interrogativi proprî della mia età.

Così ella trascorreva, senza rimorso, intieri pomeriggi a villa Pierce. Tornava a casa e mi diceva: «Ho male al braccio, ho sonato ininterrottamente per ore». S'abbandonava sul letto e mi chiamava accanto a sé, in una lieve penombra. Le mani, sulla coperta scura del letto nuziale, apparivano esangui; sotto la pelle, in un delicato colore che le invermigliava le gote, circolava un entusiasmo felice che la ringiovaniva. Mi era accaduto poche volte di vederla illeggiadrita da quei colori: solo quando raccontava della sua infanzia o quando narrava le storie di Shakespeare e sembrava che avesse addosso la febbre.

Eppure qualcosa la turbava, lassù, ed era la nascosta presenza di Hervey alla quale tutto nella grande villa, cose

e persone, pareva ubbidire. Aveva un tono nervoso, lievemente irritato quando parlava di questo Hervey. «Si dispongono i fiori come a lui piace, si acquistano i quadri
dei suoi pittori preferiti e nel pomeriggio, a volte, odo fe-
roci colpi d'ascia nel giardino, e gli alberi che a lui non
piacciono cadono riversi, giustiziati. No, no, lo dico sempre ad Arletta: bisogna reagire. Quando io smetto di sonare per riposarmi e facciamo due passi nel giardino, o
prendiamo il tè, lei subito incomincia a parlarmi del fratello.» «E che dice?» le chiedevo incuriosita. «Oh, non
lo so» rispondeva con noncuranza «la ascolto appena.»
Ma io sapevo che non era vero.

L'avevo vista scendere una volta per le scale mentre
la macchina dei Pierce, che ogni giorno veniva a prenderla, era ferma davanti al portone. Scendeva rapida, al
modo delle ragazze che da poco sono uscite dall'adolescenza e anelano di trovarsi in istrada per saggiare negli
occhi degli uomini il loro aspetto e il loro potere femminile. Nessuno avrebbe pensato che soltanto una macchina vuota l'aspettasse.

Non era vuota, infatti. Lì dentro, fin d'allora, l'aspettava Hervey; di lui non si vedevano fotografie nelle stanze
della villa: ma, sul pianoforte, erano le sue mani, formate
nella cera. Bianche, mozzate al polso, staccate l'una dall'altra perché – Arletta le aveva spiegato – avevano servito da
modello per una statua di san Sebastiano. «Le ho toccate»
mi disse «un momento in cui Arletta era uscita dalla sala.
Non sono fredde, sai? La cera ha un lieve tepore umano.»
Mi disse di averne posato una sul braccio. Rimasta sola
io mi passai una mano sul braccio, sul collo, per provare la stessa sensazione. Era una sensazione sconvolgente.

Una sera domandai a mia madre per quale ragione Hervey vivesse lontano da villa Pierce. «È malato» mi rispose,
ma con un accento singolare; certo lo stesso che usava Arletta, che usavano persino i domestici quando parlavano
del signor Hervey. Tuttavia nessuno menzionava una de-

terminata infermità. Era forse la sua qualità diversa che suggeriva di attribuire a una fisica anomalia il modo diverso che egli aveva di parlare, sentire, vivere.

Eppure – Arletta assicurava – qualche volta Hervey aveva perfino giocato a calcio, da ragazzo. Aveva costruito piccoli alianti, si pensava che sarebbe divenuto ingegnere. Di questi alianti si parlava moltissimo, quando Hervey non c'era. Fu anzi una delle prime cose che mia madre apprese di lui. «E poi?» le veniva fatto di chiedere. Allora si cominciava a parlare in quel tono sommesso, segreto. Poi era scoppiata la guerra: Hervey aveva quindici anni, Shirley nove e Arletta era appena nata. I Pierce abitavano a Bruxelles, in una villa simile a quella di Roma; ma le cancellate fiancheggiavano un grande viale cittadino dove molta gente passava. Verso sera Hervey usciva dalla sala da studio, andava a sedersi dietro la cancellata. Non si vedevano più i pacifici borghesi passeggiare adagio, prima di rientrare per il pranzo. Passavano molti giovani che avevano già indosso l'uniforme militare; e il fucile sulla spalla, o la pistola al fianco, o la baionetta: armi, insomma. Hervey non provava per i soldati quell'attrattiva così comune ai ragazzi: ma una sorta di ripugnanza, invece. Li fermava con una scusa, li chiamava presso la cancellata. Osservava la loro divisa, le insegne del reggimento, spiava che volto avessero sotto il berretto. Poi diceva loro: «Non andate in guerra. Non si deve sparare contro persone che non hanno fatto nulla di male». I soldati stupivano nell'udire parlare in quel modo un ragazzetto. E lui continuava: «Buttate via l'uniforme, scappate. Scappate in campagna, nascondetevi». Presso la cancellata si formavano gruppetti di curiosi: sgomento dell'attenzione che aveva suscitato, Hervey correva a rifugiarsi nella sua camera.

A quel tempo Hervey smise di fabbricare alianti; anzi, se udiva passare sopra la casa il cupo ronzio di un aereo, sbiancava sulle guance. Aveva subitanei e inspiegabili accessi di febbre nei quali delirando parlava di uomini sepolti vivi in un sottomarino che non potevano più risalire dal fondo del mare. «Bisogna salvarli» diceva «salvarli, liberarli. A loro piace il mare tranquillo, sono marinai, pescatori.» Sognava di scendere a nuoto fino nelle remote profondità marine dove sono gli alberi di corallo e i banchi delle perle. Si dibatteva nel delirio. «Sto bussando allo scafo, busso, busso, busso. Non rispondono più.» Venivano medici famosi ad auscultarlo. Hervey li guardava, rosso in viso per la febbre. «Non rispondono più» ripeteva con gli occhi sgranati nel terrore «non rispondono più.» I medici lo visitavano, Violet Pierce li seguiva attendendo una parola. Dopo, mentre si lavavano le mani, rigirando con calma il sapone tra le dita, dicevano alla madre che non li abbandonava un momento con lo sguardo: «È un ragazzo sanissimo, signora». «E la febbre?» ella chiedeva. Tacevano asciugandosi le mani con cura, ogni unghia, ogni falange. E lei in attesa. «Nervi, signora, nervi: un po' di nevrastenia.» Hervey non usciva più dal gran parco né i genitori lo spingevano a farlo. Egli non voleva vedere, affissi ai muri della città, i grandi cartelloni dei prestiti nei quali si vedevano uomini col petto squarciato da orrende ferite, con l'uniforme macchiata di sangue. «Non bisogna fare la guerra» seguitava a dire, pallido, affacciandosi di tra le sbarre della cancellata.

La gente conosceva ormai il ragazzo: qualcuno aspettava addirittura che apparisse per lanciargli contro parolacce e insulti. Hervey era biondo e alto. «Tedesco» gridavano nel vederlo. «*Boche*.» E lui rispondeva: «Non sono tedesco, ma che colpa ne avrei se lo fossi?». E quelli fischiavano. «*Boche*» seguitavano a gridare: «*sale boche*.» Tiravano sassi e una pietra lo raggiunse e lo colpì alla guancia. I più giovani s'erano arrampicati alle sbarre alte della cancellata per meglio dileggiarlo. «Non bisogna ferire» il ragazzo continuava senza risentimento, «bisogna amare tutti, anche i tedeschi, ogni uomo è un mondo creato da Dio.» Quelli seguitavano a inveire contro di lui. «Protestante» gridavano «spia, *boche*.» E gli tiravano pietre sulle gambe. Hervey si volse e tornò in casa tranquillo, col sangue che gli colava sul vestito. La madre, nel vederlo ferito, svenne. Il giorno seguente si presentarono in casa tre o quattro persone e, poiché i Pierce erano stranieri, li invitarono a partire subito, lasciare il Belgio. Per loro sicurezza, dicevano. Per sicurezza frugarono anche nei cassetti di Harold Pierce.

I Pierce tornarono in Inghilterra, poi, a guerra finita, vennero ad abitare l'Italia perché Hervey voleva studiare la musica.

«Cominciò proprio così» Arletta concludeva scotendo la testa: «con quell'odio alla guerra. Prima, le ho detto, si pensava persino che potesse divenire ingegnere. Mi sarebbe piaciuto avere un fratello ingegnere che costruisse ponti e case; ma a Hervey le case non piacciono. Non si affaccia mai sul belvedere che noi abbiamo, sa?, proprio in cima alla villa: di lì si vedono cupole e case; tutte le case di Roma, rosee e rosse e gialle, così diverse dalle tristi case di Londra: un vasto panorama, come dall'alto del Gianicolo. Soltanto il babbo ed io saliamo qualche volta a godercelo. Mia madre non approva i nostri gusti. Eppure, creda, signora, di lassù è proprio bello, la sera: si vedono i lampi delle tranvie urbane, le grandi insegne al neon, i lumi accesi... Dalla finestra di Hervey si vede solo un gran cedro del Libano, un albero vecchissimo; mio fratello ne racconta sempre la leggenda. Non saprei raccontargliela, è piuttosto lunga; e del resto, detta da me, perderebbe ogni sapore: io non possiedo come lui quel modo di narrare che rende straordinarie tutte le cose. Ma, insomma, sembra che dentro quell'albero vi sia un cavallo rinchiuso. Di notte Hervey lo sente nitrire, quando stormiscono le fronde.»

Nel riferirmi tutto ciò la voce di mia madre si faceva calda e sommessa, come quella di Ottavia nel leggere i messaggi degli spiriti. Dalla poca luce che rischiarava la camera i mobili scuri emergevano, simili a cupe rocce. Sulla parete di fronte al letto, mio padre aveva voluto una grande fotografia dei genitori: erano ritratti a mezzo busto e le loro spalle si toccavano, i loro occhi fissavano severi il fotografo. Vestiti di scuro, sul bianco latteo dell'ingrandimento, erano anch'essi solide rocce, scogli.

«Mamma» dissi sottovoce «io non credo che il fratello di Arletta sia malato. Anche il babbo, ricordi?, quando si porta il dito alla fronte e fa come per girare una vite, dice che noi siamo malate.»

«Dice così, vero?»

Ella si volse per guardarmi: voleva forse spiare nei miei occhi il vero significato della mia allusione. Poi mi strinse in un abbraccio e rimanemmo in silenzio, allacciate, sul letto alto. Dentro di sé certo ella mi diceva "bambina mia", diceva "Sandi", diceva "cara, cara"; ma io dovevo intuire tutto ciò senza chiederle nulla, comprenderlo da quel modo disperato di abbracciare che era stato – ella m'aveva detto – solito anche alla nonna. Sentivo del resto che in nessun altro modo io avrei potuto abbracciare, un giorno, un'altra donna che mi fosse figlia.

L'anno seguente Arletta incominciò a sonare il pianoforte; durante tutto l'inverno mia madre si era recata quotidianamente a villa Pierce e io ero rimasta sola. Fu un inverno triste e piovoso, o forse tale mi parve a causa della mia solitudine: ma certo, quando rivado a quei giorni, mi sembra di avere nelle nari un odore di terra bagnata e di vedere il cielo bianco, annuvolato, oltre i vetri della finestra.

Lasciati soli, mio padre ed io avevamo spesso occasione di discorrere insieme. Egli, anzi, pareva desideroso di avvicinarmi, sebbene non per interessarsi alla mia educazione, o conoscermi meglio, ma solo allo scopo di chiacchierare e riempire il tempo. Si sedeva accanto a me e avrebbe voluto trovarmi pronta a riferirgli informazioni e pettegolezzi sulle ragazze del casamento, che conosceva per averle viste passare nelle scale. Non sapeva che cosa fare di se stesso quando era libero dall'ufficio e aveva esaurito la lettura del giornale: leggeva diligentemente anche gli annunzi economici – benché non comperasse o vendesse mai nulla – e le più insignificanti notizie dalla provincia. Leggere il giornale era doveroso, secondo lui, leggere libri, invece, significava perdere tempo. Ed egli era proprio e unicamente occupato a perderlo: sedeva in poltrona limandosi le unghie, s'affacciava alla finestra, scendeva a bere un caffè al bar dell'angolo. Due volte l'anno si recava in Abruzzo dalla Nonna e tornava col danaro ricavato dalla vendita delle olive e dei fichi secchi.

Ci recavamo alla stazione, tutte insieme, la mamma, Sista ed io, per aiutarlo a trasportare fino al tram due grandi ceste colme di provviste. Eravamo poco avvezze a trovarci nelle rumorose strade del centro, fra tanta gente: nella stazione seguivamo con occhi sgranati le persone che andavano e venivano, dirette verso paesi sconosciuti. Io tornavo con la mente alle descrizioni che la mamma faceva delle favolose città ove la nonna andava a recitare. Svagate, partivamo appese al fumo grigio che sventolava dalle ciminiere, come alla coda di una cometa. Il soffio degli stantuffi ci metteva un palpito grosso e affrettato nel petto. «Queste» la mamma diceva «sono le rotaie che portano a Vienna.» Ed entrambe aguzzavamo gli occhi tentando di seguirle lungo tutto il percorso e all'arrivo.

Sista ci chiamava: «Ecco il treno»: e la sua voce grave, il suo aspetto severo nel vestito nero, nel fazzoletto nero annodato sotto il mento, ci riconducevano alle nostre malinconiche abitudini. Ancora trasognate ci facevamo addietro, timorose d'esser travolte dalle ruote del locomotore. Infine una cesta coperta di tela bianca, poggiata sul finestrino, ci diceva che mio padre era arrivato.

Subito, nell'abbracciarci, annunciava: «Ho portato la caciotta, il capocollo». Gli piaceva mangiar bene. Aveva l'aspetto del buongustaio e il modo di vestire tutto proprio dell'uomo maturo che vuol piacere alle donne. Portava sempre con sé un pettinino, e un astuccio con qualche sigaretta leggera, benché fumasse raramente. Quando usciva, nel pomeriggio del sabato, si passava la brillantina sui baffi e sui capelli; e, dopo ch'egli aveva richiuso la porta alle sue spalle, nelle stanze rimaneva un acuto odore che m'infastidiva profondamente. Aprivo porte e finestre perché il profumo si dileguasse e finché non era del tutto svanito non mi pareva di esser tornata veramente sola. Non amavo mio padre: mi sentivo sempre spinta a rispondergli seccamente o con durezza, sebbene fosse mia abitudine usare modi cortesi con chicchessia.

Talvolta egli mi si avvicinava mentre sedevo nel mio angolo, presso la finestra. La sua presenza mi disturbava tanto da farmi assumere un atteggiamento ostile e ribelle.

«Che fai?» egli domandava, interrompendomi nella lettura.

«Non lo vedi?» rispondevo aspramente.

«Già. Di che si tratta?»

Malvolentieri gli mostravo il frontespizio.

«Ti piace leggere, eh?» Poi aggiungeva: «Sei come tua madre».

Nel tono della sua voce correva una vena di sottile disprezzo; sempre assumeva quel tono quando diceva "tua madre" invece di dire "la mamma".

«E cioè?»

«E cioè non siete come le altre donne alle quali piace andare al cinematografo, sedere al caffè, e quando sono in casa cuciono, lavorano, rassettano la casa. Siete principesse.»

Si serviva spesso di questa parola intendendo nel titolo nobiliare riassumere la pigrizia, l'inerzia, e il gusto per le cose inutili e raffinate. Fremente di rabbia, io mantenevo tuttavia verso di lui una calma gelida, per non ammetterlo nell'intimità di un mio risentimento.

«Perché dici questo?» domandavo senza guardarlo, seguitando a tagliare le pagine del libro: «spendiamo troppo, forse?»

«Oh, no davvero.»

«La casa è in disordine? Non ti piace il vitto?»

«Al contrario.»

«Chiediamo divertimenti e vestiti lussuosi?»

«No, no certamente.»

«E allora?» domandavo alzando finalmente su di lui uno sguardo carico di repressa antipatia: «E allora?»

«E allora non lo so, ma siete donne diverse dalle altre, te lo dico io. Forse sarà colpa dei libri. Ma avete qualche cosa, qui, che non funziona.»

Si portava l'indice teso alla tempia fingendo di girare una vite: quel gesto, che egli ripeteva spesso, aveva il potere di esasperarmi. Sentivo in me l'impulso di colpirlo coi pugni, duramente; e invece, con grande sforzo, tornavo ad abbassare gli occhi sul libro, riprendevo a leggere. Egli rimaneva lì, in poltrona, perché non aveva niente da fare; si puliva le unghie col mio tagliacarte e intanto mi osservava come se io fossi stata una persona qualunque, una ragazza seduta accanto a lui nel tram. Quando mi guardava così, istintivamente mi veniva fatto di allungare la gonna sui ginocchi.

Succedevano lunghi silenzi imbarazzanti. Poi egli concludeva il lungo esame della mia persona:

«Sei magra» diceva: «alla tua età le ragazze hanno già il petto.»

Arrossivo, come schiaffeggiata, e un umiliante disagio si diffondeva in me, sotto la pelle: non gli riconoscevo il diritto di parlarmi di cose tanto intime e del tutto estranee alla confidenza che un rapporto paterno giustifica.

«Sei come tua madre.»

«Mia madre è una donna bellissima» io protestavo vivacemente.

«Sì» egli rispondeva calmo. «Però non ha petto.»

S'alzava, andava a leggere il giornale, ad ascoltare la radio, e mi lasciava sconfitta.

Il temperamento di mio padre, e la sua debolezza di fronte alle belle forme femminili, non sfuggivano a Fulvia, la quale mi diceva:

«A tuo padre piacciono molto le donne. Lo capisco dal modo che ha di guardarmi. Giorni fa mi ha fermato per le scale, mi ha domandato: "Sei l'amichetta di Alessandra, vero?". Io ho fatto cenno di sì e sono scappata via. Voleva attaccare. Ma a me fanno schifo gli uomini che hanno moglie.»

Molti anni dopo, Fulvia mi disse che, a quei tempi, spesso egli l'attendeva nelle scale. Non le faceva offerte d'amore né tentava di baciarla: voleva toccarla soltanto, al modo di una cosa. Mi disse anche che – nonostante la ripugnanza che quelle mani suscitavano in lei – ella non osava difendersi, tenuta da una sorta di soggezione verso un uomo anziano, marito di una amica di sua madre. Si lasciava toccare, perciò, mostrando di non conoscere ancora il significato di quei gesti e fingendo di scambiarli per atteggiamenti scherzosi.

Fulvia era molto graziosa a quell'epoca: o forse graziosa non è la parola adatta. Era attraente e provocante, come molte ragazze della borghesia romana alla sua età; aveva capelli neri e lucidi, studiosamente acconciati, e un seno ardito che non si curava di nascondere. Se qualcuno le susurrava un complimento, quando uscivamo insieme, ella rispondeva ad alta voce, con una frase non priva di spirito. Ignorava le mie timidezze, i miei rossori. Teneva un regolare carteggio con un ragazzo che abitava nel casamento dirimpetto e gli parlava dalla finestra, a mezzo dell'alfabeto muto; con un altro, suo compagno di scuola, andava a passeggiare in campagna invece di frequentare le lezioni. Del resto non aveva bisogno di mentire perché era libera delle sue giornate: Lydia trascorreva spesso l'intero pomeriggio col capitano.

Di questa libertà Fulvia, in fondo, approfittava con parsimonia. Quando la madre usciva, ella si sedeva davanti alla toletta e si divertiva a dipingersi le labbra e gli occhi, acconciarsi i capelli in varie fogge, rialzati sulla nuca, riuniti sulla fronte in un ciuffo, come vedeva nei giornaletti cinematografici dei quali era assidua lettrice. In casa vestiva molto trasandata, come quasi tutte le ragazze del casamento; indossava abitucci di cotone, sbiaditi dalle troppe lavature, divenuti corti e stretti, strappati sotto le ascelle; calzava vecchie scarpe usate a modo di ciabatte; in estate circolava nuda addirittura nella breve vestaglia a fiorami legata stretta stretta alla vita con una cintola. Quando era sola si ungeva il viso con olio di oliva, vi passava sopra fette di patate e succo di limone, benché avesse pelle freschissima. La sua pelle era anzi la cosa più bella che avesse; fine, trasparente e vellutata. Quando ci lasciavano sole avevo voglia di chiederle: "Mi fai toccare?"; ma non osavo.

Io, invece, andavo facendomi sempre più taciturna e solitaria. Se non fosse stato per Fulvia avrei trascorso intere giornate chiusa in me stessa. Sentivo che una nuova età mi andava trasformando: e ne provavo un affascinante sgomento. A scuola ciò che era accaduto col Magini non era certo valso a rendermi popolare. Le parole che scambiavo con gli insegnanti erano, spesso, le sole che pronunciassi nella mattinata. I compagni non mostravano alcun interesse per me, «È presuntuosa e antipatica» sentii dire un giorno: altra volta udii che dicevano: «È brutta».

Spesso anche Fulvia m'ignorava per giorni interi. Poi d'improvviso mi chiamava dal cortile: «Vieni su» diceva dispoticamente. Appena ella mi chiamava, io chiudevo il libro e la raggiungevo salendo le scale a due a due.

Trovavo la porta socchiusa e, nella casa vuota e silenziosa, Fulvia occupata in qualche cura personale che non interrompeva per il mio arrivo. Nei tardi pomeriggi d'estate, ci trattenevamo a discorrere sul terrazzino. Era alto sulla città, sembrava che la gran casa dove abitavamo ci portasse in trionfo. Di là si vedevano solo terrazze deserte, tetti rossi e un campanile sul quale si rifugiavano le rondini.

Noi usavamo per sedile una stretta asse di legno posata su due grossi barattoli vuoti. Talvolta Fulvia si sdraiava sull'asse lasciandomi appena un piccolo spazio per sedere ai suoi piedi; la sua vestaglia s'apriva sulle spalle, sul seno, sulle gambe, che io contemplavo con avida curiosità.

«Ho caldo, fammi vento» ella mi diceva, interrompendo di chiacchierare.

Io ubbidivo, accettando che mi trattasse come una schiava. Sentivo che Alessandro era innamorato di lei e voglioso di consumarla con gli occhi. Ma ero troppo ingenua per poter accettare consapevolmente quegli impulsi. Godevo nel guardarla, mentre raccontava. Aveva un piglio brusco, nel parlare, quasi spavaldo. L'amore era per lei una cosa sbrigativa, spicciola, un po' sudicia: i compagni coi quali aveva preso l'abitudine di uscire spesso usavano un linguaggio facile e sboccato, raccontavano storielle piccanti, fumavano. Ella si comportava, con loro, al modo di un maschio; con tutti meno che con Dario.

Dario era il ragazzo che abitava nel casamento di contro: frequentava l'università e, quando erano prossimi gli esami, si vedeva la sua finestra illuminata fino a tarda notte. Portava i libri con sé anche quando andava con Fulvia in campagna, si sedeva, appoggiava le spalle a un albero e studiava mentre lei prendeva il sole. «Spesso» ella mi raccontava «mi tolgo la camicetta.»

«E sotto che hai?»

«Sotto? Niente. Sono tutta bruna» diceva, aprendo un poco la scollatura.

«E Dario?»

«Dario studia e fa il palo. Mi avverte, mi dice "copriti che passa gente", se chiudo gli occhi mi tira i sassolini per svegliarmi. Quando è stanco di studiare, viene a sdraiarsi sul prato vicino a me.»

Io sogguardavo la porta, temendo che mia madre potesse sorprendere i nostri discorsi. Poi, arrossendo, tornavo a volgermi a Fulvia e le chiedevo: «Dimmi, dimmi ancora, spiegami». Volevo che mi parlasse di Dario. «Lo ami?» le domandavo. Lei rispondeva di no. Mi diceva di non provare alcuna commozione da quelle lettere e da quegli incontri. Non capivo allora perché facesse tutto ciò e una volta glielo chiesi con timidezza, violando le strette maglie del mio abituale riserbo.

Mi rispose, guardandomi seria: «Che dovrei fare? Io non valgo gran cosa. Non sono mica come te».

La interruppi protestando vivacemente. Mi pareva che una donna non avrebbe mai dovuto scendere a quell'amara rassegnazione.

Una sera mentre si faceva buio – lei era sdraiata sulla panca e io seduta ai suoi piedi – mi spiegò come si fanno i bambini.

A causa dei racconti di Fulvia e delle sedute spiritiche, mi riusciva difficile aver sonni calmi, la notte. Quando i miei genitori si chiudevano nella loro camera e la voce di mia madre taceva dietro la porta chiusa, mi pareva d'esser sola, abbandonata a mille insidie nascoste nell'ombra e nei miei pensieri.

Le recenti spiegazioni della mia giovane amica, alle quali, in sua presenza, avevo mostrato di non dare peso, mi tenevano invece a lungo sveglia e turbata. Raramente andavo in chiesa per confessarmi e fino allora avevo avuto scarsa coscienza della colpa; d'improvviso intuii che cosa fosse veramente il peccato e ne sentii la miseria insieme con l'irresistibile e oscuro potere. Tuttavia mi pareva che solo dalla cieca obbedienza dell'amore si potesse essere trascinati ad accettare quei gesti, scontandoli magari con la vita, come Desdemona o Francesca. Eppure Fulvia aveva detto: «È una cosa che non ha nulla a che fare con l'amore». Alle mie proteste aggiungeva: «Anche Dario lo dice». Ma non riuscivo a crederlo; dubitavo che ella volesse ingannarmi per quel vezzo che aveva di mostrarsi cinica e indifferente.

Quando ero in letto, al buio, nell'agitazione della mia mente passavo in rivista le coppie che conoscevo, la loro vita, i loro sentimenti. Mi sembrava inverosimile che gli stessi uomini, i quali non avevano mai, durante tutto il giorno, una parola d'amore per le loro compagne, d'improvviso, la notte, pretendessero di trovarle pronte a quegli amplessi tremendi. Mi pareva di vedere al mattino le donne riprendere il loro lavoro quotidiano portando negli occhi il ricordo di una logorante umiliazione.

Ora che immaginavo queste cose provavo per le mie vicine un'affettuosa pietà. Io ero sola sulla loggetta, rannicchiata in un angolo al modo di un cane. Ed esse erano sole coi loro gesti, che, a vederli di lontano, sembravano atti di follia: agitare tante volte un panno, battere ripetutamente un bastone su un tappeto steso. Ognuna di noi era sola nel mondo, un punto nero nel mondo, Europa, Italia, Roma, via Paolo Emilio 30, interno 6, interno 4, interno 1. Al modo di un cane io avrei raccolto da chiunque un gesto d'amore: esse raccoglievano quell'accostarsi rapido di un uomo che, per un'ora, le stringeva nel calore della propria vita.

Sapevo che non era facile resistere. Durante le sedute spiritiche, Enea mi sedeva accanto, mi prendeva un braccio con la sua mano calda, arida, e io non osavo allontanarmi, vinta dalla novità di quel contatto che pure mi riusciva odioso. Venne una volta in casa per dire che Ottavia era malata. Entrò nell'ingresso e, mentre parlava, volgeva gli occhi attorno: la porta era ancora aperta e io mi appoggiavo ad essa con una mano che tremava. «Sei sola, Alessandra?» mi domandò. Io annuii ed egli spinse la porta dolcemente fino a chiuderla. Non l'avevo mai incontrato al di fuori delle sedute spiritiche; mi pareva che portasse con sé l'odore dell'incenso e che attorno alle sue braccia aleggiassero gli spiriti. «Da tanto tempo volevo trovarti un momento sola» Enea disse. Intanto mi si avvicinava mentre io arretravo verso la parete. Era un ragazzo già grande, il suo sguardo si posava su di me e, dove esso si posava, la mia carne diventava molle come se le ossa si sfacessero. «Lo sai» mi disse «che sono innamorato di te?» Si avvicinava e con lui il calore di tutto il suo corpo mi si avvicinava. "Forse ho schifo" pensavo "forse se si avvicina di più avrò schifo."

Quando avvicinò la sua bocca alla mia io mi scansai, per sottrarmi al suo fiato. Avevo schifo, fortunatamente: avevo schifo. Spalancai la porta, ed entrò un'aria fredda. «Vattene subito» dissi sottovoce con durezza: «va' via.» La scala era buia. Se egli avesse ancora tentato di avvicinarsi mi sarei difesa: pensavo alle forbici aperte sul lavoro interrotto. Non volevo che mi toccasse. Egli lesse una così decisa avversione nei miei occhi che uscì mormorando appena: «Sei una stupida».

Tornai nel mio canto, mi gettai sulla poltrona. Mi pareva che Enea circolasse invisibile in casa come gli spiriti dopo le sedute. Avevo paura che mia madre se ne avvedesse, al ritorno. «Come lo sai?» mi domandò quando le dissi che Ottavia non sarebbe venuta l'indomani. «Ha mandato Enea» risposi. Sedevo dirimpetto a mia madre e la fissavo, chiamandola dentro di me imperativamente: "Guardami bene, mamma, guarda che c'è nei miei pensieri". Una volta, sorpresa dall'intensità del mio sguardo, ella mi domandò: «Che hai, Sandi?». «Niente» io risposi, e avrei voluto che non mi credesse.

Mi credeva sempre, invece. La colpa era mia, forse, se da qualche tempo non riuscivo più a farmi riconoscere. Mia madre mi passava accanto, aggraziata nelle sue caste movenze, ignorando che la mia mente era abitata da malsane curiosità, pensieri abominevoli. «Buonanotte, Sandi» ella mi diceva con una carezza. «Buonanotte, mamma» io rispondevo; e intanto, dentro di me, la chiamavo disperatamente, le dicevo: "Non mi lasciare, aiutami". Mia madre non capiva: se mia madre non capiva, nessuno avrebbe potuto capire mai. Forse questa gelida solitudine era ciò che ella voleva allontanare da me, quando sembrava volermi impedire di crescere, divenire adulta. M'aggrappavo al pensiero di lei: "Mamma, ho paura" urlavo, e seppure non potevo trovare voce, lei certo mi avrebbe udito anche così, com'era stato finora. Invece non mi udiva più, e senza il suo aiuto io ero debole, peccatrice. Mia madre, vedendomi rivolta a lei, mi sfiorava i capelli e, in un sorriso, mi chiamava «bambina mia».

Spaurita di rimanere sola di fronte a questi pensieri trattenevo Sista fino a tardi, la facevo sedere presso il letto.

«Sista» le domandai una volta bruscamente: «sei mai stata innamorata, tu?»

«No» rispose.

«Proprio mai mai?»

«Mai.»

Guardavo i suoi lineamenti regolari, la fronte pura: doveva essere stata bella, un tempo.

«Perché? Non ti ha mai corteggiato qualcuno al tuo paese?»

«Oh, sì: quando ero giovane.»

«E allora?»

Esitò un poco prima di rispondere sottovoce:

«Gli uomini sono porci, Alessandra.»

Scattai a sedere sul letto, irata. «Vattene» le dissi «va' a letto, va' via.»

Poi mi rivolsi verso la parete oltre la quale mia madre dormiva con una mano sotto la guancia com'era sua abitudine. E speravo che, attraverso il silenzio notturno, ella mi sentisse piangere, chiamandola disperatamente in aiuto.

Uomini, allora, ne conoscevo ben pochi: le loro maniere, la loro voce, mi erano, posso dire, quasi sconosciute. Mio padre, appena avvistosi che io stavo diventando una ragazza non brutta, s'era affrettato a farmi abbandonare la scuola mista e mi aveva iscritta in un liceo femminile presieduto da una vecchia zitella, la quale aveva metà del volto nascosta da una ruvida voglia violetta.

In tal modo, la coscienza della mia condizione di donna mi suggeriva un sentimento di colpa. Con vergogna scoprivo sul mio corpo ogni segno che rivelasse questa condizione e la rendesse palese non solo a me stessa, ma agli altri.

Se appena incontravo un uomo sulle scale di casa, subito arrossita affrettavo il passo, come per nascondermi. Tuttavia, quando ero sola, non riuscivo a vincere la mia morbosa curiosità. Nel tram osservavo con attenzione i gesti degli uomini, il modo che essi avevano di estrarre il portafogli dalla tasca, di contare il danaro; guardavo le loro dita ingiallite dalla nicotina; se ero pigiata in una folla avvicinavo il viso all'impermeabile, al cappotto di un ufficiale e aspiravo quell'odor forte di tabacco e cuoio, che mi pareva l'odore di una razza diversa.

Talvolta, mio padre annunciava la visita di qualche suo collega d'ufficio. Amava ricevere questi amici nella stanza da pranzo e insisteva per offrire loro un bicchiere di vino, cosa che mia madre non approvava. Per tutto il pomeriggio io ero incuriosita e turbata dal pensiero di questa visita serale. Quando il campanello squillava dovevo dominarmi per non mostrare l'apprensione che mi stringeva all'idea di presentarmi a un uomo, dargli la mano, parlare con lui.

Oltre la tavola stavano mio padre e il suo amico, di qua mia madre ed io graziosamente sedute, che aprivamo gli occhi su di loro come da un palco a teatro. Eravamo colme di cose piacevoli e interessanti da raccontare, io avrei voluto parlare di certi libri letti, mia madre forse della musica. Ma essi non ci interrogavano mai.

Di me dicevano che ero cresciuta e se ne stupivano come se crescere fosse stato un arbitrio, una licenza che mi prendevo: poi, subito, mio padre aggiungeva che stava diventando vecchio e l'altro diceva «Sì, sì», ma ridevano maliziosamente, in modo ambiguo. Lesti poi, con poche frasi, si costruivano attorno l'ufficio, e così acquistavano una maggiore disinvoltura.

A noi sembrava impossibile che essi godessero di ritrovarsi anche la sera nei meschini interessi dell'ufficio, tra le pitoccherie in mezzo alle quali doveva essere già penoso trascorrere gran parte della vita quotidiana: eppure si impensierivano se, in occasione di una prossima festività, sarebbe stato concesso loro un giorno di vacanza. «Ce lo devono dare» dicevano. «Ce lo daranno», e ridevano in un modo grasso e sguaiato, ostentando la sicurezza che quelli del governo avessero paura di loro.

Tuttavia mio padre non sapeva nulla di politica. Dalla lettura del giornale egli traeva soltanto una sorda e ironica irritazione, soprattutto per quanto concerneva gli stipendi degli impiegati statali. Quando veniva loro accordato un lieve aumento o una gratifica, ci mostrava la notizia stampata nel quotidiano dandoci un colpettino sulle spalle e una strizzatina d'occhi, quasi essa fosse dovuta a una sua personale manovra. Verso lo Stato non provava alcuna solidarietà, ma solo diffidenza come verso qualcuno che fosse sempre sul punto di imbrogliarlo e col quale egli volesse impegnarsi in una gara d'astuzia. Sovente accennava a piccoli trucchi usati per lavorare il meno possibile, in ufficio, e talvolta con gli amici parlavano di un loro superiore troppo zelante che avevano soprannominato Codino. Questo nomignolo suscitava la loro ilarità al solo pronunciarlo: «Hai visto Codino?» dicevano, e poi ridevano allegramente. Sembra che dal finestrino del gabinetto di decenza si vedessero, in estate, le impiegate del ministero del Tesoro togliersi il grembiule nero al momento dell'uscita: mio padre e il suo amico si accusavano vicendevolmente di essere assidui del gabinetto, a quell'ora. Io arrossivo, la mamma arrossiva, ma non si volgeva verso di me per non dover sostenere il mio sguardo. Fissavo mio padre, mentre soddisfatto raccontava, e mi dispiaceva che si fosse ridotto al livello dei miei compagni di scuola. Tentavo di aver tenerezza per lui e non riuscivo. Mi pareva che, comunque, la tenerezza che si poteva provare per gli uomini non dovesse nascere dalla pietà. Non volevo provare pietà per un uomo. «Hai visto che giovedì facciamo festa? Hanno dovuto darcela.»

Della festa poi approfittavano a questo modo; questo era il loro riposo, il loro godimento: sedere davanti a un bicchiere di vino aspettando che al mattino seguente l'ufficio riaprisse. Ma era una vacanza a spese dello Stato, e perciò era un dispetto riuscito, anche se costava molte ore di noia e di monotonia. Nei giorni festivi mio padre domandava: «Che ora è?» come chi aspetta che un treno passi, di notte, alla stazione. «Lo Stato siete voi» ricordo che una volta la mamma disse. «Noi?» mio padre rispose fingendo ironica sorpresa. «Noi?» ripeteva. «Io e lui?» «Anche voi due come tutti.» I due allora ripresero a ridere: «Ah, ah» abbandonandosi sulle sedie. «Se fossimo noi lo Stato, ti faremmo vedere.» «Mi basterebbe un anno» l'altro disse con improvvisa serietà ammonitrice. «Che dici?» mio padre replicò: «Un mese, otto giorni.» Convenuto infine che ventiquattr'ore sarebbero state loro sufficienti per assicurare il benessere del Paese, si versarono un altro bicchiere di vino. «In primo luogo» disse mio padre «vorrei vedere Codino spazzare le latrine.»

Io non osavo credere che quelli fossero veramente "gli uomini". I libri mi avevano appreso, su di essi, cose molto diverse. Sapevo che non erano così: lo sapevo con tanta risolutezza che a volte provavo un furioso desiderio di allontanarmi da costoro, scacciarli, affinché in me non si spegnesse l'attesa di un uomo simile al Devushkin di *Povera gente*, lettura che in quel tempo mi aveva affascinata e commossa. No, no, mi dicevo, e forse scrollavo la testa, no, no, poiché la mamma mi prendeva una mano, sotto il tavolino, e me la stringeva forte.

Di uomini si parlava spesso in casa di Fulvia. Dirò, anzi, che raramente si parlava d'altro. Verso sera, soprattutto in primavera e in estate, parecchie ragazze si riunivano da lei sul terrazzino che ella usava al modo di salotto. Alcune di queste ragazze abitavano lo stesso casamento, altre erano compagne di scuola o vicine.

Fulvia costituiva il centro di quelle riunioni: ella aveva un forte potere su queste sue coetanee, le quali, al pari di me, andavano lì per ubbidirle. Spesso le trattava duramente, le comandava addirittura: «Va' a prendermi un bicchiere d'acqua in cucina». Oppure diceva: «Adesso ho fame, mangio» e, con una indelicatezza che mi faceva arrossire, addentava pane condito con l'olio, o un bel frutto, davanti agli occhi cupidi delle altre.

Se la mamma era assente, Fulvia s'arrischiava a fumare due o tre sigarette. «Sono quelle del capitano» diceva. Inebriate noi allargavamo le narici quando il fumo azzurro ci passava dinanzi. «Sigarette fini» diceva Aida: «mio fratello fuma le nazionali.» «Sono sigarette egiziane» Fulvia spiegava; e l'abitudine a queste merci esotiche accresceva il fascino del misterioso capitano. «Oggi è d'ispezione» talvolta Fulvia ci confidava. In quei giorni Lydia rimaneva a casa e ci sorrideva remota come una giovane vedova. Il suo seno rotondo, sul quale spesso ella appuntava un fiore, ci pareva gonfio di incontenibile passione. Immaginavamo il capitano relegato nella caserma come un patriota in esilio.

Spesso Fulvia leggeva ad alta voce le lettere di Dario o qualche biglietto che i compagni le facevano trovare fra i quaderni. Una sua compagna, di nome Rita, diceva che perfino il maestro, un uomo di trent'anni, era innamorato di Fulvia.

«Sì, e poi mi dà sei...» replicava Fulvia.

«Ma dovrebbe darti zero.»

Noi ridevamo sapendo che era vero. Maddalena, una bionda morbida e rosea la quale frequentava la stessa classe, sosteneva che anche suo fratello si era innamorato di Fulvia. E assicurava che Giovanni, da allora, era divenuto un fratello premurosissimo. «Viene persino a prendermi all'uscita» diceva ridendo. Si capiva che sarebbe stata felice di sapere Giovanni fidanzato con Fulvia (si usava allora tra noi la parola "fidanzamento" per qualsiasi amoretto della nostra età), forse egli si era addirittura rivolto a lei perché fungesse da abile intermediaria ed ella scopriva un piccante sapore in questo compito.

«Vieni con me domani a Villa Borghese, ci sarà Giovanni. Poi quando si fa buio vi lascio soli su una panchina.»

«Vacci» le altre la incitavano: «vacci, Fulvia» ed era come se tutte fossero nell'ombra della villa, in attesa.

Io la guardavo, seria: avrei voluto trattenerla pel braccio.

«Non mi piace, tuo fratello» Fulvia rispondeva. «Mi chiama signorina. Dev'essere uno stupido» le ripeteva spesso, per umiliarla: e Maddalena si ribellava a quell'insinuazione, quasi il prestigio di tutta la sua famiglia fosse compromesso dalla facile ironia dell'amica.

Un giorno, mentre eravamo tutte riunite sul terrazzo, Fulvia domandò a Maddalena: «Non vedo più tuo fratello. Che fa, è entrato in seminario?».

Tutte presero a ridere, a schernirlo. Aida imitò il gesto del prete e, gettando gli occhi in tralice, finse di miagolare il rosario.

Maddalena le guardò con una sorta di rabbia compressa: «Ridete, ridete» diceva «ridete. Se sapeste che cosa ho trovato nel cassetto di mio fratello...».

«Che cosa?» domandarono le altre, subito incuriosite.

Maddalena senza rispondere: «Ridete, ridete pure di Giovanni» ripeteva.

«Che cosa hai trovato? Lettere d'amore di Greta Garbo?» Fulvia domandò sprezzantemente.

«Ho trovato la fotografia di una donna tutta nuda che si nasconde il viso con le mani. Una donna bellissima.»

Vi fu un silenzio. Le ragazze tacevano e guardavano ammirate Maddalena, che era in possesso di questo segreto, e poi Fulvia, che supponevano umiliata e sconfitta. Ma Fulvia, con un balzo, si levò in piedi.

«Più bella di me?» disse, lasciando cadere la vestaglietta e apparendo nuda sullo sfondo del grigio serbatoio dell'acqua.

Le ragazze ebbero un piccolo grido e la guardarono. Io distolsi subito gli occhi senza neppure distinguere le forme del suo corpo e fuggii via. Traversai la cucina, il buio corridoio. Avevo la mano sul chiavistello quando Fulvia mi raggiunse.

Era ancora nuda, ma aveva stretto a sé la vestaglietta per coprirsi. Mi piombò addosso, mi costrinse in un angolo presso la porta di casa. Vedevo il suo viso e le sue spalle come un confuso biancore.

«Mi disprezzi, vero?» ella mi disse pigiandomisi contro acciocché non scappassi.

Le forze mi mancavano. «Lasciami» mormorai.

«Mi disprezzi, vero?» ripeteva; e, carezzandomi il viso: «Hai ragione» mormorò. «Perdonami. Vattene. Va' via, Alessandra. Vattene.»

Mi carezzò i capelli. Mi baciava teneramente come una sorella minore. Poi aprì lei stessa la porta, mi spinse fuori.

Udii che diceva, rientrando sul terrazzo: «Quella stupida è già scappata via».

Rimasi circa un mese senza vederla. Tuttavia il mio impulso sarebbe stato quello di tornare da lei, subito, e supplicarla che mi concedesse il suo perdono. La sentivo cantare, ridere, e mi struggevo. Mi pareva d'essere io in torto: io che portavo il corpo come una colpa. Avrei voluto spiegarle della presenza di Alessandro, ma non osavo: temevo che si trattasse di un'anomalia congenita, come se nascondessi nella scarpa un piede caprino. In quei giorni lessi, sul giornale, di una ragazza che, presso ai vent'anni, scopre d'essere uomo. Ritagliai il trafiletto e lo nascosi in un libro. Non riuscivo a convincermi di essere una ragazza simile alle altre. Mi pareva, soprattutto, che la sincerità delle mie amiche fosse molto più onesta del mio infingardo riserbo.

Un giorno sedevo sulla loggia, attenta al rammendo di certe vecchie calze di mio padre, quando Fulvia mi chiamò:

«Alessandra.»

Alzai la testa e vidi che aveva in viso un'espressione corrucciata.

«Vieni su» disse, ricorrendo a una solidarietà tutta femminile, senza più rammentare quanto era avvenuto sul terrazzo. «Hanno arrestato il fratello di Aida» mi spiegò appena entrai in casa sua. E, tenendomi pel braccio, mi guidò alla sua camera come se ci fossimo lasciate soltanto un'ora prima.

Aida sedeva sul letto, seria. Le altre sedevano attorno a lei, Maddalena aveva sulle ginocchia una bambola.

«Che ha fatto?» domandai.

Invece di rispondermi le altre mi guardarono esitanti. Supposi che si trattasse di un motivo vergognoso al quale nessuno volesse accennare.

«Ha rubato?» insinuai più piano.

Non avevo mai visto il fratello di Aida. Sapevo che si chiamava Antonio e imparava il mestiere di tipografo. Di lui, come di tutti i fratelli delle nostre compagne, conoscevamo i gusti, i difetti, il carattere. Le sorelle ne parlavano con noncuranza, poiché la parentela le rendeva incapaci di scorgere qualche incanto nelle loro figure; ma questo Antonio, che Aida ci aveva descritto taciturno, schivo, gran lettore di libri, aveva sempre destato il mio interesse. Mi dispiaceva immaginare che avesse ceduto alla piccola cupidigia del furto.

«No» disse Aida. E mi fissava, sperando che indovinassi. Tutte mi fissavano serie.

Abbassai la voce per chiedere:

«Che cosa, allora?»

«È stato arrestato coi comunisti» infine Aida rispose.

Mi portai una mano alla bocca, in un gesto di terrore, e mi lasciai cadere accanto a Fulvia, su una sedia.

Nessuna di noi sapeva che cosa quella parola volesse dire esattamente, però non avevamo mai osato pronunziarla. Era fuori del nostro vocabolario come una parola scurrile od oscena. Tutte guardavamo Aida e io le presi la mano e gliela carezzai per confortarla.

«Ma come è avvenuto?»

«I poliziotti sono andati alla tipografia, poi sono venuti a prenderlo. Eravamo soli in casa. Ho aperto proprio io.»

«Tu? E allora?» domandò Fulvia.

«E allora sono entrati, si sono guardati attorno. Non so perché, ma ho subito compreso che qualcosa di brutto sarebbe nato da quella visita. L'ho capito, e tuttavia quando hanno chiesto: "Sassetti Antonio?" "È mio fratello, è in camera sua" ho detto. Ho detto proprio così.»

«E allora?»

«Lui era steso sul letto, come se li aspettasse. Io sono entrata per prima e volevo far qualcosa, avvertirlo, ma essi stavano già alle mie spalle. Uno s'è messo a frugare tra i libri, ha fatto un pacco. Mio fratello s'è alzato, s'è infilato l'impermeabile ed è andato via con loro. Sulla porta s'è fermato per baciarmi: "Ciao, Aida" ha detto: "di' alla mamma che torno presto, forse domani". Ma non ci credeva, lo capivo bene. Io avevo la gola stretta, non ho potuto neppure salutarlo. Sono rimasta a sentire il passo di lui e di quegli altri nelle scale. Poi sono tornata in camera sua. C'era ancora l'odore delle nazionali che m'ha fatto scoppiare a piangere.»

«L'hanno scritto sul giornale?» domandò Maddalena.

«No. Niente. Papà è stato in questura. Lì prima non parlavano, poi hanno detto così che era un comunista. Nessuno è più venuto in casa nostra. Passiamo e il portiere ci guarda con cattiveria, attraverso la vetrina. Papà ha saputo che sono tutti giovani come Antonio, ci sono anche parecchi studenti.»

«Che fanno i comunisti?» Maddalena domandò sottovoce.

«Non so» Aida rispose: «io non lo so davvero. Non sono contenti. Antonio non era mai contento. Spesso alcuni amici venivano a trovarlo e neppure loro parevano contenti, non erano mai allegri come gli altri giovani di quell'età. Io aprivo la porta e ogni volta sembrava che avessero appena ricevuto una cattiva notizia. Venivano da Antonio per leggere. Noi credevamo che Antonio volesse istruirsi e lasciare il mestiere di tipografo, e così anche i suoi amici. È strano, ma adesso, tornando indietro col pensiero mi rammento che quando annottava e io entravo in camera di Antonio per chiudere le imposte, essi alzavano la testa dai libri e mi guardavano con occhi pieni di tristezza. Dio! che sguardi tristi avevano! Non mi guardavano mai come una ragazza giovane, con la quale si scherza volentieri. Mi pareva che ciò fosse a causa della finestra che era alta e dava poca luce nella stanza. Ma Antonio aveva quello sguardo durante il giorno.»

D'improvviso sentii in me una commossa ammirazione per questo Antonio. Aida aveva detto che somigliava a lei, era di capelli neri, d'occhi bruni. Mi pareva molto nobile farsi portar via, imprigionare, perché non si è contenti.

«Neanche noi siamo contente» disse Fulvia guardando la finestra dietro la quale Dario studiava, chiuso nel suo cattivo umore. «Non siamo contente mai, e io non riesco a capire perché. È come se avessimo qualche cosa che ci soffoca e del quale vorremmo liberarci.»

Era in piedi, appoggiata al davanzale, e guardava in tralice verso la finestra di Dario, non capivo se interrogandola o sfidandola. Appariva molto bella nel suo atteggiamento, vestiva una blusa modesta, i capelli erano acconciati senza pretenzione.

«Pensiamo che siano i vecchi pregiudizi, dai quali vorremmo liberarci, o la famiglia, o certi principii che hanno voluto imporci» Fulvia continuava. «E forse non è questo. Forse è questo silenzio intorno a certe cose, che ci soffoca, ci prende qui...» si portò le mani alla gola. «Non siamo contente, vero? e crediamo che sia...» non osava dire la parola «... che sia...»

«Per amore» io suggerii piano.

«Già» ella disse e fece una pausa. «Ma forse non è solo per questo. Mi pare che gli uomini, invece, sappiano la verità e ce la nascondano, come si nascondono le brutte notizie ai bambini.»

«Antonio lo sapeva, credo» Aida disse, «e perciò mi guardava con malinconia.»

«Antonio era fidanzato?» le domandai dopo una breve esitazione.

«Non so» rispose Aida. «Non raccontava mai nulla di sé. Diceva buon giorno buona sera e fumava le nazionali, l'una dietro l'altra, senza parlare.»

Maddalena non diceva nulla. Aveva portato con sé la bambola per un vezzo che ella aveva di apparire ancora una bambina agli occhi dei parenti, e forse ai proprî. Era una graziosa bambola di stoffa, vestita di panno rosa, aveva la bocca socchiusa in un sorriso e gli occhi vivacissimi, di bel cristallo azzurro. Adagio, mentre parlavamo, Maddalena le aveva strappato un occhio, scavando con l'unghia nella stoffa, e adesso l'occhio era in terra e ci fissava. A poco a poco ella fece saltare anche l'altro occhio, strappò via i capelli, lentamente, con la crudeltà fredda di una scotennatrice. Le schiacciò il naso, poi, col polpastrello, glielo fece rientrare nella faccia che subito – calva, e vuota nelle orbite – parve simile a un teschio dipinto di rosso sulle guance.

Allora Maddalena chinò la testa sul petto e incominciò a piangere: «La mia bambola» diceva, «la mia bambola...» fissando il ceffo orribile del fantoccio.

Lydia apparve, chiamata da quel pianto, e la consolò, le disse che era grande ormai per quel genere di giuochi, non erano più adatti alla sua età. Perché si rasserenasse le regalò una sua sciarpetta di seta rossa a fiori: «Sono ancora bambine, proprio bambine» disse a mia madre, la sera. E le raccontò che Maddalena aveva pianto per una bambola di pezza.

Mi vien fatto, talvolta, di temere che io mi dilunghi troppo nella narrazione degli avvenimenti che precedettero il mio matrimonio con Francesco. Ma è pur certo che non si conoscerebbe nulla di me, del mio carattere e, insomma, di quello che io sono, se passassi sotto silenzio come vissi, ciò che sentii in quel tempo. Per oscuro e disagevole che fosse, quello mi appare oggi veramente il tempo della perfetta felicità, anche perché mi era dato di vivere accanto all'essere straordinario che fu mia madre. Secondo i canoni della morale corrente, ella non era perfetta, forse; ma le sue imperfezioni, le sue debolezze e quella amorosa pietà che moveva ogni suo gesto, erano proprio i caratteri che narravano di lei, presente e viva, già una poetica leggenda. Mia madre era lontana da me come lo sono i personaggi dei libri, una di quelle donne come piacerebbe di essere e non si è mai compiutamente. Se perdessi il ricordo della mia infanzia e di lei, rimarrei priva di tutto quanto ebbe importanza per me, mi dette gioia, e anche della favola della mia vita. Poiché ancor oggi mi è facile, in virtù di quei ricordi, arricchire le lunghe ore di solitaria meditazione che compongono la mia monotona giornata. Del resto, fin da bambina avevo imparato ad essere felice nella solitudine: eravamo poveri – come ho detto – e i poveri sono avvezzi a distrarsi coi propri pensieri. La nostra povertà, l'abitudine presto acquisita di vivere sempre sola, inducendomi a rivolgere la mia attenzione a me stessa e ai miei sentimenti, divenne, in realtà, la mia sola ricchezza. Tuttavia debbo riconoscere che la soverchia importanza che sempre detti a tutto ciò, e la mia naturale tendenza a vivere con impegno e responsabilità, furono, in gran parte, le cause della mia condizione attuale.

Forse non ero una ragazza simile alle altre che conoscevo: tutto in me si trasfigurava, diveniva magico, suscitava un'eco. Alle cose che mi circondavano ero attaccata con affetto struggente. Così le piante della loggia: e le loro foglie, i loro petali facevano parte di me così integralmente che mi sembrava di nutrirli del mio sangue. Al mattino, appena alzata, subito correvo sulla loggia per salutarle: non mi vergogno di confessare che, se il tempo era freddo, m'inginocchiavo per scaldarle col mio fiato.

M'accadeva, in quei tempi, di avvertire la presenza viva della felicità: veniva a trovarmi quando sedevo con mia madre, presso la finestra. Avevamo preso l'abitudine di rimanere in casa, noi due, nel pomeriggio della domenica, dedicate al ricamo o al cucito. Sista sedeva dietro di noi, rammendando i suoi neri indumenti. Sul terrazzo dirimpetto anche le monache godevano del riposo festivo, stordite dall'aria aperta: qualche volta componevano un girotondo e ridevano con voci innocenti, mentre le loro gonne s'aprivano a guisa di scure corolle.

Io cucivo in silenzio; ma innumerevoli disegni lievitavano in me: sognavo di dedicarmi al mestiere di cucitrice, e lavorare tranquilla, coi lini bianchi in grembo, limitando il mio orizzonte al cielo che vedevo aprirsi chiaro e lieve sul cortile. Il ridere modesto delle suore, lo scricchiolìo dell'ago di mia madre sulla tela, mi convincevano di appartenere a un mondo armonioso e gentile. Alle mie spalle Sista bisbigliava il rosario: io mi sentivo così devota e pia che avrei voluto imitarla; ma non mi sembrava necessario. In quei momenti la mia vita era già una preghiera.

Mia madre lavorava alacre. M'inteneriva il suo esile collo chino, il profilo delicato, la massa leggera dei capelli; e l'impegno che metteva nel cucito richiamava quello con cui sonava il piano, la sera: qualcosa si era svegliato in lei, da quando frequentava villa Pierce; ricamava inventando estrosi arabeschi, fiori mai visti.

Erano i tardi crepuscoli della primavera: il giardino delle monache grondava grappoli grevi di glicine e il profumo ci metteva un sudore alle tempie. Nella cappella le candele s'accendevano dietro le vetrate rosse. «Non ci si vede più» mia madre diceva: «tra poco tornerà il babbo.»

Egli aveva protestato, dapprincipio, contro la nostra decisione di rimanere in casa la domenica. Poi aveva preso confidenza con la libertà e, infine, se ne era impadronito. Usciva subito dopo colazione, tornava all'ora di pranzo e, prima di raggiungerci a tavola, si chiudeva nel bagno per lavarsi i baffi e le mani.

Una volta – Sista si era allontanata per preparare la cena e noi eravamo rimaste sole – mia madre disse con voce opaca e sommessa: «Ti domanderai, forse, perché l'abbia sposato...».

Non mi aveva mai parlato di queste cose sino a quel momento, come non s'era mai mostrata a me senza il vestito.

«Non ti sarebbe facile capirlo, credo» continuò «e oggi anche a me pare assurdo, incomprensibile. Ma allora...»

«Sì, lo capisco, invece, lo capisco bene...» risposi con tagliente prontezza ed ella, senza proseguire, abbassò gli occhi. Non credeva che io fossi già esperta della vita a tal punto: rimase stupita e un po' sgomenta anche, come quando le avevo confessato, anni prima, di aver ferito il Magini, a scuola. E in verità le cause del suo matrimonio avevano suscitato in me molti interrogativi finché non mi era accaduto di evocare ogni notte la fantastica presenza di Enea.

Prima di allora, mi ero domandata spesso come mia madre potesse dividere la sua intimità con un uomo che, durante tutto il giorno, agiva con lei al modo di un estraneo importuno. Quando ero ancora bambina, ogni sera avrei voluto trattenerla pel braccio, mentre mi diceva buonanotte sporgendo la testa tra i battenti della porta: nello spiraglio, che ella curava di tener esiguo, vedevo mio padre togliersi le scarpe.

Lo specchio dell'armadio rifletteva il letto alto e solenne, coperto di bianco, un letto che era giunto dall'Abruzzo e nel quale, mi era stato detto, una sorella di mio padre era morta. La carta da parati era grigia, color del ferro. Mi veniva fatto di temere che mia madre, così esile e chiara, non sarebbe più uscita da quella stanza tenebrosa. La guardavo, tendendo verso di lei le braccia magre. «Vieni a dormire con me, mamma» le chiedevo con la voce spezzata in un singhiozzo.

Mia madre scoteva la testa respingendomi dolcemente. «Non aver paura» mi diceva: «la notte passa presto, domani saremo di nuovo insieme.» Adagio richiudeva la porta. Succedeva il terribile silenzio, mai rotto da un sospiro, una parola. In piedi sul mio letto, io schiacciavo disperatamente l'orecchio contro la parete per assicurarmi che ella fosse ancora viva. Ma non udivo nulla. In quel silenzio, quando fui più grande, immaginavo avvicinarsi al mio letto il passo di Enea.

«Sì, lo capisco» dissi, interrompendola bruscamente mentre ella cercava di spiegarmi le cause del suo matrimonio.

Mio padre aveva detto che il loro era stato un fidanzamento breve: mia madre era giovanissima, aveva compiuto da poco diciassette anni. «Andavamo in barca sul fiume, la domenica: ricordi, Eleonora?» Diceva questa frase gonfiando il petto e tirandosi un poco indietro sulla sedia quasi che, di quelle passeggiate, potesse vantarsi come di azioni eroiche, gloriose. «Ricordi?» insisteva e la sollecitava con gli occhi, la obbligava a volgersi, dire: «Sì, sì, ricordo». Poi egli incominciava a scherzare, dicendo che mia madre sedeva all'altro lato della barca, per mettere una certa distanza fra loro due. La descriveva spaurita, pallida, timorosa di perdere il cappello. «Era bianca bianca in viso» diceva ridendo. Godeva nel punzecchiarla, descrivendo la timidezza di lei. «Tentava di sfuggirmi, sai, Alessandra? faceva la preziosa, diceva: "No, domenica non vengo, ho da fare". E poi veniva, invece, non avevo neppure bisogno di insistere troppo: veniva sempre. Vero, Eleonora?» Io correvo ad abbracciare mia madre mentre le lacrime mi salivano agli occhi. «Scendevamo a riva, si faceva merenda in un prato. Te lo ricordi, il prato?» La interrogava continuamente, per vincolare i pensieri di lei, costringerli a ritornare su alcuni particolari. «Sì» ella diceva: «sì, ricordo tutto.» «Tornavamo verso sera e tua madre aveva messo su certi bei colori, vero, Eleonora, vero?» Se lei non rispondeva, subito ripeteva con insistenza: «Vero che avevi messo su certi bei colori?». Nell'interrogarla non la lasciava mai con lo sguardo; i suoi occhi lucidi scivolavano su di lei che rispondeva infine, quasi senza fiato, come dopo una corsa: «Sì, certo, ero rossa in viso per l'aria aperta e il gran sole». A queste risposte lui rideva, rideva. Mia madre, con un'occhiata, lo supplicava di tacere acciocché io non capissi. Ma io capivo benissimo e speravo che a me non fosse dato di cadere in una trappola simile a quella che aveva colto la candida giovinezza di lei.

Era già quasi un anno che mia madre frequentava villa Pierce e i pomeriggi che ella trascorreva con Arletta, le notizie che la ragazza le dava di Hervey, la fioritura delle ortensie o delle acacie, insomma tutto ciò che accadeva lassù, era ormai divenuto il nostro solo motivo di svago. Posso dire "nostro" perché, rincasando, ella mi riferiva ogni cosa con tale accuratezza da illudermi di avervi preso parte. Questi racconti mi entusiasmavano tanto – arricchiti com'erano, inoltre, dall'incanto della sua voce e dalla grazia dei suoi gesti – che, verso sera, quando s'approssimava l'ora in cui ella era solita tornare, io venivo colta da una incontenibile impazienza. Se ritardava mi pareva che volesse defraudarmi d'un credito, un diritto; non appena entrava in casa, le domandavo: «E allora?». Mi pareva di leggere un bel romanzo a puntate.

Certo, sembrava impossibile che quella vita esistesse veramente. Infatti, tra i racconti che Arletta le faceva del fratello, e quelli che ella narrava a me la sera, a volte anche mia madre si smarriva. Si passava la mano sulla fronte: «No, forse non è proprio così» mi diceva, cercando nella sua memoria un punto di riferimento. Era così snervata da temere il prossimo ritorno di Hervey come un sopruso, una minaccia. «Non andrò più lassù, se torna lui. No davvero» esclamava. Arletta le aveva regalato le partiture per pianoforte dei brani ch'egli preferiva e l'aveva pregata di eseguirli. Intanto guardava le mani di mia madre muoversi sulla tastiera. «Vorrei saper sonare come lei» le diceva, fissandola con rattenuta invidia. Mia madre aveva quasi paura. «Potrei sonare per mio fratello» continuava «rimanere con lui in questa sala, ore e ore. Ma io non potrò. Lei potrà, invece» le annunciava. Un avido sguardo accendeva il suo viso grassoccio e bonario. «Potrà accompagnarlo mentre suona il violino. Hervey sarà qui in piedi, accanto a lei. Ecco, proviamo» diceva spostando un leggìo: «qui.»

Attorno al leggìo l'aria si scostava, formando un vuoto angoscioso. Mia madre tentava di sorridere, diceva scherzosamente: «Adesso basta». Ma Arletta insisteva: «Proviamo». Le domandava perché vestisse sempre di nero. «Vorrei...» incominciava; poi le si avvicinava, le toccava la stoffa della giacca, sulle spalle: «se lei non fosse così alta vorrei prestarle uno dei miei vestiti.»

Mentre mia madre raccontava tutto ciò il suo viso era una pagina scritta. Eravamo in camera sua, lei sdraiata sul letto; e, poiché la primavera s'inoltrava, lasciavamo la finestra aperta: nel cortile si udiva la voce aspra di una donna che rimproverava il figlio, il figlio piangeva, le imposte sbattevano con un rumore dispettoso. Si udiva l'olio sfrigolare nella padella e la camera si riempiva del lezzo delle cipolle. Vergognosa io andavo a chiudere la finestra; tuttavia, nel gesto di chiuderla, stringevo tutto il cortile in un abbraccio. Era come se noi fossimo persone vive e quelle di villa Pierce inaccostabili angeli; sicché, se non fosse stato per la maravigliosa paura che animava il suo sguardo, avrei creduto che mia madre sognasse, la sera in cui, tornando, mi disse piano: «Ho conosciuto Hervey».

Eppure tutto cambiò per noi, da quel giorno. O forse tutto era già cambiato, fin dalla prima volta in cui ella aveva sceso le scale leggermente, in fretta, e la grande macchina l'aveva portata via.

Avrei dovuto forse sentirmi desolata o giudicarla con severità, e invece – lo ricordo benissimo – una dolce pace si stendeva in me: ero contenta. Soltanto non le chiesi come le altre sere: "E allora?", sollecitandola a raccontare: sentivo che avrei commesso un'indelicatezza. Ormai anch'io sarei rimasta fuori dalla sala da musica, fuori dalla cancellata, come tutto ciò che apparteneva al cortile. Ma non soffrivo: e poiché, d'un tratto, quell'avvenimento mi sembrò già scontato da tempo, stupii che solo adesso ella avesse negli occhi quell'espressione di paura. Mi domandò se il babbo era rientrato e, alla mia risposta negativa, trasse un sospiro di sollievo. Si avviò alla sua camera, e io intuivo che non mi avrebbe chiamato presso di lei, come ogni sera. Infatti non mi chiamò. Rimasi ancora un poco nel corridoio buio, poi entrai in cucina, mi lasciai cadere su una sedia. Sista mi osservò per un attimo: «Ha conosciuto il fratello di Arletta, vero?» disse, e io assentii con un cenno della testa.

Tuttavia, per alcune settimane, mia madre non nominò più Hervey. Era divenuta insolitamente taciturna e distratta: a tavola, se il babbo le rivolgeva la parola, io dovevo passarle dolcemente una mano sul braccio per richiamare la sua attenzione. Spesso saliva dalle Celanti per telefonare, spostare alcune lezioni: le fissava quasi tutte nella mattinata. Io la sentivo alzarsi molto presto, al buio, parlare con Sista sottovoce, in quelle ore tentando di riprendere il tempo che trascorreva a villa Pierce.

Vi si recava ogni pomeriggio. Prima di uscire si affacciava alla stanza da pranzo ove mio padre sedeva alla radio: «Allora io vado» diceva. A volte tornava indietro d'improvviso e lo abbracciava come se partisse per un viaggio. La sera, rincasando, veniva a sedersi con me presso la finestra. Ormai ella non raccontava più nulla. Eppure, quel suo silenzio era il primo racconto di villa Pierce che mi sembrasse vero.

Sul terrazzo, al crepuscolo, si vedevano le monache passeggiare in una breve ricreazione. Passeggiavano a coppie, o in gruppetti affettuosi, fruscianti di gonne. Talvolta, quando si trattava di suore giovani, si rincorrevano movendosi in piccoli gesti pudichi, ritrosi, ed erano tutte così graziosamente femminili da sembrare che avessero indossato per giuoco quell'abito severo. Era certo la primavera a trasformarle. Si vedeva, infatti, la stagione nascere dappertutto con prepotenza: sul muro del convento le foglie nuove del glicine in pochi giorni erano passate dal verde timido a un verde ardito e vivace. Ciuffi d'erba spuntavano tra le vecchie pietre come pennacchi, capricci, follie. Tutto prendeva parte all'amore di mia madre e, anzi, a me pareva addirittura che la stagione si rinnovasse per lei.

Presto, sul velo delicato del cielo, appariva l'oro delle prime stelle. Gli alberi divenivano grigi, poi neri, fasciati dalle ombre della notte. «Vieni qua» la mamma diceva, invitandomi a sedere sulla sua stessa poltrona.

Mio padre ci cavava dal buio, girando improvvisamente l'interruttore. «Che fate qui?» La cena era pronta, la casa ordinata. Mi pareva di sentire il rammarico che egli provava non trovando alcuna ragione per rimproverarci. «Pazzie» diceva tra sé e si picchiava la fronte con la punta dell'indice. «Pazzie»; poi ci guardava a lungo, ci osservava, tentando di scoprire le cause della nostra diversa natura.

«Siete pallide» osservava. Poi si volgeva a mia madre e le diceva: «Sembri malata». E infatti quel rosa che sempre fioriva gli zigomi sporgenti e arguti di lei era scomparso: la sua pelle era divenuta bianca come il grano che cresce nel buio delle cantine.

«Eleonora, stai diventando brutta» mio padre le disse, un giorno.

Eravamo ancora a tavola. Mio padre soltanto prendeva il caffè e, raramente, accendeva una sigaretta: non essendo abituato a fumare teneva la sigaretta in modo pretenzioso, sospesa tra l'indice e il medio. Accostava la sigaretta alle labbra protese e soffiava lunghe boccate dense.

Ella alzò gli occhi, fissandolo con un misto di cattiveria e di ironia: aspettava forse di sentirlo dire: "Ho scherzato".

«Sei brutta» egli ripeté, invece. «Te lo avverto: da qualche tempo in qua sei diventata brutta.»

Mia madre lo guardò ancora un momento, poi scoppiò a ridere: non l'avevo mai vista ridere così, rovesciando la testa indietro, sullo schienale della sedia. Non era vanitosa; ho già detto che d'abitudine si vestiva in fretta, si calcava un cappello in testa senza neppure guardarsi allo specchio. Perciò quel suo ridere sicuro, e il modo che ebbe di raddrizzare il busto, mi sorprese.

S'alzò di colpo, girò intorno alla tavola, in un volo. Scomparve nel salotto cupo e la sentimmo attaccare a sonare arditamente: era un motivo pastorale che richiamava i prati verdi, la libertà del mattino, e, via via, diveniva intenso, diabolico, si sfrenava in lieti arpeggi, squilli festosi, argentini. Ella lo sonava con un piglio arrogante, pareva che continuasse a ridere rovesciando indietro la testa, come aveva fatto a tavola. Avrei voluto correre da lei: "Mamma" ammonirla "mamma", perché smettesse: mi sembrava che avesse perduto ogni controllo e, senza avvedersene, mostrasse i suoi sentimenti più segreti. Ma lo sguardo di mio padre mi legava alla sedia.

Quando ebbe finito, tornò nella stanza da pranzo, s'appoggiò alla tavola e si protese verso di noi con un sorriso trionfante. Le sue gote erano accese da un colore vivo.

«Sapete che cos'è?» disse alludendo al pezzo che aveva sonato. E, senza attendere la nostra risposta: «La *Primavera* di Sinding» disse. «Non è gran cosa, vero? Ma è come fare una corsa su un prato, al mattino presto.»

Felice, prese a girare danzando attorno alla tavola, ripetendo le note del motivo. «Din, dan, dadan, dan, dadanda» cantava con la sua voce di vetro. «Din, dan, dadan,

dan»: mi pareva che sotto i suoi piedi avrebbero dovuto nascere fili d'erba, giacinti, scaturire sorgenti, acque allegre, «din, dan, dadan», forse la finestra si sarebbe spalancata e lei sarebbe volata via come una rondine. Sista la guardava, immobile, le mani intrecciate sul grembo. Mio padre era serio. Io l'adoravo, avrei voluto baciare il lembo della sua veste. «Din, dan, dadan.»

Di colpo ella s'arrestò, ansante, appoggiò la schiena alla credenza: «La sonerò in un grande concerto» disse «che terrò fra qualche giorno a villa Pierce. Siete invitati».

Mia madre aveva sempre sognato di poter dare un concerto. Mio padre replicava che le spese erano molte e noi non conoscevamo nessuno che fosse in grado di acquistare i biglietti. Senza ascoltarlo, ella seguitava a parlare della musica che avrebbe voluto eseguire, del clamoroso successo che avrebbe ottenuto. Accalorata in queste descrizioni, andava su e giù per la stanza animatamente e tentava di dissipare le obiezioni del marito esprimendo la speranza che la nostra situazione migliorasse. Forse anche lei sapeva che ciò non sarebbe avvenuto: tuttavia chiedeva solo un consenso, una speranza che le permettesse di coltivare quei sogni. «Vero?» gli domandava con un sorriso. Ma lui scoteva la testa dicendo che non vedeva in qual modo questo concerto avrebbe potuto aver luogo.

Io guardavo mio padre e il rancore represso nel mio sguardo era così aggressivo che speravo giungesse a ferirlo. No, no, egli aveva fatto con la testa; e tutti i sogni di mia madre erano fuggiti.

Ma ormai, forse perché l'inverno era finito, sembrava che il periodo triste e oscuro della sua vita si chiudesse come una stagione. Non l'avevo mai giudicata vecchia, come accade sovente ai figliuoli, del resto, allora, contava appena trentanove anni. Dopo l'incontro con Hervey pareva tornata addirittura una ragazza. Quando uscivamo insieme la gente si volgeva a guardarla: eppure era vestita modestamente, non aveva alcunché di stravagante o vistoso. Ma era difficile incontrare un'altra donna che possedesse tanta grazia, tanta intrinseca armonia. Ella mi portava al suo braccio, come un albero porta il suo ramo. Esitava prima di traversare una strada; sembrava timorosa d'essere investita; ma io sapevo che, invece, non vedeva nulla: carrozze, automobili, biciclette scorrevano davanti a lei come un fiume.

In casa la sorprendevo ugualmente svagata: dinanzi a un armadio, a un cassetto che aveva aperto senza più ricordare perché. A volte invece si tratteneva presso la mia finestra, in poltrona, e guardava fuori, la testa lievemente reclinata da un lato. Dio! come mia madre era giovane, in quei momenti! M'avvedevo che nel contorno delle guance serbava ancora una freschezza infantile e tutti i suoi gesti parevano divenuti ancora più pudichi e casti, come se ella non fosse una donna sposata, non avesse mai conosciuto il desiderio di un uomo e io non fossi nata da lei. Il suo amore per Hervey, che altri forse avrebbe potuto giudicare colpevole, la chiudeva ai miei occhi in un magico velo d'innocenza che una parola, una risata, un gesto potevano macchiare. Io so che mia madre, in quei momenti, si sentiva molto vicina a Dio e certo anche ai suoi precetti che inducono ad essere buoni, candidi e onesti. Era così magra che dentro il vestito sembrava esserci soltanto un po' di respiro. Sì, mia madre innamorata era la cosa più gentile che avessi mai visto. «Andiamocene» susurravo a Sista e la lasciavamo sola presso la finestra.

Zitte, noi andavamo a sederci in cucina. Io trattenevo il respiro, quasi, acciocché, nel silenzio della casa, mia madre si sentisse custodita e protetta come in una conchiglia. Cucivo alacremente, mi bucavo le dita con l'ago per castigarmi, avvilirmi. Non ero contenta: temevo che le spregevoli curiosità risvegliate in me da Enea mi impedissero di somigliare alla mamma. Allora, spesso, tornavo col pensiero ad Antonio, il fratello di Aida. Neanche lui era contento, Aida aveva detto, ma piuttosto che arrendersi alle cause della sua scontentezza si era fatto condurre in prigione. Gli invidiavo la sua possibilità d'esser forte, che pur generava una così profonda malinconia. Egli avrebbe potuto difendermi, liberandomi da Enea. E, seppure non l'avessi mai visto, mi promettevo a lui, mi proponevo di aspettarlo mesi, anni, mi dicevo "sono la sua fidanzata". In questo pensiero volevo rassicurarmi, indifferente all'amorevole compassione che velava gli sconosciuti occhi di Antonio. Ci saremmo sposati, immaginavo, sarei andata a prenderlo all'uscita della prigione. Era, però, un'altra città, un'altra prigione; io ero adulta, seria, vestivo un vecchio impermeabile e aspettavo a lungo, appoggiata al pilastro di un cancello. Infine Antonio scendeva e io lo vedevo per la prima volta; ma il suo aspetto m'era già familiare: aveva un viso squallido sotto i capelli bruni, il mento magro, gli occhi infossati. Teneva in mano un pacco e, subito, io mi offrivo di portarlo; lui non voleva e prendevamo a camminare in silenzio, con quell'involto tra noi. Avevamo l'aria di povera gente. Io consideravo che questo era il mio primo incontro d'amore e ricordavo il passo lieve e vibrante che mia madre aveva quando conobbe Hervey. Io camminavo a fatica, invece, accanto ad Antonio impacciato dal grosso involto e inutilmente speravo di raggiungere un giardino, un bel viale: un po' di verde, insomma. Camminavamo costeggiando il muro di una fabbrica, un muro annerito dal fumo. Era la periferia di una grande città coi comignoli fitti nel cielo grigio, e nel fondo, il mare, piatto, di piombo, oltre una spiaggia scura. "Antonio" io chiamavo. E avrei voluto dire amorose parole, sorridere, splendere anche in mezzo a quella desolazione. Invece, quando egli volgeva verso di me i suoi occhi malinconici, io gli chiedevo: "Lascia che ti porti il pacco", lui accennava no no con la testa e, in silenzio, continuavamo a camminare.

Così mi portavo dentro due segreti, ormai: i vili impulsi che mi suggeriva Alessandro e il desiderio di ribellarmi alla viltà, come aveva fatto Antonio. Questi sentimenti combattevano in me, rendendomi ancor meno socievole. Dalla finestra guardavo la gente che passava nella strada e tentavo d'indovinare che nome avesse il loro segreto. Forse tutti si portavano dentro una lotta inconfessabile, una vergognosa tara. Mia madre, invece, portava orgogliosamente Hervey nel suo passo e nella voce spavalda del pianoforte.

In occasione di quel concerto mia madre mi fece cucire un abito nuovo, di taffetà a quadretti bianchi e neri. Orgogliosa del mio vestito, le domandai: «E il tuo di che colore sarà, mamma?». Ella si volse, restò perplessa un attimo, poi disse: «Io indosserò uno dei soliti vestiti, Alessandra».

Tuttavia, più tardi, la sorpresi dinanzi all'armadio aperto: toccava i vestiti a uno a uno. Erano tutti di colore neutro: avana, grigio, due o tre erano di seta cruda intristiti da un collettino di merletto bianco: abiti adatti a una persona anziana. Turbata di essere stata colta in quel dubbio, ella sembrò chiedermi consiglio con uno sguardo. I vestiti pendevano flosci dalle stampelle. Io dissi, piano: «Sembrano tante donne morte, mamma...».

Ci stringemmo, abbrividendo. Poi, d'impeto, ella si staccò da me, andò al cassettone e ne trasse una grande scatola che non avevo mai vista. La scatola era legata da spaghi molto vecchi: la mamma li spezzò d'un colpo. Sollevato il coperchio, apparvero veli rosa e azzurri, piume, nastri di raso. Non supponevo che possedesse un simile tesoro: perciò la guardai stupita ed ella volse gli occhi al ritratto di sua madre. Compresi che si trattava dei veli di Giulietta o di Ofelia e toccai quelle sete con devozione.

«Come potremmo adattarli?» mi domandò, incerta.

Eravamo assolutamente all'oscuro delle esigenze della moda, di fronte a quei metri di velo ci trovammo smarrite.

«Bisognerebbe chiedere a qualcuno, mamma.»

Allora ella ripose di nuovo i veli e le sete, mi prese per mano e, stringendo la scatola sotto il braccio, si diresse verso la porta d'ingresso. Lì incontrammo Sista che tornava dal mercato.

«Sista, avrò un vestito nuovo» la mamma le disse carezzandole le spalle nel passare. «Un vestito coi veli di Giulietta e di Desdemona» io aggiunsi pretenziosa.

Subito richiudemmo la porta sui suoi occhi attoniti, salimmo le scale, sonammo alla casa delle Celanti. Io bussavo allegramente affinché s'affrettassero ad aprire.

Fulvia accorse nella vestaglietta di percalle. «Bisogna preparare un vestito per la mamma coi veli di Ofelia!...» io esclamai abbracciandola. Lydia ci veniva incontro agitando le mani aperte per far asciugare lo smalto delle unghie. Immediatamente, senza chiedere nulla, entrarono nel giuoco.

«In camera mia, lì c'è lo specchio.»

Benché fosse prossimo il mezzodì, la camera era ancora buia, in disordine: un lumetto ardeva sul comodino, presso il letto disfatto. Calze, indumenti intimi s'ammucchiavano sulle sedie e le scarpe erano gettate qua e là sul tappeto. Un greve odore di rinchiuso si mescolava al profumo stucchevole dello smalto da unghie.

«Si può?» chiese mia madre, esitando.

Ma Lydia la sospingeva alle spalle: «Entra, entra» noncurante di rassettare il letto, radunare la biancheria. Spalancò la finestra e nell'aria assolata del mattino la sciattaggine della camera parve ancor più cruda.

Poi aprì la scatola, con festose esclamazioni di entusiasmo. Io ridevo, in una eccitazione infantile, e abbracciavo mia madre che sorrideva stordita. Intanto Fulvia s'era tolta la vestaglietta e andava drappeggiandosi in una seta che adattava abilmente a foggia di vestito, mentre Lydia si passava un velo sulla testa come fanno le indiane.

Divertita, mia madre assisteva alle loro invenzioni: poi chiese timidamente: «Credete che da queste stoffe si potrebbe ricavare un vestito per me?».

«Un vestito da sera?» domandò Fulvia.

«Oh, no, un vestito... come dire? Vorrei metterlo il giorno del concerto.»

«Vediamo» disse Lydia. «Spogliati.»

Mia madre esitò un istante. Raccolse anzi le due mani al collo dove incominciava la lunga fila di bottoni che chiudeva il vestito. Non l'avevo mai vista spogliata, in tanti anni. Mai – come le altre donne del palazzo facevano – l'avevo vista girare per casa in camicia nel gran caldo d'agosto.

«Spogliati» Lydia ripeteva. «Che ti vergogni di noi? Siamo tutte donne, no?» disse. E Fulvia rise.

Già l'una e l'altra andavano agitando la stoffa preferita. «Su, Eleonora, su» insistevano. Mia madre incominciò a spogliarsi mostrando una pelle finissima e bianca, braccia eleganti, magre: appena un lieve gonfiore sollevava, sul petto, la sottana.

«Sembri una ragazza» Lydia disse.

«Una sposa» aggiunse Fulvia. «Vestiamo la sposa.»

Io le incitavo. Mia madre era tutta rossa in viso. Felici di affaccendarsi attorno a lei, e quasi violare la sua nascosta grazia e il suo pudore, Lydia e Fulvia l'avvolgevano in una seta azzurra che le lasciava libere le braccia e s'incrociava nella scollatura.

«Questa, senz'altro questa» Fulvia sentenziò.

«Bisogna pensarci bene. Esci e poi rientra» disse Lydia.

«Come?» la mamma domandò titubante.

«Sì, entra dalla porta, fatti vedere.»

Mia madre uscì. Per un momento il vano della porta fu vuoto. Udivo il mio cuore battere a scatti duri. Temevo che non tornasse più, ci lasciasse col ricordo dell'abito azzurro. Stavo per chiamarla, sbigottita, quando vidi la sua mano scostare la tenda di velluto stinto ed ella entrò, leggera, con un timido sorriso tra le labbra. Era bellissima.

Fulvia ed io applaudimmo, entusiaste. «Questo» gridavamo «questo.» Anche Lydia applaudiva con noi, ma d'improvviso ci fece cenno di tacere e disse seria:

«Un momento. Sei sicura che l'azzurro gli piaccia?»

Colpite, noi ragazze restammo incerte in un silenzio venato d'apprensione. Mia madre esitò, poi rispose: «Non lo so».

«Forse un'osservazione fatta su qualche tuo vestito...»

«Non abbiamo mai parlato dei miei vestiti e del resto io non posseggo abiti di colore.»

«Eppure è molto importante. Il capitano, per esempio, non può patire il verde. Tutti gli uomini hanno un colore che li infastidisce, li irrita. La Mariani, sai, quella del primo piano, mi diceva che lui non le permette mai di vestirsi di rosso.»

Mia madre si era seduta, contemplando la bella stoffa azzurra che teneva in grembo. «Non so» ripeteva «non so proprio.» Ella non sapeva muoversi a suo agio tra questi problemi, si sentiva smarrita.

«Hai notato se porta spesso una cravatta azzurra?»

«È quasi sempre senza cravatta. Porta una camicia bianca aperta sul petto, rimbocca le maniche fino al gomito.»

Aveva appoggiato la testa alla parete e il suo sguardo si volgeva alla finestra, fuori della quale, oltre le nude terrazze del nostro quartiere, si vedeva il verde del Pincio. Parlava sottovoce, le mani posate sui ginocchi, tra il velo, e noi rimanevamo ad ascoltarla attente, come quando mio fratello ci parlava per bocca di Ottavia.

«Le cortine del suo studio sono bianche. Anche il divano è chiaro, greggio. È una stanza grande e lui vive sempre lì dentro, come gli zingari nel carrozzone. Alle pareti vi sono alte scansie, piene di libri; e quadri che rappresentano conchiglie, conchiglie straordinarie, del Mar dei Caraibi; sono state dipinte da un pittore messicano. M'ha detto che questo pittore scende sott'acqua per pescare. Abbacina i pesci con la luce, e quelli, storditi, accorrono, sbattono contro i suoi occhiali. E poi vi sono alcune fotografie: di gazzelle, di camosci, di puma. E fotografie di alberi, incorniciate come ritratti di amici.» Fece una pausa, poi riprese: «No. Non posso davvero immaginare che colore preferisca. Forse non noterebbe affatto il colore di un vestito. Non credo che un vestito abbia molta importanza per lui. Tuttavia...».

«Tuttavia?...»

«Ogni volta che arrivo e mi guarda, io ho voglia di essere bella come una donna in un quadro.» S'alzò, corse ad abbracciare Lydia e poi Fulvia, e poi me, andò avanti allo specchio con un breve volo, lì s'arrestò scrutandosi. «Fatemi bella» disse stringendo le mani al cuore: «Fatemi bella.»

Vorrei che fosse ben chiara l'assoluta innocenza, l'autentico candore col quale mia madre parlava di Hervey.

A quel tempo essi non avevano pronunciato ancora una sola parola d'amore che potesse farle apparire colpevoli i loro rapporti; e io stessa, rivolgendole continue domande su di lui, rafforzavo la sua convinzione di non far nulla di male giacché questa amicizia poteva essere compresa finanche da una giovinetta della mia età, che per di più era sua figlia.

Quando mi parlava dei loro incontri sembrava che recitasse una poesia; e perciò io intuivo che quello di lei era veramente l'amore come avevo sempre immaginato che dovesse essere: trepido, favoloso, incantato, e tuttavia inesorabile nella sua tremenda maestà. Al suo apparire, infatti, la vita di mia madre era mutata: ella era divenuta più intelligente, persino, come se ogni cosa fino allora le si fosse mostrata nascosta dietro un velo. La sera, tornando da villa Pierce, ella mi raccontava delle passeggiate nel parco, delle soste nella sala da musica: mia madre, al piano, accompagnava Hervey che sonava il violino.

«E Arletta?» io le chiedevo qualche volta. Lei evitava di rispondermi; poi un giorno mi disse che Arletta era partita, accompagnata da una governante, per trattenersi qualche tempo in Inghilterra presso la sorella maggiore. Una volta mia madre disse: «Quando entro nella sala da musica mi pare sempre che mi venga incontro nel suo vestito bianco». Poi nascose la testa fra le mani. E io l'accarezzavo sui capelli, dolcemente incoraggiandola a non avere rimorso se anche di me, un giorno, non avrebbe più ricordato che il profilo, nella cornice della finestra prediletta.

Questi racconti, che mostrano chiaramente come Hervey fosse il costante pensiero e la più cara premura della sua vita, potrebbero sembrare crudeli nei miei riguardi se non si considerasse che ella non aveva mai amato prima di allora e – non avendo perciò vissuto la sua vita di fanciulla e di donna – non poteva appagarsi nell'essere soltanto madre.

Forse io potrei rimproverarle di avermi fatto vivere continuamente in un clima di esaltazione che mi aveva reso devota, innanzi tutto, al mito del grande amore, e così avermi ridotto, pur senza volerlo, alla dolorosa condizione di oggi. Potrei rimproverarglielo, forse, se non avesse scontato lei per prima i suoi ambiziosi propositi. E se ora sono costretta a scrivere queste cose di lei, e a ricercare i più intimi e drammatici momenti della nostra vita in comune, non è davvero per accusarla di avermi fatta quale sono, ma per spiegare ad altri certe mie azioni che altrimenti resterebbero chiare soltanto a me stessa.

La mia condizione attuale mi favorisce, permettendomi di non aver ritegno alcuno nell'esaminarmi crudamente e nel sottoscrivere atti e pensieri che, in altri momenti, forse avrei evitato di palesare a un uomo. Io credo, perciò, che nessun uomo avrebbe il diritto di giudicare una donna senza saper di che materia diversa dagli uomini le donne sono fatte. Non ritengo giusto, ad esempio, che un tribunale composto esclusivamente di uomini decida se una donna è colpevole o no. Poiché se esiste una morale comune che vale per gli uomini e per le donne, e alla quale è consuetudine attenersi, come potrà mai un uomo comprendere veramente le sottili ragioni che conducono una donna all'entusiasmo o alla disperazione e che sono connaturate in lei, tutt'uno con lei, dal suo nascere?

Un uomo, forse, non potrà comprendere come, nel grande casamento dove abitavamo, tutto si movesse in virtù dell'amore; neppure gli uomini che vivevano con noi se ne avvedevano. Essi credevano che l'amore fosse stato per le loro compagne solo una breve favola, una leggera esaltazione necessaria per procurarsi il diritto d'essere padrona in una casa, aver figli, e dedicare, poi, tutta la vita ai problemi del mercato e della cucina. Sì, effettivamente essi pensavano che l'odore dei cibi, il peso della sporta sul braccio, i lunghi pazienti rammendi e le lezioni di asticelle impartite ai bambini, potessero sostituire il romanzo d'amore che era stato alla radice dei loro incontri. Conoscevano così poco le donne da credere che quello fosse davvero il disegno e l'ideale della loro vita. «È una donna frigida» confidavano agli amici, con un sospiro: «si occupa solamente della casa, dei figliuoli.» E, attraverso queste facili conclusioni, rifiutavano di far credito a un problema di cui non volevano accettare l'impegno e la responsabilità. Tuttavia sarebbe bastato ascoltare i discorsi che le donne facevano quando erano sole e che troncavano al sopraggiungere degli uomini, come i bambini all'avvicinarsi dei genitori; o far caso ai libri posati sul comodino, nelle camere ove, in molti casi, con loro uno o due bambini dormivano; o notare il modo che le donne avevano di aprire la finestra dopo cena, con un lieve sospiro. «Sono stanche» essi dicevano senza indagare mai sui motivi di quella stanchezza. Tutt'al più pensavano: "Sono donne"; ma nessuno di loro si domandava che cosa l'essere donna rappresentasse. E nessuno intuiva che ogni gesto, ogni abnegazione, ogni eroismo femminile rispondeva a un segreto desiderio d'amore.

Mia madre innamorata divenne, ai nostri occhi, dotata di un privilegio straordinario. Benché ella non accostasse nessuno, salvo Lydia e Fulvia Celanti, la curiosità che la grande macchina americana suscitava, e qualche indiscrezione delle nostre amiche o della medium, avevano messo le inquiline al corrente dell'amorosa vicenda. Spesso, mentre passavo, una di loro mi chiamava per nome, mi faceva qualche complimento, e coglieva l'occasione per rivolgermi alcune innocenti domande sulla mamma, sicché io mi rallegravo nel sentire, ovunque attorno a me, il calore di un'accresciuta simpatia.

Inoltre quella del mille novecento trentanove era una primavera smagliante: o almeno tale mi parve a cagione del mio stato d'animo. Infatti, a mio ricordo, il cielo non fu mai più così azzurro né l'aria così mite. Tuttavia debbo riconoscere che alla dolce inquietudine della stagione si aggiungeva il turbamento che mi procurava la romantica immagine di Hervey. Egli aveva sconvolto non solo la vita di mia madre ma, di riflesso, anche la mia e quella delle Celanti. A causa di lui Fulvia ed io eravamo divenute ironiche e sprezzanti coi nostri giovani amici né trovavamo più lo stesso piacere nella loro conversazione; e certo egli non era estraneo ad alcuni dissensi che sorgevano, in quel tempo, tra Lydia e il capitano. Una volta, entrando in una latteria di via Fabio Massimo, li avevo visti seduti, in silenzio, dinanzi a due bicchieri vuoti sporchi di panna.

Nessuno invece aveva mai visto neppure di lontano la villa dei Pierce, io stessa non sapevo dire dove si trovasse precisamente; ma parlandone, la arricchivo di singolari attrattive. Parlavo dei pavoni e dei levrieri bianchi. Avevo letto di alcune orchidee che nascono selvagge sugli alberi, nei paesi delle Indie Occidentali, e attribuivo quegli splendidi parassiti alle grandi querce di villa Pierce. Giungevo al punto di descrivere un laghetto solcato dal placido scivolare di cigni neri, ove mia madre ed Hervey passeggiavano in gondola. Non so se Fulvia mi credesse sempre, ma le piaceva ascoltarmi.

«Di' ancora» ella mi sollecitava. E, nel parlare di Hervey, in fondo, io non facevo altro che parlare di me stessa. Gli attribuivo i miei desideri, i miei impulsi, nel discorso gli prestavo il linguaggio dei miei monologhi presso la finestra. Sicché mi pareva d'essere io ad accompagnare la mamma nelle romantiche passeggiate, io sedevo con lei presso il pianoforte. Ed era per raggiungere me che ella scendeva le scale in un volo.

Poi tacevamo. Fulvia, a volte, tentava di riprendersi con un riso stizzoso, di scherno. Camminavamo insieme, sottobraccio: erano tarde sere estive, desolate, e una squallida pace si stendeva nelle strade. La mamma ci raccomandava insistentemente di non passare il ponte che separava il nostro quartiere dal resto della città: era questa, per lei, una sorta di tenera fissazione come se, in tal modo, ella potesse impedirmi di diventare grande. Fulvia m'istigava a tradire la mia promessa, suggerendomi di mentire, al ritorno: «No», io rispondevo «non mi piace ricorrere ai sotterfugi», e lei stupiva della mia ripugnanza per le bugie: la scambiava per viltà.

«Eppure» mi rassicurava «tua madre non verrebbe a saperlo.»

«Non è per lei» le spiegai una volta: «è per me stessa. Tu credi che io sia molto buona, ma non è vero. Sono tentata dal diavolo, tutto il giorno.»

«Credi al diavolo?» ella mi domandò con ironia.

«Sì, credo che il diavolo sia questa somma di tentazioni, di tranelli, che noi stesse ci tendiamo continuamente. Vi sono giorni in cui non ce la faccio più, mi resta appena una fragile difesa. Se imparassi anche a mentire sarei perduta.»

«Che cosa è che ti tenta?»

Tacqui un momento; eravamo sedute in un giardino pubblico presso Castel Sant'Angelo, come due soldati in libera uscita: gente passava dinanzi a noi, i bambini si rincorrevano nei loro giuochi.

Abbassai lo sguardo per confessare: «Tutto».

Fulvia si volse a guardarmi, sorpresa dalla mia confidenza: tornò poi a fissare un punto vago, nel vuoto, e, fatta improvvisamente pensosa, disse:

«È molto difficile, vero? Io sento che potrei facilmente diventare santa o, con la stessa facilità, una di quelle donne che gli uomini pagano. Forse non capirai, non potrai più stimarmi.»

«Capisco tutto, invece» risposi a bassa voce. E seguitai, dopo una pausa: «Io ho una sola cosa che mi aiuta, oltre alla difficoltà che provo nel dire le bugie: gli uomini se mi si accostano troppo, mi fanno un po' schifo. L'altro giorno in casa di Maddalena, quando sono venuti i ragazzi e abbiamo ballato, voi credevate che io rimanessi in disparte perché non sapevo ballare bene. Ma invece era perché non potevo sopportare sulla mia schiena la mano di uno sconosciuto. Scotta attraverso il vestito leggero. Al mattino seguente il vestito serba ancora un odore forte di fumo, un odore di uomo che mi infastidisce. Capisci?».

«Sì, capisco. Capisco.» Rimase un momento a pensare e poi concluse: «Capisco che gli uomini piacciono più a te che a me».

«Perché supponi questo?» scattai.

«Perché è così. A me non dà alcun fastidio la bocca di Dario sulla mia: mi asciugo le labbra e subito posso tornare nella saletta dove si balla e prendere a scherzare con un altro. Hai visto, no?»

«Sì, ho visto.»

«Non riesco a giustificare ciò che spesso leggo nei libri: e cioè la necessità, l'istinto che una donna prova di difendersi, i dubbi che l'assalgono prima di cedere a un uomo o addirittura prima di baciarlo.» Poi continuò: «L'anno passato io andavo al mare, a Fregene, con Dario e gli altri della comitiva. Qualche volta con Dario solamente. Prendevamo una barca, ci spingevamo al largo; lì ci tuffavamo e poi ci toglievamo i costumi».

«Nell'acqua?»

«Sì. Gettavamo i costumi nella barca, era bellissimo. I capelli mi si incollavano sulle guance in un brivido fresco. Il mare era verde, celeste, ci sfioravamo, nuotavamo sott'acqua, i nostri corpi bianchi sembravano pesci in un acquario. Io ero contenta come sono contenti i pesci, le alghe marine...»

Risi, per dissimulare il mio turbamento: «E se la barca se ne andava con i costumi?».

«Era ancorata» lei spiegò, alzando le spalle. E poi riprese: «Dario qualche volta mi sfiorava con la mano. Ma era una mano d'acqua, mi faceva ridere. Avrei voluto essere turbata, capisci? Avrei voluto ribellarmi oppure gustare l'arditezza dei gesti che compivo. Niente. Niente. Vorrei provare almeno una volta ciò che tu senti quando ti si accosta un uomo».

Passeggiavamo sul Lungotevere di Borgo, sotto la mobile ombra dei platani e il discorso dei passeri annidati tra i rami. Gridavano così forte da coprire le nostre parole. Molti preti passavano a quell'ora, lesti, raggiunti di sorpresa dalle prime ombre dell'Ave Maria.

«Traversiamo?» Fulvia mi domandava sorridendo e dandomi una leggera spinta col braccio quando passavamo dinanzi ai ponti.

«No, no» io supplicavo.

«Sei così innocente» ella mi disse, intenerita.

Chinai il capo, confusa d'ingannarla in tal modo. Avevo capito, ormai, che le mie continue inibizioni e le mie lotte servivano solo a costringere una troppo ardente natura. Il mio fisico mi difendeva: magro, asciutto, ancora infantile. Gli uomini mi passavano accanto senza notarmi.

«Sei innocente» Fulvia proseguì. «Per questo mi attraesti fin dal primo giorno che feci caso a te, nelle scale. Passavi con tua madre, lei ti teneva per la mano. Ecco, ho scoperto finalmente quel che si prova vedendoti: il desiderio irresistibile di prenderti per la mano e farti entrare nella propria vita per sempre. Molti uomini ti domanderanno di sposarli, lo so bene. Non ci si può rassegnare ad averti per un'ora soltanto, dopo averti veduta. Sei come tua madre.»

Nessuno mai prima di allora mi aveva parlato di come ero o apparivo. Dall'acuto interesse che Fulvia mi rivolgeva io prendevo forma a poco a poco: non ero più un groviglio di desideri dubbi e aspirazioni, ma una persona tutta costruita, con una precisa fisionomia. Fino a quel momento credevo che gli altri non avessero alcuna opinione su di me. Perciò, ascoltando le parole di Fulvia, era come se per la prima volta mi guardassi allo specchio. Mi strinsi al suo braccio, alla sua pelle fine, al suo calore.

«C'è Antonio là dentro» io dissi, passando dinanzi al grande edificio.

Ci appoggiammo alla spalletta del fiume, guardando le finestre difese dalle grate e la scritta sulla facciata: "Carcere giudiziario".

«No, è in un'isola, adesso» Fulvia disse abbassando la voce.

«Ma che cosa ha fatto?» io domandai, spazientita.

«Non si sa.»

La risposta era sempre la stessa. Di Antonio ormai si parlava pochissimo, mi convinsi che veramente nessuno sapeva. Mio padre s'era irritato alle mie ripetute domande, e mi aveva proibito di immischiarmi in queste cose. Aida disse che il fratello era stato accusato di stampare certi manifestini. «Che c'era scritto?» subito chiesi. Anche Aida rispose: «Non si sa».

Fissavo le finestre della prigione e, dentro di me, chiamavo Antonio tanto insistentemente che mi parve, ad un tratto, di vedere il suo viso apparire dietro le sbarre. Nella desolazione del suo sguardo si leggeva lo sgomento, che gli altri esprimevano con quelle tre parole: "Non si sa". Ricordavo quel che Aida aveva detto il primo giorno: e cioè che Antonio e i suoi amici non erano contenti. Da allora la consapevolezza della loro penosa condizione mi ammoniva continuamente.

Nella grigia luce del crepuscolo molte persone passavano dinanzi a noi, tra noi e il carcere: discorrevano, leggevano il giornale, ridevano, due donne passeggiavano in carrozza e una si incipriava il naso. Mi pareva che facessero tutto ciò con impegno, per distrarsi dai loro pensieri; sicché la loro giornata, e anche la mia, mi appariva come un seguito di azioni vorticose che si alternavano, senza tregua, nell'intento preciso di impedire un esame di coscienza. Forse, se avessero potuto interrogarsi, tutti avrebbero scoperto di non essere contenti.

«È tremendo» mormorai.

«Sì» ripeté Fulvia: «è tremendo essere rinchiusi là dentro mentre fuori è una stagione così bella.»

Avidamente guardava in giro. Dolce l'ultimo sole della sera tingeva di rosa i tetti delle case e le gonfie cime degli alberi, sul Gianicolo, alle spalle del carcere.

«Lassù c'è villa Pierce, vero?» mi domandò.

Io annuii con un cenno della testa.

«Non si vede da qui?»

«No» risposi bruscamente. «Non si vede da qui né da altrove. È nascosta dagli alberi, non si riesce mai a vederla.»

Avevamo ripreso a camminare, in silenzio.

«Lo sai?» ella disse ad un tratto: «A volte mi sembra che non esista, villa Pierce, e neppure Hervey.»

«Perché?»

«Non so, è un'impressione. Ricordo di aver letto in un libro la storia di un viandante che traversava la foresta, di notte, ed era affamato, sfinito, disperava di poter resistere al freddo e alla fatica. D'improvviso vide in lontananza il lume di una casa: entrò e trovò da ristorarsi, si scaldò a un gran fuoco. L'accolsero un vecchio elegante e una signora anziana, i quali lo trattarono con una cortesia, una premura che lui, fino allora, non aveva conosciuto. L'accompagnarono a letto, rimboccarono le coperte, ed egli si addormentò nel più piacevole sonno della sua vita. Ma al mattino si svegliò sdraiato in terra al limite della foresta, presso la strada maestra. La casa, i vecchi erano scomparsi.»

«Oh!» esclamai io. «E chi erano?»

«I suoi genitori che aveva perduto da bambino, erano

97

proprio loro, come se fossero invecchiati altrove, lontano da lui. Non è una bella storia?»

«Sì: ma tu dicevi...»

«Già. Così mi sembra che debba essere villa Pierce. Mi pare che ci sia qualcosa di spettrale anche in Hervey, anche in Eleonora. Anch'io, vedi, qualche volta provo l'impressione che ella debba sparire, non tornare più, come tu temi.»

«Sta' zitta» dissi rabbrividendo mentre entravamo nella regolare scacchiera delle strade prossime alla nostra casa. Camminavamo sottobraccio, strette da un freddo improvviso, e io tenevo nelle mani la vita di mia madre, come si porta un bel globo colorato, sospeso nella libertà ariosa del cielo e a noi legato soltanto dall'esile complicità di un filo.

Il giorno del concerto mio padre ed io desinammo soli. La mamma era stata invitata a colazione a villa Pierce. Era la prima volta che ci accadeva di mangiare soli, l'uno di fronte all'altra, come invece fu poi per molti anni. Ciò mi parve, ricordo, un sinistro presagio e tuttavia – per una istintiva solidarietà con la mamma – ero decisa a fingere di trovarmi completamente a mio agio. Ero ancora scossa dall'entusiasmo col quale avevo aiutato mia madre a vestirsi dell'abito azzurro. Mi pareva che fosse riuscito veramente elegante: Lydia aveva insistito perché lo tagliasse una sarta di buona fama e, per pagarne la fattura, Sista aveva dovuto compiere il suo primo viaggio al Monte di Pietà portando in pegno una spilletta d'oro della nonna. Mia madre nel vestito azzurro era bellissima. La seta, gonfiandosi sul petto e sui fianchi, ammorbidiva la sua magrezza e il colore s'intonava coi suoi occhi. Quando la vidi pronta, nelle stanze dove sempre la vedevo aggirarsi modesta nei suoi abiti scuri, mi venne fatto di portare le mani alla bocca per soffocare un grido di sorpresa.

Ella ci veniva incontro slargando il vestito come una

giovanetta al primo ballo. Mi pareva che di quel suo passo leggero le sarebbe stato facile andarsene, senza aver l'aria di compiere un gesto veramente grave. Sicché la fissai con intenso amore per un lungo momento, poi le feci addio con la mano e ruppi in pianto. Mi stringevo a Sista, nascondevo la testa nel cavo della sua spalla, respirando quell'odore aspro di cucina e panni neri che era domestico alle mie solitarie giornate.

Mia madre s'arrestò perplessa:

«Perché piangete? Sandi, perché piangi? Che ho fatto, mio Dio?»

Non potevamo spiegarle nulla: un'intesa segreta correva tra Sista e me, simile alla paura che ci avvolgeva entrambe quando l'attendevamo, sedute in cucina, e ogni momento che passava, segnato dalle grosse lancette dell'orologio, accresceva il nostro timore di non vederla più. Ella non comprendeva che la sua presenza era il solo bene della nostra vita. Sorridemmo, guardandola tra le lacrime. E allora anche lei sorrise e ci abbracciò, commossa di vederci partecipare così intensamente alla sua gioia.

«Ho un po' paura» disse, esitando sulla porta; poi aggiunse: «ho molta paura.» Ma in breve superò questi timori. Prese a scendere lesta per le scale e ogni tanto si sporgeva sulla ringhiera per guardarci ancora una volta. «Addio!» ci gridava lanciandoci un bacio, e la sordida scala s'illuminava del suo sorriso.

La macchina tornò a prenderci più tardi. Io ero pronta già da qualche tempo, e, non appena udii il *clackson*, il cuore prese a battermi disordinatamente. Mio padre disse: «Un momento» e finse di leggere una notizia importante sul giornale. Scendemmo le scale adagio, l'una dietro l'altro, e io camminavo nell'odioso odore di brillantina.

In automobile sedevamo impacciati, discosti: mio padre mostrava indifferenza e anzi noia, ma io sapevo che era superbo di lasciarsi condurre da un autista gallonato in una macchina costosa. Io pensavo che la mamma passava di lì ogni giorno per recarsi a villa Pierce. E certo, nel percorso, la sua monotona vita quotidiana le scivolava di dosso; alle sue spalle, la strada dove abitavamo, il grande casamento, le stanze cupe, mio padre, Lydia, Sista, crollavano, si afflosciavano senza rumore. Ecco: era forse imboccando il gran viale frondoso del Gianicolo che si dimenticava persino di me.

Il cancello era aperto, la macchina entrò schiacciando la ghiaia che rispose con un rumore d'acqua sotto i remi. Nell'atrio Violet Pierce, con i capelli bianchi tinti di viola, riceveva gli invitati. Fummo accolti con entusiasmo, come se ella fosse lì soltanto per attendere il nostro arrivo. «Suoni anche tu il pianoforte?» mi chiese volubilmente.

Intimiditi, mio padre ed io sedemmo in fondo alla sala. Sulle sedie posavano piccoli programmi che annunciavano il "Concerto della pianista Eleonora Corteggiani". La pianista Eleonora Corteggiani era la mamma: quello era il cognome di mio padre, con quel cognome mi chiamavano a scuola. Eppure mi pareva che ella non facesse parte della nostra famiglia, si chiamasse così per una omonimia. Io osservavo attorno e non riconoscevo la sala da musica quale mia madre me l'aveva descritta.

Molte persone parlavano inglese e noi eravamo stretti nel disagio di chi si trova solo in un paese straniero del quale ignori la lingua e le abitudini. Io cercavo Hervey con lo sguardo e subito mi convinsi che non era presente: per darmi coraggio guardavo fissamente il pianoforte al quale, tra poco, avrei vista seduta la cara figura di mia madre.

Era un pianoforte a coda, lunghissimo, lucido, molto diverso dal vecchio Pleyel verticale che avevamo a casa. Mio padre lo guardava con antipatia e, in quel momento, io non potevo a meno di sentirmi vincolata a lui dal comune disagio: la nostra casa, Sista che sedeva in cucina, le voci del cortile, le scale polverose e buie, mi parevano più adatte a noi, più accoglienti addirittura. "Andiamocene" stavo per dire al babbo: "torniamo a casa", quando vedemmo i servi in livrea chiudere le porte, la signora Pierce imporre le mani chiedendo silenzio e, da un piccolo uscio laterale, mia madre apparve.

Avanzò col suo passo leggero fino al pianoforte. Poi s'arrestò, posò una mano sul leggìo e, in quell'istante, la gente applaudì. Non era solamente un omaggio, ma qualcosa che la sua presenza strappava come un grido.

Era molto pallida e il vestito fatto con i veli di Ofelia, che tra le pareti di casa era sembrato tanto sorprendente, lì dentro appariva antiquato.

«È troppo magra, tua madre» il babbo disse: «le farò fare una cura ricostituente.»

Io mi volsi a guardarlo: egli intendeva, con quelle parole, fingere di non accorgersi che sua moglie era una donna straordinaria; gli piaceva saggiare il diritto che a lui spettava di giudicarla e di farle rispettare il suo giudizio. Avrei voluto rispondergli duramente, con ironia, ma in quel momento mia madre incominciava a suonare *Preludio e Fuga* di Bach.

Quello, e gli altri che seguirono, erano pezzi che io avevo udito innumerevoli volte: ma, anch'essi, lì, sembravano diversi. Forse perché era nascosta dal leggìo, mi veniva fatto di dubitare che fosse proprio mia madre ad eseguirli. Il tocco era di una persona molto forte e coraggiosa, diversa da colei che eravamo avvezzi a sentire parlare in tono sommesso, remissivo, docilmente acconsentendo alle ingiunzioni del marito.

Alla fine di ogni pezzo il pubblico applaudiva subito, con entusiasmo. Mia madre non si alzava per ringraziare, e anzi abbassava la testa mostrando intera la sua confusione. In quelle pause Violet Pierce veleggiava tra gli invitati e certo susurrava qualcosa di lusinghiero sul conto di mia madre poiché sorrideva guardando verso la pedana. Scivolò anche vicino a noi e sostò un attimo per dire: «*Isn't she wonderful?* Non è maravigliosa?». Certo non ricordava più chi fossimo.

Poi s'arrestò presso una poltrona nelle prime file e cominciò a parlare fitta fitta, in inglese. Benché io non capissi nulla di ciò che diceva, dall'aria del suo viso intuii che si rivolgeva ad Hervey e provai una subitanea commozione. Era facile indovinare che stava tentando di convincerlo. Infine mia madre, che aveva sempre tenuto gli occhi chini sulla tastiera, volse lo sguardo verso di lui, invitandolo. Allora, subito, Hervey salì sulla pedana.

Mia madre non me lo aveva mai descritto minimamente, sapevo solo che era molto alto e aveva i capelli chiari. Tuttavia, fin dal primo momento, la sua persona s'adattò all'immagine che m'ero fatta di lui. Egli aveva imbracciato il violino e lo accordava, rivolto verso mia madre, preparandosi a sonare con lei, senza curarsi del pubblico. Ma, pur non vedendo il suo viso, io scoprivo tra noi i segni di una remota affinità, come tra certe piante che fanno parte della stessa famiglia. E, forse a causa della snella figura o forse della nuca che, curvata sul violino, era simile a quella di un cavallo, mi pareva proprio che in lui fosse riunito tutto quello che mi piaceva nella vita, i begli animali, i begli alberi, e non solo quel che mi piaceva in un uomo.

Aveva incominciato a sonare. Non conoscevo quella musica: si svolgeva attorno a un tema pastorale, di quelli che mia madre aveva detto preferiti da lui: e il pianoforte invece di accompagnarlo gli dava, a ogni frase, adeguata risposta; il violino chiedeva, il piano rispondeva sommessamente, era un dialogo sereno. Ma, a poco a poco, aumentava di tono e di intensità, come se le domande divenissero via via più insistenti, più serrate. Nelle battute finali parve che il pianoforte volesse allontanarsi fuggendo e il violino lo rincorresse.

Quando la musica cessò, avevamo tutti il cuore in gola come se li avessimo seguiti nella corsa. Vi fu un attimo di silenzio prima che il pubblico si riprendesse e incominciasse ad applaudire. Mio padre taceva, pallido nel vestito scuro.

Io battevo le mani e dentro di me echeggiavo alti gridi

di gioia che mi costava fatica contenere. Il pubblico applaudiva freneticamente. Violet Pierce era salita sulla pedana per congratularsi con gli esecutori. Era la fine: mia madre, arrossendo, s'alzò dal pianoforte e fece per fuggire via, ma Hervey la trattenne per un braccio. Si guardarono e poi sorrisero, confusi d'aver manifestato un sentimento che finora essi stessi avevano creduto d'ignorare. In quel sorriso si volsero a noi.

Commossa, io smisi di applaudire: li guardavo assorta, lasciando che il pianto mi salisse agli occhi. Ero orgogliosa e intenerita, come se fossi stata io la mamma e lei la figlia. Attraverso un velo di lacrime, lucido e tremante, vedevo mia madre ed Hervey che si staccavano da terra tenendosi per mano e salivano salivano, si sollevavano sul vestito azzurro come su una nuvola. E, a causa di quel velo di lacrime, non potevo distinguere le loro fattezze; mi pareva che fossero entrambi dello stesso sesso: né uomo né donna, angeli. Infatti, ambedue erano alti e, forse in virtù del colore dei capelli, sembravano fratello e sorella. Questo dubbio traversò per un attimo la mia mente, lasciandomi maravigliata e incerta. Non sapevo dare una spiegazione a quella misteriosa somiglianza, all'armonia che traspariva da loro. Staccati dalla terra, tremavano nell'opalescente acquario dei miei occhi e mia madre sorrideva come quando s'era voltata a salutarmi prima di scomparire nelle scale.

Infine, richiesta dal pubblico, ella tornò a sedersi al pianoforte e attaccò quella *Primavera* che aveva sonato la sera in cui ci dette l'annunzio del concerto. Di nuovo la sentimmo ridere attraverso la musica. Molta gente era in piedi. Mio padre disse: «Andiamo» e passò il suo braccio sotto il mio.

Traversammo le grandi sale vuote, inseguiti dagli squilli festosi e dagli arpeggi. Fuori era ancora giorno, ma i grandi alberi s'erano ravvolti nell'ombra come in un mantello. Dalle finestre la musica ci rincorreva, ci sospingeva alle spalle. Noi affrettavamo il passo, desiderosi di allontanarci: oltre il cancello il pianoforte non si udiva più.

Mio padre s'appoggiava a me, mi si affidava. Più tardi, quando divenne cieco e io lo conducevo a passeggiare, riconobbi il modo d'appoggiarsi che aveva quella sera. Il suo viso s'era repentinamente invecchiato, imbolsito, come spesso accade nei momenti di stanchezza ai visi che serbano a lungo l'aspetto giovanile. Egli non faceva alcun commento sul concerto né osava più ripetere che mia madre era magra. Incapace di esprimere i suoi sentimenti se non con immediate reazioni fisiche, si disfaceva, pesava sul mio braccio, trascinava i piedi. E invece di provare compassione per lui, e per la sua vita che decadeva dopo aver generato la mia che sentivo forte e giovane, io – debbo confessarlo – mi rallegravo del suo abbandono. Sentivo che la mamma ed io possedevamo il segreto di una giovinezza eterna: oggi o tra molti anni le stesse cose ci avrebbero procurato gioia ed entusiasmo, avremmo superato il tempo, e anche il decadimento fisico, affidate a piaceri che mio padre non aveva conosciuto. Nella persona di lui appesa al mio braccio, avevo l'impressione di portare tutto quanto è caduco nella nostra vita: la carne che invecchia e, un giorno, imputridisce. Provavo ribrezzo, quasi, repulsione, schifo, come quando Enea aveva voluto spingermi contro il muro perché conoscessi il suo corpo. La mamma era stato il solo ponte che mio padre avesse avuto con la poetica verità della vita. Era rimasta accanto a lui, per anni, invitandolo a seguirla. Adesso se ne era andata e lui era solo.

Adagio, attraverso le viuzze di Borgo, lo riconducevo a casa. Le voci e gli odori delle strade ci venivano incontro, ci accoglievano. Era il nostro quartiere, la nostra gente, dove mia madre pareva essere capitata per errore.

Guardavo mio padre che, senza rendersene conto, s'affidava a una ragazza giovane come me, della quale tante volte aveva dileggiato i pensieri e le abitudini. Sentivo l'odore della sua brillantina: lo rivedevo seduto a tavola col giornale spiegato e l'anello d'oro al dito, mentre, osservandoci, scoteva ironicamente la testa.

Allora, impietosita da quel ricordo: «Vieni, vieni, papà» dissi nell'aiutarlo a traversare una strada.

Non appena rientrammo mio padre chiese a Sista se la cena era pronta e, benché fosse ancora presto, le ordinò di servire. Sista non osò domandare nulla: pose la zuppiera al centro della tavola e poi rimase attonita, le mani intrecciate sul grembiule nero, fissando il posto ove la signora soleva sedere. Mia madre aveva l'abitudine di piegare il suo tovagliuolo a guisa di un piccolo coniglio; in quel momento la vista di quel tovagliuolo m'inteneriva come i giocattoli di Alessandro che ella conservava devotamente in un cassetto. Calavano, oltre la finestra, le care ombre del crepuscolo che attendevamo qualche volta insieme; e io ero sola. Mi sorprendevo a rimpiazzarla nei gesti da lei compiuti fino alla vigilia: preparavo il piatto per Sista e, nel porgerglielo, mi veniva fatto di usare le stesse parole, con la stessa cadenza affettuosa.

Al tono della mia voce il babbo alzò gli occhi dal piatto e mi guardò; s'avvide che ero ormai una donna e poiché, nell'aspetto e nelle movenze, apparivo tanto simile a mia madre, mi riconobbe subito per un'avversaria. Sista sbocconcellava un pezzo di pane, seduta in un angolo, e il silenzio stava tra noi come una zona di ghiaccio, sulla quale nessuno osasse avventurarsi. Ma presto udimmo un passo salire affrettato nelle scale: io balzai in piedi, raggiante, corsi all'ingresso e spalancai la porta.

Dirò che ancora adesso, passati tanti anni, quando torno col pensiero a mia madre, sovente mi accade di rivederla com'era in quell'attimo. Stringeva al petto un gran mazzo di rose che le era stato offerto e dal cappottino le sfuggivano i lembi del vestito azzurro, quasi non le riuscisse più di rientrare nel suo modesto aspetto quotidiano. Aveva i capelli un po' scomposti e il viso roseo, attraentissimo. S'appoggiò alla parete, come per sostenersi da un improvviso capogiro. «Oh, Sandi» mormorò e mi parve che non avesse mai pronunciato il mio nome con tanta dolcezza. «Oh, Sandi» ripeteva, socchiudendo gli occhi. Era molto bella. Avrei voluto che si stendesse sul mio letto, nel vestito che era stato d'Ofelia, e che mi raccontasse la leggenda della sua giornata come mi narrava le storie di Shakespeare, quando ero bambina.

D'improvviso, la nostra felice intimità fu interrotta dalla voce di mio padre che veniva dalla stanza da pranzo. Era una voce che aveva mani enormi e folto pelo nero, la voce degli orchi nelle favole.

«Eleonora» chiamò: «Eleonora» ripeté con forza, poiché ella tardava a rispondere.

Poi apparve nell'ingresso e mia madre, per nulla intimorita, lo accolse con un sorriso. Era così felice che s'illudeva, almeno quella sera, di vederlo condividere la sua gioia. Sentivo che avrebbe voluto andargli incontro cordialmente, parlargli di Hervey: e avrebbe voluto che lui l'ascoltasse, partecipando alla sua contentezza. Né mi vergogno di ammettere che ciò mi pareva del tutto naturale: poiché non vedevo alcun rapporto tra il vincolo che li teneva uniti e i sentimenti che la legavano a Hervey.

«Vieni con me» egli le ingiunse, avviandosi nel corridoio.

Mortificata, mia madre subito lo seguì. Sembrava giovanissima, forse a causa di quel paltoncino che le copriva a malapena il vestito: una ragazza sorpresa al ritorno di una festa da ballo, ove si sia recata di nascosto.

Prima di entrare nella camera lasciò cadere le rose, che io d'impeto raccolsi pungendomi le mani. Poi, senza neppure guardarmi, chiuse dietro di sé la porta grigia.

Sedetti lì fuori, sul pavimento di mattoni rossi, e schiacciai l'orecchio contro lo spiraglio. Sista aveva tentato di strapparmi di lì e poi s'era accoccolata accanto a me, in terra. Vi fu dapprima un silenzio. Infine udimmo la voce di mio padre, carica di un odio pungente che non gli facevo neppure credito di possedere. «È l'ultima volta, questa, che tu vai a villa Pierce» diceva. Quindi supponemmo che l'avesse presa pel braccio e la stringesse forte poiché ella si lamentò sommessamente.

Mia madre parlava sottovoce, non udivamo le sue parole. Egli le rispondeva sullo stesso tono. Sembrava che entrambi si vergognassero di ciò che andavano dicendosi. Quel duro scontro mi intimoriva al pari del silenzio che accompagnava, un tempo, le loro serate di amorosa intesa e di serenità, mi riconduceva col pensiero a quelle ore in cui avevo saggiato per la prima volta l'amarezza della mia solitudine di figlia, di fronte alla conturbante complicità dei propri genitori. Scoprivo quanto tremendo fosse sempre quel che accadeva tra un uomo e una donna, quando erano soli. Andavo rammentando ciò che Fulvia mi aveva detto sul modo in cui si fanno i bambini. Non era un atto felice, luminoso, schietto come dovrebbe essere quello in cui si trasmette la vita; e infatti per compierlo si sceglieva il buio e il segreto della notte. Nelle voci astiose che udivo oltre la porta grigia si manifestava tutta la miseria della intimità che un uomo e una donna stabiliscono. E anche il loro modo d'amarsi – a quel che sapevo – mi appariva orribile e volgare come la lotta alla quale assistevo.

«Ti chiuderò qui dentro» egli le diceva. «Qui, hai capito?, qui.»

Sgomenta strinsi la mano di Sista: immaginavo mia madre rinchiusa tra il gran letto di ferro, dove la zia Caterina era morta, e il cassettone nero dal livido piano di marmo; immaginavo il suo corpo delicato oppresso da quella lugubre mobilia.

«Ti prego, Ariberto, ti prego» diceva con voce implorante, dolente. «Ti supplico» gli diceva. «Ti supplico.» Ed era come se si trascinasse in ginocchio, proprio lei così altera e lieve, come se si annientasse addirittura di fronte a quello stesso uomo che io avevo ricondotto a casa pietosamente al mio braccio.

Mi volsi a Sista, atterrita: «Bisogna salvarla, far qualcosa, salvarla».

Sista non mi rispose: nella fioca luce della lampadina

107

che pendeva a metà del corridoio, vedevo la sua ombra magra, poggiata allo stipite della porta. Il suo viso era fermo, di cera. Spesso mi era accaduto di vederla impensierita per un breve ritardo della mamma, timorosa che non tornasse più, e stupivo che, in un momento così grave, ella riuscisse a serbare quella rigida impassibilità.

«Bisogna salvarla» le ripetevo. E lei taceva sempre. Infine, quando io la scossi pel braccio più volte, chiedendole: «Che possiamo fare, di', su, che cosa?» ella, senza mutare l'espressione impietrita del volto:

«Che vuoi fare?» disse. «È il marito.»

Dopo quella serata paurosa la nostra vita riprese esattamente simile a quella che era sempre stata. Né i miei genitori supposero mai che io avessi ascoltato tutto quanto s'era svolto tra loro. Perciò continuarono a trattarsi reciprocamente allo stesso modo dei giorni che precedettero il concerto.

Solo un mutamento era avvenuto: io sapevo, ormai, ciò che accadeva quando essi si chiudevano nella camera nuziale e quindi il tono affabile che usavano per parlarsi mi appariva una insopportabile finzione. Tuttavia a partire da quel momento mia madre cessò di riferirmi la cronaca delle sue giornate a villa Pierce, e il fatto che io non la interrogassi ansiosamente al ritorno, come era stato fino allora, provava che avevo intuito le ragioni della sua riservatezza e del suo silenzio. Gran parte degli avvenimenti che io narrerò d'ora in avanti (e che non si svolsero in mia presenza o nell'àmbito della nostra casa) li appresi dopo la sua morte dai racconti di Lydia, e da un quadernetto che trovai nascosto nel pianoforte, dove la mamma raccoglieva i suoi pensieri. Così mi fu abbastanza agevole ricostruire i fatti.

Pochi giorni dopo il concerto, Hervey si dichiarò a mia madre. Doveva essere il ventuno di maggio poiché la data, nel libretto, era sottolineata due volte e in quella pagina la sua calligrafia, alta e molle come un nastro, aveva scritto dappertutto: "Ti amo, Eleonora".

Dopo quella data erano appuntati romantici itinerari, "villa Celimontana", "visto un mandorlo al Palatino", "villa Adriana", "i giaggioli della via Appia". Un petalo di quei giaggioli era schiacciato tra le pagine e io lo portai al collo in un reliquiario della nonna Editta.

Quel reliquiario fu l'unico gioiello che mi rimase di lei. Mia madre aveva abbandonato quasi del tutto i suoi allievi e, seppi più tardi, dal momento in cui aveva conosciuto Hervey non aveva più voluto ricevere alcun compenso dalla famiglia Pierce. Alla fine del mese consegnava una busta al marito, come aveva fatto per tanti anni: era il prezzo della sua libertà durante tutto il giorno. Glielo pagava puntualmente, forse con un lieve accento di disdegno: «Ecco il danaro, Ariberto». Sista aveva fatto molti viaggi al Monte di Pietà e quando mio padre, dopo la morte della moglie, aprì i cassetti di lei, nell'astuccio di raso rosso, oltre al reliquiario, trovò soltanto un mazzetto di polizze tenute assieme da uno spillo.

Mia madre mi parlò chiaramente dei suoi propositi verso la fine del mese di giugno.

Era sabato, una giornata calda; il babbo era uscito tutto vestito di bianco con una cravatta azzurra a fiocchetto.

Io leggevo, presso la finestra, e mia madre sedeva vicino a me, in poltrona. Da poco mi aveva permesso di leggere i romanzi e anzi ella stessa me li veniva consigliando via via, tracciandomi una sorta di programma ideale.

Ricordo benissimo che, quel giorno, stavo leggendo la storia di Emma Bovary. Era un libro che mia madre doveva aver riletto più volte perché appariva molto usato e alcuni passi erano sottolineati. Quei passi talora rivelavano impulsi e sentimenti dei quali ella, nonostante la nostra confidenza, non avrebbe mai ardito parlarmi. Inciampare in una di quelle involontarie confessioni, mentre seguivo l'intreccio di un romanzo, mi metteva spesso a disagio facendomi temere di aver compiuto una grave indelicatezza. Oltretutto non avevo nessuna simpatia per la signora Bovary – benché questo personaggio piacesse molto a mia madre – e non volevo conoscere le remote affinità che ella scopriva in costei, così come non volevo conoscere le cause che l'avevano spinta a sposare mio padre.

Mi dibattevo in questi pensieri quando mia madre disse: «Oggi non esco, Sandi: ho da parlarti.»

Mi volsi a lei, grata: «Resteremo qui, dinanzi alla finestra?».

«Sì, certamente» rispose sorridendo.

Accostai la mia poltrona alla sua e rimanemmo beate, in silenzio. Io non mi domandavo neppure che cosa ella avesse in animo di dirmi, sebbene fossi rimasta sorpresa dalla gravità del suo accento. Godevo d'essere con lei, nel cerchio del suo sguardo. Sentivo la felicità scorrere in me, come un'acqua tranquilla. Così mi accadeva con Francesco, nei nostri primi incontri.

Dopo un poco mia madre, guardando fuori, mi domandò: «Sandi, ti piacerebbe partire?»

Un nodo spinoso mi chiuse la gola, e il mio cuore prese a battere lesto: temevo che ella volesse allontanarmi da lei, lusingandomi con la novità di un viaggio.

«Con te?» domandai in un soffio.

«Con me, certo.»

«Oh, sì, mamma, sì!» esclamai. E aggiunsi sottovoce, quasi istigandola a compiere un'azione arrischiata e malvagia: «Andiamo via». Lei non rispose subito né si volse. I suoi occhi specchiavano il cielo che si vedeva dalla finestra aperta. Poi ripeté, in un susurro: «Andiamo via». Dal tono della sua voce compresi che queste parole erano un pensiero costante, un'ossessione, che quella frase si ripeteva in lei ogni momento: quando era sveglia di notte nel gran letto, quando andava e veniva per la casa. Era sotto qualsiasi altro pensiero, sotto qualsiasi altra parola che pronunziasse. "Andiamo via." Inutilmente ella scoteva la testa per scacciarle; la circondavano, ronzavano, l'avvolgevano, erano nell'aria stessa che respirava: "Andiamo via".

Doveva essere un sollievo pronunziarle ad alta voce, finalmente; era come liberarsene, accettandole. «Andremo oltre la frontiera, sai? in Svizzera, forse.»

Sembrava che inventasse un giuoco, come faceva quando io ero bambina, fingendo di partire con me per le città straniere dove la nonna era stata a recitare.

«Abiteremo in campagna, lontano dalle città, dai grandi casamenti, dalle strade affollate, e dai tram che cigolano tutta la notte. Appena uscite di casa avremo già i piedi sull'erba. E io avrò un grande pianoforte. Tutta una stanza per il pianoforte.»

Io la seguivo nel giuoco. Mi piaceva gettare in questo disegno della nostra vita futura tutti quei desideri che finora non avevo mai sperato di appagare.

«Io uscirò a passeggiare» dicevo «e tornerò a casa attraverso i boschi, guidata dal suono del tuo pianoforte, come dalla cometa di Betlemme.»

Lei annuiva con un cenno del capo: «Certo. E d'inverno tutto sarà sepolto dalla neve, anche la nostra casa: noi rimarremo chiuse col pianoforte e i libri, accenderemo un gran fuoco nel camino».

Continuava a parlare sottovoce: paesaggi e giornate si svolgevano nella mia immaginazione, come in uno spettacolo. Malignamente mi raffiguravo il babbo al suo ritorno in casa, la sera della nostra fuga. Ci avrebbe chiamate con la sua voce impaziente e ironica, avrebbe detto: "Ho fame", avrebbe domandato: "È pronto?". Ma il silenzio avrebbe accolto e ingigantito le sue parole. "Eleonora" avrebbe chiamato, "Alessandra..." Udivo la voce dapprima stizzita, poi irosa, e infine angosciata, vedevo il gesto col quale avrebbe spalancato la porta delle stanze ove la tetra mobilia lo attendeva per soffocarlo e opprimerlo, come aveva oppresso mia madre per tanti anni.

«Sandi...»

«Mamma...»

Successe un silenzio. Poi ella si volse e mi guardò, seria, invitandomi a uscire dal mondo fantastico che quelle immagini avevano suscitato attorno a noi.

«Sandi» mi disse: «non saremo sole.»

«Oh, mamma» io risposi sorridendo: «non ho mai pensato che saremmo partite senza di lui.»

La sua mano si posò sulla mia, la strinse forte quasi ella volesse farmi entrare in lei, nei suoi sentimenti e problemi.

«È una cosa molto grave» disse.

«Tu non puoi vivere qui dentro» protestai vivacemente: «devi...»

«È una cosa molto grave» ella ripeté, interrompendomi: «vorrei che tu lo comprendessi. È una cosa della quale una madre non dovrebbe mai ardire di parlare alla propria figlia, a una ragazza. Ma in verità (e forse questo è uno dei miei torti) io non ho mai pensato a te come a una figlia, credo di non averti mai trattato come tale. Ti ho sempre trattato al pari di una donna, fin da quando sei nata, e ti ho accompagnata giorno per giorno, consolandoti, incoraggiandoti, io che già sapevo quanto sia difficile essere donna. Poiché una donna, in realtà, non ha mai vera infanzia, è sempre già donna, fin da quando ha solo pochi anni o sa appena parlare. Forse ho sbagliato. Temo proprio di aver sbagliato perché, così facendo, tu sei cresciuta, invece, debole e indifesa come me. Quando eri molto piccina mi piaceva illudermi che tu fossi un ragazzo, come Alessandro, e poi... Poi un giorno ti vidi qui, seduta alla finestra. Avevi pochi anni e io ti domandai che facessi, se non ti annoiassi così, tutta sola: "No" mi rispondesti "sono molto contenta". E io, allora, ricordai una finestra presso la quale sedevo a lungo quando abitavamo, con la mamma e il babbo, a Belluno. Conoscevo il significato della precoce solitudine. Sapevo che avresti sofferto, che molte cose ti avrebbero ferito, ma di altre, oh, di altre avresti

112

fatto la tua gloria. Poiché c'era in te, come in ogni donna, la possibilità di mostrarsi un essere straordinario, maraviglioso, un oggetto di grazia e di armonia, come un bell'albero o una stella. Come una donna, insomma. Una donna, Sandi, è tutto l'universo, ha tutto il mondo in sé, nel suo grembo, il sole e le stagioni, e il cielo che avvolge i campi e le città...» Fece una pausa; poi si riprese: «Non so come siamo arrivate a parlare di tutto questo... Che cosa ti dicevo, dapprincipio? Ho la mente confusa...».

«Dicevi che saremmo partite presto» le suggerii.

Allora mia madre s'alzò, d'impeto. La vidi andare su e giù per la stanza, e pareva che non potesse contenere la sua impazienza: si torceva le mani, si guardava attorno ricercando sulle pareti, sui mobili, i segni della sua vita monotona, dei suoi giorni senza sorprese. «Via... via...» mormorava, sentendo di essere salva, ormai, dall'agguato che per anni quelle stanze le avevano teso, con l'inesorabile tenacia delle sabbie mobili. «Via... via.» Aprì la porta del salottino e di lì venne fuori il tanfo di stantio che le poltrone giunte dall'Abruzzo non avevano perduto mai. «Via!» gridò come un insulto, nel vuoto nero della stanza. Poi, prese a volteggiare leggera: «Via» diceva con la sua voce cantante. «Via...»

Di scatto s'arrestò:

«E Sista?»

Rimase un attimo incerta, infine decise:

«Presto, va' a chiamarla.»

Trovai Sista che rammendava in cucina.

«Vieni» le susurrai, prendendola pel braccio: «vieni, vieni.»

Mia madre le andò incontro animatamente.

«Senti» le disse: «noi partiamo. E tu vieni con noi.»

«Dove?» ella domandò stupita.

«Che t'importa di sapere dove? Vieni con noi.»

«È un posto bellissimo» io dissi. «Ci sono gli alberi, le mucche, i pascoli. Vedrai. Ce ne andiamo. Capisci? Noi tre... Andiamo via, via, via.»

Inebriata, la mamma aveva ripreso a girare con grazia nella stanza: le sue mani si chiudevano e si aprivano in morbidi cenni d'addio. Tornò verso di noi, ci strinse in un abbraccio.

«Oh, mie care» mormorava «mie care, mie...»

Poi ci confidò che saremmo partite molto presto.

Trascorsero circa due settimane senza che mia madre accennasse più ai nostri disegni di fuga. Mi avvedevo però che, al momento di uscire, mi abbracciava ancor più teneramente del solito, mi rassicurava. «Torno presto, sai, cara» con un tono affettuoso e concitato come se avesse voluto dire: "Abbi ancora un po' di pazienza".

Questa attesa segreta mi teneva costantemente in uno stato d'eccitazione che mi riusciva difficile dominare: temevo che qualcuno notasse la mia rara loquacità e il brio inconsueto che animava ogni mio gesto benché la stagione estiva, le lunghe giornate, le vacanze, avessero comunicato anche agli altri abitanti del casamento una nuova euforia. Nel cortile le piante avevano fiorito; e, mossa da un vento arguto, la biancheria stesa ad asciugare sventolava, schioccava, salutava allegramente. Dalle finestre aperte si vedevano le tende gonfiarsi come vele. Gli indumenti invernali erano stati battuti con disprezzo e sepolti nelle casse. Incoraggiate da un vestito nuovo, le donne alzavano il tono della voce, assumevano una rinverdita sicurezza. Insomma il palazzone grigio diventava giulivo e sonoro e, nel pomeriggio, respirava da tutte le finestre aperte. Il martello del ciabattino batteva con un piglio rinvigorito e veloce, e la portiera sedeva beata sul portone mentre le ragazzine dei pigionanti giocavano intorno a lei con orecchini fatti di ciliegie.

Io uscivo spesso con Fulvia e i nostri passi si accordavano in un ritmo lesto e giovane. Discorrevamo fitte, ci susurravamo parole all'orecchio, ridevamo senza ragione o per un nulla. Il quartiere, d'estate, era tutto stridente di rondini: nessun quartiere a Roma conosce così bene la voce delle rondini come quello dei Prati. Presto, poco dopo il levar del sole, si rincorrono in voli alti e festosi. Stridono, sfidandoci a raggiungerle, nell'azzurro velato del cielo. A sera invece calano nelle strade, sfiorano le finestre, e gridano con voce disperata tentando di sottrarsi all'insidia della notte. Poi, mentre imbrunisce, tacciono di colpo come gli strumenti al segno del direttore d'orchestra. Fulvia ed io, allora, tornavamo in fretta verso il grande casamento, ove già molte famiglie cenavano nella penombra per risparmiare la luce.

Spesso Dario ci accompagnava. Non gli davamo mai un appuntamento preciso. "Esci?" egli faceva segno a Fulvia dalla finestra di contro. Lei rispondeva sì.

Uscivamo e Dario non si vedeva: ma, presto, lo trovavamo sulla nostra strada, ogni giorno in un luogo diverso. Aspettava fumando, fermo sul marciapiede, e spiava il nostro passaggio con occhiate lente e indifferenti. «Ciao» gli diceva Fulvia. E lui prendeva a camminare con noi.

Era un ragazzo magro, aveva il mento aguzzo di una volpe. Le fattezze del suo viso erano piuttosto comuni, ma gli occhi azzurri e al tempo stesso profondi annobilivano la sua larga fronte. Camminava con noi senza parlare: spesso con un gesto nervoso della mano tentava inutilmente di rassettare i suoi capelli lisci e scomposti. Il suo silenzio infastidiva Fulvia che s'era ripromessa un pomeriggio allegro e dilettevole. Parlava lei, allora, dei più disparati argomenti, tentando di risvegliare l'interesse del giovane; ma, spesso, con scarso risultato. Io dapprincipio non capivo quale piacere ella provasse a intrattenersi con lui: tuttavia, in seguito, parve anche a me che lo scontroso silenzio di Dario fosse da preferirsi alla vuota spavalderia di altri nostri coetanei. Costoro sembravano decisi a trovare una originale trascrizione di loro stessi e fingevano, con alcune stranezze, di possedere una spiccata personalità. Eppure si somigliavano tra loro in modo davvero impressionante: vestivano secondo gli stessi criteri, parlavano usando un gergo, come i soldati o i marinai, e a me riusciva difficile abituarmi a questo linguaggio convenzionale che Fulvia invece maneggiava abilmente. «Che cosa farete da grandi?» talvolta mi veniva fatto di chiedere a uno di loro. A questa domanda tutti rispondevano ironicamente, e io mi trovavo a disagio come alla scuola mista quando i compagni mi deridevano per i miei ottimi voti. «Creperemo tutti» uno mi rispose una volta: «creperai anche tu, col tuo nove in latino.»

«Voi siete ragazze, non potete capire tutto ciò» diceva Dario rivolgendoci uno sguardo affettuoso che rompeva l'apatica freddezza del suo viso. «Non è facile parlare di queste cose con voialtre.»

«Perché?» io gli domandavo, offesa dalla differenza che egli intendeva stabilire tra di noi.

«Che lo sa lui stesso?» diceva Fulvia: «Che lo sa, il perché?»

Sembravano, tutti, sperduti in una triste solitudine: ma, invece di dolersene, ostentavano anzi di bastare fin troppo a loro stessi e non aver bisogno di alcun appoggio nella vita, neppure quello dell'amicizia o dell'amore. Affettavano un cinismo spietato, una crudeltà inutile, tutta costruita. Una volta uno di loro si vantò di aver spennato vivo un cardellino che la sorella custodiva in gabbia. Gli altri risero, anche Fulvia, anche la dolce e grassa Maddalena. Io rabbrividii e mi ribellai a quella sciocca perfidia.

«Perché hai fatto questo?» gli chiesi con veemenza. «Non ti vergogni, di'? Mi fai ribrezzo.»

Gli altri seguitavano a camminare ridendo, ma capivo che s'allontanavano impacciati, ci lasciavano soli.

Claudio (questo era il nome del ragazzo) tentò di ridere ancora, debolmente. «Come hai potuto far questo?» io insistevo. A poco a poco s'abbuiò: gli altri, ormai, non potevano più ascoltarci. Passeggiavamo in un viale largo di Monte Mario e si udivano gli uccellini cantare.

«Che dovevo fare?» Claudio rispose infine, stizzoso. Sentivo che voleva sfogare una rabbia, una segreta impotenza. «Sono abbastanza vile da prendermela con i più deboli di me.»

«Che c'è?» gli domandai affettuosamente. «Che cos'hai?»

Egli si volse a guardarmi, stupito dell'interesse che gli dimostravo. Sembrò misurarmi per un attimo, domandandosi se potesse fidarsi di me.

«Non lo so» disse. Poi, temendo che io attribuissi il suo riserbo a mancanza di sincerità, aggiunse: «Non lo so veramente, Alessandra» ripeté e mi prese sottobraccio.

Aveva un braccio magro, scabro, nodoso e le mani troppo grandi per la sua statura. Indossava una maglietta bianca traforata, e portava la giacca sulle spalle. Da lui emanava un acre odore di sudore e di pelle forse non troppo pulita, come da tutti i ragazzi che conoscevamo. Io supponevo che si lavassero poco al mattino, frettolosi di fuggire via dalla casa. Quell'odore, misto all'amaro profumo del tabacco scadente che fumava, invece di allontanarmi da lui, me lo rendeva più caro.

«Non sei contento, vero?» gli domandai sottovoce, guardando nel vuoto come quando, dentro di me, parlavo con Antonio.

«No» egli rispose sullo stesso tono basso, vigilato. «Come si può essere contenti?»

Non c'era nulla di male in quello che andavamo dicendo, eppure notai che Claudio spiava in giro. A destra si levava un canneto alto e rigido; le foglie, mosse dal vento, frusciavano come se qualcuno fosse nascosto lì dentro per ascoltare. Alla nostra sinistra, invece, avevamo grandi caseggiati operai; sulle facciate gialle le finestre erano fitte, ravvicinate, i panni stesi si toccavano, imparentando gli abitanti di ogni piano.

«Come si può essere contenti?» egli domandava, «non si può parlare a nessuno: è la prima volta che parlo, Alessandra, e mi sembra di sentirmi già meglio, liberato da un peso. Forse solo a una donna si può parlare con sincerità. Non ce la faccio più.»

Io abbassai ancora la voce e mi appoggiai a lui nel camminare. Ma, in realtà, era lui che mi si appoggiava, come mi si appoggiava mio padre la sera del concerto. Claudio aveva tre anni più di me e già l'aspetto di un uomo, la sua fu la prima amicizia che io strinsi con una persona di sesso diverso dal mio. Avrei voluto riposarmi in lui, affidare a lui il mio peso d'incertezze e di dubbi, lasciarmi consolare. Ma egli mi precedette e non fu più possibile. Non fu possibile mai, mai, essere debole, Dio mio, neppure per un attimo. Fin da allora, dovetti imparare ad essere la spalla che sostiene, la mano che regge, la voce che consola. Solamente qui, oggi, ho trovato riposo; eppure temevo che non avrei potuto riposare mai.

Camminavamo accanto, dunque, e Claudio si appoggiava a me. Avevo l'impressione che altre coppie camminassero dietro di noi, fingendo lo stesso amoroso abbandono, e invece tentando soltanto di sostenersi, uomo e donna, creare una solida difesa contro un pericolo ignoto che ci insidiasse da ovunque.

«Conoscevi il fratello di Aida?» gli domandai.

«Sì» rispose lui.

«È in prigione.»

«Lo so» Claudio disse sottovoce. E poi subito continuò con una vena di sprezzo nella voce: «È una vigliaccheria, come spennare un cardellino, come buttarsi giù dalla finestra. È una vigliaccheria, credi, Alessandra: una ribellione è semplice, bastano cinque minuti. Dopo, si è già un eroe, e in prigione non rimane che costringersi all'ordine, alla riflessione, alla pace interiore. Bisogna avere il coraggio di continuare a vivere giorno dopo giorno col padre che non ti capisce, con la madre che t'affligge: vivere, guarda, dietro una di quelle finestre» disse accennando alla grande casa gialla «andare a scuola, zitti, all'ufficio, zitti, non domandare mai niente, non ribellarsi mai, e affrontare la vita facile che ti invischia, via via, ti trascina».

Seguivamo gli amici, li sentivamo parlare e ridere poco distante. Claudio mi strinse a sé, domandandomi:

«Mi vuoi bene, Alessandra?»

«Sì, ti voglio bene» risposi.

«Mi ami?» mi domandò più piano. E spingeva il suo aspro braccio contro il mio, voleva fare una sola cosa di noi.

Io abbassai la testa, umiliata di sottrargli un aiuto: avrei potuto rispondere sì, Fulvia lo avrebbe fatto al mio posto, tanta spontanea simpatia la sua persona suscitava in me, ma volevo innanzi tutto essere sincera: e non mi pareva che il sentimento che provavo fosse amore. Conoscevo il viso trasfigurato col quale la mamma rientrava in casa dopo avere incontrato Hervey.

Non risposi e seguitammo a camminare in silenzio finché gli amici si arrestarono per rincasare tutti insieme.

La stessa sera mia madre mi prese la mano nel passaggio buio presso la cucina e mi disse sottovoce: «Più tardi parlerò al babbo, gli dirò che partiamo. Tu rimani con noi e, se non te lo chiedo, non mi lasciare».

Aveva assunto un aspetto serio e asciutto, come se fosse mossa da una vigorosa risoluzione. Eppure negli ultimi giorni si era mostrata più arrendevole del solito, remissiva, dominando quegli scatti estrosi che formavano la sua fisionomia. A volte mi chiedevo con timore se avesse rinunciato al caro disegno: tuttavia speravo che ella volesse solamente fingersi una donna simile alle altre, vinta, domata, della quale ci si potesse fidare.

«Coraggio» dissi sfiorandole la guancia con un bacio.

Pranzammo. Mio padre parlava delle solite cose; avvolgeva gli spaghetti sulla forchetta con la consueta pedanteria e io stupivo che non intuisse ciò che stava per accadere, non sentisse l'aria malfida nella quale ci movevamo tutti. Ma era avviluppato così strettamente nel suo egoismo che nulla avrebbe potuto raggiungerlo. «Sciocchezze» diceva sempre quando si accennava a qualcuno che pativa per un sentimento; se si trattava di una donna aggiungeva: «vada a fare la calzetta.»

Sista tolse i piatti, i bicchieri; mio padre e mia madre rimasero l'uno di contro l'altra, divisi dalla tovaglia bianca. Ella, con una mossa della mano, faceva saltare via dalla tovaglia le briciole del pane; pareva desiderare che tutto fosse nitido e sgombro tra loro. Quando il marito fece per alzarsi lo trattenne con uno sguardo e disse:

«Un momento, Ariberto, ho da parlarti.»

Egli rimase sospeso, spiando nelle intenzioni della moglie. Malvolentieri si riaccostò alla tavola e domandò con diffidenza:

«Che c'è?»

Mia madre era molto calma: intrecciò le mani sulla tovaglia che ormai era sgombra di ogni briciola e disse:

«Tra qualche giorno io partirò con Alessandra.»

Non eravamo mai partite in viaggio. Le nostre valigie, di cartone e di vimini, di foggia disusata, giacevano sull'alto di un armadio.

«Partite?» egli domandò, fingendo un divertito stupore. «E per dove, se è lecito saperlo?»

«Ce ne andiamo» mia madre rispose calma. «Andiamo via.»

Vi fu un silenzio. Io avevo affiancato la mia sedia a quella di lei ed entrambe lo fissavamo gravemente.

«Non vogliamo più stare qui, in questa casa.»

«Che cosa c'è di brutto in questa casa? È una casa comoda, con un fitto vantaggioso. Che avete da dire contro questa casa?»

Mia madre esitava sperando che egli capisse senza altre spiegazioni, per sola via di sguardi, e a lei fosse risparmiato un compito sgradevole.

Infine disse: «Non vogliamo più stare con te».

Egli rimase incerto, misurando la serietà delle nostre parole. Noi eravamo sedute accanto e mi pareva che egli dovesse vedere di contro a sé due Eleonore, ugualmente ferme, ugualmente risolute, che esprimevano con tutta la loro persona il desiderio di abbandonarlo.

Ma mio padre, dopo aver passato lo sguardo dall'una all'altra più volte, scoppiò a ridere. Si lasciava andare indietro sulla sedia e rideva odiosamente: «Ah, ah» faceva, «Ah, ah» e ci guardava come se avessimo detto una cosa molto arguta, comica addirittura: «Ah, ah, non volete più stare con me, dunque».

Pallida mia madre disse: «Non fare così, ti prego, è una cosa seria».

Egli seguitava a ridere. Era una sera afosa e le finestre erano aperte; il muro della casa di faccia pareva ravvicinato dalla calura. Temevo che tutti, nel nostro casamento, nei casamenti vicini, nella strada, udissero il riso di mio padre e incuriositi venissero a bussare alla nostra porta per conoscere la causa di quella incontenibile ilarità. La causa eravamo noi e l'angoscia che agitava la nostra vita.

«E come vivrete?» egli ci domandò d'improvviso, smettendo di ridere e simulando una benevola e incuriosita allegria; «Come vivrete?» ripeté.

Questo, ancora una volta, lo rendeva sicuro del suo potere: la busta gialla che gli davano al ministero il ventisette di ogni mese. Con quei danari egli credeva di aver comperato non solo il diritto di trattarci come affittacamere o serventi, ma anche quello di ridere di noi senza domandarsi che cosa la nostra decisione nascondesse.

«Eh, dite un po': come vivrete?» insisteva.

«Ho sempre guadagnato» mia madre rispose. «So di poter guadagnare anche di più.»

«Coi concerti?» egli insinuò ironico.

«Sì, anche coi concerti.»

Il babbo riprese a ridere. Nel riso la camicia gli si apriva sul petto forte, velloso. Le nostre parole neppure scalfivano la sua spessa corteccia: sicuro di sé, egli non si curava di dissuaderci dal nostro proposito. Ci indicava, anzi, la porta che era lì, a due passi; bastava che l'aprissimo per essere libere. Eppure noi restammo inchiodate alla tovaglia bianca, e lui rideva.

«È una cosa seria, Ariberto» mia madre ripeté, tentando di farsi strada tra le pause di quel riso: «abbiamo deciso, ormai.»

Allora egli giudicò che il giuoco fosse durato abbastanza. Smise bruscamente di ridere, si raddrizzò sulla sedia, e mutò il tono della voce.

«Siete pazze» disse guardando prima l'una e poi l'altra con durezza. «Pazze» ripeté. «Avete bisogno di una cura ricostituente, una cura pei nervi, di bromuro. Ve l'ho già detto: avete qualche cosa qui che non funziona.» Accostò l'indice alla tempia e, facendo il gesto di girare una vite, «qui» disse guardandoci con ironia. «Qui.»

«Non far quel gesto, Ariberto!» mia madre scattò, vivacemente. «Non far quel gesto, ti prego!»

«Bromuro» egli ripeté.

S'alzò, e senza aggiungere altro lasciò la stanza. Poi udimmo il consueto rumore della serratura.

Seguirono giorni difficili. Anche la nostra amicizia con le Celanti somigliava quell'affettuosa solidarietà, quell'intima pietosa comprensione nella quale si stringono le vittime di una minoranza perseguitata.

Talvolta, nel pomeriggio, mentre facevo i compiti, la mamma entrava in camera mia e, senza alcun motivo, m'invitava a interrompere subito lo studio e salire da Fulvia; se resistevo, intuendo che si trattava di un pretesto per rimanere sola col babbo, ella mi supplicava con lo sguardo: "Va' su, Sandi, ti prego".

Le Celanti, al solo vedermi apparire, comprendevano che la mamma mi aveva allontanato per non farmi assistere a qualche penoso o drammatico colloquio: sicché subito mi dedicavano, affettuosamente, la loro attenzione. Una sera udii Lydia telefonare al capitano e dirgli che non poteva uscire a causa di Eleonora. Avrei voluto pregarla di non far caso a me, ma il desiderio di non essere lasciata sola era più forte. Sedevamo sul letto e non parlavamo quasi, non facevamo niente; aspettavamo che quelle ore passassero e aspettare insieme sembrava più facile. Tese, attente, sussultavamo a ogni minima voce, a ogni rumore, pronte ad accorrere in aiuto. E, attraverso la nostra spasimante attesa, lottavamo anche noi contro mio padre, con tutte le ragioni che sono nelle donne e che gli uomini non possono capire.

Un giorno, appena entrai, Lydia mi annunziò concitata: «Oggi gli dice tutto».

«Di che cosa?»

«Di Hervey.»

Rimasi dispiacente; temevo che una risata di mio padre potesse gualcire, sporcare, e addirittura distruggere la dolce favola che anch'io vivevo per mezzo di lei.

«Bisogna parlare francamente, a un certo punto» disse Lydia «non si può farne a meno.»

«Sì» ammisi «ma non col babbo. Il babbo non capirà niente.»

«Anzi: proprio per questo» Lydia replicò. «Bisogna pensare alla legge.»

«Che c'entra la legge? Qui si tratta di sentimenti.»

«Oh!» Lydia esclamò «la legge non pensa mai ai sentimenti delle donne.»

«E allora» replicai io «come si può fare una legge che sia giusta veramente, trascurando una cosa che per noi è la più importante?»

«Eppure è così» disse Lydia.

«E per gli uomini, mamma?» Fulvia chiese, dopo una pausa.

«È diverso: per gli uomini non si parla mai di sentimenti, ma solo del bisogno che essi hanno di... come dire? è difficile spiegare...»

«Vuoi dire» Fulvia domandò brutalmente «di andare a letto con una donna?»

«Ecco.»

Io avevo in me una ribellione, uno schifo così profondo che osai domandare, scattando: «E di queste cose invece la legge si preoccupa?».

«Sì» rispose Lydia: «per gli uomini sì.»

Mi salirono cocenti fiamme al viso: «Ma forse» dissi «si può fare a meno di queste cose. È difficile, ma credo che si possa». Pensavo ad Enea e parlavo senza guardare in faccia le mie amiche. «Ma come si può fare a meno di un sentimento?» domandai angosciata.

Fulvia e Lydia non risposero. Poco dopo Lydia mi spiegò come la legge era fatta: il significato diverso che veniva dato, per l'uomo e per la donna, alla parola fedeltà. Mi disse anche che mia madre aveva deciso di confessare al marito che era innamorata di Hervey, che non era mai stata la sua amante, che voleva andarsene appunto per agire onestamente e trascorrere con lui una vita fatta di gusti e aspirazioni comuni.

Mentre parlava, io avevo incominciato a piangere. Non piangevo da lungo tempo, forse anni: mia madre aveva fatto di me una bambina felice. Mi aveva appreso ad accontentarmi di poche cose materiali e a sentirmi ricca di tutte le altre. Veramente non ricordavo di aver mai pianto, da bambina. Una volta sola, contavo poco più di undici anni, avevo temuto d'essere molto malata. Mi ero confidata con Sista perché non volevo che la mamma potesse avere per me qualche apprensione. E lei mi aveva detto che non ero malata: mi aveva detto soltanto che ormai ero una donna. Senza chiedere altre spiegazioni avevo lasciato Sista, ero andata nella mia camera, sul lettuccio stretto fra gli armadi che era un caro rifugio, e il groppo di dolorosa umiliazione che avevo dentro di me si era sciolto in pianto.

«Bisogna fare qualche cosa per le donne» disse Fulvia. «Dario dice che col tempo lo faranno.»

«Col tempo!...» Lydia esclamò: «Ogni donna aspetta sempre che questo tempo venga e intanto tutta la sua vita passa, se ne va.»

«Eppure Dario assicura che col tempo si farà qualche cosa. In America le donne possono essere elettori e deputati.»

Gettata sul letto io piangevo sommessamente, il pianto mi faceva bene. Fulvia seguitava a parlare e io scotevo la testa, accennandole di non continuare. Sapevo a malapena che cosa volesse dire deputato o elettore, non provavo alcun desiderio di esserlo: ma non volevo che si parlasse di far qualcosa per le donne come per esseri inferiori o menomati. Volevo che ci lasciassero vivere secondo la nostra indole ombrosa e delicata come all'uomo era permesso di vivere con la sua forza e sicurezza. No, dicevo scotendo la testa, non si doveva far qualche cosa per noi: anche noi, come gli uomini, per il solo fatto d'esser nate, dovevamo aver diritto al rispetto della nostra esistenza.

Piangevo, mi lasciavano piangere. Lydia mi batteva sulle spalle ed era quello il solo conforto che potesse darmi. Io presi la sua mano paffuta e la baciai con grata tenerezza. Infine lei disse: «Avranno finito a quest'ora» e io tornai giù. Era buio.

Mi diressi in cucina dove Sista stirava sotto la luce gialla della lampada di poche candele. Alzò gli occhi, vedendomi entrare, e io le feci un cenno che voleva dire: "Dove sono?".

«È uscito» rispose.

«E la mamma?»

«In camera sua, all'oscuro. Dev'essere sul letto. Ha chiuso la porta girando la chiave.»

Presi una sedia e sedetti presso la tavola ove Sista continuava a stirare, con impegno. Il ferro, passando e ripassando, mi gettava addosso vampe roventi e affocate.

Stirava una camicia di mio padre, una camicia dalle braccia lunghe, ingombranti. Sista, che pure era abilissima nello stiro, non riusciva a dominare quelle lunghe braccia.

«Che è accaduto?» le domandai.

«Non so. Tuo padre gridava, tua madre piangeva sempre.»

«Perché?»

Ella esitò un poco e poi rispose: «Non lo so».

«Dici una bugia, Sista. Sono certa che non hai potuto resistere e sei andata dietro la porta ad ascoltare. Che hanno detto?» io insistevo duramente.

Dopo una pausa ella confessò a bassa voce:

«Non ho potuto sentire molto, tua madre parlava piano. Lui diceva "Ti passerà"; e lei piangeva, diceva: "Non è possibile, non passerà mai" ha detto "finché vivo". Lui rispondeva dicendo che le donne sono...»

«Che cosa sono?»

«Diceva lui: "Sono tutte sgualdrine".»

«Ha detto questo alla mamma?»

«Sì» Sista rispondeva a testa bassa, seguitando a stirare. «E poi ha detto: "Rimarrai qui, in questa casa".»

«E che altro?»

«Non so. Andava su e giù per la camera, avevo paura che mi scoprisse.»

Il ferro passava e ripassava sulla grande camicia di mio padre. Sista taceva e io non avevo più la forza di interrogarla: fissavo la camicia a occhi sbarrati, accecata da quel bianco. Non avevo voglia neppure di muovermi, andare dalla mamma per confortarla. Guardavo Sista e nel suo viso fermo, negli occhi inespressivi, leggevo un'antica abitudine all'obbedienza. «Che si può fare, Sista?» le avevo chiesto una sera. Lei aveva risposto: «Che vuoi fare? È il marito». «Sono cose loro» aveva detto un altro giorno, «cose di persone che si sono sposate e debbono passare la vita insieme. La vita è lunga.» Io non volevo rassegnarmi: eppure, sbigottita, m'avvidi che già abbandonavo mia madre, la lasciavo sola, calata nella sua fonda angoscia, sfinita dal pianto, e rimanevo a guardare Sista che stirava. Sotto la luce della lampada la grande camicia (col foro tondo del collo, i polsi, la forma delle spalle) sembrava un uomo vivo e invadente, disteso dinanzi a noi in tutta la vastità del suo corpo: tronfio, sicuro di sé. Noi eravamo attente a lui e lo servivamo, accudivamo alla sua persona. Vedevo il ferro nero scivolare adagio sulla camicia bianca come su una pelle tesa, livida. Il ferro somigliava a una disgustosa sanguisuga. Sista lo spingeva sotto il colletto, già stirato e rigido, perché anche lì attorno la stoffa prendesse la salda. Lo spingeva ripetutamente, insistentemente, con accanimento. Sembrava che la bestia nera volesse attaccarsi al collo, succhiare tutto il sangue. E, d'un tratto, in quei colpi duri e pungenti io scoprii una segreta intenzione.

«Devi insegnarmi a stirare, Sista» mormorai.

Di scatto ella levò lo sguardo verso di me, impaurita d'esser stata colta nel suo delitto. Mi scrutava e il suo viso scarno era divorato dalla fissità degli occhi. Avrebbe voluto negare, forse. E invece, dopo un attimo, riprese a spingere il ferro nero e aguzzo contro il fragile biancore del collo.

«Sì» rispose piano. «È una cosa che tutte le donne debbono saper fare.»

Così giungemmo al dodici di luglio, il diciottesimo anniversario della morte di mio fratello. Già da molti anni, in quella ricorrenza, mia madre ed io ci recavamo sole al fiume: mio padre era stanco di quella cerimonia che ormai, sedato il primo cocente dolore, doveva apparirgli inutile o, forse, grottesca addirittura. «Oggi non posso» aveva detto la prima volta mentre noi ci accingevamo ad uscire, nei nostri abiti neri: «Sono impegnato per un affare importante.» Nell'addurre questo pretesto era impacciato come se avesse dovuto servirsene per una brutta azione: del resto noi sapevamo benissimo che egli non aveva mai avuto alcun affare importante. L'anno seguente trovò ancora una scusa: poi non disse più nulla.

Il dodici luglio mia madre, al mattino presto, aveva convocato Ottavia. Ormai ella veniva da noi abbastanza di frequente, benché mio padre non l'avesse mai vista. Quando Ottavia entrava col suo passo claudicante e risoluto, subito tutta la casa cadeva in suo potere.

Anche Enea veniva escluso dal salotto, in quei giorni: sedeva in cucina con Sista aspettando la fine del soprannaturale colloquio. Immaginavo che tutte le sue giornate dovessero trascorrere così, passando da una cucina all'altra, trascinando di casa in casa quell'atteggiamento che, ad arte, egli manteneva serio e compreso. Se la seduta durava a lungo, Sista gli offriva un pezzo di pane con un po' di formaggio. Nel mangiare egli serbava la sua tetra espressione, come se neppure lo sfamarsi potesse, in quel momento, rallegrarlo: ingozzava un boccone dietro l'altro, in silenzio, stringendo tra le ginocchia la logora borsa delle erbe e degli amuleti.

In quei momenti neppure osava sfiorarmi col desiderio viscido che spesso traluceva dai suoi occhi. Era tutto raccolto nel gesto lento e ingordo di nutrirsi, la sua nascosta animalità si esauriva nel mordere, masticare, inghiottire. E la sua fame e la sua vita randagia, umiliante, finivano per suscitare in me una sorta di pietà. Il tempo, passando, lo aveva mutato poco; il corpo era rimasto tozzo sotto la grossa testa; e l'aria furbesca del suo viso incanaglita in una esperienza già adulta. Vestiva sempre di nero.

«Ho avuto qualche manifestazione» mi disse il dodici di luglio. «Ho visto una faccia stamparsi sul muro e, una notte, ho udito distintamente una voce suggerirmi: "Scrivi".»

«Sicché» dissi «hai scelto di fare anche tu questo mestiere?»

«Non è un mestiere» corresse: «è una missione.»

Sista si era allontanata per andare a spiare dietro la porta del salotto ed egli ne approfittò per prendermi la mano. Il contatto della sua pelle mi turbava profondamente: e mi incolleriva pensare che fosse proprio un uomo come lui a mettermi addosso quell'invincibile languore. Nella borsa dove riponeva le erbe e gli amuleti, i clienti facevano scivolare una piccola mancia per lui, di poche lire, o addirittura qualche uovo, un pezzo di pane. Ma egli non era mortificato dalla sua servile condizione: anzi, voleva continuare per tutta la vita ad accettare queste elemosine benché fosse forte e sano e potesse facilmente affrontare un mestiere.

«Lasciami» scattai respingendo la sua mano. «Parto presto, sai? Me ne vado. Tu e tua zia non verrete mai più in questa casa. Forse» dissi con una punta di dispetto «è l'ultima volta che ci vediamo.»

Enea sorrideva odiosamente e diceva: «Non ci pensare. Pensa a me, adesso». Intanto tentava di far scivolare la sua mano nell'apertura della mia camicetta.

Mi scrollai con uno spintone. Subito, come se volesse venire in mio soccorso, udii la mamma uscire dal salotto facendo scorrere gli anelli della tenda in un arpeggio.

Ci abbracciammo nell'ingresso semibuio; il suo sguardo era acceso, allucinato.

«Si troverà anche *lui*, all'appuntamento, oggi» mi disse.

Verso il tramonto andammo al fiume, scendemmo sulla riva. Il Lungotevere non era più deserto come al tempo della mia infanzia: oltre il ponte del Risorgimento, fin quasi a ponte Milvio, si alzava una fila di orribili casamenti verdi gialli e celesti. Ma lì, sul greto, tutto era intatto e pacifico; c'era ancora l'alto canneto oltre il quale il bambino si era spinto a giocare e l'erba era verde e morbida, stellata di pratoline.

Mia madre si avvicinò alla proda, si sporse sulla corrente, gettando fiori. Poi sedette presso il canneto senza distogliere lo sguardo dal fiume. Il vento le passava tra i capelli; e il busto, così esile, pareva ondeggiare con le canne. "Cara" le dicevo dentro di me con furiosa passione.

Ella non mi guardava affatto, attenta al fruscìo del vento tra le spade aguzze del canneto.

«Lo senti?» mormorava. «È lui.»

Mi abbandonai riversa sul prato e il fresco dell'erba mi inumidiva la nuca. S'era formata, attorno a noi, una magica zona di silenzio e di pace; non si udivano voci né stridori. Sopra, avevo il grande arco del cielo e, al mio fianco, il Tevere si trascinava placido, impigrito. Sentivo che Alessandro era veramente presente in quel momento: girava attorno a noi, immenso, con un grande mantello d'aria: e lui morto e noi vive eravamo una sola morbida corrente. La luna si disegnava pallida nel cielo e mi pareva di potere staccarla di lì con un colpo d'unghia. Addio, addio Enea, dicevo. Il corso del fiume mi trascinava via, allontanandomi dalla cronaca brutale della vita.

«Mamma, partiremo presto, vero?» le domandai con un sorriso.

«Non so» ella rispose, sottovoce; e aggiunse: «non credo. Non pensare a questa partenza, Sandi. Non ci pensare più.»

Rimasi incerta aspettando che lei si volgesse per ridere di me, come spesso faceva, schernendo teneramente la mia naturale credulità. Ma stavolta era immobile e seria. Ebbi paura che potesse sparire in un attimo, che avesse scelto proprio quel luogo di soave solitudine per abbandonarmi. Agghiacciata dal terrore, mi rizzai a sedere e dissi, quasi in un grido:

«Oh, mamma, non te ne andare senza di me.»

Ella si volse, sorpresa dal mio accento. Poi, dopo avermi guardato con intensa tenerezza:

«No, Sandi» disse, «non aver paura. Non potrei partire senza condurti con me. Appunto per questo ti ho detto di non pensare più alla nostra partenza.» Spiegò dopo una pausa: «Il babbo non vuole lasciarci andare. Ha detto: "Parti, se vuoi, ma mia figlia devi lasciarla qui"».

«Io?» esclamai stupita. «E perché? Non abbiamo nulla da dirci, nulla da vivere in comune.»

«Già. Lo so. Ma lui dice: "La legge è dalla parte mia".»

Subito, con una triste piega nel viso, tornò a fissare il fiume. Certo parlava con Alessandro, s'intratteneva con lui. E al loro colloquio, d'improvviso, io mi sentivo straniera per quel tanto che portavo in me di mio padre e che Alessandro, con la morte, aveva rinnegato. Avevo qualche somiglianza col babbo, alcuni dicevano le mani, altri i denti: neppure il mio sconfinato amore per la mamma poteva distruggere questi segni che la legge gli permetteva di rivendicare.

Presto ella si levò, risalimmo la scala, c'incamminammo verso casa. C'era molta gente sul Lungotevere: era domenica e le famiglie passeggiavano in silenzio, abbrutite dalla continua convivenza. Guardavano i passanti con interesse, sperando di scoprire sul loro viso qualcosa che potesse distrarli. Passeggiavano lenti lungo le sponde del Tevere che era il limite e il vanto del loro quartiere: alcuni giovani spingevano la bicicletta, altri sostenevano l'amoroso abbandono di una donna. Camminavamo lungo le case dove andavamo a riposare il nostro corpo quando era stanco, a sfamarci quando il groviglio di visceri che ci portavamo dentro richiedeva il cibo; le stanze avevano l'odore della nostra pelle, del nostro sudore, l'odore delle vivande che mangiavamo. Sul Lungotevere Mellini si vedevano vecchi casamenti simili al nostro, ove, da anni, un gran numero di persone nasceva, si sposava, moriva. Erano, mi pareva, persone che si somigliavano tutte fisicamente come se fossero imparentate tra loro attraverso un vasto rincorrersi di generazioni. E io avrei voluto ribellarmi, ma qualcosa mi legava, mi tratteneva: forse gli sguardi tristi e buoni di coloro che mi passavano accanto o la pietà che m'ispirava il passo calmo col quale essi giravano nelle loro oscure vicende.

Mia madre mi si teneva accosta, era come se insieme tentassimo di frangere una compatta corrente. Dibattuta in un'angoscia inesprimibile, io mi giudicavo meschina ed egoista: poiché amavo mia madre, l'amavo disperatamente e tuttavia non avevo la forza di sacrificarmi per liberarla. Non l'amavo, dunque, come sempre avevo pensato che si dovesse amare. Eppure bastava poco: aprire la mano e dare il volo a una farfalla.

«Mamma» le dissi «parti senza di me.»

Avevo parlato disinvolta, come se le dicessi una cosa priva d'importanza, mentre la gente passava tra noi e ci divideva.

«No» ella rispose allo stesso modo. «Non è possibile.»

Vi fu un silenzio. Passò una compagna di scuola e mi disse: «Ciao». Io risposi: «Ciao» e sorrisi.

Allora mia madre mi prese sottobraccio, perché nessuno più potesse dividerci, e incominciò a parlare piano quasi discorrendo con se stessa.

«Non posso lasciarti» disse: «quella che io voglio fare è una cosa bella e diverrebbe una cosa brutta se agissi così. Ho tentato di parlare schiettamente a tuo padre, speravo che capisse. Ma non ha capito.»

«Non può capire» risposi.

Cominciava a far buio; gli alberi erano già densi d'ombra. Mia madre s'arrestò e ci affacciammo al parapetto; adagio dietro le nostre spalle, la gente continuava a passeggiare.

«Partiamo, mamma» io insistevo, «andiamocene adesso, subito, senza tornare a casa. Il babbo non soffrirà, te lo assicuro: Sista rimarrà con lui, gli preparerà il pranzo e la cena, accudirà ai suoi vestiti. Che altro voleva da noi? Sono certa che non moverà un dito per cercarci.»

«Non so, forse è vero quel che tu dici: ma sarebbe molto brutto, un'azione sleale. Io non voglio compiere azioni sleali. Tutto il disegno della mia vita ne sarebbe travolto. Allora il resto diverrebbe inutile, capisci?»

La gente seguitava a passare alle nostre spalle; si udì una voce di donna chiedere: «Hai fame, Gigino?».

«Tutto diverrebbe inutile» mia madre riprese: «anche l'amore. E non perché io sia incapace di trasgredire una regola rigidamente tracciata. Oh, no, credi Sandi, non è così, e forse è male; ti ho già detto: è male. Ma non saprei adattarmi a una vita spiritualmente mediocre né a un amore mediocre. Che conta, un amore mediocre? La strada ne è piena» disse: «voltati a guardare dietro di noi. Molte di queste persone non si pongono uno solo dei miei problemi. Vivono facilmente, giorno dopo giorno, senza domandarsi il perché del loro passaggio sulla terra, il significato dei loro gesti e delle loro azioni. Sono loro che hanno voluto queste inumane leggi, alle quali poi tentano di sfuggire per i primi, a prezzo di piccoli compromessi, piccole vigliaccherie.»

Io tacevo, fissando il fiume nero. Avrei voluto domandare a mia madre se ella credeva davvero che gli altri vivessero facilmente o se nel vivere fosse già una sofferenza estenuante e profonda che nessuno poteva consolare. Ma ero affascinata da lei, dall'incanto che provavo nel vedere sbocciare un suo gesto, nell'ascoltare il ritmo armonioso di ogni sua parola.

«Spesso mi sono domandata» ella continuava «da quale parte fosse la ragione: se dalla mia o dalla loro. Mi pareva di essere fatta in un modo anormale, come quelli che nascono con due teste o con sei dita. Tentavo di adattarmi ai loro compromessi. Poi mi sono convinta che sono io ad aver ragione. Ho ragione. Abbiamo ragione noi: ma loro sono più forti.»

Li sentivamo passare alle nostre spalle, alcuni ci sfioravano nel camminare, formavano una corrente gonfia e dura che scorrendo ci tratteneva. Ci sentivamo strette tra due fiumi nemici. Nel Tevere alcune luci riflesse s'aprivano, componevano mostruose facce umane, poi la corrente le cancellava. Oltre il muraglione opposto tutti i lumi della città erano accesi e ci chiamavano; sembrava un'isola felice davanti alla quale fossimo in quarantena senza poter sbarcare.

«È molto tardi» mia madre disse.

Ci inoltrammo per via degli Scipioni. In quella strada gli alberi rubano tutto lo spazio: sono platani annosi e i lunghi rami, col loro carico di foglie e di uccelli addormentati, si stringono tra loro precludendo la vista del cielo. Le case sono alte e cupe. E, di sera, alle finestre del piano terreno la gente s'affaccia, sfruttando quel po' d'aria che passa tra le foglie e le zanzare. A certe finestre siedono in silenzio padre madre e un bambino. Dietro di loro s'intravvedono interni scuri e squallidi e nei loro occhi è la malinconia nella quale sono impietrate, in certi monumenti funerari, intiere famiglie perite per una raccapricciante disgrazia, un incendio o un'alluvione.

Da una finestra all'altra, mia madre ed io sentivamo quegli occhi seguirci. Strette tra gli alberi, le case e gli sguardi, avevamo l'impressione di camminare sotto una bassa galleria di pietra, interminabile, senza chiarore nel fondo. "Sono più forti di noi" io pensavo; e mia madre lo pensava anche, poiché fuggiva via, lesta, coll'ineguagliabile grazia della sua bella persona. Mi teneva per mano e solo agli incroci delle strade rallentava il passo, sperando di scorgere una luce, una salvezza: ma, di qua e di là, si vedevano altre strade diritte e inesorabili, fitte di platani giganteschi, di case grigie e di finestre.

Giunta a un punto piuttosto avanzato di questa mia confessione mi viene fatto di temere che io non sia stata sempre del tutto sincera, come mi ero prefissa. Oh! Dio mio, forse questo è accaduto. È accaduto, lo sento, ma come avrei potuto fare altrimenti? Questa è per me la sola verità, non v'è altra verità al di fuori di questa. Alludo precisamente al profilo che traccio di mia madre. Temo di aver narrato la sua favola piuttosto che la cronaca fedele della sua vita. Forse ella non fu sempre così perfetta come io la vado descrivendo, non sempre così aerea nei gesti, armoniosa nel tono della voce; forse ebbe talvolta qualche parola dura, qualche sentimento meschino come usano tutte le donne.

Ma io non ricordo nulla di tutto ciò: lei è rimasta, nella mia memoria, proprio con questa rara favola di grazia e di candore alla quale mi piace accordare, in tono sommesso, la mia. Sicché *fu* veramente così per me. Io credo che la favola che intendiamo lasciare di noi stessi è la segreta ragione dei nostri gesti e delle nostre parole; perché non dire addirittura che è la ragione della nostra vita?

Mia madre era per me la più gentile incarnazione della donna. E quanto più il disegno della mia vita scadeva e si umiliava col passare degli anni, tanto più la sua immagine s'arricchiva di fulgore.

La nostra visita al fiume mi lasciò turbata: avrei voluto far qualcosa per mia madre, ripagandola di tutto quanto ella mi sacrificava con la sua naturale eleganza. Avevo paura che la mia illimitata devozione non bastasse più ad aiutarla, ormai. E anche Sista lo temeva, forse, perché ci guardavamo smarrite e avevamo ripreso la vecchia abitudine di aspettarla alla finestra. Sista, in quei tempi, impallidiva, smagriva, come la mamma: pareva averle affidato, perché lo spendesse a suo piacere, l'intatto patrimonio della sua giovinezza repressa. Attraverso mia madre ella si vedeva vivere con l'impeto focoso che certo aveva sempre tenuto celato dentro di sé. Quando la signora usciva anche lei godeva di una rivincita personale, una ribellione, una fuga; ma, subito dopo, avrebbe voluto pentirsi dei suoi impulsi. Smaniava finché non l'aveva vista rientrare in casa.

Eravamo affacciate al davanzale e io guardavo il suo profilo duro di medaglia. Aveva un bell'attacco di capelli sulle tempie: e in tutta la persona la sobria e asciutta dignità delle donne di Sardegna.

«Quanti anni hai, Sista?» le chiesi.

Ella si volse, stupita di questa domanda.

«Non lo so» disse poi: «fa' tu il conto. Sono del novantanove.»

«Hai quarant'anni? Sei di poco maggiore della mamma?» Senza rispondermi Sista tornò a guardare nel fondo della strada verso gli alberi di via Cola di Rienzo. Io scrutavo l'attacco dei suoi capelli presso le tempie: era vigoroso, ricco e mi suggeriva l'immagine del suo corpo ancora giovane sepolto vivo sotto i panni neri, piegato alla logorante fatica di servire in una casa povera come la nostra.

«Sista...» dissi, avvicinandomi per abbracciarla.

«Che hai?» ella mi rispose ruvidamente. «Sta' seria. Guarda anche tu. Tra poco tornerà lui. Non capisco» mormorava crollando la testa «non capisco che cosa abbia da fare tutto il giorno con quello lì.»

«Ti proibisco di chiamarlo in questo modo, hai capito?» io le dissi, urtandola duramente col gomito. «Non è un uomo come gli altri.»

Sista mi guardò in tralice con uno sguardo compassionevole e poi scosse la testa.

«Tutti gli uomini sono uguali: è una disgrazia l'uomo» disse piano e intanto si passava la mano sul viso, sulla fronte, come se volesse stornare un cattivo presentimento. «Non si vede ancora» mormorava strizzando gli occhi per distinguere di lontano la cara figura di mia madre. «Non si vede, non si vede» ripeteva smarrita e il suo braccio tremava sul marmo freddo del davanzale.

Tornò dopo il babbo, infatti, e accolse con indifferenza i rimproveri di lui. Andò a coricarsi presto, senza aver scambiato parola con me. Era un venerdì sera.

L'indomani mia madre si alzò nervosa. Disse:

«Non ho potuto dormire stanotte. Sentivo sempre la voce di Alessandro che mi chiamava.»

Aveva un aspetto allucinato e sconvolto. «Non devi più consultare Ottavia» le suggerii con dolcezza.

«Perché mi dici questo?» ella scattò vivamente. «Anche tu, adesso, sei contro di me? Anche tu adoperi le stesse parole?»

Le rivolsi un'affettuosa occhiata di rimprovero. Era una giornata di scirocco, senza sole. Dalla finestra che dava sul cortile le nuvole avanzavano minacciose. La casa appariva ancora più cupa del solito e calda, rovente.

«Abbiamo il temporale sotto la pelle. Dobbiamo calmarci, mamma.»

Intanto riordinavo, spolveravo, sforzandomi di costringere in un'azione precisa l'inquietudine che mi dominava. Fin da bambina avevo subìto l'influsso del tempo e del clima. Il mio umore era soggetto al vento, o al sole: e un tuono che si udiva in lontananza mi faceva rabbrividire come se mi rotolasse per la schiena.

«Vorrei calmarmi» dissi «ritrovare un equilibrio. Ho tentato di studiare, stamani, appena sveglia. Ma non potevo.»

Mia madre mi trasse a sé, e guardò nel mio viso, come in uno specchio.

«Vorrei che tu mi perdonassi» disse. «È colpa mia. Ho sbagliato tutto. Dovevo salvare te, almeno.»

Mi interrogò ancora con lo sguardo e poi aggiunse, stringendomi per le spalle: «Tu devi salvarti. Tu possiedi una forza segreta che a me manca».

Guardavo lei e non volevo che ciò fosse vero. Eppure c'era e c'è tuttora in me la tenacia dei nonni abruzzesi, la forza di coloro che, fin dall'infanzia, sono avvezzi a lottare in solitudine contro le insidie dell'anima e della natura. Ella rintracciava in me queste attitudini e me le invidiava quasi. Ma non capiva che io possedevo anche, a mia stessa insaputa, come molta gente di quella terra, il gusto del rancore a lungo covato, la violenza impulsiva e l'incapacità di perdonare.

«Ho supplicato tuo padre di lasciarci andar via. L'ho supplicato tutta la notte. Non dovrei parlarti di queste cose» disse ritraendo un poco il viso, «ma è necessario che tu sappia. Speravo di logorare la sua ostinata decisione. "Io credo" gli dicevo, "che c'è nel matrimonio un momento, magari uno solo, nel quale è necessario essere amici, amici al modo di due estranei." Non ti pare?»

137

«Dovrebbe essere così.»

«Già.» Dopo una pausa riprese più piano: «E invece non ha voluto capire nulla. Ha detto soltanto: "Chiederò d'essere trasferito in provincia, vicino alla mia famiglia, in Abruzzo, così ti passeranno i capricci". Diceva proprio così: "i capricci". Gli ho risposto: "Non vengo". E lui insisteva: "Verrai". L'ha ripetuto innumerevoli volte: "Verrai, verrai, verrai". E non lo diceva per darmi aiuto; lo diceva come se lanciasse una pietra. "Il tuo posto è qui" ripeteva. E io mi guardavo attorno... Oh, no, Sandi, non dovrei raccontarti tutto questo...».

«Va' avanti, mamma, va' avanti.»

«Mi guardavo attorno e vedevo il grande armadio nero, il cassettone nero, mobili del suo paese, mobili che mi sono stati ostili fin dal primo giorno. Quando entrai in quella camera, appena sposa, mi parve d'esser murata viva in una tomba. C'è una segreta incompatibilità tra me e loro, una lotta che va avanti da anni. Tu non lo crederai, ma sono ossessionata da questa mobilia che da anni non mi vuole, mi scaccia. Ho tentato di ridere, di cantare, di sciogliermi i capelli come per distruggere una malìa: ma nello specchio della toletta, quando siedo lì davanti per pettinarmi, si riflette il grande ritratto di sua sorella morta, quello che è appeso accanto al nostro letto.»

«La zia Caterina?»

«Sì. La toletta era sua, lei ne è ancora padrona. Il suo specchio mi rimanda ogni giorno l'immagine del mio viso contratta, deformata, piena di nodi: è una critica, capisci?, una polemica tra la sua vita e la mia. Non sai tante cose, tu. Caterina era una donna forte, dura: il marito l'abbandonò quando era giovanissima, se ne andò a vivere con una contadina, in un paesino lì presso. Ella non si mostrò ferita né sconfitta, per questo; e mai, neppure un giorno volle ammettere la verità: quella, cioè, d'essere stata abbandonata. Forse perché non voleva sentirsi sminuita neppure dinanzi a se stessa. Subito dopo questa fuga

– e benché tutti fossero al corrente dell'accaduto – spiegò
che il marito era partito per l'America ove l'attendeva un
vantaggioso impiego. Fingeva di ricevere lettere, persino
vaglia, danaro, si mostrava fiera che suo marito, in America, avesse raggiunto una posizione elevata. Intanto nel
paese circolava l'amante di lui, incinta talvolta di qualcuno dei numerosi figli che ebbero. Ma questo non smo-
veva Caterina dal suo orgoglioso atteggiamento. Tutto il
paese era in ammirazione davanti a lei. Ariberto sempre
me la porta ad esempio. Morì giovane e volle tenere in
piedi la sua coraggiosa bugia fino alla fine. Il prete, assi-
stendola negli ultimi momenti, le diceva che Dio avrebbe
premiato la forza della quale ella aveva dato prova nella
sventura. Credeva di confortarla, in tal modo. Ma Caterina, raccogliendo negli occhi accigliati il poco sguardo
che le rimaneva: "Quale sventura?" domandò. Neppure
da Dio voleva compassione. Era una donna fortissima. La
vedo ferma negli angoli della camera con la bocca torta
in una smorfia pietosa.»

Si guardava attorno spaurita, pallida: sentivo la sua ragione vacillare.

«Calmati, mamma» le dicevo, «calmati, te ne prego.»

«Io non sono così forte, Sandi, non ho più forza, più
alcuna forza, più alcuna.» Tutta la vita le si accese negli
occhi in uno sguardo indimenticabile: «E poi lo amo» mi
confessò sottovoce, estenuata.

Allora io la guardai con affettuosa pietà: che forza poteva avere mia madre in quel momento?

«Vattene di qui dentro» le dissi «va' su a villa Pierce.
Parti con Hervey, mamma. Io rimango.»

Era la prima volta che pronunciavo il nome di lui. Lo
avevo detto con calma. Ero calmissima, ricordo: mentre
discorrevamo, io mi ostinavo a lucidare un vecchio po-
sacarte scuro che aveva sempre destato in me una singolare avversione. Rappresentava un gobbo con un tredici
in mano. Volevo renderlo pulito, lustro. Volevo trovare

la forza di continuare a vivere lì dentro, pazientemente, lucidare altri simili odiosissimi aggeggi. E far libera lei.

«No» ella rispose «non è possibile.»

Si fece ancor più bianca in viso e aggiunse:

«Bisogna rinunciare.»

Si staccò da me come se volesse andar subito a parlargli. Tolse l'impermeabile che pendeva in ingresso, se lo gettò sulle spalle. Di lì mi chiamò:

«Sandi... Alessandra...»

Io accorsi. Ci stringemmo in un disperato abbraccio: «Vattene» io le susurravo: «Non tornare più, mamma, vattene».

Ella non rispondeva. Era fragile nella mia stretta. Guardava fissa nel vuoto, e il suo viso era soavemente illuminato. Mi parve convinta. Fui io stessa a spingerla fuori della porta. «Va', va'» le dicevo ed ero tutta gelata in me, un blocco di solitudine e terrore.

«Va'.»

La vidi scomparire nella scala che il temporale rendeva tenebrosa.

Non tornò per l'ora di colazione. Pioveva a vento, poi la grandine picchiò contro le finestre, dura, a manciate. Aspettammo sinché fu molto tardi, infine io dissi:

«Non tornerà, con questo tempo. Si tratterrà a villa Pierce per colazione.»

Mio padre mi guardava insospettito. La scena della notte precedente non era servita che a far nascere in lui una fredda diffidenza di guardiano. Appena rientrato, credendo di non essere scorto da Sista né da me, aveva aperto l'armadio ove i pochi vestiti che sua moglie possedeva erano chiusi. C'erano tutti.

«Va' su dai Celanti per telefonare» disse. «Assicurati che ci sia» aggiunse fissandomi con intenzione.

Io m'avviai, come se avessi l'animo tranquillo. Uscii nelle scale, salii pochi gradini e lì attesi, schiacciata contro il muro. Volevo dare a mia madre il tempo necessario per mettersi in salvo. Forse erano già partiti con la grande macchina. Mi provavo ad immaginare i loro due profili accostati contro il paesaggio che scorreva nel vuoto del finestrino. Ricordo benissimo che li vedevo fuggire in una campagna assolata e verde. Mia madre non avrebbe più salito quelle scale, più appoggiato la mano sulla ringhiera. Sentivo in tutte le membra un male acuto e freddo.

«Sì, è lì» dissi rientrando: «la macchina è guasta. Tornerà all'ora di cena.»

Nel pomeriggio mio padre uscì e io sedetti presso la finestra che guardava nel cortile delle suore. Due o tre volte Sista venne a sedersi alle mie spalle, mendicando una parola. Io non mi volgevo mai: sdraiata sulla poltrona fingevo di riposare e intanto, dentro, mi facevo adulta.

Verso sera scese Lydia a chiedere della mamma; Fulvia l'accompagnava.

«Dov'è Eleonora?» mi domandò.

«Non c'è» io risposi senza muovermi.

Imbruniva e l'ombra odorava di terra bagnata come in autunno. Era una sera simile alle altre: dal convento veniva il suono dell'armonium che accompagnava la funzione vespertina. Eppure mi sembrava di abitare per il primo giorno in quella casa e dovere affrontare l'avvio a una nuova consuetudine. Fulvia e Lydia tacevano, contemplando il cortile drappeggiato di foglie lucide di pioggia. Poi Lydia chiese:

«Dov'è andata?»

«Non lo so.»

Madre e figlia sedettero con me, aspettando. Lydia sedeva sull'orlo della sedia: avrebbe voluto parlarmi, chiedere ragguagli: ma aveva paura, e anche io avevo paura che si cominciasse a parlare di queste cose. Adesso che si faceva buio mi pareva di non essere più molto forte.

Entrò Sista, e sedette con noi. «Sista...» le disse Lydia. «Signora...» ella rispose in un gemito. Le loro voci malinconiche e smarrite mi mettevano un brivido sotto la pelle. E intanto i minuti passavano, il giorno si chiudeva sulla nostra attesa.

«Che aspettate?» io scattai, volgendomi alle tre donne con durezza. «La mamma non tornerà.»

Vidi nella poca luce della sera i loro occhi fissarmi increduli prima di abbandonarsi allo sgomento.

«Non tornerà più» ripetei: «è andata via.»

«Te l'ha detto lei stessa?» Lydia mi domandò, ritrovando subito la calma.

«No, non l'ha detto: ma l'ho capito al modo che aveva di abbracciarmi. Non è tornata a colazione. Non tornerà più.»

Dopo un attimo d'incertezza, Lydia si volse alla figlia e le ordinò: «Va' su, telefona a villa Pierce».

Aspettammo un tempo interminabile, forse cinque minuti. Quando Fulvia tornò, riferì che mia madre non era a villa Pierce.

«Chi ha risposto?» Lydia volle sapere.

«Una voce d'uomo.»

«Era lui?»

«Non so. Rispondeva con molta gentilezza.»

«Sarà lui, allora.»

Io dissi: «I camerieri a villa Pierce sono come signori. Anche loro rispondono con gentilezza».

Riprendemmo ad aspettare. Lydia faceva qualche congettura. Io ripetevo: «È andata via» e, ogni volta che pronunciavo queste parole, un sudore m'agghiacciava tutta.

D'un tratto Sista si levò come se solamente allora avesse compreso ciò che stava accadendo: venne di fronte a me e mi chiese:

«Vorresti dire che è partita con quello lassù della villa?»

«Sì» io risposi.

«Non è possibile» ella affermò con sicurezza. «Non ha portato via nulla. I suoi cassetti sono in ordine. Non ha preso neppure la spazzola dei capelli.»

Allora Fulvia rise. «Lui ha tanti soldi da comprarle quante spazzole vuole e anche le camicie e i vestiti e le pellicce. Non lo sapete quanti soldi hanno i Pierce?»

«Che c'entra?» Sista obiettò. «Non sono mica soldi di lei, non è il marito. La signora non porterebbe vestiti comprati coi soldi di un altro.»

Questa osservazione di Sista mi lasciò perplessa. Forse tra breve avremmo udito il passo di mia madre nelle scale ed ella sarebbe apparsa sulla porta come un miracolo.

«Potrebbe aver portato con sé un po' d'oro» Lydia disse.

E Sista dondolando la testa: «Tutto l'oro è al Monte di Pietà».

Ricominciammo ad aspettare. S'era fatto buio, intanto, mio padre non avrebbe tardato a rincasare: già udivamo i passi degli altri uomini che tornavano, le chiavi che entravano nelle toppe, le porte che s'aprivano e si chiudevano. Ci trasferimmo in cucina; e, sebbene impensierite per il ritorno di lui e per la notizia che dovevamo dargli, subito, con premura, tutte incominciammo a preparargli la cena. Lydia sceglieva l'insalata, Fulvia sbucciava le patate.

Sista era andata ad affacciarsi alla tromba delle scale.

«Vuoi che restiamo con te?» Lydia mi disse passandomi un braccio intorno alle spalle. Aveva uno sguardo affettuoso e io mi sovvenni di quando ero stata gelosa di lei. Mi sentii, in quel momento, confortata dalla sua presenza; anche Fulvia mi appariva diversa da quando era sdraiata in vestaglia sul terrazzo. Erano donne e mi si avvicinavano per darmi l'aiuto che alle donne soltanto le donne sanno dare. Lydia offrì di condurmi in casa sua, farmi dormire con Fulvia, nello stesso letto.

«No, grazie» risposi. «Sono tranquilla.»

Finché Sista ci raggiunse trafelata annunziando: «Eccolo». Le Celanti fuggirono e la porta fu richiusa dietro di loro in gran fretta.

Mio padre entrò, subito venne ad affacciarsi in cucina. Non fece alcuna domanda, ma volse lo sguardo attorno come se la mamma si fosse nascosta in un canto. Eppure all'aria misteriosa del nostro viso avrebbe dovuto subito avvedersi che eravamo sole. Io lo guardai e non dissi buonasera perché quella che si preparava non sarebbe stata davvero una buona serata. Egli, ricordo, disse che aveva fame e voleva mangiare al più presto, sebbene, poi, entrambi quasi non toccassimo cibo. Era sabato, e io notai che egli non si lasciava dietro l'insopportabile odore di brillantina.

A tavola dicemmo poche frasi indifferenti. Tra noi due c'era quel posto vuoto presso il quale Sista aveva preparato, come ogni sera, una boccettina di certo medicinale che mia madre usava prendere prima dei pasti, perché soffriva di anemia. Ero forte; ma non potevo guardare quella boccettina senza aver voglia di buttare la testa tra le braccia e piangere.

Sista sparecchiò, in fretta, ansiosa di cancellare quel posto vuoto. Io presi un libro.

Mio padre aveva tolto dal cassetto un vecchio giuoco di carte e andava disponendolo sulla tavola per un solitario. Era una cosa che non faceva mai. Del resto anch'io, a quell'ora, leggevo raramente. Pareva che entrambi tentassimo di prendere nuove abitudini. Dalla finestra aperta entrava la voce della radio; era una canzonetta: *Me ne vogl'i' a Surriento*. Da allora quando riodo quel motivo provo sempre un brivido freddo per tutta la persona: *Me ne vogl'i' a Surriento*. Supponevo che mia madre a quell'ora fosse già molto lontana, fuori dalla nostra città, dalle campagne che conoscevo; vedevo due fari luminosi bucare la fitta oscurità, sotto un alto costone di montagna. Non avrebbe più scritto, più dato notizie di sé. Consideravo che questa ormai doveva essere la mia vita quotidiana: l'altra era stata una vacanza, un regalo. Tuttavia non soffrivo: mentalmente riuscivo persino a canticchiare quella canzone: *Me ne vogl'i' a Surriento*.

Poco dopo mio padre s'alzò e andò a chiudere la porta che dava verso la cucina. Questo volermi isolare da Sista m'insospettì: d'istinto scattai in piedi e misi le spalle al muro per difendermi.

«Alessandra» egli disse: «dov'è andata tua madre?»

Aveva parlato piano. Non gli conoscevo quella voce sommessa e tagliente: somigliava a una lama che volesse far saltare la serratura di uno scrigno. Così parlava con mia madre, certo, quando si chiudevano nella camera. Non risposi e lo sfidai con la durezza del mio sguardo.

Egli fece qualche passo verso di me e domandò ancora: «Dov'è?»

Mi era vicino, vicinissimo: sentivo il fastidioso calore della sua persona. Nel taschino del panciotto si vedeva la chiave della casa dove eravamo ormai condannati a vivere insieme.

Non avevo paura: pensavo che mia madre era lontana, e a me toccava difenderla, anche a prezzo di patire aspramente per lei. Perciò lo guardai per un momento e poi dissi, violenta e precisa, come se gli lanciassi contro un coltello:

«È andata via.»

«Dov'è andata?»

«Non lo so.»

«Lo sai.»

«Non lo so» ripetei. Volevo che mi credesse: così ella gli sarebbe apparsa ancora più lontana, irreperibile.

«Dov'è andata?» egli insisteva contenendo, in quella domanda, la sua rabbiosa impotenza.

«Via. È andata via. Via.»

Mi prese per il polso e mi scrollò. Avrei voluto che mi facesse male, che mi facesse scricchiolare le giunture, che mi facesse soffrire fisicamente, insomma; volevo, in tal modo, essere costretta a esibire una forza che in quel momento sentivo vacillare. Ma, in realtà, egli mi stringeva appena, forse aveva preso il mio braccio per sostenersi.

«Dov'è andata?» ripeteva.

«Non lo so.»

Nel mio petto sentivo la grande macchina correre, piegarsi alle voltate. "Presto" la incitavo col pensiero, "presto", mi pareva che un indugio avrebbe potuto perderci tutti, "presto."

«Non tornerà più» ripetevo furiosamente. «Non metterà più piede in questa casa.»

«Con chi è andata?» egli mi domandò, sottovoce.

«Che ne so, io? È andata via.»

Sentivo di avere negli occhi e nel viso un'espressione spavalda, impertinente: volevo irritarlo, fargli intendere che ero partita con la mamma anche se la legge mi costringeva a restare.

«Lo sai» disse. «Sai tutto.» Poi, brusco, domandò: «Che ora è?».

Alzammo entrambi lo sguardo al grande orologio che pendeva sulla credenza. Mancavano pochi minuti alle dieci, tra breve il portone si sarebbe chiuso lasciando fuori mia madre. Era fatto, ormai, era fuggita. Io respirai.

Ogni rumore taceva. I vicini avevano spento la radio, i ragazzi non giocavano nella strada, come sempre in estate, prima di andare a dormire. Mi parve che il silenzio non fosse mai stato così fondo: s'udiva solamente il sordo ticchettìo dell'orologio, monotono, inesorabile, opprimente.

«Tornerà» mio padre disse. «Domattina la farò ricercare dalla polizia.»

Rapido lasciò la stanza e andò in camera sua, senza chiudere a chiave la porta di casa, temendo forse, con quel gesto, di distruggere un'ultima speranza.

Sista e io c'incontrammo nell'ingresso. Mi pareva di avere la febbre addosso e credo che l'avessi veramente. Mi strinsi a lei, per non vedere il suo sguardo affossato nel cavo delle occhiaie.

«È salva» le dissi. «Domattina sarà troppo tardi, vero? Non potrà riprenderla più, è andata via.»

Immaginavo le frontiere chiudersi come altissimi cancelli: e lei era già lontana, la grande macchina correva attraverso una campagna fresca e verde. Sulla pelle, nello stomaco, una acerba sofferenza si svegliava in me.

«È andata via» Sista ripeteva cupamente «è andata via, è andata via.»

Fu in quel momento che udimmo alcuni passi nelle scale. Subito io mi staccai da Sista, atterrita. I passi salivano, si facevano sempre più vicini, più distinti, raggiunsero il nostro pianerottolo. Dinanzi alla nostra porta tacquero e io corsi ad aprire.

Erano due uomini vestiti di scuro: benché fosse estate avevano il cappello in testa né se lo tolsero per salutare.

«Abita qui Corteggiani Eleonora?» l'uno domandò a bassa voce. L'altro stringeva in mano la borsetta della mamma.

Li guardai per un momento, inebetita. Poi dissi piano, movendo appena le labbra:

«È morta, vero?»

Serio, quello che aveva parlato, accennò di sì con la testa. L'altro guardava in giro, sospettoso.

Allora io mi staccai dalla porta, traversai di corsa il corridoio e, senza bussare, entrai nella camera nuziale. Mio padre, dal rumore della serratura, doveva aver tratto la sicurezza che la moglie fosse tornata. Severo e burbero stava in piedi presso la toletta, in attesa.

Io scoppiai in una risata convulsa.

«Che t'avevo detto?» dissi: «Non torna più.»

Egli mi guardava ridere, incerto, diffidente.

«È morta» spiegai. «S'è ammazzata.»

Vidi gli occhi di mio padre sbarrarsi in un disumano terrore. Poi caddi a terra, svenuta nella mia risata come in una pozza di sangue.

Due giorni dopo la disgrazia giunse mio zio Rodolfo. Lo incontrammo sulla porta di casa, mentre noi uscivamo con le Celanti per recarci al funerale. I due fratelli s'abbracciarono in silenzio e subito lo zio Rodolfo mi prese pel braccio, sostenendomi, né mi lasciò più finché tornammo. Lo conoscevo appena, ed egli non mi aveva mai scritto in tanti anni: ma era il mio padrino di battesimo e compresi che sarei stata affidata a lui, nel prossimo futuro.

Sul portone trovammo il portinaio vestito di tutto punto, con colletto e cravatta, e alcuni inquilini, raggruppati: le donne vestivano di scuro. Ci guardarono passare, senza porgerci una parola di conforto, e uscirono dietro di noi che eravamo diretti alla fermata del tram.

Nel tram io sedevo tra il babbo e lo zio Rodolfo: poiché entrambi erano alti e avevano spalle forti e quadre, a me sembrava d'essere rinchiusa tra due muraglie grigie, invalicabili. Di contro a noi sedevano Lydia e Fulvia: il signor Celanti aveva preso posto accanto al babbo e ogni poco gli batteva la mano sulla spalla. Le due donne mi fissavano, affettuose; ero vissuta con loro dalla morte di mia madre fino a quel momento, ma ormai sapevo che avrei dovuto staccarmi anche da quell'affetto e sentii le mie forze affievolirsi.

Il tram, uscendo dal Lungotevere, con una brusca voltata si gettò sul ponte del Risorgimento. Lì presso mia madre s'era uccisa; proprio lì dove era annegato Alessandro. Mi pareva che il tram, col peso fragoroso delle ruote, dovesse passare sul corpo di lei, maciullandolo.

Dinanzi alla porta dell'obitorio trovammo altri inquilini con Ottavia, Enea, e la sarta che abitava di fronte a casa nostra e ci cuciva i vestiti. Era ancora presto, forse le nove, e la giornata si annunziava bellissima; dal giardino del Policlinico gli oleandri mandavano attorno un odore aspro e fresco. Io non soffrivo, ricordo, non soffrivo affatto. C'erano anche Aida, la sorella di Antonio, e Maddalena che piangeva, benché conoscesse mia madre soltanto di vista. Non osavano accostarsi, a causa di mio padre e dello zio Rodolfo, e mi guardavano di lontano con curiosità grave tentando di raggiungere i margini della mia sofferenza. Ma in quel momento, ho già detto, io non soffrivo.

Eravamo raccolti sulla porta dell'obitorio in un gruppetto. Celanti andava e veniva, seguito da un vecchio vestito di nero, e mio padre lo ringraziava con lo sguardo. Poco dopo apparve un uomo basso con un camice indosso e uno zucchetto bianco in testa. «Adesso viene giù» disse. Capii che si trattava di mia madre.

Non l'avevo vista morta, mio padre non mi aveva chiesto di andare a salutarla per l'ultima volta, e, se lo avesse fatto, credo che mi sarei rifiutata: volevo serbarne l'immagine che mi piaceva tanto, animata da una fervida irrequietezza, volevo ricordare i suoi dolci occhi, il passo che somigliava a un volo. E poi non avevo mai visto un morto; temevo di aver paura o ribrezzo: non volevo aver paura o ribrezzo di lei. Cosicché, nonostante tutto, avevo l'impressione che ella non fosse morta, ma in viaggio. Dalla sera tremenda in cui non era ritornata, avevo vissuto con Lydia: l'avevo vista accanto a me fin da quando avevo ripreso i sensi, mentre mio padre parlava con gli agenti: mi faceva odorare l'aceto. Fulvia mi teneva una mano e me la carezzava. Sista era in terra, ammucchiata nei suoi panni neri, pregando. Mio padre era entrato, pallido, aveva le labbra che tremavano: «Signora» aveva detto a Lydia, «vogliono interrogarla, lei era la sua sola amica. S'è buttata nel fiume, dov'è annegato il bambino. Ho detto che non interrogassero Alessandra, forse vorranno vedere Sista. Ricordatevi che s'è uccisa perché non sapeva darsi pace del figliuolo. Capito?». Aveva un'espressione dura, sotto il colore terreo del volto. Facemmo sì, sì, con la testa, mortificate. Poi il babbo uscì con gli agenti per il riconoscimento, Sista prese le mie lenzuola, le coperte, e mi fecero un letto in terra, nella camera di Fulvia.

«Eccola» disse l'uomo dallo zucchetto bianco e dietro di lui, sulle spalle di uomini rozzi e sconosciuti, vedemmo una stretta bara di legno.

Allora incominciai a soffrire atrocemente. Fin da quando ero rinvenuta avevo sempre pensato a mia madre come a una morbida forma aleggiante nell'aria. Non riuscivo a immaginarla immobile, chiusa dentro quella scatola; ma quella macabra vista mi dette la certezza materiale che la mia dolce vita era finita. Mi sentivo sola, tra le persone che mi circondavano, e intuivo che non avrei potuto più parlare di quelle cose che erano tanto importanti per noi due e che gli altri parevano ignorare.

Il cavallo camminava piano: noi seguivamo a piedi, io ero tra mio padre e lo zio Rodolfo. Sulla cassa avevano posto un grande cuscino di rose rosse che la copriva tutta. Il cuscino non recava alcun nome scritto sul nastro, ma tutti sapevano di chi fosse. Certo mio padre aveva provato l'impulso di farlo ritirare dagli uomini vestiti di nero che andavano attorno affaccendati, ma poi si era ricordato che la moglie era morta perché non sapeva darsi pace d'aver perduto un figlio e non aveva potuto dir nulla. L'aria era fresca e pura, gli alberi si chinavano al lieve urto del vento. E a poco a poco, nel ritmo e nel rumore dei passi che accompagnavano mia madre, calma, distesa sotto il cuscino di rose, a me parve di scoprire una rassegnata armonia che mi racconsolava. Provavo sollievo nel lasciarmi sostenere dal braccio dello zio Rodolfo, un braccio forte, al quale ci si poteva affidare.

S'entrò in una cappella della grande basilica di San Lorenzo che io non avevo mai visto. Era una cappelletta secondaria perché le persone che commettono suicidio non possono più essere accolte nel grembo della Chiesa. Il prete venne fuori nei paramenti di lutto e ci scrutò con un misto di compassione e di sospetto, forse perché eravamo parenti di una donna che si era buttata nel fiume. Poi la bara fu ricoperta da un drappo nero sul quale posarono il cuscino di rose.

Mi trovai accanto Fulvia e Lydia: istintivamente le donne avevano preso posto a sinistra, gli uomini a destra della bara, come usano i contadini nelle chiese di campagna. E sentendomi di nuovo nel calore di quelle creature mie simili, il dolore dilagò, si gonfiò nel mio petto e ne fui tutta colma.

Il prete, tra i chierici, recitava le preghiere dei morti. Indifferente a tutto quanto egli andava facendo, io fissavo, oltre la bara, il gruppo degli uomini che ascoltavano seri, alcuni a braccia conserte. Apparivano mortificati più che dolenti: dal loro sguardo trapelava lo sgomento per quegli atti sconsiderati che le donne compiono d'improvviso e dei quali essi confusamente intuiscono d'essere la causa. Sentivo che la violenza di queste subitanee ribellioni li sbigottiva poiché erano convinti che bastasse il richiamo di un bambino, la presenza di un estraneo, o persino un vestito nuovo, a consolare una donna. Il portinaio aveva ripetuto tante volte che mia madre, uscendo, quel mattino, lo aveva salutato cortesemente: «Buongiorno, Giuseppe». Stupito riferiva a tutti questo particolare. Gli uomini non comprendono come le donne facciano a dire "buongiorno, Giuseppe" e sorridere poco prima di morire: eppure qualcosa le lega così tenacemente alla vita che tentano di farne parte fino all'ultimo istante, forse aspettando la salvezza dallo stesso vigore che è in essa. Mia madre aveva pensato a prendere l'impermeabile poiché il tempo appariva nuvoloso, buongiorno Giuseppe, e s'era buttata nel fiume.

Intanto parecchia gente era sopraggiunta nella cappella. Dietro un pilastro vidi il capitano che fingeva d'essere un passante entrato lì per caso. Subito io strinsi il braccio di Lydia, la quale assentì con un lieve cenno della testa. Anche altre signore del palazzo entravano, commosse e caute, temendo d'essere indiscrete. Alcune piangevano e tutte movevano fitte le labbra mettendo una drammatica intensità nella preghiera.

La loro presenza e l'impulso che le aveva spinte a mostrarsi solidali con mia madre, benché la conoscessero appena, suscitavano in me una disperata forza: perciò, con più impegno mi accanivo a fissare gli uomini che stavano, in gruppo, oltre la bara. Un furore rabbioso m'invadeva, il desiderio di scacciarli acciocché ci lasciassero sole. Eravamo divisi, come due armate che si preparino a uno scontro: e già c'era, tra noi, in quella bara, un caduto.

Mia madre fu sepolta nel campo comune. Sulla fossa i becchini posero il cuscino di rose, lo assestarono, lo lisciarono e rimboccarono a guisa di un lenzuolo. Mio padre osservava tutto ciò senza più schernire o minacciare: il suo potere era finito.

«Andiamo» infine decise. Lo zio Rodolfo mi prese pel braccio e Celanti disse che a quell'ora le circolari passano vuote.

Così tornammo a casa. Io ero molto stanca, avrei voluto sdraiarmi sul letto, non vedere più nessuno e dormire. Nel sonno speravo di raggiungere mia madre e parlarle. Invece il babbo pregò Lydia di ospitarmi ancora una volta a colazione poiché lui doveva parlare col fratello. Più tardi mi mandò a chiamare e mi annunziò che la mattina seguente sarei partita per l'Abruzzo con lo zio Rodolfo.

Nel treno sedemmo l'uno di contro l'altro e non avevamo niente da dirci perché ci conoscevamo pochissimo. Entrambi fingevamo una dimestichezza che avrebbe dovuto essere stabilita dal grado di parentela così prossimo. Ma, se appena egli chiudeva gli occhi per dormire, io lo scrutavo attentamente così quando io m'assopivo sentivo il suo sguardo frugarmi, ingegnandosi di indovinare che cosa c'era sotto il mio aspetto mansueto, sotto la docilità dei miei lineamenti. Tentava di adattare la mia immagine al ritratto che il fratello doveva avergli fatto di me. Io aprivo gli occhi e sorridevo, mostrando di non opporre alcuna resistenza alla sua indagine.

«Quanti anni hai?» egli mi domandò d'improvviso.

«Diciassette» risposi: «ne avrò diciotto ad aprile.»

«Che classe hai fatto?»

«Sono passata in terza liceo.»

Stupito, egli mi chiese: «Continui a studiare?».

«Certo, che dovrei fare altrimenti?»

«Imparare a cucire, a rammendare.»

«So farlo» dissi «so anche cucinare.»

«Oh!» egli fece minacciandomi scherzosamente col dito «vedrai che esame ti passerà la Nonna...»

Risposi che temevo di essere bocciata, giacché sapevo fare appena il necessario. Mi pareva che fosse sufficiente. Aggiunsi che mi piaceva studiare, coltivare la mia naturale inclinazione alle lettere e alla poesia. E così manifestai anche il proposito che avevo di laurearmi al più presto, per guadagnarmi da vivere.

Egli parve sorpreso dalle mie intenzioni. «Che bisogno c'è?» mi diceva. «Sei una bella ragazza, ti sposerai presto, avrai la casa e i figli.»

Sorrideva, nel dire queste ultime parole. Nonostante il compito ingrato che egli doveva assolvere presso di me, avevo avuto una istintiva simpatia per lui fin da quando lo avevo visto. Mi pareva un uomo schietto e, inoltre, il suo aspetto semplice mi rassicurava: egli non possedeva quella mollezza degli occhi e delle mani che in un uomo della condizione di mio padre testimoniava una subdola sensualità.

«Forse ha ragione Ariberto» seguitava abbassando il tono della voce: «se tua madre avesse avuto molti figli, non le sarebbe rimasto il tempo per sonare il pianoforte. La disgrazia, egli dice, è stata tutta lì.»

153

Spaurita, io mi ritraevo sulla panchetta: immaginavo di fuggire con un balzo, gettarmi dal treno in moto. Sino allora avevo ubbidito docilmente e avevo accettato la partenza come una soluzione naturale: tutto quanto mi attraeva nella casa di via Paolo Emilio se n'era andato con mia madre. Sista aveva gettato un lenzuolo bianco sul pianoforte il quale aveva preso l'aspetto di un fantasma. E ovunque nella casa pesava quell'aria opprimente che mia madre dissipava con un gesto o una parola. Perciò, quando mio padre mi aveva annunziato che sarei partita l'indomani, avevo provato una consolazione. Fulvia e Lydia avevano singhiozzato nel salutarmi e con loro anche la mia infanzia piangeva, la mia adolescenza, e tutto ciò che era stato Alessandra fino allora. Piangeva la finestra, la scala, il rubinetto dell'acqua gelida sotto il quale mi lavavo ogni mattina, il cortile e la parete dell'ingresso dove Enea mi aveva spinto e io avevo capito che cos'era un uomo. Nel vedere Fulvia e Lydia stremate dalla sofferenza di quei giorni le avevo consolate affettuosamente, ripetendo che era meglio così, con mio padre non avrei potuto vivere.

L'avevo salutato prima di partire. Era presto, ci si vedeva appena e io credevo che egli fosse ancora in letto, poiché aveva deciso di non accompagnarmi alla stazione. Ero entrata nella camera, piegando adagio la maniglia, e l'avevo trovato seduto su una sedia, già tutto vestito, giacca indosso, cravatta annodata. Sedeva con le gambe divaricate, la schiena curva, una mano posava sul tavolino: nella luce fredda che veniva dalla finestra egli appariva un uomo senza più alcuna pretesa o energia, un uomo vecchio.

S'era volto e, scorgendomi, nel vano della porta, vestita di nero, aveva incominciato a piangere. «Nora» diceva piano, «Nora...» ripeteva accoratamente guardandomi e ricercando, forse, nel mio viso, l'immagine di lei.

Non l'avevo mai udito chiamarla con quel nome affettuoso, in tanti anni. E perciò, inorridita, m'ero ritratta dalla loro intimità.

«Volevo salutarti, babbo» avevo detto bruscamente.

Sì, sì, egli faceva con la testa, mostrandosi pronto anche a quel distacco. Dalla finestra aperta entravano le grida delle rondini che udivo da bambina quando mi alzavo presto per andare, con Sista, a prendere la comunione. Avevo tentato di trattenerne il suono negli orecchi, con l'aria stessa della mia infanzia felice.

Nel treno fingevo di dormire, per far silenzio dentro di me e riudire quelle voci acute, fresche, stridenti. Ma non riuscivo, forse a causa del rumore degli stantuffi. A stento riuscivo a riudirle nella fantasia.

Lo zio Rodolfo mi batté una mano sul braccio per destarmi dal torpore nel quale mi credeva assopita:

«Sei stanca, vero?» mi domandò affettuosamente, vedendomi aprire gli occhi a fatica. Poi sorrise, incoraggiante: «Tra pochi minuti saremo arrivati».

La Nonna ci aspettava nella sala da pranzo, seduta in poltrona. Ai lati, simili a due ali nere, le stavano zia Violante e zia Sofia.

«Vieni, vieni avanti, Alessandra» la Nonna disse. «Non aver paura.»

Avevo paura, invece. La Nonna era una vecchia altissima, il suo viso era grande, il naso massiccio e il portamento di un grande animale. Il gesto col quale mi faceva cenno di avvicinarmi raccoglieva tutta l'aria della stanza. Ella sedeva in un'ampia poltrona foderata di bianco e le sue spalle superavano lo schienale. La voce, forse a causa dell'accento, era simile a quella di mio padre.

Avanzavo adagio sulle larghe mattonelle bianche e nere. Sospinta da mio zio, andai ad arrestarmi proprio dinanzi a lei. «Bacia la mano» lo zio mi susurrò all'orecchio. Era la mano grande e fredda di una statua.

Quando mi rialzai ci guardammo. La Nonna aveva gli occhi neri e lucidi di mio padre, ma accesi da una naturale fierezza che non avevo mai notato in lui. Mi guardava misurando la mia statura, l'ampiezza dei miei fianchi, con uno sguardo rapido e preciso.

«Non somigli ad Ariberto» disse concludendo il suo esame.

«No» risposi, e la mia voce si smarrì tra le alte pareti: «io somiglio alla mamma.»

Vi fu un silenzio freddo dopo che ebbi pronunziato quella parola. Ma in realtà essa era bastata a restituirmi un po' di forza. Mi guardai attorno: le tende di tela bianca, le bianche pareti, facevano somigliare quella sala al grande parlatorio di un convento.

«Si sta bene, qui» mormorai, benché mi sembrasse d'essere tra i morti, o forse proprio per quello.

«Sì» la Nonna disse. «È una casa comoda. Io vi sono nata e anche le tue zie. Qui è nato tuo padre, tuo zio Rodolfo, e la povera zia Caterina che è in cielo. Qui è nato tuo cugino Giuliano, il figlio di Violante» spiegò, indicandola alla sua destra. «Qui avresti dovuto nascere anche tu, ma tua madre non volle: preferì una clinica in città. Adesso anche tu sei venuta.»

Sì, feci con la testa, e la invitai a sorridere, ma la Nonna, come mi avvidi in seguito, non sorrideva mai. Seguitava a guardarmi e tutto il mio corpo si ritraeva, intimidito, sotto le vesti.

«Sei magra» anche lei disse: «hai avuto qualche malattia, da bambina?»

«No» risposi, «solo il morbillo e l'influenza.»

«Non contano. Forse sei cresciuta troppo in fretta. Non hai petto né fianchi. Eppure devi avere diciassette anni, vero? Bisognerà chiamare il medico. Con un petto come quello non si può allattare.»

Arrossii, la nuca mi si fece dolorosa, fragile: sentivo, alle mie spalle, la presenza dello zio Rodolfo e mi pareva che la Nonna mi avesse strappato il corpetto.

«Prendi una sedia, Alessandra» disse zia Violante. E io fui contenta di eseguire un ordine, di piegarmi, mostrando la mia docilità. Mi domandarono, poi, se avessi fame o sete; e le zie, per offrirmi una ciambella, si staccarono dalla poltrona, uscendo dal quadro che rappresentavano.

Erano alte anch'esse ma, pure movendosi, non riuscivano a dominare il grande busto della Nonna. Un gesto di lei bastava a sospingerle dall'armadio alla credenza. Intanto lo zio Rodolfo era scomparso, facendomi un breve cenno d'addio come un segno d'intesa, e io ero rimasta tra quelle donne sconosciute, con le quali dovevo fingere dimestichezza.

«Mangia» mi aveva ordinato la Nonna, «intingi la ciambella nel vino.» Mangiavo, tentando di raccogliermi tutta in quell'atto, e nella cura di non macchiare il vestito. Mi pareva d'essere morta anch'io, come mia madre, e che questo fosse quell'al di là che tante volte, insieme, avevamo tentato d'immaginare. «Io credo che noi vivremo un'altra volta» la mamma diceva, «che ricominceremo da capo un'altra vita come questa. Vorrei almeno poter serbare il ricordo dei giorni che ho vissuto.» Era proprio così, come lei aveva detto: quando nominavo mia madre, o la casa di Roma, la Nonna e le zie fingevano che le mie parole non avessero suono.

«La mamma non beveva mai vino» osservai, per provare di nuovo. Ma di nuovo fu come se non avessi parlato.

Mi attardavo, mangiando a bocconi piccoli. Mi domandavo sgomenta che cosa avrei fatto, dopo. E che cosa avrei fatto fino a sera, e domani. L'indomani mi appariva oscuro, terrificante. Mi sembrava possibile resistere ancora il resto della serata, ma non oltre. Non intravvedevo nemmeno la mia capacità di resistere una settimana, o un mese. Tuttavia oscuramente comprendevo che anche tornare indietro era impossibile. Il mio passato non era stato Roma, una città, una casa: era stato mia madre. E lei era morta.

«Ora salirai nella tua camera» disse la Nonna: «zia Sofia ti accompagnerà. Puoi riposarti se credi, più tardi ti manderò a chiamare per recitare il rosario con noi, prima di cena. Ricordati di prendere la corona.»

«Non ce l'ho» dissi.

La Nonna m'interrogò con lo sguardo: «Vuoi dire che l'hai lasciata a Roma?».

«No. Non ce l'ho, non la possiedo.»

«Tua madre non ti conduceva mai in chiesa, dunque?»

«Oh, sì, qualche volta: per ascoltare la musica.»

La Nonna tacque. Sedere accanto a lei era come sedere a fianco di una grande montagna e io mi sentivo sperduta in una valle di solitudine. Avrei voluto farle intendere in qual modo io pregassi, raccolta presso la finestra, dirle che, per mezzo di Ottavia, parlavamo con Alessandro e con molte altre anime del Purgatorio. Ma non avrebbe capito.

Dopo una lunga pausa ella mi promise, per l'indomani, la visita di un sacerdote. «Va' su, adesso» ordinò. Mi disponevo a ubbidirla, quando la porta s'aprì e zia Clarice apparve.

Era una vecchietta minuscola, sorridente, soffice e bianca come una meringa. Aveva la statura di un bambino decenne e sul suo viso era rimasto intatto lo stupore dell'infanzia. Al braccio recava appeso uno sgabellino adatto alle sue proporzioni.

«Voglio vedere la bambina» disse. «In cucina mi hanno detto che è arrivata.» Venne verso di me, incuriosita.

«Sono Clarice» aggiunse ridacchiando e ammonendomi col dito, come se mi desse una sorprendente notizia: «sono zia Clarice.»

La Nonna spiegò: «È mia sorella».

«Che bei capelli, hai» zia Clarice mi disse. «Sono i capelli di Eleonora. Quando venne qui li lavava sempre e poi si metteva al sole per asciugarli. Sofia era gelosa» aggiunse con infantile malignità «perché allora aveva perduto i capelli a causa del tifo. Eleonora lasciava che le tenessi compagnia sul terrazzino. Era buona, Eleonora. Mi dava i soldi per i confetti. Posso avere una ciambella?» chiese accennando una smorfietta, mentre sedeva composta sul seggiolino.

Avutala, incominciò a mangiarla senza più prestarmi attenzione. La Nonna mi congedò con un gesto e zia Sofia mi guidò alla mia camera. Era una casa molto grande: per andare da una stanza all'altra, si traversavano piccoli anditi bui dove era facile inciampare negli scalini. Le camere erano a livelli diversi e isolate l'una dall'altra, a guisa di celle claustrali: le porte, strette e spesse, bastavano appena a far passare una persona. Nella mia camera c'era solo un armadio, un tavolino, una sedia e il letto di ferro.

«Piove» zia Sofia disse, «sarà bene chiudere la finestra.» Intanto mi spiegava che quella era la stanza ove mio padre dormiva da bambino.

«Qui avrei dovuto nascere, vero?»

«Forse» ella rispose con un sorriso. Mi guardò, offrendomi un'alleanza che mi parve sincera: «Spero che ti troverai bene. Riposati un poco, rassetta la tua roba. Poi scendi».

Non appena fui sola corsi alla finestra e la spalancai. Pioveva fitto, un velo lucido tremava tra il cielo e la terra. La finestra, verniciata di grigio, era stretta e lunga fino all'impiantito di campigiane rosse: invece del davanzale, una ringhiera grigia l'occupava, alta fino al mio petto quasi. La casa era arroccata nel centro del paese e dominava le casupole che si vedevano ammassate l'una accosta all'altra, come per sorreggersi spalla a spalla. Dinanzi ad esse, invece di strade o vicoli, erano larghe cordonate di pietra, logorate dal passaggio dei contadini e degli asini. Sotto le case si stendeva una breve valle percorsa dal torrente allora in secca, e incontro a me s'alzava una collina in parte coltivata e in maggior parte brulla, macchiata di prati gialli e di pietre. Alla mia destra, oltre le colline più prossime, si vedeva una montagna alta e prestigiosa, che poi seppi essere la Majella.

Liberato dalle nuvole ferrigne che rapidamente andavano sciogliendosi in pioggia, presto tutto il paesaggio divenne brillante, d'acciaio. Una nebbia radiosa saliva al cielo, bianca come la luce del bengala, e il verde degli alberi era vivo e pulito. S'udiva l'acqua scorrere dappertutto: pareva che la casa fosse circondata da allegri torrenti ed erano soltanto le grondaie. L'odore che veniva su dalla terra bagnata suscitava in me il ricordo dei giorni in cui mia madre ed io andavamo a passeggiare, appena spiovuto, protette dall'arcobaleno.

«Mamma» mormorai. «Mamma, salvami, portami via.»

La camera, dalle pareti nude, somigliava alla cella di una prigione: sul letto pendeva il crocifisso. Aprii l'armadio e due grucce, dondolando, dettero sinistri rintocchi contro il legno. Il tavolino era coperto da un tappeto verdastro, liso e odoroso di muffa. Abitare in quella stanza significava trovarvi appena il necessario alla sopravvivenza, giorno dopo giorno. Di fronte a me il Cristo – inchiodato sulla croce di ferro, sopra il letto di ferro – mostrava che bisognava offrirsi alla sofferenza e al sacrificio. Ero presa in trappola, rinchiusa, prigioniera, come Antonio.

«Antonio...» mormorai «Antonio», e mi lasciai cadere in ginocchio presso la finestra, appoggiai il viso alla ringhiera.

Subito quel nome mi diede un senso di sollievo e di pace. Mi parve anzi, che Antonio, lontano e mai visto, fosse la sola cosa che mi rimanesse della vita di prima. «Non mi dimenticare» Fulvia aveva detto stringendosi a me. Mi aveva condotto a salutare il terrazzino, la stanza dove avevamo giocato insieme quando ero salita in casa loro, la prima volta. «Quanti anni sono passati, Dio mio» Lydia andava sospirando, «io avevo appena conosciuto il capitano...» E, resa più debole dal dolore provato per la morte dell'amica, s'inteneriva su di sé, sul suo passato. «Che tragedia!» esclamava, asciugandosi gli occhi. «Ah, che pena l'amore! Guai se ti vedo innamorata, Fulvia, e anche tu, Alessandra, guai. Dovete essere libere, felici, sposare un uomo ricco... Che schianto, l'amore» ripeteva. Noi eravamo rimaste in silenzio, fingendo di accettare il destino che lei ci augurava. E invece, dentro, ardevamo tutte per questo amore che conduce alle lacrime e alla morte.

«Non avrei dovuto incoraggiarla» Lydia aveva detto col viso umido di lacrime. «Avrei dovuto dirle: "Non vederlo più, rifletti, hai una famiglia", ho fatto male, la colpa è mia...»

Ma, pochi istanti dopo, approfittando di una breve assenza del marito, era venuta ad annunziarmi che Claudio m'aspettava nelle scale.

Mi ero avviata senza entusiasmo poiché non amavo Claudio, ma, dal giorno in cui eravamo stati a passeggiare su Monte Mario egli seguiva la mia vita, docile e fedele come un'ombra. Non mi ero mai domandata se il suo fosse amore veramente; talvolta dubitavo che amasse solo la possibilità di ricercarsi e identificarsi che io per prima gli avevo fornito. «Non si può» diceva, «non si può assolutamente parlare ai genitori. Bisogna fingere di non aver altro pensiero oltre quello di mangiare studiare dormire. Se si tentasse di far comprendere loro che a volte non si dorme la notte, a causa dei problemi che ci assillano, e che spesso questi problemi ci propongono come unica soluzione la rottura con la vita, il suicidio, essi non saprebbero aiutarci in altro modo che sgridandoci, minacciandoci, mio padre batterebbe il pugno sulla tavola, che ti manca?, direbbe. Senza supporre che non ciò che mi manca, ma proprio quello che ho, ciò che possiedo in me di bene e di male mi getta in queste alternative. Io credo che rimproverandoci (e vietandoci in tal modo di rivelare loro i nostri dubbi e le nostre incertezze) i genitori si difendano istintivamente dal dovere che avrebbero di aiutarci a risolverli. Poiché essi già sanno che non c'è soluzione, o almeno, molto sovente, non hanno ancora trovato la loro. Mancano di pietà. E tu, invece, Alessandra...» Mi guardava al modo di una miracolosa apparizione attraverso una zona d'aria che egli intuiva di non poter superare, o meglio non voleva superare per lasciarmi, intatta, nel segreto che mi circondava.

161

Appena uscita nelle scale avevo subito scorto i suoi occhi, sgranati nell'ansia. Gli avevo teso la mano restando, ferma come un'immagine, un gradino più su.

«Hai visto?» avevo detto sconsolata, alludendo a tutto quanto era accaduto in quei giorni. «Ah!...» lui aveva risposto, in un sospiro accorato e impotente. «E adesso me ne vado» conclusi. «Potrò scriverti?» aveva chiesto timidamente. «Non credo» io avevo detto dopo una breve esitanza. «Non credo che farebbe piacere ai miei parenti.» Allora egli aveva proposto di inviarmi qualche cartolina firmata Claudia. «Mandami una cartolina anche tu, di tanto in tanto» aveva aggiunto con un leggero tremito nella voce. La scala era buia, ormai, e l'armonia della sua forma a spirale mi suggeriva dentro una mollezza, una sconfinata malinconia. Aspettavo che un dolore lancinante mi cogliesse all'idea di lasciare quelle rampe, solo due giorni prima animate dal passo di mia madre. Il rumore dell'acqua che scorreva nella fontanella del cortile mi ricordava il rotolìo del carro che l'aveva portata via.

Infine Claudio aveva detto: «Sai? sono passato. Ho preso otto in filosofia». «Bravo» avevo risposto. «A ottobre» egli aveva aggiunto «vado all'università. Medicina. Ti piace?» «Sì. Non lo so. Non so più niente.» Lui mi guardava fisso: guardava ogni cosa di me, me la rubava per conservarla e rimirarla durante la mia assenza. «Una cosa vorrei che tu sapessi, Alessandra. Che io aspetterò il tuo ritorno per mesi, e anche per anni. Sempre.»

Aveva pronunziato l'ultima parola quasi rabbiosamente. Poi mi aveva preso la mano, l'aveva stretta per un attimo ed era fuggito via senza voltarsi. Io ero rimasta ferma nell'ombra, aggrappata al ferro freddo della ringhiera.

Adesso mi aggrappavo ai ferri di una finestra che guardava una collina arida e la maestosa gravità della Majella.

Mi guardavo nel vetro che faceva specchio sul legno grigio dello sportello. Vedevo la linea morbida del mio corpo accoccolato in terra, le mani che posavano, bianche, sul nero opaco del vestito. Tentavo di intendermi, di interrogarmi.

Ma la porta s'aprì, e io mi ritrassi verso la ringhiera. Era zia Violante, magra nel lungo abito nero.

«Oh, sei lì in terra, Alessandra?» disse.

Aveva una voce dolce e io non mi mossi. La fissavo sbigottita perché il suo ingresso mi aveva riportato improvvisamente in una realtà che non avevo la forza di affrontare.

«Non hai neppure disfatto le valigie» ella disse. «Capisco. Non puoi aver voglia di restare. Eppure bisognerà che tu rimanga. Sono giorni difficili, vero? Lo capisco. Poi ti abituerai, perché tutti i giorni, in realtà, sono difficili. È una fortuna per te esser venuta qui, in campagna. La Nonna ti lascerà qualche giorno per conoscere la casa e la gente: poi ti farà lavorare. Che cosa sai fare, Alessandra?»

«Nulla» risposi in tono aggressivo.

Rivedo, a distanza di tanti anni, il viso della zia Violante sussultare come se avesse ricevuto un colpo. Tacque; poi, d'un tratto, il groppo di risentimento che l'aveva stretta si sciolse ed ella disse affettuosamente:

«Non te lo augurerei. Ma so che non è vero. Ariberto mi scriveva sovente che tu sapevi cucinare, riordinare la casa...»

«Voglio studiare» io dissi a voce bassa e astiosa: «l'anno prossimo voglio entrare all'università. Ho la valigia piena di libri.»

«Se lo desideri» ella rispose «nessuno te lo proibirà, almeno credo. Ma forse non lo vorrai tu stessa, tra poco. La città è lontana da qui: a volte appare inesistente. E la giornata in campagna ha un corso breve: s'apre con le campane, e adesso, senti?, con le campane è già finita.»

Io scattai in piedi e andai verso di lei, a mani giunte: «Oh, zia Violante, ti prego, ti supplico, fammi studiare, non devi impedirmelo...».

«Io?!» ella esclamò sorpresa. «Io no, Alessandra. Bisognerà che tu lo voglia, hai capito? Tu stessa. È difficile difendersi. C'è qualcosa di così assopente nel ritmo della vita di ogni giorno, che man mano, senza volerlo, siamo prese. E non c'è tempo, non c'è mai tempo per nulla. Vedi?» mi disse sospingendomi per le spalle, «è già l'ora del rosario.»

Dalla tasca trasse una corona dai grani rozzi, color del tabacco, e me la porse. Le scale erano fiocamente illuminate e così i passaggi, gli anditi, gli scalini ruvidi e porosi. «Guarda» ella disse, arrestandosi per un attimo e indicandomi un quadretto nel quale intravvidi, dipinta, una farfalla: «questa l'ho dipinta io, da giovinetta. Avevo la tua età, ero fidanzata.»

«E hai smesso poi?»

«No, dipinsi ancora qualche storia di fate per Giuliano.»

«E poi?»

«Poi non ebbi più tempo.» Intanto, facendomi cenno di tacere, apriva cautamente una porta.

La Nonna era sola nella sala da pranzo e pareva che dormisse: aveva gli occhi chiusi, le mani sui bracciuoli, e riposava diritta come un maestoso cavallo. La poltrona era stata spostata ed ora ella sedeva di fronte a un grande armadio di legno nero, lucido e liscio. Mi parve bizzarro trovarla in quella posizione, ma non osavo domandare nulla poiché anche il viso di zia Violante era tornato a chiudersi in una severa impassibilità.

«Hai dato il rosario ad Alessandra?» la Nonna domandò senza aprire gli occhi; e rassicurata tornò alla sua meditazione. Prendemmo posto dietro di lei, su due sedie. Poi entrò zia Clarice, venne a sedersi accanto a me sul suo sgabellino; e, con un lieve ammiccare invitandomi alla complicità, mi mostrò un'ampia tasca che aveva colma di susine. Due serve entrarono e sedettero in terra; entrarono due donne che s'erano trovate in cucina, per caso, venute a vendere la loro mercanzia. Infine entrò zia Sofia con un velo in capo e aprì l'armadio.

Nell'armadio era un altare. Zia Sofia andava accendendo

164

le candele e, a poco a poco, dall'ombra emergeva la faccia nera e terribile della Madonna di Loreto. Tutte le donne si inginocchiarono e io le imitai: solo la Nonna rimase seduta, come se tra lei e il Cielo vigesse un patto di uguaglianza. La sua voce intonò il rosario e io risposi con le altre.

Ormai, poiché annottava, la grande stanza traeva luce soltanto dalle fiamme rossastre e palpitanti delle candele. Sbigottita io osservavo le persone che mi circondavano, a me sconosciute fino a poche ore prima, e che adesso, gravi e taciturne, mi stringevano in un solido ingranaggio dal quale intuivo che sarebbe stato facile lasciarsi travolgere. Invano tentavo di evocare i ricordi della mia vita passata, l'espressione arguta di Fulvia, l'indulgenza di Lydia. Del tempo trascorso riconoscevo soltanto – sul battente del nero armadio aperto – il viso corrucciato della zia Caterina, lo stesso che avevo visto nell'ingrandimento, in camera dei miei genitori. Su quel battente, l'uno accanto all'altro, in cornici nere e simili tra loro, si vedevano i ritratti di tutti i morti di famiglia. Erano vecchie arcigne e giovinette dagli occhi sgranati in una sorta di sgomento: alcune avevano pesanti trecce nere girate attorno alla fronte, altre capelli bianchi e stenti; ma tutte avevano in comune tra loro la massiccia finezza del volto e il seno colmo. Gli uomini, al confronto, apparivano fiacchi e remissivi: era quel seno, certo, che trionfava su di loro e li intimidiva, in esso era il tramandarsi sicuro e possente della vita, di generazione in generazione. Calvi nella loro vecchiaia, imberbi e smarriti nei loro abiti di collegiale o di soldato, gli uomini apparivano vinti su quella macabra parete. Immaginai il ritratto di mia madre affiancato a quello di una vecchia grassissima, una prozia, che era morta di recente, soffocata dalla sua obesità. No, dicevo dentro di me, no, no. Sentivo mia madre raggiarmi intorno come un'aureola, le sue forze s'aggiungevano alle mie. "Provatevi a piegarci" mi dicevo sfidando le parenti inginocchiate, la zia Caterina inchiodata sul battente nero.

165

Quando la funzione finì, scorsi nel fondo della stanza lo zio Rodolfo, zio Alfredo (il marito di zia Violante) e suo figlio Giuliano. Tutt'e tre mi fissavano impacciati di vedermi nella loro casa, tra i loro mobili, le loro abitudini.

Lo zio Alfredo mi baciò, benché non m'avesse mai visto prima. Giuliano mi porse la mano, molle e umida come quella di un chierico. Ci chiamarono a tavola: la Nonna si alzò in piedi e fu quella la prima volta che ne vidi intiera la statura. Era più alta di mio padre, più alta dello zio Rodolfo: le porte bastavano appena a contenerla e perciò mi parve naturale che il suo bicchiere fosse più grande degli altri, colmo di vino. Mangiava abbondantemente, mostrando, a dispetto dell'età, un appetito vigoroso. Subito dopo di lei, il piatto passava allo zio Rodolfo, allo zio Alfredo, e poi a Giuliano il quale si serviva con ghiottoneria dispettosa, badando di non lasciare nel piatto alcun boccone invitante. Zia Violante scelse per me ciò che restava di meglio: il resto toccò a lei e a zia Sofia.

In quella vasta stanza i mobili che, nella casa di Roma, sembravano tozzi e grossolani qui rivelavano una nobiltà che mi era stata chiara fin dall'arrivo: contro le tende bianche, di bel lino, più neri apparivano i vestiti neri delle donne e i loro capelli. Mangiavamo in silenzio, come nei refettori, e io fingevo di avere sul viso un'espressione naturale; ma, invece, anche per la poca abitudine che avevo di trovarmi in casa d'altri, ero tutta desta in una sospettosa curiosità. Guardavo lo zio Alfredo che andava studiandomi con rapide occhiate. Anche lui, come lo zio Rodolfo e mio padre, non dimostrava la sua età. Ciò mi colpì frequentemente negli uomini del meridione: avevano tutti un delicato rosa sulle gote, l'occhio umido e soddisfatto, i denti bianchissimi. Inoltre sembravano aver molta cura delle loro unghie, che infatti si conservavano rosee, mentre ben presto quelle delle donne divenivano giallicce e avvizzite.

Accanto a me sedeva Giuliano: poiché era in maniche di camicia il suo braccio nudo posava sulla tovaglia e spesso sfiorava il mio. Era come se ogni volta, urtandolo, sfiorassi un'erba di ortica e me ne rimanesse sulla pelle il fastidioso bruciore.

«Avete la stessa età» disse zia Violante a un tratto. «Giuliano è di poco maggiore: ma non vi rassomigliate affatto, benché siate cugini germani.»

Ci volgemmo l'una verso l'altro, osservandoci: e io vidi che tutto quanto più mi spiaceva in un uomo era riunito in lui. Non era brutto, anch'egli aveva i begli occhi particolari agli uomini di quella famiglia: ma aveva un aspetto disordinato, ironico, sornione, i capelli mal ravviati, il viso coperto di pustoline rosse e soprattutto le mani, oh, le sue mani, erano orrende: tozze, sgraziate, ancora macchiate dai geloni invernali, terminavano pesantemente il braccio segnato da cicatrici e graffiature.

«No, non si somigliano» disse la Nonna.

Volli essere gentile e, vincendo la mia avversione, mi rivolsi a Giuliano: «Che fai?» gli chiesi.

«Che vuoi che faccia?» mi rispose. «Vado in campagna.»

«Non studi?»

«Perché dovrei studiare? Non debbo mica farmi prete.»

«Neanch'io» dissi tentando di ridere: «eppure studio.»

«Si vede che ti va di perdere tempo» egli concluse bruscamente.

Io tacqui. Lo sguardo acuto e severo della Nonna passava da Giuliano a me, misurandoci: adesso, a tanta distanza, oserei dire che ella si divertisse ad aizzarci come due galli, per vedere quale fosse il più forte. Io non risposi, e mi parve che la Nonna segnasse un punto in mio favore.

Gli uomini si erano alzati, intanto, senza attendere che noi finissimo di mangiare la frutta. Lo zio Rodolfo era uscito sull'aia, mentre lo zio Alfredo mi girava attorno osservandomi; il suo sguardo mi scivolava sul collo, dentro la scollatura, risaliva, dai piedi, lungo le gambe calzate di nero: e io sentivo di dover rimanere ferma, immobile, prestandomi docilmente al suo sguardo.

«Sei stanca?» mi chiese zia Violante, notando il pallore del mio viso.

«No, grazie, non sono stanca affatto.»

«Allora lavoriamo» la Nonna disse. «Vuoi incominciare una calza, un calzettone?»

«Non so farlo» confessai in un soffio.

«Che sai fare, gli orli?» ella mi domandò ancora, paziente.

«Sì, l'orlo sì, benissimo.»

Tra noi quattro sedute in circolo la zia Violante aprì un gran lenzuolo bianco. «Ecco, faremo questo, allora. Ognuna un lato.»

«E io?» disse la zia Clarice dondolandosi al modo di una bambina. «Io senza far nulla mi annoio, date un po' di lavoro anche a me.»

«Non è possibile, Clarice» la Nonna disse severamente «siediti in un angolo e guarda.»

«Allora mentre voi lavorate io canto.»

«Va bene» la Nonna annuì. «Canta un bell'inno alla Vergine.»

«Mi metto qui vicino ad Alessandra» disse e io le rivolsi un sorriso. Aveva negli occhietti verdastri un'acqua limpida come quella che è ferma negli occhi dei bambini.

«Canta» la pregai.

«*O Maria, grembo di rosa...*» ella incominciò.

Eravamo chine sul bianco immacolato della tela: solo la Nonna faceva sì che il lenzuolo salisse alla sua altezza. Perciò avevamo l'impressione di cucire ai suoi piedi, in penitenza. Questa impressione raddoppiava la mia alacrità: cucivo rapida, tutta contrita e raccolta in quell'atto. Ad ogni punto l'ago scricchiolava nella forte trama della tela: era come un grido, un singhiozzo. Scricchiolava anche sotto le dita di zia Violante, le dita vigorose di zia Sofia; la Nonna cuciva più adagio di noi, calma, con le sue mani di marmo. Le dita mi dolevano come i ginocchi quando, da bambina, restavo a lungo sui banchi della chiesa: ma non rallentavo il ritmo dei punti, come allora non mi sedevo a riposare: anche allora il dolore mi procurava una sorta di sfinimento dolcissimo. I volti di zia Violante e zia Sofia suscitavano in me una commozione affettuosa. Tornavo a sentirmi stretta tra i gesti consueti delle donne: agile tra di loro la mia leggenda fluiva come un ruscello tra rive confidenti. C'era un silenzio delicato, intorno. Solo, ogni tanto, dalla stanza attigua si udivano le voci degli uomini interrotte da risate rumorose.

«Che fanno?» io dissi, distogliendo gli occhi dal cucito.

«Che vuoi che facciano?» la Nonna rispose alzando le spalle. «Giocano con le carte.»

I primi giorni furono molto duri, per me, in casa della Nonna: nessuno accennava mai alla morte di mia madre, ignorandola, anzi, a tal punto, che io quasi dubitavo d'averla immaginata per compatirmi. Il mondo nel quale avevo sempre vissuto a Roma non mi offriva più alcun soccorso e non mi adattavo facilmente al nuovo ordine, rigoroso e incomprensibile, del quale ormai avrei dovuto far parte.

Inoltre fino allora ero convinta di possedere un carattere schivo piuttosto, per nulla originale. Ero abituata a vivere di luce riflessa, nella simpatia che mia madre suscitava attorno a sé. Credevo, anzi, che a tutti io apparissi insignificante addirittura, a causa della difficoltà che avevo di esprimere ciò che sentivo.

In Abruzzo, invece, ero da tutti considerata estrosa e stravagante: e lo stupore che il mio fare suscitava era – lo capivo benissimo – venato di rimprovero. La Nonna mi concesse un periodo lungo di libertà e di riposo: per rimettermi dalle fatiche del viaggio, diceva lei, e acclimarmi; ma questa libertà, della quale nei primi giorni approfittavo con entusiasmo, divenne difficile da sopportare non appena mi avvidi che m'era concessa soltanto per aver modo di studiarmi meglio. Cosicché ogni mio gesto, ogni parola diveniva una confessione. A volte, pentita, avrei voluto riprendere quella parola e, invece, i miei parenti già se ne erano impadroniti, inesorabilmente ascrivendola al mio carattere.

Certo, nella chiusa rigidezza delle consuetudini di laggiù, la rassegnazione con cui sopportavo la scomparsa di mia madre e la lontananza del babbo doveva essere giudicata rivelatrice di un animo duro e caparbio. Nessuno poteva supporre fino a qual punto io trovassi sgradevole la quotidiana compagnia di mio padre. E infine nessuno, eccetto la Nonna, intuiva quale conforto mi procurasse la possibilità che avevo di vivere per la prima volta a contatto della natura.

Al mattino m'alzavo presto, e già nel mezzo dell'orto scorgevo, in piedi, la Nonna. Aveva un lungo bastone in mano e con quello, per non spostarsi dirigeva le operazioni di raccolta. Le donne stavano curve sulle loro ampie gonne di colore che spiccavano lietamente tra il verde. Il silenzio era di una specie affatto nuova a chi veniva dalla città: in quel silenzio si udiva il canto dell'usignuolo levarsi disegnando un argentino ghirigoro nell'aria trasparente. E, sotto il sole vivace del mattino, tutte le cose splendevano: le foglie che si movevano nel vento, e un breve corso d'acqua che passava lì presso, e lo smeraldo delle colline, e il canalone ghiaioso della Majella.

Il podere era piccolo, ma ricco di ortaggi, e testimoniava una cura vigile e attenta. Subito oltre il podere erano prati e brevi boschi, frastagliati poiché il terreno, in quella zona montagnosa, era tutto a terrazze e gradini. Nel bosco crescevano querce e aceri; le foglie degli aceri in autunno si tingevano del rosa dei coralli e poi del rosso del sangue. In quella completa solitudine io parlavo con gli alberi, mi chinavo a raccogliere un fiore sconosciuto e m'incantavo addirittura di fronte al delicato disegno di una foglia. Nessuno potrà comprendere mai, attraverso la povertà di queste righe, quale entusiasmo mi cogliesse in quei momenti e quale partecipazione io prendessi alla vita e al lavorìo della natura. A volte, in quello stupendo silenzio udivo, dall'alto di un ramo, l'usignuolo rivolgermi un complimento: o, mentre sedevo sull'erba, una macchia di sole mi cadeva in grembo come un frutto. Una volta, era di pomeriggio, m'addormentai tra le radici di una vecchia quercia come nel cavo di una spalla.

«Ti piace la campagna, Alessandra?» la Nonna mi domandava vedendomi tornare da quelle passeggiate. «Ti piace vivere in campagna?» ripeteva e intanto si chinava a strappare un'erbaccia per mascherare l'interesse che poneva nella sua domanda. Ma una domanda fatta da lei era sempre simile a una domanda rivolta nel Giudizio Universale. Tacevo ed ella mi guardava: io sostenevo il suo sguardo. Era uno sguardo duro e volitivo; tuttavia in quei momenti io comprendevo facilmente che la Nonna mi amava.

Durante le prime ore del pomeriggio – ore afose in cui il silenzio era rotto soltanto dalla voce di un gallo, dal campanaccio di una mucca – io studiavo. Dalla finestra, attraverso il mobile arabesco delle robinie, passava una luce verde tanto dolce che a volte mi obbligava a piegare la testa sul tavolino: era difficile raccogliersi in quelle ore. Ma di sera la mia camera era appena illuminata da una fioca lampadina frangiata di perline sicché ero costretta ad addormentarmi senza leggere. Non appena posi mente a questa nuova abitudine temetti di scorgere in essa il primo segno di quella rinunzia che zia Violante aveva preconizzato. Del resto i pochi libri, romanzi o poesie, che avevo portato da Roma e che appartenevano alla esigua biblioteca della mamma, in breve sarebbero stati esauriti sebbene li leggessi con parsimonia e sovente ne rileggessi addirittura qualche capitolo. Inoltre avevo bisogno di libri di testo.

Decisi, perciò, di parlare allo zio Rodolfo. Era la sola persona sulla quale mi sembrava di poter contare: a causa dell'acuta polemica che, per mio mezzo, egli aveva stabilito con la Nonna e con le altre donne della casa. Tuttavia ero lusingata che mi si riconoscesse il valore di poter servire questa polemica.

Andavo a trovarlo quasi ogni giorno, nel suo studio. Egli vi si tratteneva parecchie ore nell'eventualità che qualche contadino volesse consultarlo. Il suo ufficio però era soltanto apparente ed egli era il primo ad avvedersene e riderne: in realtà la Nonna non lasciava mai che i contadini giungessero fino a lui.

Quella stanza mi piaceva; anzi, esercitava su di me una sorta di fascino: somigliava allo studio di un vecchio notaio, e non aveva l'aspetto conventuale proprio a tutto il resto della casa. La lampada, velata da un paralume verde, diffondeva una luce calma e piacevole. Altissimi scaffali rivestivano le pareti e, dietro i vetri, s'allineavano grossi volumi rilegati in cartapecora. Lo zio Rodolfo aveva detto trattarsi di libri latini e vecchi codici di mio nonno il quale aveva assolto nel paese il compito di legale. Un giorno mi aveva mostrato un grande volume polveroso, dicendo che quello era il nostro libro di famiglia. Non senza orgoglio aveva aggiunto che della nostra casata si poteva ritrovare la traccia per varie generazioni, che i nostri antenati erano stati probi, e tutti avevano chiuso la loro vita con una buona morte. In quelle parole mi parve di scorgere un'allusione a mia madre e perciò arrossii, ferita. Ma subito compresi che nell'animo dello zio Rodolfo non era alcuna intenzione di offendermi. Per dissipare l'imbarazzo creatosi tra noi egli mi prese pel braccio e m'indicò, incorniciato, il disegno di un grande albero fronzuto che rappresentava la nostra famiglia. Poi mi aiutò a trovare il mio nome, nascosto tra i più giovani rami.

L'albero, così robusto, somigliava allo zio Rodolfo e io glielo dissi. Egli rise, mostrando una dentatura forte e bianca. Mi rispose, poi, che il paragone era inadatto a lui che per l'appunto non aveva figli. «Perché non ti sei sposato, zio Rodolfo?» gli domandai. Egli tacque, volgendo lo sguardo alla finestra e lasciandosi abbacinare. Sentivo che in quel momento riandava la sua vita e tacevo rispettosa. «Chi sa» infine disse, concludendo il suo esame e nascondendosi dietro quelle parole evasive. Aggiunse con un sorriso amaro: «Ci sono alcuni rami che avvizziscono perché altri rami crescano più forti».

Il suo riserbo mi commosse: le fattezze del suo viso, ruvide, decise, s'erano ingentilite di un pudore che avevo sempre presentito nel suo animo. Eravamo soli, legati da una solidarietà forte e leale che in me diveniva tenerezza addirittura; guardavo, appesi alla parete, i suoi fucili da caccia, il suo berretto, la cartucciera, due pipe, tutto quanto testimoniava i suoi gusti di uomo solitario e semplice. Sul panno consunto della scrivania posavano alcune vecchie cose che egli non osava scacciare dalla propria vita: un portaorologio, un leone fermacarte, un calendario che recava la dicitura *Ricordo*.

Lo zio intanto spiegava dinanzi a me una grande tavola ove la discendenza di famiglia era tracciata in forma geometrica. Si vedevano le coppie di fratelli pendere come i piatti della bilancia. Le covate numerose avevano, invece, la forma di un rastrello. Accanto a mio padre, Ariberto, mia madre figurava col cognome di ragazza e io la vedevo ingabbiata tra quelle linee con i chiari capelli raccolti sulla nuca e spaurita, pallida, come quando sedeva nella barca. In silenzio, accanto al nome di lei, lo zio Rodolfo tracciò una crocetta e scrisse una data. Poco più sotto, il mio nome e il giorno della mia nascita pendevano, soli e smarriti, nel vuoto.

Scelsi, per parlare allo zio Rodolfo, un pomeriggio in cui la Nonna e le zie si trovavano alla vigna. La casa era silenziosa e le grandi stanze disadorne raccoglievano il primo fresco dell'ottobre. Lo studio, invece, era caldo e accogliente. Mio zio sedeva nella sua vecchia poltrona di cuoio e io dirimpetto a lui, dall'altra parte del tavolino. Egli appoggiava il mento sulla mano e ascoltava attento, fissando il mio viso rischiarato dalla lampada. Stupiva, forse, della mia animazione: era, infatti, la prima volta che uscivo dall'apatia con la quale eseguivo i programmi quotidiani che altri disponeva per me. Da qualche settimana ormai la Nonna mi aveva assegnato alcuni incarichi casalinghi, certo quelli che le erano sembrati più adatti alla mia natura e alle mie attitudini. Si trattava di compiti direttivi, per lo più, e io non potevo a meno di notare che era stata lei la sola a intravvedere, dietro la freddezza dei miei lineamenti e dei miei gesti, una attiva possibilità di disporre. Una volta, ricordo, dovevo scendere in cantina per farvi trasportare alcune damigiane di vino. «Vorrei le chiavi, Nonna» le dissi. Ella si arrestò, colpita dalla mia richiesta. «Le chiavi?» ripeté sorpresa. Nessuno aveva mai osato chiedergliele in tanti anni e il mio ardire la lasciava incerta. Mi guardò e sul mio viso credette di leggere una consapevolezza, anzi una determinazione che la risolse ad arrendersi. Lenta scostò il grembiule e si staccò dalla vita il grosso mazzo argenteo delle chiavi. Io tesi la mano: lei esitò ancora un momento e poi disse: «Tieni» con una voce che non le conoscevo. Partiva dal suo intimo, dal suo grembo, era la voce con la quale immaginavo che si parlasse a un amante. Sbigottii prendendo quelle chiavi che brillavano nella penombra del corridoio. Erano fredde, pesanti, e a me pareva di aver sacrificato qualcosa accettandole, come la novizia che porge il capo alla tonsura. Scesi a precipizio le scale della cantina, tornai dalla Nonna che avevo il fiato corto. «Tieni» dissi restituendole le chiavi. Mi pareva di aver vinto una battaglia.

Zio Rodolfo mi ascoltò serio, scrutandomi: poi, con un lieve sorriso che, a tutta prima mi parve ironico, trasse dalla tasca un foglio da cento lire e me lo porse.

«Questo è per comperare i quaderni» disse. «Quando avrai bisogno di altro danaro, chiedimene; e prepara la lista dei libri: li farò venire da Roma.»

Nell'impeto della riconoscenza balzai in piedi perché

volevo abbracciarlo: ma temetti che il mio gesto potesse apparire sfacciato e mi trattenni.

«Grazie» esclamai «oh, grazie, grazie.» Mi piaceva essere legata a lui da un complotto ordito per restituirmi la pace e la felicità.

«E senti» egli seguitò, sottovoce, chiamandomi con un cenno: «hai una tasca?»

Sorpresa annuii, mostrandogli il grembiule che indossavo.

«Vieni qui, prendi questo. Portalo sempre con te.»

Guardai che cosa egli aveva fatto scivolare nella mia mano: era un corno di corallo rosso.

«Mettilo in tasca, non lo mostrare a nessuno. È un paese, questo, dove si vive tra i malocchi e le fatture. Soprattutto quando non si vuole rimanere nascosti tra i rami» aggiunse, sorridendo, e indicando il nostro albero genealogico. Allora, nel vedere il mio nome imprigionato tra quelle fronde, sentii che il respiro mi mancava; fitti, attorno al mio, altri nomi si stringevano e io ricordavo ciò che mia madre aveva detto, nei giorni precedenti la sua morte: «Non c'è persona libera, nessuno è libero. La libertà finisce poche ore dopo la nascita, quando ci impongono un nome, ci innestano in una famiglia. Da allora non possiamo più sfuggire, svincolarci, essere, insomma, veramente liberi. Il grande palazzo dell'anagrafe è la nostra prigione. Siamo tutti schiacciati in quei libri, spiacciati, franti; anche le donne giovani, anche i bambini piccoli. Il nostro cammino è seguito, registrato, controllato. Ovunque tu vada, gli uomini che scrivono in quei libri ti rincorrono».

Affascinata guardavo il quadro dove il mio nome era stretto tra quello di Giuliano e quello di una cugina, morta a pochi anni. Avrei voluto scrollarmi da quei rami invadenti, farmi largo: e tuttavia le fronde, nascondendomi, sembravano proteggermi. Le famiglie che avevo conosciuto a Roma non potevano in alcun modo essere paragonate a un bell'albero. Ma da quando ero in Abruzzo

sentivo di avere anch'io, come quel pino, le radici affondate profondamente nella terra e intuivo che ciò era dovuto, in particolar modo, alla mia condizione di donna. Per questa condizione mi pareva che tutti si attendessero qualcosa da me, una cosa che ancora non era precisata nella mia coscienza ma che, con istintivo sgomento, intuivo di possedere. Mi passavo la mano sul seno che avevo piccolo, appena arrotondato, e ricordavo i volti fermi delle donne che ogni sera mi guardavano dal nero battente dell'altare, il loro seno colmo e trionfante. Ero io il ramo dell'albero nel quale passava la linfa, bianca come il latte delle piante. No, dicevo dentro di me, no. E mi rifugiavo nel pensiero di mia madre; il suo ricordo mi procurava quella fatua ambizione che si prova nel possedere un titolo nobiliare; di lei mi adornavo, insuperbivo. E ormai la Nonna me lo lasciava fare: in virtù di certe qualità solide che andavano manifestandosi in me, ella mi perdonava questa innocente mania. Talvolta, mentre eravamo riunite in cucina o nella sala, io incominciavo a raccontare le storie di Shakespeare come faceva mia madre quando ero bambina. Zia Violante abbandonava l'ago e il suo bel viso regolare palpitava seguendo lo svolgersi dell'intreccio; zia Sofia, invece, lavorava con maggiore impegno fingendo di non ascoltarmi. Alla fine zia Clarice batteva le mani.

«Come racconti bene!» esclamava. «È una storia vera?»

«No» diceva la Nonna seccamente, precedendo la mia risposta: «nella vita queste cose non accadono mai.»

Io tentavo di protestare, raccoglievo i miei ricordi storici per dimostrare come i Malatesta, a esempio, avessero veramente abitato la città di Rimini e quindi non fosse improbabile che la tragedia si basasse su un fondamento reale.

«No» la Nonna opponeva recisa. «Non insistere, Alessandra. Quando sarai sposata tu pure capirai che sono frottole, fandonie.»

«Non voglio capirlo, Nonna» mi ribellavo.

«Lo capirai lo stesso.»

A causa dell'alta statura della Nonna sembrava impossibile avventurarsi a discutere con lei. Chiamavo mia madre in aiuto, ma la sua persona, di fronte a quella della Nonna, era tanto fragile che non potevo trarne alcun appoggio efficiente. Inoltre avevo scoperto che la Nonna, quando io non ero presente, usava parlare di lei come di "quella disgraziata"; e gli altri seguivano il suo esempio. Quella parola, rivolta alla più cara creatura che fosse mai esistita sulla terra, mi faceva soffrire acerbamente: non potevo sopportare di udirla circolare sommessa nella casa. Perciò decisi di parlarne alla Nonna, con franchezza. Era di sera, prima del rosario: ella sedeva nella sua grande poltrona e io, in piedi, non riuscivo ad essere alta come lei.

«Non c'è nulla di offensivo in questa parola, Alessandra» ella rispose dopo aver riflettuto per un attimo. «Esprime solo compassione e pietà.»

«Non voglio che la si compatisca» risposi d'impeto: «Ha preferito morire piuttosto che piegarsi ai compromessi che molte altre donne accettano facilmente. Io non so quel che pensiate di lei, quaggiù, che cosa i preti abbiano insinuato. Mia madre non ha mai fatto nulla di male (capiscimi, Nonna) nulla di cui ci si debba vergognare.»

La Nonna mi guardava con un misto di stupore e di compiacimento: coglievo nei suoi occhi quella impercettibile favilla con la quale, ho già detto, spesso si divertiva ad aizzarmi come un gallo.

«Lo credo, Alessandra» rispose calma. «Tu lo dici e io ti credo. Ma anche dopo quanto mi hai detto, e forse anche a causa di questo, seguiterò a pensare che tua madre sia stata disgraziata. È una disgrazia non saper essere padroni delle proprie reazioni, dei propri istinti. Padroni della propria vita, insomma. È una disgrazia possedere un simile carattere.»

Freddamente, come per alzare tra noi due una insormontabile barriera, io dissi:

«Il mio carattere è uguale al suo.»

Mi avvidi d'averla colpita perché si fece pallida: ma subito si riprese, traendo sicurezza da uno sguardo attento, che faceva scorrere su di me.

«Non è vero, Alessandra, mi pare di conoscerti abbastanza ormai: non è vero. E hai torto quando giudichi che tua madre sia stata una donna straordinaria. Straordinarie sono le donne che non si lasciano travolgere...»

«Portare via dal fiume...» la interruppi, seguendo un mio pensiero.

«Se ti piace di più: che restano salde, insomma, non si fanno sradicare dalla corrente come alberelli senza vigore. Io» aggiunse con una smorfia «non ho alcuna indulgenza per loro. Le donne vivono una vita contraria al loro carattere e alla loro natura, ai loro sentimenti e ai loro impulsi: perciò debbono essere molto forti. Gli uomini non hanno bisogno di costringersi ad essere forti: essi hanno tratto in sorte la loro gagliardia come noi la nostra debolezza. Del resto essi non provano mai un vero impulso. E quando lo provano, lo seguono, ecco tutto» aggiunse astiosa. «Un uomo cade in guerra: è un eroe. Anche se il suo eroismo è stato inconsapevole. Ah!» fece la Nonna battendo una mano sul bracciuolo della poltrona ed ergendosi nella maestà della sua statura: «Ma quante volte una donna deve consapevolmente morire, nella sua miserabile vita di ogni giorno?»

Disse questa frase con una voce terribile che, a distanza di anni, ancora riodo. Nella fioca luce del crepuscolo i suoi occhi scintillavano. E, ascoltandola parlare in tal modo, io avevo in me, come quando ero arrivata, un irrefrenabile senso di paura.

«No» mormoravo, scrollando la testa: «no, Nonna, no, no...»

«Vieni qua» ella disse con una voce grave che certamente stimava tenerissima. «È pur bello essere donna. Sono le donne che possiedono la vita, come la terra possiede i fiori e i frutti. I fiori hanno vita breve, così la luce chiara del mattino. Ma, la sera, guarda com'è bella. L'errore sta nel credere che alla vita si possa tutto portar via. La vita sempre ci richiede qualcosa, e alla vita si deve sempre dare.»

Fuori della finestra si stendeva la campagna che io ormai conoscevo intimamente e la luce del tramonto, insieme dolce e triste, mi suggeriva una gran voglia di piangere. Era proprio la soavità dell'ora, e l'armonioso disegno delle montagne a comunicarmi quello struggente accoramento.

«Nonna» la chiamai perché mi soccorresse nello smarrimento che mi vinceva.

«Figlia» ella rispose, posandomi la mano sui capelli.

Entrarono le zie e le donne della cucina per il rosario: nel preparare le sedie, l'acquasantiera, le candele, mi passavano accanto, silenziose nelle lunghe gonne scure, andavano, venivano, e i loro passi mi legavano, mi avvolgevano a guisa di invisibili fili. Non potevo a meno di ammirare la malinconica fierezza dei gesti che esse ripetevano, uguali, giorno dopo giorno, e che, proprio a causa di quella incessante malinconia, le tenevano prigioniere. Un brivido freddo mi percorreva la schiena: avrei voluto fuggire via, liberarmi in un urlo; eppure un istinto mi spingeva ad aggiungere la mia vibrata forza a quell'ordine taciturno e operoso. Sentivo la vocazione di muovermi con un passo simile al loro, staccato da ogni entusiasmo o avventura. Mi inginocchiai in un canto e gettai tutto il mio ardore nella preghiera. Ma il mio ardore non si esauriva mai.

La sera, mentre eravamo ancora seduti a tavola, spesso venivano alcuni parenti a trovarci: la nostra parentela era vastissima, poiché, in Abruzzo, anche i cugini in terzo o quarto grado sono considerati parenti prossimi. Le visite erano divenute più frequenti dopo il mio arrivo giacché tutti – pur non mostrandolo – avevano una vivissima curiosità di conoscermi e di vedere come fosse la figlia di una scervellata che si era uccisa per amore.

Subito tutti mi chiamarono per nome, trattandomi col

tu: e, senza quelle forme di cortesia che almeno la scarsa familiarità avrebbe dovuto imporre, mi chiedevano di porger loro un bicchiere d'acqua, un posacenere o una sedia. Non appena volgevo la testa, i parenti mi osservavano attentamente, soffermandosi su ogni particolare del mio vestire che pure era modestissimo. Venivano a coppie, per lo più, talvolta gli uomini soli, spiegando che la moglie era occupata con un bambino, il quale, a causa di una malattia o di un capriccio, le impediva di uscire. Gli uomini di quel paese sono rimasti nel mio ricordo come giocondi, di ottimo carattere e generosi; se venivano soli si arrischiavano a portarmi in dono un frutto o una ciambella, sottratta alla credenza di casa e frettolosamente nascosta in tasca; scherzavano volentieri, si mostravano abili nel far giuochi a sorpresa con le carte e, nella conversazione, spigliata e agevole, spesso si riferivano ad alcuni innocenti episodi della loro vita da scapoli. Quando, invece, venivano con le mogli, mi dicevano appena «Buonasera, Alessandra» e i più anziani mi battevano una mano sulla spalla per assicurarmi della benevolenza con la quale giudicavano il mio carattere e la triste storia della mia vita. Questo contegno mi offendeva senza che io osassi mostrare il mio risentimento.

Sebbene a torto, avevo l'impressione che gli uomini fossero di modesta statura e le mogli alte e imponenti. Essi si riunivano in gruppo, per discorrere, e le donne, contente di rimanere sole, li sbirciavano spesso con uno sguardo attento. Tutte, come la Nonna, sorridevano poco e se qualche volta io mi lasciavo andare a un lieve moto di allegria, subito occhiate severe m'interrogavano con infastidita sorpresa. Vestivano sempre di nero, e perciò su di loro pesava sempre un'aria di lutto recente: la conversazione, relativa per lo più alle vicende quotidiane, era inframmezzata da sospiri e commenti sull'asperità della vita di una madre o di una massaia.

Le visite si protraevano a lungo da quando lo zio Rodolfo aveva acquistato una radio modernissima che captava le più lontane stazioni. Ormai fino in quelle campagne si cominciava a diffondere la notizia che tra poco saremmo entrati in guerra. Era questa una parola alla quale io non riuscivo a dare un significato preciso: l'altra guerra si era svolta prima della mia nascita e se mio padre – il quale vi aveva preso parte nei reparti di sanità – accennava ad essa, io credevo che si vantasse, sfruttando una leggenda. Ricordo che mi era impossibile comprendere in qual modo si facesse la guerra e dove i soldati trovassero il coraggio di gettarsi all'attacco, freddamente, per motivi che spesso appena conoscevano. Perciò avevo preso, in quei tempi, a leggere i giornali, ma gli articoli di politica dopo poco mi stancavano e non riuscivo a proseguire la lettura. Del resto le notizie fornite dai quotidiani erano sempre tali da non destare alcuna apprensione. I contadini, vedendomi passare, lasciavano la pipa e domandavano: «Voi che venite da Roma, signorina, è vero che ci sarà la guerra?». Rispondevo che avevo lasciato Roma da tempo e che, secondo i giornali, tutto andava bene. Allora essi, rassicurati dalle mie parole, tornavano al lavoro. Solamente le donne diffidavano: ogni sera ascoltavano: «Che dice?» chiedevano, benché la conversazione fosse stata chiarissima. Un loro nativo istinto le rendeva sospettose e perciò tentavano di cogliere il vero senso di quelle parole, in apparenza innocue. Zia Violante, guardando Giuliano, diceva a mezza voce: «Già arrivano le cartoline». I contadini venivano a salutare la Nonna, quando la cartolina arrivava. Erano giovani, e dai loro occhi traspariva un'angosciosa incertezza. «Dicono che si vada all'Africa» ripetevano tutti. La Nonna li incoraggiava, assicurando che si trattava di un viaggio bellissimo: avrebbero conosciuto terre nuove e sarebbero tornati presto perché, certo, la guerra avrebbe risparmiato il nostro Paese. Essi sorridevano fiduciosi e storditi, dicendo: «Per noi ci pensano a Roma».

Sorridevano anche gli uomini che, ogni sera, venivano ad ascoltare la radio; sembrava che si trovassero di fronte a un improvviso capriccio del quale non comprendessero appieno i moventi, e che però immaginavano benigno. «Che si capisce quello che vogliono, a Roma?» dicevano. Non c'era avversione nel loro accento: semmai una compassionevole tolleranza come se nella capitale spirasse un dolce vento di follia. Si credevano complici in uno scherzo che non avrebbe portato conseguenze. Erano un po' originali, ma non cattivi, a Roma. Io, a Roma, conoscevo la gente che andava al lavoro, tornava a casa, mangiava, dormiva e di nuovo andava a lavorare.

«Non sono contenti, a Roma» dicevo, ricordando certe lugubri sere quando il buio calava nel cortile. Ma essi sorridevano crollando la testa. «Adesso, perché vogliono fare la guerra?» le donne domandavano. «Chi lo sa» rispondevano gli uomini. Poi aggiungevano, a modo di una battuta spiritosa: «Ogni tanto vogliono fare qualche cosa. Forse gli va bene anche questa».

Ridevano, e veniva fatto di affidarsi a quel riso. Le donne, che dapprima li guardavano incerte, infine si lasciavano vincere anch'esse, adattandosi alla comoda convinzione che debbano essere gli uomini a trattare queste oscure pratiche della politica e della guerra. A poco a poco anch'io mi lasciavo conquistare dalla loro fiducia; attorno c'era un bel silenzio pacifico, la luna illuminava la campagna, i fedeli alberi: nulla di male pareva che potesse albergare nel mondo. Il Sangro si rotolava allegramente ai piedi della Majella già bianca di neve. Presto sarebbe venuto Natale. Ridevo: sì, certo, sarebbe andata bene anche questa e non sapevo a che cosa alludessimo precisamente. Ma volevo che tutto fosse pacifico intorno a me, una lieta promessa, poiché ero giovane e una lunga teoria di anni e di avvenimenti m'attendeva. Accompagnavamo i nostri ospiti alla porta, essi si congedavano con cordiali effusioni. Bruscamente io allontanavo il pensiero di Antonio che, da un po' di tempo, provocava in me un molesto sentimento di colpa.

Un altro pensiero mi angustiava, in quei giorni: ed era relativo alle condizioni in cui vivevano gli abitanti delle campagne e dei piccoli paesi, simili a quello ove abitavo io. Dalla mia finestra si poteva vedere il paese digradare verso la valle e il torrente. Era un vasto ammasso di pietre sotto le quali sembrava impossibile che qualcuno potesse trovare asilo: e solo il fumo che usciva dai neri comignoli faceva sospettare una traccia di vita umana.

Subito mi era piaciuto addentrarmi nei vicoli stretti che passavano dinanzi a quegli abituri. E la gioiosa curiosità che sempre suscita in me la conoscenza di nuovi costumi e nuovi paesaggi si era spenta di colpo. Le case erano tutte di pietra greggia, al vivo; e nessuna aveva per base la calma fidata del piano. L'una si sosteneva all'altra e i tetti formavano altrettanti scalini: così s'aggrappavano al fianco della montagna cercando riparo dal vento e dal freddo che nell'inverno era rigidissimo. Il caldo invece arroventava quelle pietre calcaree sì che nelle case gli abitanti cocevano, come il pane tra le pietre del forno.

La valle era ampia, circondata da colline e montagne che la stringevano in un giro tondo. Le montagne si tingevano di rosa o di giallo secondo il volgere del sole e, nel sole, apparivano benefiche e accoglienti. Ma, sul fianco delle montagne, separati tra loro da valli e fiumiciattoli, altri miseri borghi nascevano simili a funghi, verruche, ove, dal centro, il campanile si levava come un urlo.

Afflitta, io m'affacciavo alle porte di quei tuguri, guardavo dentro: erano antri cupi e affumicati. Un po' di luce passava da una feritoia e lì, sul rozzo davanzale, un geranio fioriva in un barattolo. Annerite dal fumo del focolare, le cucine serbavano tuttavia quella nobiltà che poi riconobbi in ogni casa o persona, in Abruzzo. E nonostante la miseria del luogo, e i cenci nei quali le donne e i bambini erano avvolti, tra quelle pareti stagnava solo il buon odore della legna nera, prossima ad essere bruciata. Dirò anzi che quell'odore era particolare a tutto il paese, come a una grande legnaia: un vigoroso odore che, anche in estate, suggeriva l'idea della neve e del focolare.

Le donne avevano volti bruni e spenti sotto il fazzoletto nero; mi osservavano, e tutto di me – dal passo, al gesto, al colore chiaro dei capelli – le stupiva. «Buongiorno» io dicevo con un sorriso. E loro non sorridevano mai, rispondevano: «Entra», senza domandarsi il perché della mia curiosità o sollecitudine. Tutto era loro indifferente, mi avvidi: mi guardavano compassionevoli, come se io, che passeggiavo con un cane, dovessi ancora capire quale tremenda màcina fosse la vita quotidiana. Chiedevo loro notizie degli uomini, che raramente s'incontravano in paese, durante la buona stagione. «Stanno a faticare» rispondevano, ma senza ostentazione o compianto: poiché la fatica è propria del lavoro, e nel lavoro è il pane.

M'accadde una volta di udire una donna rispondere con disprezzo: «Ih! faticano d'estate, gli uomini. È brutta la fatica della terra, più brutta di quella della casa, la casa difende, la terra ammazza. Ma d'inverno gli uomini dormono accanto al fuoco, fumano la pipa e si riposano. Noi no. I figli nascono anche d'inverno, la polenta si deve cucinare. La terra riposa, la casa non riposa mai». Finì la frase con un accento in cui l'odio era premuto, raggrumolato. E seguitò, dopo una pausa: «Pure noi andiamo a faticare nei campi quando viene la raccolta o la semina. Andiamo a faticare anche quando viene la guerra. La guerra è degli uomini. Io ho avuto tre mariti» diceva calma, senza il disagio che, fornendo tale ragguaglio, avrebbe provato qualsiasi donna di città. «Il primo è morto all'Africa, il secondo alla Spagna. Adesso» aggiunse alzando un poco il tono stridulo della voce «il terzo voglio vedere dove lo mandano a morire.»

Sapevo che era una donna giovane, ma attorno alla sua bocca, sulla fronte, presso gli occhi, le rughe erano solchi nella pietra; cuoio era la sua pelle, bruna come quella di Sista; come Sista, ella non aveva età. Si era sposata da poche settimane eppure continuavano a chiamarla "la vedova Martina". Io mi ero seduta e la guardavo mentre ammassava la pasta del pane; le maniche rimboccate scoprivano l'avambraccio forte e muscoloso, simile a quello di un uomo giovane. Le mani, aprendosi e chiudendosi nella pasta molle e adesiva, tradivano un impulso violento che si scaricava in quel gesto. Di colpo mi sovvenni dell'accanimento col quale Sista spingeva il ferro da stiro sulla camicia di mio padre.

«Che fate?» domandai sottovoce.

«Che dobbiamo fare?» rispose, incominciando ad appanare con gagliardia. «Loro stanno a Roma, noi stiamo qui, pace ad essi, e aspettiamo. Aspettiamo e ringraziamo Dio che non tocchi a noi decidere le guerre, spedire le cartoline. A noi ci tocca solo faticare. Il resto tocca alle persone istruite, quelle che leggono i giornali, leggono i libri.»

Sembrava si rivolgesse a me, personalmente: perciò m'allontanavo, rapida, senza più guardare nelle case, più salutare le donne. Da qualche tempo mi pareva che sarei stata io a decidere la morte del terzo marito di Martina.

Tentavo di parlare di queste cose con lo zio Rodolfo. Ormai scendevo spesso nel suo studio; leggevo mentre lui scriveva, riuniti nel cerchio della stessa lampada. Nelle pause della lettura, alzando gli occhi alla parete, vedevo una sola fotografia di quando era al fronte, baldanzoso, il piede poggiato su un masso, le braccia conserte, i baffi arditi. Mi veniva fatto di riferire quella baldanza alle illusioni che egli doveva avere avuto, nell'età giovanile, di essere amato dalla fortuna e dalle donne. Se fosse morto in guerra, e di lui avesse lasciato quell'immagine, "peccato" si sarebbe detto, "aveva tutta la vita davanti a sé, chi sa quante cose avrebbe fatto". Adesso era un uomo non più giovane, viveva in una casa vecchia, in un paese remoto d'Abruzzo, teneva i conti del mezzadro in un grande registro, e io sapevo che era sottomesso alla madre, la quale disponeva di lui con un gesto.

Nel considerare il suo destino, subito incominciai a temere per il mio; non volevo che decadesse, si adattasse facilmente alla mediocrità come il suo aveva fatto. Rabbrividivo sospettando che la mia forza avrebbe potuto essere soltanto apparente, come quella dello zio Rodolfo nella fotografia; forse sarei stata anch'io soffocata, travolta, poiché mi mancava la durezza necessaria per resistere. Inoltre mi rendevo conto di non possedere alcuna pratica della vita: la solitudine mi aveva viziato, e la maggior parte delle mie cognizioni erano, in realtà, solamente letterarie: apprese dai libri, o da mia madre che trasfigurava in favola qualsiasi avvenimento. «Io sarò sempre giovane» ella diceva, «saremo sempre giovani» mi rassicurava in una felice eccitazione. Forse anche lo zio Rodolfo pensava così quando si faceva fotografare poggiando il piede sul masso, al tempo della guerra. Adesso mia madre era morta, lo zio Rodolfo mostrava una piega molle sotto il mento, mentre scriveva nel libro dei conti.

«Eri contento, allora, zio Rodolfo?»

«Quando?» egli domandò, sorpreso, alzando la testa dalle carte.

«Allora» risposi, indicando la fotografia.

Egli si volse, seguendo il mio gesto, e disse: «Allora sì. Era un tempo bellissimo, il tempo più bello della mia vita». Sorrise guardando nel vuoto come se rivedesse persone luoghi immagini, e quel sorriso lo ringiovanì. «Ma non solo per il fatto, così importante, d'avere poco più di vent'anni. C'era in noi, allora, una naturale fiducia, una civile bonomia, una solidarietà col nostro prossimo che ci faceva ridere facilmente, contenti, senza reticenze e sospetti...»

Tacque d'improvviso, quasi temesse d'essersi lasciato andare a dir troppo e anzi mi gettò un rapido sguardo per controllare l'effetto prodotto dalle sue parole.

«Adesso, invece» io dissi abbassando la voce: «nessuno è contento, vero?»

«Già, adesso sembra che nessuno sia più molto contento.»

Egli abbassò di nuovo lo sguardo sulle carte. Parve riflettere sulla mia domanda, però, giacché tornò a guardarmi, tentando d'indovinare quel che si nascondeva in essa. Io non osavo approfondire le cause di questa scontentezza: ma se appena tornavo indietro col pensiero, mi avvedevo che era stata fitta, opaca, densa, attorno a me, da quando ero bambina. Eppure nessuno ardiva mai parlarne, neanche Fulvia ed io, quando eravamo sole sul terrazzo e sfioravamo i più scabrosi argomenti. Lo zio Rodolfo non desiderava che io continuassi quel discorso e me lo chiedeva con uno sguardo umile e impacciato.

«Non si può dire, vero, che non siamo contenti?»

«No» rispose lui scotendo la testa: «Nessuno lo dice. Neanche io l'ho mai detto, finora. E mi dispiace che tu sia la prima a domandarmelo: perché tu appartieni a una generazione molto distante dalla mia. E a voi certe cose parranno perfino incomprensibili: ma certe cose, un tempo, quando tornai dalla guerra, si confacevano alla nostra sicurezza, alla nostra baldanza, era naturale prendere certi atteggiamenti, allora: dai rischi e dai disagi che avevamo patito ci pareva di aver tratto il diritto di imporre agli altri la presenza clamorosa della nostra vita, della nostra forza, della nostra legge. No, voi non potrete capire mai come fosse naturale tutto questo, allora: e sano, facile, senza insidie. Avevamo poco più della tua età: il mondo sembrava incominciare da noi, dalle nostre terribili esperienze. Allora...» ripeté indicando il ritratto. «Poi io tornai qui, in campagna, mi chiusi in questo studio e nella scoperta di una mia vita personale, interiore. M'innamorai, anche: fu una lunga storia» aggiunse con un sorriso timido. «Mi chiusi, insomma, nel giro dei miei interessi, casa terra famiglia, perdetti ogni sicurezza, arroganza, e, inoltre, bisogna che lo riconosca, la vita quotidiana logorò in me l'entusiasmo, la genuina partecipazione a certe cose che appartenevano a un tempo remoto, a un'età perduta. Altri si chiusero negli uffici, si sposarono, formarono una famiglia. Nessuno parlava più, come prima, con tanto impegno, di certe cose. E certe cose intanto mutavano, si trasformavano, ingigantivano: il nostro stesso silenzio le faceva ingigantire. Adesso...» concluse allargando le braccia.

Mi guardava, aspettando da me un'assoluzione, o una risposta veemente. Ed io non sapevo bene a quali cose egli volesse alludere con le sue parole, capivo però che intendeva riferirsi alla difficoltà di conseguire gli ideali che ci eravamo prefissi: e cioè alla difficoltà di vivere che è sconfinata, scoraggiante, e che io sempre avevo presentito nella disperazione cui s'accompagnavano i miei rari momenti di gioia. Avevo pochi anni, ero bambina, e già conoscevo i volti malinconici delle donne che s'affacciavano al cortile; vedevo gli uomini uscire, di buon'ora, rincasare per sfamarsi, tornare in ufficio, sfamarsi di nuovo, gettarsi nel letto, stanchi, abbrutiti, per dormire; conoscevo quale macchina avvilente fosse la vita degli uomini: "sono finiti i soldi" le mogli dicono, i figli aspettano con gli occhi tondi e ostili, "provvederò" gli uomini rispondono, ed escono di nuovo nella strada; angosciati, affannati, e intanto certe cose accadono e gli uomini dovrebbero pensare innanzi tutto a certe cose; ma essi non sono più uomini forti e liberi, sono i capi di una famiglia; che può fare una famiglia di fronte a certe cose?

Provavo in me il desiderio irrefrenabile di compiere una missione pericolosa e, col mio rischio, riscattarmi da una responsabilità della quale le origini mi erano ignote, ma di cui scoprivo i dolorosi effetti. Io ero libera, sola potevo rischiare tutto, anche la vita: sarei fuggita di notte, nel vestito nero che indossavo sempre, ormai, e, dopo un lungo viaggio sfibrante, sarei arrivata a Roma. La città era rimasta nel mio ricordo come una macchia di sole bianco, di case bianche, col verde squillante degli alberi, il vivido azzurro del cielo: nera, sicura, io mi vedevo camminare nelle strade, tutta chiusa in un preciso compito, che era quello di dire: "i contadini non sono contenti", parlare delle case di fango, delle case di pietra sulla costa del monte, e della scontentezza che ci toglieva il respiro. Ma mi disanimava il pensiero di non poter precisare questa scontentezza, di non conoscerne le cause e i limiti. La mia ignoranza mi faceva fremere di rabbia, mi tremavano le mani, guardavo in giro cercando ansiosamente un segno rivelatore. Non avrei saputo neppure in qual luogo recarmi; se pensavo a chi avrei dovuto rivolgermi mi sentivo colpita dalla folgore. Un oscuro istinto mi suggeriva di non farlo, sei pazza?, non si può fare, bisogna stare zitti zitti zitti, di Antonio si parlava sempre sottovoce.

Avrei voluto – nonostante la diffidenza che il suo aspetto mi incuteva – discorrere di queste cose con Giuliano. Era la sola persona, laggiù, che avesse la mia età: forse avremmo potuto parlarne all'insaputa dei nostri parenti come, quando i grandi erano usciti, parlavamo con Fulvia dell'amore e del modo di fare i bambini: cose che parevano altrettanto segrete quanto queste. Ma la nostra reciproca avversione si faceva ogni giorno più palese. Egli si era accorto della simpatia che la Nonna nutriva per me e mi combatteva, sebbene io non avessi alcuna intenzione di lottare. Tentava di denigrarmi comunque e, soprattutto, con banale ironia, scoperta e rozza. E io non ero urtata dalla rozzezza dei suoi modi, bensì dalla volgarità dei sentimenti che essa esprimeva. Quando io sedevo in lettura, nell'orto o nel tinello, egli mi girava attorno, punzecchiandomi, sperando di distruggere il benessere che mi avviluppava: la mia vita era un composto cerchio, io stessa ne avvertivo l'armonia che, invece, infastidiva Giuliano. Forse egli non aveva ancora avuto alcuna donna e queste curiosità dovevano assediarlo: perciò il mio aspetto, che era puro e onesto, lo aizzava contro di me.

«Perché ti dài tante arie?» mi chiedeva sempre. Una volta mi disse: «Sei brutta».

«Non m'importa» io risposi sorridendo. «Veramente, Giuliano, ti assicuro: non mi interessa affatto.»

«Lo dici, perché sei boriosa. Ma è l'unica cosa importante per una donna. Sei troppo alta. Sei magra. Le donne debbono avere i fianchi, il seno, belle guance rotonde. Non lo vedi come sei magra? Nessun uomo ti sposerà, si farebbe male urtandoti, nel letto.»

Si avvicinava ridendo e mi fissava con occhi cattivi e sprezzanti in cui io vedevo vibrare il desiderio caparbiamente represso. Mi scostavo, stringendo a me il libro o il cucito, per coprirmi.

«Non importa» rispondevo calma, «non ho alcuna intenzione di sposarmi.»

«Fai bene a dire così, tanto nessuno ti sposerebbe per un'altra ragione. Non dovresti darti tante arie.»

«Perché?» dissi, badando di rimanere calma; ma mi levavo in piedi, intanto, e le mie mani tremavano.

«Perché lo sanno tutti che tua madre aveva l'amante.»

«Non è vero» io risposi, avventandomi con lo sguardo contro di lui.

«È vero sì. Tutti lo dicono. Perché si sarebbe ammazzata, allora? S'è ammazzata per la vergogna.»

«Non è vero» replicai con forza, «è stato perché...» Ma non potevo continuare. Era impossibile definire le minute cagioni che formavano l'infelicità di mia madre; era impossibile, soprattutto, farle comprendere a un uomo come Giuliano. Sconfitta, fuggii precipitosamente.

Subito egli si mosse per rincorrermi: «Aveva l'amante, sì: lo sanno tutti...». La casa era deserta, mi pareva che non offrisse scampo. Non volevo dirigermi verso la cucina perché le donne non potessero udire le parole che Giuliano ripeteva seguendomi da presso e un istinto mi avvertiva di non salire in camera mia. Mi tappavo gli orecchi. Dal corridoio uscii in una loggetta sulla quale era lo sgabuzzino di una latrina. Entrai lì dentro; affannata, tirai il catenaccetto di ferro.

Giuliano dalla loggetta, appena oltre la porta sottilissima: «Aveva l'amante» ripeteva. «Apri. Lo sanno tutti. Smettila di darti tante arie.»

La sua mano scoteva la maniglia e il catenaccio era debole. Sarebbe riuscito ad aprirla. Inoltre sulla porta era uno sportellino di vetro opaco. «Apri» egli diceva «o sfondo il vetro.»

Lo sgabuzzino era sospeso nel vuoto poiché la casa, come ho detto, era arroccata in cima al paese. Mi pareva che avrei trovato salvezza solo se il pavimento avesse ceduto, lasciandomi precipitare sulle aguzze pietre della strada sottostante: con sollievo mi immaginavo sfracellata, ferma in un gesto disperato. La voce di Giuliano ripeteva: «Apri, stupida, apri». La sua mano scoteva ritmicamente la serratura con una insistenza da incubo. «Tanto mi senti lo stesso: tua madre aveva l'amante, aveva l'amante.»

Il terrore m'invadeva: ero certa che sarebbe riuscito ad aprire la porta, ero certa che, se l'avesse aperta, io non avrei potuto opporre alcuna resistenza e tuttavia non sapevo a che cosa precisamente. Le sue parole m'avevano ridotta lì dentro, privata della sicurezza e libertà dei miei gesti. Da una feritoia che guardava sulla valle scorgevo il caro paesaggio abruzzese, forte e dolce, che era divenuto il mio compagno prediletto; ma esso, che pur mi confortava durante tutto il corso del giorno, non poteva venirmi in aiuto in quel momento. Lo spazio era esiguo, Giuliano con un passo mi avrebbe stretta al muro, costringendomi ad ascoltare quelle parole soffiate al mio orecchio.

Sul vetro opaco dello sportellino vidi il suo viso schiacciarsi per guardarmi. Si distinguevano gli occhi, le labbra grosse e il naso spiaccicato, una macchia di carne bianca. «Ti vedo» disse: «ti vedo benissimo.»

Rideva, vedendomi in quel sudicio luogo. Non potevo sfuggire al suo sguardo. Addossata alla parete grigia mi coprivo il viso con le mani.

«Ti vedo. Basta con le arie, capito? Tua madre aveva l'amante. È inutile che tu ti chiuda nel cesso.»

Passò molto tempo e io non toglievo le mani dal viso per non vedere la bocca di Giuliano, livida, schiacciata contro il vetro. D'un tratto sentii guaire il cane. Era fuori della porta e mi chiamava, le unghie raspavano sul legno con paziente insistenza. Il silenzio mi confermò che ero rimasta sola. Allora uscii fuori, cauta, e mi accucciai sul ballatoio accanto a lui.

Era sera, quasi, e gli occhi del cane si distinguevano appena, nella penombra; si vedeva il taglio amaro della bocca, e la piega sconsolata che è in ogni muso di cane. Mi abbandonò la testa in grembo; rassicurato dalla mia presenza, presto incominciò a respirare forte nel sonno. Il calore del suo corpo sotto il pelo liscio si propagava alle mie membra, confortandole dopo una umiliante costrizione. Appoggiavo la testa al muro e, levando gli occhi, vedevo alcune stelle bianche, limpide, affiorare sul bruno manto del cielo. Era una bella sera, pacifica. Io carezzavo il cane. Poco dopo udii la voce di zia Violante chiamarmi nella casa: «Alessandra... Alessandra...». Non rispondevo. Speravo che mi dimenticassero lì fuori, al buio, e non quella sera soltanto, ma per sempre.

La notte dormii poco, e il giorno seguente avvenne il fatto del gallo. È stato, questo, uno degli avvenimenti che tutti hanno citato a riprova della mia efferatezza. Quando mi è stato chiesto, allora e di recente, perché avessi agito in tal modo io ho risposto: «Non lo so». Tutti hanno giudicato che si trattasse di una reticenza ed era invece la verità. Nel pollaio v'erano numerose galline e un gallo bellissimo. Di questo gallo si parlava finanche in paese per la ricchezza delle sue piume, il colore verde dorato di esse, l'arditezza della cresta. Era venuto dal Nord in una gabbia e le serve lo consideravano alla stregua di un ospite di riguardo. Non era mai il primo ad accorrere quando si gettava in terra il granturco: subito accorrevano le galline, festose, scrollando il largo bacino come massaie affaccendate. Beccavano golosamente, leste, ma ordinate da una rispettosa solidarietà. Poi arrivava il gallo. Era alto, molto più alto di tutte le galline, e il suo passo era maestoso, grave; camminava sollevando le zampe ornate di speroni piumati. Si chinava sulle galline e, mirando al collo, le beccava d'improvviso, crudelmente, con grande maestria. Beccava l'una dopo l'altra, rapido, come se assestasse colpi di pugnale. Spesso una goccia di sangue macchiava il collare bianco e soffice delle galline. Fuggivano, lo lasciavano solo dinanzi al becchime rimasto, e allora il gallo, rivelando una subitanea avidità, divorava velocemente, con precisi colpi di becco, i chicchi gialli e grassi del granturco. Era splendido. Nell'impeto dell'ingordigia le sue penne si scrollavano, i bargigli si accendevano di un colore vivido di sangue e la cresta appariva ancor più ardita e turgida. Il collo, soprattutto gonfiandosi per il benessere della sazietà, attraeva il mio sguardo. Era ricco di piume, e leggero, bellissimo.

Lo chiamai, lo allettai con un pugno di grano. Si avvicinò, poiché aveva confidenza con la mia voce e con la mia persona. Avanzava col suo passo cauto e solenne; per un momento, l'unico occhio, sotto la cresta ritta, mi fissò, misurandomi come faceva nell'avvicinarsi alle galline. Stavo inginocchiata in terra: sentii che poteva ferirmi, beccarmi d'improvviso non per cattiveria, ma per un sicuro diritto che gli era consentito di affermare. Ci guardammo, il suo occhio era di pietra dura. Di scatto l'afferrai al collo, le mie dita affondarono tra le piume, con profondo ribrezzo strinsi il suo corpo molle e lucido tra i miei ginocchi.

Io ho le mani lunghe e magre: sembrano mani deboli, a vederle, delicate mani femminili. Sembrano, ho detto. Ho sempre avuto mani fortissime, invece: e il gusto di piegare qualcosa con esse, spezzare i rami, gli arbusti. Sotto il molle arruffo delle vistose piume del gallo, il collo mi si rivelava fragile, benché ancora gonfio di cibo: lo immaginavo bianco, livido, violaceo. Strinsi. Il suo corpo dalle ali vibranti mi si dibatteva tra i ginocchi, procurandomi un fastidioso raccapriccio; ma, col fastidio, la mia presa raddoppiava. Strinsi, tirai, nel caldo segreto delle piume, finché il gallo fu fermo, rotolò in terra, e da lì mi fissava, tremendo, con l'occhio di pietra dura.

Era tardi al mattino, mezzodì quasi. Sull'aia c'era sole e invece, a poco a poco, le belle piume del gallo si spegnevano come se, con la vita, anche il colore le abbandonasse. Io ero in ginocchio, avevo il vestito nero sporco di polvere. Lesta mi lavai le mani nella fontana, imboccai le scale fredde d'ombra, raggiunsi la mia camera e mi gettai sul letto, a occhi chiusi, sfinita.

Benché nessuno m'avesse vista, subito confessai che ero stata io ad ammazzare il gallo. Le serve mi guardavano con rispetto perché avevo osato compiere un gesto così ardito. Fu lungamente discusso a chi toccasse spennarlo. Nessuna voleva accingersi a questo compito, come se ciò significasse continuare il misfatto. Infine una mora robusta che aveva nome Adele disse: «Io» e si mise all'opera con fervore. Le piume aliavano intorno a lei, e la sua testa ricciuta si scoteva a ogni strappo. Disse: «Tutte penne, un corpo miserello».

La Nonna salì fino in camera mia per interrogarmi. Mi era stata annunziata la sua visita e io l'aspettavo, calma, come aspettavo il preside dopo aver ferito il Magini.

Tuttavia, quando udii il suo passo nelle scale, una agitazione incontenibile mi vinse. Mi pareva che non avrei saputo come giustificare il mio atto che, in verità, non riuscivo a spiegare neppure a me stessa. Ancora una volta, come quando ero bambina, avrei voluto credere che un essere soprannaturale mi possedesse, mio fratello Alessandro, al quale potessi attribuire ogni azione vergognosa o crudele. Ma ormai non trovavo più rifugio in quelle facili scappatoie. Mi sentivo del tutto responsabile, benché incapace di provare la mia assoluta innocenza.

«Perché lo hai fatto?» la Nonna mi domandò.

Era seduta di fronte a me: le sue alte ginocchia sorreggevano lo scaldino, la veste nera drappeggiata sulle gambe sembrava un piedistallo sul quale il suo busto poggiasse solennemente.

«Non lo so» risposi; e lei non mi credette. Io m'accanivo nell'interrogarmi sperando di conoscere, d'un tratto, la misteriosa ragione di quel gesto. Ma ero soltanto vuota, stanca. «Non lo so» ripetei.

«Non è possibile. Avevi voglia di mangiarlo?» Io scotevo la testa, sorridendo. «Giuliano, forse, lo avrebbe fatto per dispetto: ma tu no, tu sapevi che io tenevo molto a quel gallo. Perché, allora?»

«Non lo so, Nonna.»

Ella parve delusa e anzi adombrata: «Credevo» disse con rammarico «che tu non avresti mai ricorso alle bugie. Ti ho perdonata. Non voglio che tu abbia timore di me. Ti ho perdonata. E adesso dimmi».

«Non lo so» ripetevo scotendo la testa. «Non lo so.»

Avevo in me una disperazione fonda e selvaggia. Non sapevo veramente perché avessi compiuto quel gesto che giudicavo orribile e che pure mi aveva dato una succosa voluttà. Ricordavo la sicurezza con la quale Adele strappava le penne, il corpo magro del gallo, il collo esile e snodato. «L'ha ammazzato benissimo» Adele aveva detto, e tutti mi avevano guardato le mani.

«Mi piacerebbe che tu avessi fiducia in me, Alessandra» la Nonna diceva. «Io ho molta fiducia in te, moltissima. Da quando sei venuta mi sento più forte, benché avessi temuto molto per te, dapprincipio: dicevi di somigliare a Eleonora. Ma non è vero: tu non somigli a tua madre.» Aggiunse dopo una pausa: «Tu, somigli a me».

La guardavo e il suo formidabile aspetto mi avvinceva. Forse questa somiglianza, che non mi era ancora palese, presto si sarebbe manifestata irresistibilmente, come l'impulso che m'aveva spinto ad ammazzare il gallo. Mi protendevo verso la Nonna, mi pareva di essere animata da una nuova potenza che avrebbe ingigantito i miei lineamenti, la mia statura.

«Non te ne avvedrai subito, forse» ella continuò «neanche io sapevo d'essere quale sono. Poi, piano piano, ho acquistato la forza: giorno per giorno, dovrei dire. Tu passi il tempo a leggere: fai male. I libri indeboliscono, fanno soffrire, rendono schiave. Non si deve soffrire; si deve eliminare la sofferenza dalla propria vita, se si vuole esser forti. Vale la pena di soffrire solo per mettere al mondo i figli. Ogni figlio che mettevo al mondo era come se mi sentissi vivere una volta di più.»

La contemplavo affascinata: era una maestosa deità alla quale pareva naturale offrire in sacrificio sangue umano e bambini vivi.

«Ho visto che ti piace la campagna, ti piace andare in giro nel podere. Lo conosci benissimo, ormai. Senti» mi confidò a bassa voce «il podere è tuo, guardalo» disse, indicando la valle e il declivio della collina. «Guardalo, com'è bello. Ordinato, la vigna squadrata, i campi di grano a terrazze fino lassù, agli ulivi.»

Per la prima volta la sua voce si faceva tenera, commossa: era la voce di una donna e non più quella di una grande montagna.

«Il podere si stende a fianco del fiume. Il fiume lo bagna, nutre la terra come la madre il figlio. L'erba cresce folta e le spighe ogni anno sono più turgide. Tra poco, in primavera, il frutteto fiorisce; poi vengono i frutti: ricchi, duri, sodi. La cantina è piena di frutta profumata, stordisce.»

Mi aveva preso la mano. «Giuliano non avrà nulla» continuava: «quel poco della parte di sua madre. Poco, una miseria. Somiglia al padre; tante volte gli ho detto: studia, tròvati un impiego in città. Aspettavo una femmina. Te, ti credevo perduta. Quando ho saputo che tua madre era morta ho detto a Rodolfo: va' a prenderla, portala qua. La notte precedente il tuo arrivo non riuscii a dormire.»

Guardavamo insieme la campagna, attraverso il vetro della finestra, e gli occhi della Nonna erano accesi, esaltati. Poi, adagio, ella scostò il grembiule nero: sul nero della veste apparve il mazzo argenteo e lucido delle chiavi. La luce della sera si raccoglieva sull'acciaio che sprizzava incandescenti riflessi. La Nonna passava la sua grande mano sulle chiavi, le stringeva in una compiaciuta e indugiata carezza.

«Ricordo il giorno in cui mi chiedesti le chiavi. Mi pareva d'essere già morta e che tu fossi al mio posto. Avevi un passo sicuro, scendendo in cantina. I tuoi capelli chiari si distinguevano nel buio. Sofia e Violante hanno paura del buio, tu no. Tu, come me.»

Mi passava la mano sul braccio, sulla spalla, in un fremito: aveva in viso l'espressione risoluta e impaziente del rabdomante che ha trovato l'acqua. Immobile io aspettavo che ella mi attirasse a sé, che le sue braccia mi stringessero. «Non devi più leggere libri» mormorava. «Lasciali agli uomini... Anch'io leggevo, prima di sposarmi, sonavo l'armonium. Quando tuo nonno è morto ho fatto portare l'armonium in soffitta, l'ho chiuso a chiave. Ero ancora giovane, avevo poco più di trent'anni e cinque figli da crescere, la casa, il podere: insomma dovevo essere molto forte. Ho capito, per fortuna. E sono divenuta forte, fortissima.» Si raddrizzava, dicendo queste parole: forse ella aveva incominciato a crescere da allora; da allora le sue mani erano divenute grandi, il portamento nobile. «L'armonium fa male, come leggere i libri. Non hai bisogno di leggere libri, tu: sarai la padrona.»

Invogliata dalle parole della Nonna, guardavo la valle, la collina di contro, sforzandomi di immaginarle mie. Aspettavo un'impressione viva, un brivido ghiotto e soddisfatto. Provavo a immaginare che quella terra mi appartenesse come la carne delle mie spalle, del seno, che il fiume scorresse nelle mie vene. Ma mi pareva di appartenere io alla terra, invece. Non si poteva essere padroni della terra, era contro natura. Di nuovo, e più forte del solito, scoprii in me la ripugnanza a possedere qualcosa.

La Nonna era chiamata da tutti "la padrona". Era naturale che la chiamassero così: quel nome le spettava per un intimo diritto che non soltanto la proprietà le attribuiva. Laggiù, mi resi conto, era la proprietà a stabilire la condizione sociale: un campo equivaleva a un predicato nobiliare. La Nonna portava in testa una corona di regina, benché la sua proprietà fosse modesta. Ma ella rivelava, in ogni gesto e parola, la consapevole forza di questa proprietà. A volte, quando il tempo non era rigido o nebbioso, ella sedeva in mezzo al prato. Una serva le portava la sedia, credo che si trattasse di una sedia comune, ma pareva più alta delle altre. Sedeva, fiutava l'aria, il vento, volgendo lentamente la grande testa bianca. La gonna ricopriva la sedia ed era come se la terra stessa si levasse fino a lei per sorreggerla in trono. Così pareva giusto che la terra le appartenesse e gli alberi da frutto, fino all'alto pianoro degli ulivi. Ella li dominava alla lontana come il direttore d'orchestra i più discosti strumenti. Sotto il suo sguardo gli alberi rabbrividivano e si spogliavano dei frutti, volentieri le olive si pigiavano nel frantoio, le offrivano il succo giallo e denso. «Buonissimo» ella giudicava seria, leccando l'olio sul polpastrello.

Talvolta io sedevo presso un ciliegio dalla lieve chioma trasparente. «Fatevelo regalare, signorina» un giorno Adele mi suggerì. Zia Sofia possedeva i mandorli, zia Violante un boschetto di noci; durante la bacchiatura esse stavano vigilanti presso gli alberi, e rapidamente calcolavano i frutti, a guisa di monete. Ma, alle parole di Adele, io mi sentii arrossire: mi pareva che volesse istigarmi a comprare uno schiavo. Oltretutto, quegli alberi appartenevano alla Nonna: erano stati piantati per suo ordine, ella li aveva visti crescere, li aveva curati, potati. Si raccontava che una volta, pochi anni prima, di notte era caduta la neve e alla neve era sopravvenuto il gelo: i rami degli alberi scricchiolavano sotto il peso, lamentandosi. La Nonna era scesa nel frutteto col suo lungo bastone: sola aveva incominciato a liberare i rami, il ghiaccio cadeva spezzandosi col rumore del vetro. Al mattino si era schermita dalle sollecite, affettuose proteste dei familiari: «Era freddo anche le notti in cui Rodolfo non tornava a casa e io l'aspettavo sulla porta, anche la notte in cui Caterina morì e io la vegliai». Io non avevo mai vegliato gli alberi al modo di figli e dunque gli alberi non erano miei.

Tuttavia, poiché mi si trattava con maggior deferenza, m'avvidi che la Nonna doveva aver parlato a qualcuno del suo proposito di lasciarmi il podere in eredità. Non avevo mai suscitato simpatie, fuorché nella gente semplice: gli altri sembravano domandarsi chi io fossi, in realtà, e che volessi. Poi cominciarono a comprendere che ero l'erede probabile del podere, della casa e del poggio. Si faceva perciò, al mio passaggio, quel silenzio diffidente che circonda la presenza dei padroni. Una bambina di pochi anni si alzò dallo scalino ove sedeva e mi fissò con occhi fermi e intimoriti. Non ero contenta, provavo un gelo improvviso nelle membra, un sinistro avvertimento. E, soprattutto, avevo la sensazione che d'ora in avanti sarei stata sola, senza poter comunicare con alcuno: «Perché ti sei alzata?» domandai alla ragazzina, scotendola pel braccio. Lei, senza rispondermi, continuava a guardarmi smarrita. «Perché?» insistevo. «Perché?» La scrollavo più forte, e lei non si ribellava. La lasciai ricadere sullo scalino, duramente. La bambina non pianse, pareva aspettarsi quel gesto da me, qualsiasi gesto incomprensibile e spietato.

Sarei stata padrona del maiale. Dietro la casa il maiale aveva uno stabbiuolo lurido. Usciva fuori e fissava la Nonna che andava a pesarlo con gli occhi. Si fissavano entrambi, misurandosi: e il grasso traballante del maiale era sorretto da uno sguardo aguzzo, cattivo. «Non ancora» la Nonna decideva.

Nel bosco gli aceri erano rossi quando uccisero il maiale. S'udiva salire dall'aia un grido umano lacerante, un pietoso lamento. Noi eravamo raccolte attorno alla Nonna, nel tinello: si cuciva, e le mie mani tremavano. Turbata da quell'orribile lamento avrei voluto interrompere il lavoro, tapparmi gli orecchi, allontanarmi. Ma alzavo gli occhi al viso calmo della Nonna e seguitavo a cucire. Infine si udì un urlo più acuto, un gorgoglìo. «È fatto» la Nonna disse, abbandonando in grembo il panno bianco del cucito.

Il maiale era stato portato via su una barella di rami, come un leale avversario sconfitto. Sull'aia era rimasto l'odore caldo e dolciastro del sangue.

Denso, quell'odore pesava nella cucina mentre si preparava la carne del maiale per l'inverno. C'erano tutte le donne, riunite in un'insolita euforia. Alcune sedevano alla tavola, altre andavano dalla tavola al grande acquaio e i loro grembiuli bianchi erano macchiati di sangue. «Vieni, Alessandra» la Nonna mi aveva invitato, vedendomi sull'uscio. «Vieni» avevano detto tutte, animate da un'infantile allegrezza «vieni, vieni.»

Era autunno inoltrato, giornate brevi. La luce calda della lampada che pendeva sulla tavola accendeva il rosso tenero della carne triturata, pronta per le salsicce e i cotechini, il blocco rosso cupo della polpa da conservare sotto sale. Avanzai timidamente, sembrandomi di camminare nella carne viva. La Nonna verificava, controluce, le budella del maiale: livide, velate, si gonfiavano in un ripugnante dondolio. Poi, stimandole intatte, le porgeva alle figlie, alle domestiche, perché insaccassero e legassero. Festosamente le donne pigiavano la carne nei lunghi budelli, tiravano lo spago.

Il rosso smagliante della carne rimbalzava sulle pareti; negli angoli d'ombra pareva che macchie rossastre s'addensassero. In un vasto recipiente il sangue lucido e vermiglio specchiava la lampada. Zia Sofia spostò il recipiente: il liquido oscillò, traboccò dall'orlo e una falda di sangue cadde a terra, in un fiotto. «Buona sorte» esclamarono le donne. Tutte vollero bagnarvi la punta delle dita. Col sangue Adele si dipinse due rossi sulle gote. «È morto il porco» canterellò e col sangue tracciò una croce sul grugno massiccio posato sull'acquaio. «È morto il porco» ripeteva zia Clarice battendo le mani.

Lavoravano con fervore rivelando una sorprendente abilità, incitandosi l'un l'altra a far più presto. Violentemente cacciavano la carne nel tozzo zampone; poi avvicinavano l'unghiata zampa al viso della vicina, per spaventarla. Ridevano. Vedevo le loro mani luccicanti di sangue rosso, opache di scuro sangue rappreso. Il gusto smaccato del sangue mi stava nella gola con un sapore nauseabondo. In piedi, la Nonna affondava il coltello nella polpa fredda e gagliarda. Sarei stata padrona del maiale.

«No» dissi forte in un grido. Mi volsi e fuggii via a tentoni nel corridoio, gli occhi accecati da chiazze rosse e mobili di sangue. «No, no» ripetevo. Di parete in parete i ritratti delle mie antenate abruzzesi mi accompagnavano. Erano visi fermi, cupi, severi. In essi leggevo la soddisfazione profonda d'essere state padrone del maiale. «No» mormoravo «no», non era quella la mia storia. La mia storia era nella scatola dove la mamma conservava gelosamente i veli di Giulietta e di Desdemona.

Alcuni giorni dopo zia Clarice venne nella mia camera. «Senti un po', Alessandra» mi disse arrampicandosi sulla sedia e lasciando i suoi piccoli piedi calzati di nero dondolare nel vuoto: «è vero che Eleonora è morta?»

Io la fissai per un attimo, incerta: mi pareva che avrei dovuto inventare una bugia come si fa con i bambini.

«Se è morta» ella continuò senza attendere la mia risposta «sono molto contenta. Poiché così troverò anche lei, in paradiso. Ho già tanta altra gente che m'aspetta: mamma, papà, Cesira, e poi molte zie, cugini, nipoti, mia nonna, che, quando ero piccola, mi voleva tanto bene. Faranno una gran festa nel vedermi. Non vedo l'ora che venga quel momento. Chi sa come accadrà: mi piacerebbe ch'io potessi arrivare di sorpresa, mentre sono tutti seduti in circolo e dicono: "Come tarda, Clarice!".»

Ero vicina a lei, la carezzavo sui capelli bianchi, lisci, lucenti: «Davvero saresti contenta?» le domandai.

«Certo» rispose, quasi risentita, stringendosi nelle spalle con delicate movenze di gatto: «non ho più voglia di stare qui: ormai sono vecchia, mi annoio. Non faccio niente tutto il giorno. L'inverno passa presto perché mi corico al tramonto e dormo; d'estate, invece, le giornate non finiscono mai. M'annoio: vorrei andare in paradiso a sentire la musica.»

Aveva sulle carni un odore di polvere di riso e di confetto: «Che musica ti piace, zia Clarice?» le chiedevo per incitarla a parlare.

«Tutta la musica: quando sento la musica mi pare di stare in chiesa e sto bene. Eleonora sonava l'armonium, quando venne qui: tu eri nata da poco. Una volta andammo insieme in soffitta, dove c'è l'armonium, e lei sonò una musica che si chiamava, lo ricordo ancora, *Il sogno di un valzer*. Sonava piano, perché la Nonna non sentisse, sembra che vi fosse qualcosa di male: io non capisco come vi possa essere qualcosa di male nella musica, ma io non capisco mai. Le serve ridono di me, in cucina, quando parlano di cose sporche, cose che fanno gli uomini. Non capisco e sono contenta di non capire. Non mi piacciono gli uomini.»

«Non ti sono piaciuti mai? Neppure quando eri giovane?»

«Oh, no! Mi mettevano molta paura, allora: adesso non li calcolo più. E poi, senti» soggiunse abbassando la voce: «gli uomini non capiscono niente, questo te lo dico io. Chi è che manda avanti la casa, che lava, stira, cucina, chi è che sa fare i dolci? Le donne. Tutto le donne. Gli uomini bevono, s'ubriacano, litigano per la politica, senza concludere niente. Quando loro sono in casa bisogna dire sempre "sì, sì" e poi far tutto il contrario. Credi che un uomo saprebbe sonare *Sogno di un valzer*?»

«Non so» io risposi in un soffio.

«Macché! Te lo assicuro io, non saprebbe. Giuliano, spara e ammazza gli uccelletti: che bravura c'è in questo? Alfredo si porta le contadine nella legnaia e poi escono fuori tutte rosse, arruffate, come le galline. Che stupidi. Lo sai che Rodolfo si burla di me perché voglio andare presto in paradiso? Già, crede che sia più bello stare a vedere lui che gioca con le carte e beve il vino.»

Aveva assunto un'espressione imbronciata. «Ma tu non ti crucciare...» aggiunse premurosamente «appena arrivo dico a Eleonora che ti faccia venire subito. Sei contenta?»

Seduta ai suoi piedi, io la guardavo senza rispondere. La luce che calava dai suoi capelli la vestiva tutta di bianco: era come se nella mia camera, per miracolo, fosse entrata una colomba.

«Non mi rispondi» ella disse. «Ho capito: neanche tu saresti contenta di morire. Dev'essere perché non vuoi lasciare gli uomini. T'hanno già incantata. Altrimenti perché una donna non dovrebbe desiderare di morire? Lassù c'è un buon profumo di gigli come in chiesa per il Corpus Domini. I santi portano in mano fiori bianchi e santa Cecilia suona la musica, Eleonora suona *Il sogno di un valzer*. E qui invece? Qui lavorare, mettere al mondo i figli, allattare i figli, lavorare nei campi, lavorare in casa, tutto il giorno lavorare. E sempre aver paura degli uomini perché sono di cattivo umore, perché hanno l'amica e spendono danaro con l'amica. Sempre tremare, piangere, piangere sempre per questi antipatici uomini. Se non fossero incantate da loro, perché le donne non dovrebbero desiderare di morire?»

Con un piccolo balzo scese dalla sedia e mi prese per mano. «Vieni» disse «andiamo a chiedere alla Nonna se ci conduce in soffitta a sonare l'armonium.»

La Nonna disse di sì: estrasse la chiave da un ripostiglio e, chiamate le figlie, ci precedette nella scala oscura. Saliva lentamente; noi, per rispetto, trattenevamo il passo; e poiché tutte eravamo vestite di nero, pareva che formassimo una processione.

La soffitta era chiara, invece: negli angoli si accatastavano vecchi mobili in disuso: la bassa finestra, che concludeva la fuga polverosa delle vecchie travi, s'apriva sulle dolci colline e sul cielo scolorito della sera imminente.

«Eccoci» la Nonna disse chiudendo la porta.

C'erano ragnatele dappertutto, ma tanto ordinate e nette che avevano assunto, ormai, il carattere stabile della decorazione. La polvere velava gli oggetti che perdevano, perciò, i loro contorni precisi e parevano mostrarsi nell'aspetto fantastico dei sogni.

Zia Violante si guardò attorno, mormorando: «Non salivamo quassù da molto tempo». «Com'è bello!» esclamava zia Clarice: «Quando eravamo giovani la Nonna e io venivamo spesso in soffitta per aprire i bauli. Si passava il pomeriggio a guardare, provare, toccare. Ci sono i vestiti bianchi di tutte le spose: quello di nostra madre, della Nonna, di molte prozie. Li posavamo sulle sedie, ritti, con le braccia tese. La seta parla ancora, fa sciù, sciù. Si faceva buio, i vestiti bianchi sembravano fantasmi. Apriamo i bauli, stasera?» propose con una vocetta invitante.

«No» la Nonna disse fermamente: «ormai basta, siamo troppo vecchie. Non voglio più commuovermi. Un giorno Alessandra vedrà tutto questo. Noi siamo venute per stare in pace e sonare un bell'inno.»

L'armonium era grande: al suo cospetto persino i gesti della Nonna si rimpicciolivano. Dirò anzi che quando ella sedette lì innanzi mi parve, per la prima volta, dominata. Premette un tasto sul quale era scritto *voce angelica*, aprì un foglio di musica, e incominciò a sonare.

Era un inno alla Vergine e le zie lo cantavano con devota attenzione. Zia Clarice, per meglio leggere le parole, era salita su uno sgabellino.

Attraverso quel canto comune, venivo scoprendo un'intima affinità tra tutte le donne della mia famiglia. La Nonna ci guidava e noi seguivamo intente, ognuna rinunziando al risalto personale della propria voce, perché il canto riuscisse uniforme e a tutte grato. Il viso doloroso di zia Violante pareva abbandonare il suo peso, e quello severo di zia Sofia aprirsi alla soavità del motivo.

La soffitta ci raccoglieva in un quieto benessere. E io, d'un tratto, compresi come era facile per una donna entrare a far parte di una comunità religiosa e quale incanto in essa io avrei potuto trovare. Di quella vita solitaria e fervida mi prese un desiderio vivissimo che s'esprimeva nell'impeto col quale m'abbandonavo al canto.

Mi immaginavo una cella piccoletta dalle mattonelle nitide, una finestra simile a questa dinanzi alla quale ho preso l'abitudine di scrivere. L'ombra dei ferri forma una grande croce in terra: adattarsi a quella croce mi pareva benessere supremo. Immaginavo, oltre le pareti, la solitudine estenuante di altre donne mie simili e, in quella solitudine, sentivo placarsi tutti i problemi che alle donne sono proposti.

Al ritorno dalle mie passeggiate scorgevo il paese, grigio, rude, aspro, simile a quelli che i santi protettori portano sul palmo della mano. Era un tetro ammasso di pietre; le pietre formavano le case e le case non concedevano mai scampo, respiro. Distinguevo, alta sulle altre, la nostra casa, le finestre strette. Entravo e, dalla luce di fuori, piegarsi in quel buio era come abbassarsi sotto un giogo. La notte, spesso, non potevo dormire. D'inverno, si sentiva scorrere il Sangro con un rullìo lontano di tamburi. E la casa parlava, nel silenzio; era una casa vecchissima, la Nonna sosteneva che avesse duecento anni. Tutte le mattine per duecento anni le donne s'erano inginocchiate a scoprire la brage dalla cenere, avevano soffiato sul carbone, il fuoco aveva incominciato a scoppiettare nel buio della casa insonnolita. In quella casa erano trascorse, puntualmente, tutte le ore della loro vita: lì da bambine s'erano fatte donne, avevano conosciuto un uomo nel letto nuziale, avevano partorito i figli, erano invecchiate, e infine gli uomini – battendo le dure scarpe sulle selci dei vicoli – avevano caricato la loro bara sulle spalle, le avevano portate via. Nel pauroso silenzio notturno sentivo tutte queste donne morte passare e ripassare, inquiete, nei corridoi, nelle scale, tintinnavano le chiavi al loro fianco: la Nonna diceva di aver udito ridere la zia Caterina, una notte, molti anni dopo la morte, quando l'amante del marito lo tradì. Diceva, anche, che spesso si sentiva camminare in casa una giovane sposa venuta dal Veneto, Ortensia Boni, morta di parto. Sentivo il passo di Ortensia, leggero, quando s'alzava il vento, sentivo ridere la zia Caterina nel cigolio di una vetrata. «Ti sposerai qui» tutti mi ripetevano; la Nonna parlava di un matrimonio vantaggioso. Dunque quella stanza sarebbe divenuta la mia camera nuziale, quello era il soffitto che avrei visto mentre un uomo si sdraiava al mio fianco, qui avrei partorito, «Sono letti comodi» diceva la Nonna, «letti di ferro, ci si può aggrappare». Bastava staccare dalla parete il crocifisso per posarmelo sul petto, quando sarei morta.

Volevo ribellarmi a questo sordido destino: sentivo che c'era in me la forza di portare, in qualche modo, il messaggio che mia madre m'aveva affidato. Mi immaginavo in un laboratorio, vestita di bianco, tra i provini e gli alambicchi. No. Era sempre l'essere umano ad attrarmi. Subito allora mi figuravo vestita di una toga, in tribunale. Dietro di me sedeva una donnetta di mezza età, che posava le mani sui ginocchi. Io parlavo, mi sfibravo. "Salvatela" dicevo: "è innocente." Ripetevo: "Signori giurati, è innocente, tutte le donne sono innocenti". Ma non potevo essere avvocato, la mia timidezza me lo avrebbe impedito. Eppure sentivo che era mio compito far qualche cosa per le donne, dovevo farlo, a costo di annullarmi, sacrificarmi. Una voce dentro di me mi chiamava: "Fatti santa" mi ingiungeva. Il calore di una comunità femminile mi attraeva irresistibilmente. Anelavo d'essere rinchiusa in una cella povera con un giaciglio rude, al modo di Chiara in Assisi. Il viso di san Francesco mi si presentava smunto, oltre una grata. «Dio» mormoravo, stendendo le braccia lungo i fianchi «Dio, Signore, prendetemi.»

Ma non credevo. Quando pensavo di farmi monaca pensavo, in realtà, ad esaltare me stessa. M'accanivo intorno al miglioramento di me stessa, mi volevo ogni giorno più limpida, più pura, un essere straordinario, una donna maravigliosa. Potevo essere santa senza pregare, senza pronunziare i voti. "Sì" mia madre mi incitava con la sua dolce voce: "sì, fatti santa." Il viso magro di Antonio dietro le sbarre della prigione sostituiva a poco a poco il viso pallido di san Francesco. Aveva gli occhi accesi di febbre. "Alessandra" egli diceva "Alessandra." "Sì" io rispondevo esausta, in un soffio, "sì, santa per amore."

Fu proprio in quel paese d'Abruzzo, quando la mia apparenza era selvaggia, i miei capelli poco curati e il mio corpo umiliato sotto le vesti nere, che io presi coscienza delle attrattive del mio aspetto fisico.

Mi specchiavo nel fiume, negli alberi e dalle attrattive della campagna traevo conferma delle mie personali attrattive. La stagione mi rendeva più bella come adornava e illeggiadriva i cespugli o le aiuole: le mie mani sbocciavano come còlchici sul nero opaco della veste. "Come sono bella" pensavo, guardandomi le mani contro luce. Scottavo come la terra del prato, come la sabbia del fiume e il ritmo pulsante del sangue mi riportava una immagine nella quale mi pareva d'essermi fatta donna d'improvviso.

Era accaduto pochi giorni prima. Io scendevo la scala esterna che conduceva all'aia e recavo in mano un boccale colmo d'acqua fresca che avevo preso alla fontana. Era l'ora ferma e secca della siesta. Lo spigolo della casa gettava un'ombra azzurra sulla scala, perciò scendevo adagio per trattenermi in quella frescura. L'aia, l'orto e i campi, giacevano nell'accecante biancore del sole.

Udii un rantolo roco, rabbioso, al quale un altro rantolo subito rispondeva. M'arrestai e l'acqua dondolò nel boccale.

Due uomini battevano il granturco sull'aia. Erano a torso nudo, il petto e le spalle lucide di sudore. Entrambi stringevano nelle mani una frusta lunga e mentre l'uno l'abbassava sulle pannocchie per svuotarle, l'altro, alzandola con un vigoroso slancio delle braccia e delle spalle, la faceva volteggiare nell'aria. L'uno si ergeva, l'altro si abbassava, come due ordigni della stessa macchina. Avevano preso un ritmo uguale, monotono, allucinante; era nell'abbassare la frusta che lasciavano sfuggire quel grido rauco, disperato, un rantolo.

Io stavo immobile, appoggiata al muro. Quel movimento regolare, ritmico, mi avvinceva, non potevo staccare gli occhi dai due uomini. Nel sole il loro torace brillava, la pàtina lucida del sudore era uno specchio. L'ombra della scala diveniva arsa, scottante, le cicale frinivano e il sangue pulsava nelle mie tempie col ritmo ardito di quelle braccia maschili in movimento. I due uomini non mi avevano vista: io respiravo piano, perché non potessero scoprirmi. Rimanevo lì, affascinata, senza poter distogliere lo sguardo da quel ritmo. Sobbalzavo a ogni schiocco di frusta e, nella fredda ombra, il mio corpo si copriva di sudore come i loro corpi nell'assalto del sole. Non si stancavano mai. Mi pareva che fosse la mia nascosta presenza ad incitarli. Volevo che non smettessero, che continuassero all'infinito. Sentivo che sarei stata io a venir meno, sulle scale. Quando mi parve di non resistere più, accostai le labbra al boccale e bevvi avidamente. L'acqua fredda mi colava, dalle labbra, nella scollatura del vestito. «Sei tornato, Alessandro» mormoravo: «vattene.»

Da allora, fino al giorno in cui incontrai Francesco, non credetti mai più di essere bella; e infatti, anche in Abruzzo, mentre le altre ragazze della mia età erano circuite, corteggiate, io ero considerata da tutti al modo di un essere stravagante, senza sesso né età.

Soltanto lo zio Alfredo, quando mi guardava, sembrava trovarmi attraente. Tuttavia, nei suoi occhi scoprivo sempre una vena di condiscendente ironia. Pareva, infatti, che egli fosse a conoscenza di qualche mio reato e mi tenesse in pugno pur concedendomi la libertà. "Come reciti bene" mi diceva con gli occhi. Fumava, zitto, seguendomi mentre sparecchiavo, cucivo, attendevo alle faccende di casa. "Ti conosco per quello che sei" il suo sguardo diceva. Io ero tentata di volgermi bruscamente, affrontarlo: "Ebbene, su parla, che vuoi? Giochiamo a carte scoperte". Non riuscivo a serbare un contegno tranquillo mentre lo zio Alfredo mi guardava, la sua presenza intorbidiva tutto. Pareva che egli mi rimproverasse di ingannare i miei parenti, mascherandomi da ragazza onesta. "Lo sono" avrei voluto rispondergli. Invece, tacendo, accettavo la sua complicità.

Della compagnia della moglie e della cognata lo zio Alfredo pareva ormai stanco; la sera preferiva scendere in cucina e lì sorseggiare un bicchiere di vino, in piedi, scherzando con le serve. Da qualche tempo mostrava di interessarsi a me; mi aizzava con qualche meschina arguzia. Zia Violante lo lasciava fare, trattandolo a guisa di un bambino che si compiaccia di un capriccio nuovo. Tuttavia vigilava fino a qual punto il capriccio si spingesse. "No" mi fece con la testa una sera in cui egli mi invitò ad andare con lui in collina per vedere l'eclissi di luna. Lo stesso fece zia Sofia udendolo, una volta, chiedermi un po' di vino; e io non domandavo la ragione di quei divieti.

Egli era il solo a parlare di mia madre. «Era carina» diceva. «Andava a fare i bagni nel fiume perché soffriva il caldo. Era carina.» Intanto mi guardava: sotto il suo sguardo i miei vestiti si facevano velati, la mia persona abbietta, scadente. Non potevo sopportare l'idea che avesse guardato in quel modo anche mia madre. Chiudevo gli occhi tentando di dimenticare che eravamo donne entrambe e molte cose ci legavano, anche le squallide e ripugnanti esperienze che ogni donna tace all'altra. "Vieni qua" lo zio Alfredo pareva dirmi "vieni qua, so che ci pensi a certe cose."

Lo disprezzavo, era un vigliacco. La sua spavalderia, ostentata nel mansueto cerchio familiare, mostrava la trama di una naturale viltà. «Spegnete la radio» diceva, pallido e rabbioso, se ascoltavamo le stazioni straniere «spegnete, non voglio passare guai.» Pareva che fosse proprio la sua vigliaccheria a spingerlo verso di me, confidando in tutte le piccole vigliaccherie che sono in ogni essere umano, che erano anche in me, contro le quali lottavo.

La Nonna non lo ascoltava mai mentre parlava. Una volta ella mi chiamò presso di sé con un gesto e disse: «Chiuditi a chiave in camera, la sera». Zia Violante era lì, anche zia Sofia aveva udito. Esse non avevano domandato perché, io volevo domandarlo, sperando che rispondessero: "Ci sono i ladri, in campagna, i ladri di galline: potresti provare uno spavento". Ma nessuno mi diceva nulla. La notte, girando la chiave nella serratura, le mani mi tremavano per la vergogna.

Mi dedicai appassionatamente allo studio. Rimanevo molte ore al tavolino fino ad avere gli occhi stanchi, arrossati, la schiena dolorante. Mi dicevo che bisognava ad ogni costo rafforzare lo spirito, allargare le mie conoscenze. Chiedevo sempre nuovi libri allo zio Rodolfo o danaro per comperare quaderni. Scrivevo a Roma, di sovente, mi tenevo in contatto con gli amici, i compagni di scuola, li informavo del corso dei miei studi, delle mie letture, risoluta a stringermi nel cerchio dei miei prediletti interessi.

Le lettere di Fulvia accennavano spesso al proposito che mio padre nutriva di trasferirsi in una nuova casa. A tutta prima credetti che, nelle cupe stanze di via Paolo Emilio, il pensiero di mia madre non gli desse pace. Forse la udiva sonare il pianoforte, la udiva supplicarlo insistentemente di lasciarla andare. Sista la cercava dappertutto, Fulvia m'aveva scritto. Sedeva nel buio, in cucina e la chiamava: «Signora...». Una sera era entrata in casa delle Celanti, pallida, smarrita: «Ho sentito nelle scale il passo della Signora che saliva da loro» aveva detto.

Io, invece, non soffrivo più per la scomparsa di mia madre. Ero certa che ella avesse fiduciosamente affidato il suo ricordo all'impegno della mia vita di donna: infatti il motivo e il modo della sua morte mi conferivano una grave responsabilità. Non avrei potuto avvilirmi senza avvilire lei.

Se avessi parlato di queste cose alla zia Violante ero certa che mi avrebbe capito. Forse perché ne parlassimo, ella saliva sovente nella mia camera e mi teneva compagnia mentre studiavo. Leggeva i titoli dei miei libri, poi mi guardava, sbigottita. «Non credo che sia bene sapere tante cose» mi diceva. «Ho idea che più cose si conoscono e più sia difficile vivere.»

La zia Violante era molto bella, nonostante il suo viso malinconico, un viso di donna in lutto. Ripeteva spesso che da ragazza si lucidava le unghie, che aveva lunghe e tondeggianti come mandorle. Verso sera aprivamo la finestra e guardavamo gli alberi in fiore, i prati verdi. Io cominciavo a comprendere che c'è una finestra nella vita di ogni donna. Al primo annunzio dell'aprile zia Violante aveva detto, sottovoce, con astio: «Adesso ci manca pure la primavera».

La guardai e il suo sgomento mi si contagiò; nel cielo azzurro, invitante, nel molle abbandono della terra, ovunque potevo scorgere una subdola minaccia alla mia pace.

«Zia Violante» dissi piano «la mia età è molto difficile.»

Avrei voluto che mi rassicurasse come forse la mamma avrebbe fatto. Invece ella rispose, seria: «Lo so. Ma tu sei così forte, in te non si potrebbe riconoscere la ragazza che io sono stata. Quando ero giovane mi pareva... No, è ridicolo...».

«Dimmi.»

«Mi pareva d'essere fatta di vetro. Un nulla mi feriva,

211

mi faceva piangere: bastava la pioggia o un'espressione di mia madre. Con lei non si poteva parlare, ci metteva soggezione. Dovevamo vivere tutte strette nel busto. Voi siete fortunate ad avere abolito quest'uso del busto. Allora il mio solo svago era quello di schiacciare i fiori tra le pagine dei libri; qualche volta li copiavo all'acquerello. Era faticoso vivere con Sofia che aveva un carattere superbo, duro, e mi condannava sempre, senza misericordia.»

«La zia Sofia?» domandai stupita.

«Sì. Adesso è cambiata. È molto cambiata. Sono accadute tante cose in vent'anni. È cambiata, povera Sofia.» Vi fu una pausa imbarazzante, poi lei riprese: «Sì, la tua è un'età inquieta, ma breve. Dopo viene un'età molto difficile. Ogni giorno si spera che sia finita. E invece è inesauribile, questa tremenda mezza età. Tu sei forte, per tua fortuna. Io sono molto religiosa e ho Giuliano. Quando Giuliano si sposerà avrò i nipoti. Penso sempre alla nascita dei figli di Giuliano. Sarò molto occupata, allora; i bambini piangono, la notte: a me piace alzarmi di notte, cullare i bambini. Non è giusto, però, che una li culli tutte le notti, li faccia crescere, li curi, li istruisca, e poi venga la guerra. Dicono che ci sarà la guerra, presto. A me pare impossibile: ci sono troppi figli in Italia perché si possa davvero fare la guerra. Credi che riuscirei a imboscare Giuliano? Temo che dovrò patire anche questa esperienza. E poi diventerò vecchia, finalmente. Vecchia».

Nel ripetere questa parola una stupenda pace si effondeva in lei: ogni muscolo del suo viso si distendeva, la pelle era una pietra levigata.

«Ah!» fece in un largo respiro di sollievo. «Avrò diritto anch'io alla mia vecchiaia. Vorrei ingrassare. Del resto non credo che sia molto lontana: ho quarantadue anni.»

«Non li dimostri» osservai.

«Non importa. Sono già molto avanti. Ho diritto ad invecchiare» ripeté con un lieve risentimento. «Sofia è molto più giovane di me.»

Dall'alto scorgevamo la zia Sofia muoversi sul largo spiazzo dell'aia. Dava ordini ad alcuni braccianti; precisa, seria, si chiudeva nel suo compito al quale aderiva totalmente, ma senza convinzione. Per la prima volta m'avvidi che era snella e aveva i fianchi tondi, i gesti garbati. Doveva avere trentanove anni; l'età di mia madre quando sonava al concerto, l'età di Lydia quando usciva col cappello nero per andare dal capitano.

«È giovane» mormorai.

«Sì» zia Violante disse. Poi aggiunse dopo una pausa: «Invecchierà anche lei».

La fissava con una rabbiosa intensità. La chiamò anche: «Sofia... Sofia...» per il gusto di vederla volgersi, farla ubbidire. Zia Sofia subito tornò a chinare il capo e riprese a lavorare. «È molto cambiata, povera Sofia» zia Violante aveva detto. Adele una volta aveva accennato a un rancore tra le sorelle, aveva detto di zia Violante: «È gelosa». Ricordai, d'un tratto, il tono col quale lo zio Alfredo chiamava "Sofia", la mansuetudine di costei nel servirlo, prima volgendo rapida uno sguardo alla sorella quasi per ottenerne il consenso. "No" entrambe mi avevano suggerito risolutamente e avevano negli occhi la stessa espressione consapevole.

«Invecchierà anche lei, povera Sofia» zia Violante disse lasciandosi andare sulla spalliera, come abbandonando una lotta. «Tutte invecchieremo, grazie a Dio.»

Ormai quasi ogni sera venivano amici e parenti ad ascoltare la radio poiché si diceva che la guerra fosse vicina. Sedevamo attorno alla radio, aspettando che la solita voce arrogante incominciasse a parlare. Ormai parlava sempre dell'impazienza che tutti avevamo di prender parte alla guerra. Benché vivessi in un circolo ristretto, io dubitavo fortemente che ciò fosse vero; giacché nessuno di noi provava odio per coloro che avremmo dovuto assalire né sincera amicizia per quelli coi quali avremmo dovuto combattere. In realtà essi ci erano tutti allo stesso modo indifferenti: e io sentivo che quella indifferenza era la nostra colpa.

A volte pareva impossibile che qualcosa di nuovo stesse realmente per accadere: i giorni erano uguali a quelli che li avevano preceduti e bastava non aprire la radio per ignorare tutto, godere della natura e della vita quotidiana. Io ripensavo alla mia infanzia; ricordavo quanto mia madre mi aveva detto sulla guerra, l'orrore che Hervey ne aveva provato fin da bambino; ella mi aveva anche spiegato che cosa volesse dire "obiettore di coscienza". Tuttavia queste cose sembravano adatte ad Hervey, alla mamma, al loro mondo straordinario che a me e ai coetanei pareva essere per sempre vietato.

Claudio, nelle sue lettere, si riferiva sovente alla possibilità di una guerra. Mi stupiva che anche lui, così pensoso e riflessivo, accettasse questa sciagura a guisa di un fenomeno meteorologico, e una precipitazione atmosferica. "Vorrei rivederti, prima di partire" scriveva. Né si affliggeva per me, per quel che avrebbe potuto accadermi. Pensava, forse, che eravamo entrambi responsabili di questa catastrofe e insieme dovevamo scontarla; anzi il suo atteggiamento mi convinceva che la mia responsabilità fosse pari alla sua, e quella di tutte le donne pari a quella di tutti gli uomini.

Incominciai a rammaricarmi di non aver mai avuto alcun interesse per la politica ed essere obbligata dalla mia ignoranza a valermi delle asserzioni altrui. Fino allora, sebbene mi appassionassi facilmente a qualsiasi argomento, i problemi politici mi avevano tediato. E non appena avvertii in me, confusamente, la presenza di queste curiosità, subito compresi che erano cose da tenere occulte, come la presenza di Alessandro. Perciò avrei voluto ignorarle, accontentandomi di partecipare alle conclusioni che la voce della radio ci forniva. Ma non potevo a meno di constatare che era una voce antipatica, e usava tono e parole diversi da quelli che durante tutta la mia vita avevo appreso ad amare. Era una reazione istintiva. E allora, sul filo di questa istintiva reazione, tentavo almeno di immaginare il dolore che avrei provato nel vedere il paese invaso da eserciti stranieri, da truppe che parlavano una lingua diversa dalla nostra. So che potrà sembrare un'eresia, un sacrilegio addirittura, ma questa ipotesi mi lasciava, ricordo, assolutamente indifferente. Mi ribellavo solo all'idea del disordine che quegli uomini armati avrebbero portato nel piccolo paese ove vivevo; m'infastidiva supporre il rumore dei loro passi sull'aia, sapendo che avrei fatto qualsiasi cosa per impedire, a loro e a noi, un atto di violenza. Tentavo di affezionarmi maggiormente al nome "Italia", lo ripetevo in me con affetto, fino a intenerirmi sul ricordo di certe pagine lette a scuola. Allora, in un commosso impulso, uscivo all'aperto, "È l'Italia" pensavo guardando i nastri bianchi delle strade sulle quali la nostra gente passava: donne che portavano brocche in testa, contadini coi fardelli di paglia, ragazzi scalzi. Gente nostra, pensavo, e verso di loro provavo uno slancio d'affetto, una tenerezza suscitata non tanto dalla loro condizione di gente povera impegnata a lavorare, quanto da quella di gente impegnata a vivere. Mi sforzavo di immaginare ciò che avrei provato se i contadini che sarchiavano lì presso fossero stati stranieri, invece che italiani. Non provavo alcuna ribellione, alcuna ostilità, ma anzi il desiderio di parlare tutte le lingue, intendermi con tutti i popoli.

Spesso, al mattino, nel cielo che sovrastava le montagne spuntavano squadriglie di aerei lucidi, metallici, ronzanti. Quel ronzio penetrava nei miei orecchi come un trapano; quel ronzio, sì, mi era insopportabile per la precisa determinazione che esprimeva. Attraversavano l'aria azzurra, rapidi, decisi, e certo al loro passaggio tutti gli uccelli fuggivano. Il sole si rifletteva con un cattivo bagliore sulle loro ali aperte, la pace della campagna era imbrattata. Nella chiusa valle il fragore dei motori pretendeva un'eco dalle coste delle montagne sonnolenti, la terra si scoteva, gli alberi tremavano, l'acqua del fiume si increspava in un brivido. E, spezzando i raggi del sole, gli aerei gettavano sulla terra un'ombra fredda come fanno le nuvole che precedono il temporale. Quelle ombre mi passavano addosso una dopo l'altra, facendomi rabbrividire; il ronzìo cancellava ogni immagine dalla mia mente, ogni dolce parola dai miei orecchi.

Sulle ali degli aerei si vedevano, dipinti in cerchio, i colori della bandiera italiana, e io li odiavo. I grandi cerchi tricolori passavano minacciosi, alternando su di me il calore del sole e la fredda ombra. Avevo paura. Non avevo mai conosciuto la paura prima di allora e ciò mi riempiva di vergogna e di disgusto.

Tra gli altri, una sera, venne un giovane vestito di scuro e io subito compresi che era quello che la Nonna mi destinava per marito. «Alzati, Giuliano» ella disse acciocché il giovane potesse sedermisi accanto. Quando egli fu seduto, lo stimò con una lunga occhiata; poi fece scorrere lo sguardo su di me, studiandosi di considerarmi obiettivamente, e il suo viso mostrò un'espressione soddisfatta.

«Vuoi ancora un frutto?» mi offrì lo zio Rodolfo: «Un po' di vino?» Compresi che, con quelle parole, egli tentava di rompere la gelida incertezza che ci avvolgeva; voleva indurmi a pensare che fosse una sera come le altre e io sempre la stessa per lui, una ragazza giovane che egli aveva il dovere di proteggere. Lo guardai negli occhi, in un dolce moto di riconoscenza. Mi tornò alla memoria la storia che mi era stata raccontata del suo lungo amore. Era una donna sposata, Adele mi aveva detto. Si incontravano di notte: ella usciva di casa, cauta, lo aspettava nel fondo del giardino, il viso coperto da una sciarpa di velo. Nel guardarlo, quella sera, mi parve facile comprendere come si potesse attenderlo ansiosamente ogni notte. Certo ella si buttava subito nelle sue braccia, sul suo petto largo. Avrei voluto essere al posto di quella Emilia che lo aveva tanto amato. Emilia, un nome gentile. "Sono innamorata di lui" pensai in un brivido di orrore. Era il fratello di mio padre, aveva trent'anni più di me. Eppure sentivo che in lui solo avrei potuto confidare: sarei stata lieta di andargli incontro, come Emilia, offrirmi in dono. Ricordai in un attimo il modo che egli aveva di guardarmi quando entravo nel suo studio. «Come cammini bene, Alessandra!» mi aveva detto, un giorno. Io ero arrossita, ma avevo riso per stornare il discorso ed egli subito aveva acconsentito a stornarlo.

Ci guardavamo negli occhi, oltre lo spazio bianco della tovaglia; eravamo soli, in una religiosa solitudine. Allora mi fu chiaro che mi amava: anch'io lo amai per un attimo, disperatamente: fu uno dei momenti di più intenso amore della mia vita. La parentela mi attraeva irresistibilmente per non so quale antica affinità che stimolava un pericoloso, affascinante legame. Egli aveva le belle mani di mio padre, ma le sue erano forti, nobili. Con la mano m'indicò il mio vicino e disse: «Tu non conosci Paolo? Viene qui raramente, abita a Guardiagrele».

Era un giovane bello, seppure poco alto; subito mi rivolse la sua attenzione e io notai che aveva un sorriso simpatico. «Lei studia, vero?» mi domandò. Poi domandò se mi piaceva la campagna.

Fu Giuliano a rispondere in vece mia. «Le piace, sì. Le piace alzarsi tardi e andare a passeggiare col cane, sedersi sotto un albero e leggere. Tornare a casa, trovare il pranzo pronto, andare a dormire nel prato. Cogliere rami fioriti, rovinando il mandorleto. Mettere i fiori nei vasi, fiori di campo, margheritine. Le piace anche strozzare i galli, spezzare la legna con le mani, come fanno nelle carbonaie. Il maiale crudo le fa orrore, ma arrosto lo mangia con grande appetito. Io credo che le piace la campagna» concluse in una risata aspra.

La Nonna lo cacciò dalla tavola con un'occhiata.

«Perché, Nonna?» volli dissuaderla sorridendo. Mi volsi al mio vicino e dissi: «È la verità».

Ridemmo insieme e un benessere si sparse nella sala.

Paolo tornò sovente, perché tra di noi si era subito stabilita una simpatia solida e vivace. Da molto tempo io non frequentavo persone della mia età fuorché Giuliano. Paolo era intelligente, schietto: mi bastava guardare il suo viso, i suoi capelli scomposti in un giovanile disordine per sentirmi rallegrare. Quando c'era lui ridevo spesso e, insomma, mi divertivo.

Non ricordo di che cosa discorressimo: egli non aveva i miei stessi interessi, credo che per lo più mi raccontasse della sua vita in campagna; ma la sua presenza dava alla mia giornata un sapore sano e giovane. Non appena egli arrivava, io – passando tra le ombre nere delle zie – gli andavo incontro con una allegra luce negli occhi. Guardavo di frequente l'orologio, mi rattristavo quando andava via. Non ci lasciavano mai soli e quella continua vigilanza m'infastidiva poiché esprimeva un sospetto al quale i rapporti che correvano tra Paolo e me non potevano davvero riferirsi.

Egli mi guardava sorridendo, un po' sorpreso dai miei modi disinvolti: sentivo che, dapprincipio, era stato sul punto di giudicarmi male e poi subito disarmato dalla schiettezza del mio contegno. Eppure io ero sempre stata fin troppo riservata, a paragone delle mie coetanee: ma lì, l'abitudine che avevo di rivelare gusti personali, esprimere giudizi, pareva addirittura una sfacciataggine: le donne portavano ogni passione nascosta a guisa di una colpa e solo osavano manifestare quelle che provavano verso Dio e verso i figli. Cosicché a volte – riversando in esse tutta la carica delle altre – accadeva che eccedessero: pregavano drammaticamente, senza pudore, abbracciavano i figli tanto forte che i loro fragili corpi parevano soffocati nella stretta materna. Diceva Paolo che io ero diversa dalle altre ragazze. «Non cuci mai» mi spiegava: «non prepari il tuo corredo. Qui, da noi, le ragazze preparano il corredo fin da quando sono bambine. Lavorano con pazienza.

Quando si va a trovarle hanno sempre le gambe coperte da un grande lenzuolo bianco al quale stanno lavorando.»

«Ti piacciono, quelle ragazze?» gli domandavo.

Egli rispondeva: «Sì».

Calava tra noi un silenzio impermalito. Io avevo voglia di piangere. Durante alcuni giorni smettevo di studiare, e, movendo faticosamente le mie lunghe mani, imparavo a lavorare a maglia. Tentavo, insomma, di aderire a un modello di donna che non potesse riserbare sorprese. Ma non riuscivo. Paolo non tornerà più, prevedevo.

Tornava sempre, invece. Diceva: «Parlare con te è come fare una gita in montagna: a ogni svolta del sentiero si scopre un paesaggio nuovo. Con te si parla di cose diverse da quelle che siamo abituati a trattare con le ragazze». Ma poco dopo s'interrompeva, pentito di essersi lasciato andare; mi domandava se mi piacessero i bambini.

Nessuno mi parlava di lui, in casa; e io avvertivo il pericolo di quel silenzio. Zia Sofia, quando egli veniva, mi chiamava di sotto la finestra: «Alessandra, c'è Paolo». Spesso in uno scatto improvviso, avrei voluto dire: "Parlatene, su parliamone". Il silenzio delle mie parenti mi stringeva in un assedio; sentivo che qualcosa si stabiliva, prendeva forma; e mi proponevo di misurare fino a qual punto questo incivile dominio sulla mia persona osasse spingersi. Era una sfida tra la Nonna e me. E più ancora: tra me e una umiliante tradizione. Sapevo che nessuna ragazza, in Abruzzo, riceve frequentemente un giovanotto, se non è il fidanzato: altrimenti nessuno più vorrebbe sposarla, non le rimarrebbe che trovarsi marito in città. Inoltre volevo polemizzare contro un'usanza assai diffusa tra i contadini: quella, cioè, di far sposare i promessi non appena fatta la richiesta e stabilita la dote. Dopo la cerimonia lei torna coi genitori, anche lo sposo riprende la sua vita in famiglia. A volte passano anni prima che possano metter su casa, andare ad abitare insieme, poiché il matrimonio avviene quando essi sono appena usciti dall'ado-

219

lescenza. Ma così se egli, stanco, abbandona la sposa, la reputazione di lei non rimane compromessa.

Si vedeva, nei campi, qualche ragazza accompagnata da un giovane che la teneva per le spalle. «È il marito» mi dicevano. Amorosamente si prendevano le mani, si baciavano nell'ombra di un albero, la sposa stretta contro il tronco, abbracciata. «È il marito» mi rassicuravano. Al tramonto, nella malinconia che precede la sera, dovevano separarsi, tornare ognuno alla propria casa. Spuntavano le stelle, i grilli limavano l'inebriante aria estiva e il coraggio necessario al distacco. Le donne accompagnavano gli sposi per un tratto, il più a lungo possibile, quasi tentando di trattenerli. Ferme li vedevano allontanarsi, salutandoli con la mano finché l'ombra della notte li consumava. «Perché non possono stare insieme?» io domandavo. «Lui non ha ancora i soldi per comprare il letto, per mantenere i figli.» Immaginavo le ragazze guardare gli uomini, inchiodandoli in un'accusa spietata. Essi promettevano: presto, farò presto, troverò questi soldi, li ruberò magari. Adele diceva: «Se non c'è il letto, c'è l'erba fresca del prato».

Di sera ormai era molto difficile trattenersi a studiare: pareva che nel diretto incontro con la natura ogni curiosità si esaurisse e nel giro del sole fosse già rivelato il mistero che regola l'universo. La verità di ogni religione era nell'aria, così la poesia e anche la musica. Il profumo dell'erba tagliata mi fasciava la testa. Paolo s'annunciava con un fischio leggero.

Allora chiudevo i libri, di corsa scendevo la scala, entravo in sala da pranzo e, nell'impeto, la gonna nera mi girava attorno. Sorridevo, tra pochi giorni avrei compiuto diciotto anni. Mi sembrava di recitare una bella parte di protagonista.

Da quando Paolo veniva a trovarmi la vita era divenuta più facile, la casa più luminosa, i miei parenti rivelavano una insospettata tenerezza. Un giorno la Nonna volle che l'accompagnassi in una stanza a pianterreno nella quale nessuno entrava, ad eccezione di lei, e che un tempo era stata adibita a cappella. «Entra» la Nonna disse spingendomi per le spalle e subito richiudendo la porta dietro di noi.

Era una grande stanza semibuia, dipinta di viola alle pareti. Torno torno armadi scuri e imponenti la rivestivano; alcuni erano di nobile forma, simili a quelli che si vedono nelle sacrestie. Avevo la sensazione d'essere penetrata in un sotterraneo ove da tempo non filtrasse aria o luce. Armadi e pareti, nero e viola, si confondevano in un'oscurità opprimente. «Eccoci» la Nonna disse con un guizzo di soddisfazione. I suoi occhi esprimevano la gioia di avermi fatta cadere in un tranello: la porta spessa non avrebbe lasciato sfuggire neppure un mio disperato richiamo, la finestra era difesa da una grata. Feci per dire qualcosa.

«Ssst!» impose la Nonna rendendomi attenta ai suoi gesti. Scostò il grembiule e l'ombra sussultò al magico barbaglìo delle chiavi. Le tastò, le palpeggiò, ne scelse una e, staccatosi il mazzo dalla vita, accostò la lunga chiave lucente alla serratura di un armadio nero. Delicatamente introdusse la chiave nella toppa, quasi timorosa che l'armadio si ribellasse a quella violenza e s'abbattesse su di lei, freddandola. Infine scostò i battenti e il buio della stanza fu dissipato dal candore della biancheria ordinata nei piani.

La Nonna apriva gli armadi uno dopo l'altro, ansiosamente spiando l'ammirazione sul mio volto. La stanza si vestiva di un lucido biancore. «Guarda» ella diceva: «guarda.» Mi prese pel braccio e volle che mi avvicinassi a un grande armadio aperto: «Tocca» mi incitava. Fu lei stessa a guidare la mia mano, accompagnandola mentre scivolava sui dorsi freschi delle lenzuola. «Tocca» insisteva.

«Sono molti» ella diceva: «sai quanti?» Esitò, valutando la mia capacità di serbare un segreto; poi disse: «Sono più di duecento. Duecento sedici. Alcuni sono nuovi, intatti, nessuno li ha mai spiegati, forse tu lo farai, o una tua figlia. Meglio la figlia di tua figlia» soggiunse quasi illustrando un sogno. «Questo...» e fece scivolare la mano su un dorso di lino ricamato: «Questo è il tuo lenzuolo di sposa. C'è l'iniziale A, fu portato in dote da mia madre che si chiamava Antonietta. A, guarda.»

L'iniziale era ingabbiata tra rami e fronde. In cima portava una viola del pensiero, al modo di una ragazza con un fiore in testa. «Queste» disse «sono le lenzuola dei bambini.»

Mi strinse a sé. Rimanevamo ferme in quel bianco odoroso di spighetta e io ero alta come lei, quasi. Ella mi carezzava la fronte, raccogliendo nella sua grande mano tutti i miei pensieri. Mi pareva di non essere più vestita di nero, di non calzare scarpe nere, non avere i capelli stretti in una treccia. Docile mi si presentava il sogno di tutte le ragazze: ero vestita da sposa e tutti mi sorridevano. "Com'è bella" dicevano guardandomi passare. Poi mi stendevo sul lenzuolo di lino ricamato e Paolo rideva con me, eravamo giovani insieme.

«Sono tranquilla» la Nonna continuava: «ho già pronta una tomba che guarda verso questa casa.» Dal cimitero, steso sul verde fianco della collina, si dominava il paese come dall'alto del paradiso. «Ti vedrò. Devi alzarti presto, essere sempre la prima. La casa dorme, gli uomini dormono, sono pigri, aspettano che gli si porti il caffè a letto. A quell'ora sei veramente la padrona. Giri le stanze, i corridoi, scendi nella dispensa, in cantina, quaggiù, apri chiudi con le chiavi. Pòrtale sempre alla vita. Quando ti corichi le metti sotto il guanciale. Io non potrei dormire se non sentissi le chiavi sotto il guanciale. Il giorno in cui morirò, sai dove trovarle.»

Da quella sera mi tenne più spesso con sé. Voleva essere compresa solo con un breve cenno, uno sguardo: io la capivo, infatti. E proprio quell'affinità mi sgomentava. Ormai dovevo studiare addirittura di nascosto. Se udivo il suo passo per le scale, riponevo i libri. Mi rivolsi allo zio Rodolfo ancora una volta, lo pregai di intercedere presso la Nonna acciocché mi lasciasse andare a Sulmona per gli esami. Mentre essi discutevano io aspettavo seduta nello studio, come aspettando d'essere graziata. Ma, al ritorno dal colloquio, egli aveva aperto le braccia in segno di rassegnazione: la Nonna aveva risposto no.

Andai alla finestra per non mostrargli gli occhi, gremiti di lacrime. Attraverso un tremolìo fitto vedevo la verde vallata chiusa dalla Majella come da un corpo ingombrante, insormontabile.

«Farò ancora tutto quanto è possibile» alle mie spalle lo zio Rodolfo mormorava, scusandosi.

«Mi dispiace di averti preso i soldi per i libri» gli dissi senza volgermi. «Te li renderò.»

Lo ferivo, volevo ferirlo. Vi fu un altro colloquio tra la Nonna e lui. Parlarono a lungo, chiusi nella sala. Seppi poi che egli non aveva parlato soltanto di me, ma anche di mia madre, e di quella Emilia che aveva tanto amato. Infine la Nonna era scesa a patti con il figlio: «Dici che dopo questa licenza liceale avrà finito?». In una pausa ella pareva aver calcolato il tempo, i giorni. Infine aveva deciso: «Ebbene, vada».

Andavo a Sulmona accompagnata da zia Sofia. Eravamo piuttosto tristi, vestite di nero, e tutti ci guardavano. Sulmona, ricordo, era piena di polvere, io avevo sempre sete. Le ragazze che aspettavano con me il turno di essere interrogate vestivano abiti a fiori, si pettinavano, si dipingevano le labbra. Una di loro mi domandò se fossi una novizia.

Risposi no, ma mi pareva di mentire. Ero stretta in quel disagio che sempre patisco quando c'è molta gente: un senso di sconfinato amore per coloro che mi circondano e che in nessun modo riesco ad esternare. Gli esami non mi parevano difficili, agli scritti tentai di aiutare i miei compagni, le ragazze soprattutto. Essi accettavano, ma poi mi guardavano con diffidenza, domandandosi quale scopo mi proponessi: nessuno intuiva la verità. Desideravo che almeno un esame andasse male, forse avrebbero smesso di guardarmi in quel modo, mi avrebbero compatito, confortato: invece andavano sempre bene. Nell'uscire dall'aula mi sentivo a disagio e credevo che ciò fosse dovuto alla mia alta statura.

L'ultimo giorno, quando andai ad informarmi dei risultati, lo zio Rodolfo mi accompagnò. Nelle strade di Sulmona la novità di trovarmi sola con lui mi faceva trattenere il respiro: camminavamo staccati, senza guardarci, e quando i nostri sguardi si incontravano subito li distoglievamo come se scottassero. Egli mi presentava la città, gli edifici, io parlai di Paolo, raccontai persino di Claudio, delle lettere che ricevevo; ma né l'uno né l'altro parevano esistere veramente, era come se li inventassi in quel momento.

La mia licenza fu lodevole: mentre leggevo i voti alcuni compagni mi osservavano e io ridevo sembrandomi che tutto ciò fosse un regalo, un credito che mi venisse aperto e che non meritavo. Lo zio Rodolfo mi portava a braccio e, quando uscii, mi salutarono tutti.

Fuori c'era gran sole, le pietre scintillavano. Io avevo in me una allegrezza incontenibile, ridevo per un nulla, e mi pareva di scorgere ovunque un fermento insolito suscitato, forse, dalla mia presenza. Lo zio Rodolfo mi guardava mentre ridevo, mentre camminavo, mentre mi movevo: perciò mi pareva di ridere, camminare e muovermi più volentieri. Bevemmo un vermut e, non avvezza, il poco alcool accrebbe la mia spensierata euforia. «Sono vecchia» dicevo «tra qualche mese andrò all'università.» Vene, membra, capelli, nulla bastava a contenere la mia giovinezza. «Vecchia» ripetevo. Alla radio annunciarono che si doveva ascoltare una trasmissione alle cinque del pomeriggio. Io previdi che tutti i nostri parenti sarebbero venuti in casa per ascoltarla e, forse a causa di quel vermut, incominciai a ridere di loro come non avevo mai fatto. «Non ho voglia di vederli» dicevo, «non ne ho proprio voglia.» Allora lo zio Rodolfo mi propose di far colazione a Sulmona e tornare col treno delle sei.

Bisogna che faccia posto a questo ricordo, tra gli altri: è molto importante. Durante gli anni che seguirono, quando vivevo con Francesco, e anche ora, spesso, questo ricordo traversa la mia mente, come un treno con tutti i lumi accesi traversa la campagna buia e poi scompare.

Lo zio Rodolfo mi guidava pel braccio e, come era stato fin dal primo giorno, al funerale di mia madre, io volentieri mi affidavo a lui. Scelse una piccola trattoria, con una pergola trasparente di foglie di glicine: sotto quel tetto verde sembravamo pallidi, ma d'un pallore sano, candido, simile a quello dei bambini. L'ostessa ci venne incontro sorridendo con un misto di affetto e di complicità: io non ero impacciata, benché fosse la prima volta che andavo a mangiare con un uomo. La donna ci osservava e forse si domandava se ero l'amante dell'uomo che m'accompagnava, o la figlia: ma il suo giudizio non m'interessava, lo addossavo allo zio Rodolfo, così come mi appoggiavo a lui quando camminavamo insieme sottobraccio.

Il sole passava tra i mobili disegni delle foglie e la tovaglia sembrava acqua mossa. Io presi il pane per spezzarlo e m'avvidi che le mie mani, solitamente così forti, erano fiacche, deboli. «Spezzalo tu» dissi: «non ce la faccio.»

Pareva impossibile che un uomo di quarantasei anni potesse essere ancora tanto giovane. Io non ero allegra, così, da molto tempo: da quando andavo con mia madre a rubare i fiori dalle cancellate. Ridevo, egli mi guardava ridere: ero ghiotta, e lui godeva vedendomi mangiare. Chiedeva per me cibi rari, prelibati, s'irritava di non trovarli, si scusava, io lasciavo che si scusasse. Adagio versava il vino nel bicchiere, da una bottiglia polverosa; poi s'arrestò, incerto: «Ti farà male?».

A distanza di anni ricordo ancora la tenerezza che era nel suo sguardo mentre egli diceva queste parole. Mostrava una così attenta consapevolezza della fragilità di una donna, e insieme una preoccupazione così viva del mio benessere e della mia felicità, che io volli sperimen-

ancora un poco il mio potere: «Non credo» dissi e
vi un lungo sorso; poi dissi: «Voglio fumare». Si frugò nelle tasche, vergognoso di non offrirmi sigarette fini.
Io presi a fumare inespertamente, soffiando il fumo lontano. "Forse mi fa male" pensavo, pervasa da un vago stor-
dimento: ma ero tranquilla perché egli era lì, mi avrebbe
presa in braccio, portata via, avrebbe pensato lui a tutto,
io avrei potuto abbandonarmi alla mia debolezza, al mio
malessere. Sarei rinvenuta in un letto addolcito da bianche cortine; nella camera avrei visto fiori chiari, e lui in-
ginocchiato accanto al mio letto, devoto e felice. Sì, avrei
potuto anche svenire, se volevo. Mai più ebbi questo privilegio dalla implacabile vita quotidiana.

«Non aveva paura, Emilia, quando veniva all'appuntamento, vero?»

«Chi ti ha detto questo?» egli domandò stupito.

«Ti dispiace che lo sappia?»

«No. Tu, no. Tante volte, anzi, sono stato sul punto di
parlartene. Poi pensavo che non erano cose adatte alla
tua età. Ma tu sei molto maggiore dei tuoi anni: si parla
con te come con una donna fatta. E questa tua maturità
m'intenerisce, mi fa una gran pena.»

Mi prese la mano, la coprì con la sua: la mia mano se ne
stava rifugiata, protetta. Ancora oggi, se chiudo gli occhi
ricordando quell'episodio, rivedo una verde luce estiva e
la mia mano è una mano innocente di bambina.

«Emilia è morta, vero?»

«Molti anni fa. Tu eri appena nata. Morì a Cesena, do-
ve lui era stato trasferito. Fu trasferito in pochi giorni.»
Tacque per un momento e poi riprese, con amara ironia.
«Forse la Nonna non ti ha detto...»

«Non è stata lei a parlarmene.»

«Ah, ecco. Ecco. Insomma la Nonna ha avuto una parte, in questa storia, allora. Da allora, noi non siamo più
gli stessi di prima. O almeno io non sono più lo stesso. La
Nonna non può cambiare. E Emilia è morta.»

«Era bella?» domandai sottovoce.

Egli trasse dal portafogli una fotografia: non era bella, mi parve, aveva il viso tondo, un velo bianco sul petto, grevi cocche di capelli biondi sulla fronte. Pareva anziana.

«Aveva ventiquattro anni. L'anno seguente partì. Tu hai i capelli chiari, come lei.»

«Sono i capelli di mia madre» dissi.

«Già. Io, Eleonora la ricordo appena.»

«Era una donna straordinaria.»

«Come te?» egli accennò sorridendo.

«Oh, no!» risposi vivamente. E incominciai a parlare di lei con fervore. Subito, chiamata dalle mie parole, mia madre entrò, stupita si guardò attorno. Era verde sul bianco cereo delle mani, il suo viso era una tenera foglia. Morbida, rapida, ci si avvicinò mentre io parlavo del suo passo: e il giorno si inorgogliva di lei, lo zio Rodolfo la guardava affascinato.

Ero felice. Sulla tavola c'era un mazzo di fiori di campo, con qualche ramo di cedrina. «Li porto via, nella borsetta.» Salutai affettuosamente la donna grassa che ci sorrideva: «Torneremo» dissi. Lo zio Rodolfo mi guardò: poi ripeté, commosso: «Torneremo».

Uscimmo nel viale polveroso: c'è molta polvere a Sulmona. Egli mi prese pel braccio e incominciammo a camminare. Avrebbe dovuto portarmi via, quel giorno, tutto sarebbe stato diverso. Io ero una debole donna e le donne si appoggiano agli uomini come lui, alti e forti. Non posso perdonargli di non averlo fatto: il mio pensiero si accanisce contro di lui, vorrei che egli leggesse queste pagine. Ma perché non lo hai fatto? Lo picchio coi pugni sul petto: perché non mi hai portato via? Invece disse: «Andiamo a sentire la radio?» e io risposi sorridendo: «Sì, andiamo».

Camminavamo in silenzio, esprimendo la nostra gioia nei passi arditi, lesti. Io sorridevo, credevo ancora di appoggiarmi a lui e invece ad ogni passo mi allontanavo da quel giorno felice, dalla leggenda di mia madre, diveni-

vo Alessandra, tutta Alessandra, ogni passo mi conduceva inesorabilmente verso Francesco, verso Tomaso, verso
la mia vita solitaria.

La radio disse che era scoppiata la guerra.

Il giorno dopo aprendo la finestra credevo di trovare
tutto diverso. Fui sorpresa, perciò, nel vedere che il sole
splendeva, i prati erano verdi, il cielo sgombro, i contadini lavoravano nei campi. Speravo d'essere stata vittima
di un cattivo sogno; ma le ore vissute durante la giornata
precedente erano ancora in me così vive che subito questa
felice speranza svanì. Spiai attorno dubitosa, interrogai i
volti delle persone che passavano sull'aia. Erano volti se-
reni, privi di espressioni malevole. Considerai, perciò,
quanto fossero esagerate le descrizioni dell'altra guerra
che ci erano state fatte dai nostri genitori: io immaginavo
che non avessero avuto un solo giorno di calma e di sole, che il cielo fosse stato sempre buio, l'aria dilaniata da
rombi spaventosi, echeggiante di urla e lamenti. Si udivano invece le voci domestiche delle galline, lo smarrito
belare delle pecore. Sorridevo, considerando che non era
poi così terribile essere in guerra.

Nelle settimane seguenti parecchi giovani partirono,
ma partivano tranquilli, tutti assicurando che sarebbero
tornati molto presto. Quelli che rimanevano lavoravano
malvolentieri, sedevano fuori di casa, fumando, in attesa
della cartolina. Paolo era assente, a Guardiagrele; quando tornò disse soltanto: «Hai sentito?». Però anche lui fumava molto, e quando ci trovavamo insieme non eravamo
più allegri. Io non riuscivo a comprendere perché ciò accadesse, giacché nulla era cambiato, nulla. Claudio scriveva che anche in città la vita era sempre la stessa, soltanto
si spendeva molto per comperare i giornali.

Tuttavia – filata dagli occhi delle donne, dal pallore dei
loro volti, dai gesti convulsi coi quali vestivano, carezzavano
i figlioli, dal lugubre accento delle preghiere che sfuggiva-

no dalle chiese – una oppressiva inquietudine era nell'aria. Un velo di timore e d'incertezza fasciava le giornate; un velo odioso stava tra me e la poesia, come Giuliano aveva predetto. Disperatamente mi accanivo contro questo velo inesistente, certo creato dalla mia fantasia. Tentavo di reagire, rifiutandomi di accettare la guerra. Era facile, mi dicevo: nulla turbava il corso normale dei miei giorni. Leggevo, mi prefiggevo programmi di studi, ricerche; scrivevo lunghe lettere a Claudio senza più riferirmi a questi avvenimenti; comprai un vestito nuovo; e, passando nei corridoi della casa, cantavo per respingere l'oppressione che mi accerchiava. Non ascoltavo più la radio. Non volevo sapere nulla. Rispondevo distrattamente quando mi si riferiva qualche notizia. Ciò valse a farmi giudicare ancora più fredda ed egoista: persino lo zio Rodolfo mi guardava con stupore, e io godevo nello stringermi in questo atteggiamento. Percorrevo il paese mostrando di non voler trattenermi con alcuno: portavo un fazzoletto nero in testa, il cane Giuseppone al guinzaglio. Ma la voce della radio m'inseguiva dappertutto: in casa c'era sempre qualcuno che sedeva accanto all'apparecchio, movendo nervosamente l'ago: anche quando ero nella mia camera, immaginavo una mano che s'agitava, ansiosa, sull'interruttore. In paese, sboccando dalle finestre aperte, la voce della radio dilagava nelle strade, m'aspettava al tavolino del caffè, dal farmacista, dal droghiere. Non volevo ascoltarne le parole: non le ascoltavo. Ma il tono arrogante della voce mi raggiungeva, mi scompigliava i pensieri, suscitava in me una rivolta. «Basta!» mormoravo con represso furore. «Basta! Basta!»

La Nonna non parlava mai della guerra: anche lei, come me, non voleva piegarsi alla odiosa prepotenza degli avvenimenti. Ma era divenuta più pallida, un grande cadavere. "Perché?" avrei voluto protestare: "Non accade nulla. Chiudete la radio. Basta chiudere la radio." Epperò di notte, quando la radio taceva, io mi sentivo spinta a scendere attraverso la casa buia, nella sala deserta, accendere la

229

lampadina del quadrante, spostare febbrilmente l'ago, fino a ritrovare quella voce. Ormai essa faceva parte dell'aria stessa che respiravo: quando taceva mi mancava il fiato.

Sempre con maggiore impazienza aspettavo le visite di Paolo benché non mi recassero più la stessa gioia: speravo che, proprio lui, avesse il potere di farmi tornare quella che ero stata fino allora. Una sera, d'improvviso, ci lasciarono soli. Paolo aveva cenato con noi, nessuno aveva aperto la radio, e pareva che tutti volessero rifugiarsi in una artificiosa tranquillità. Zia Sofia era uscita per ultima recando sul braccio la grande tovaglia bianca ammucchiata; andava a scuoterla sull'aia e al mattino le galline beccavano le briciole. Non era tornata più. Dapprima Paolo era rimasto sconcertato dalla inusitata libertà che ci veniva concessa; si era guardato attorno, tentando di comprenderne il significato. Infine m'aveva chiesto di uscire con lui. C'era una bella luna.

Salimmo per il sentiero che menava a un vialetto a mezza costa, un viale di pioppi bianchi. Sui pioppi si movevano foglie bianche come farfalle e nell'erba i grilli agitavano timidi campanelli d'argento senza riuscire a coprire gli urli rabbiosi delle rane.

«Paolo» dissi. Egli mi prese sottobraccio.

Non ero felice. C'era sempre un velo fitto tra i miei pensieri e la felicità: tra quella passeggiata e una passeggiata felice. Provavo a ridere, a dire parole gradevoli, leggere; tutto sonava falso, preparato con incosciente e stupida civetteria. Da quando mia madre era morta, le parole non formavano più, attorno a me, quel mondo poetico e affascinante nel quale io avevo appreso a sentirmi viva: e io sapevo che solo quando avessi potuto parlare quel linguaggio con un uomo avrei conosciuto l'amore e la felicità.

«Che hai?» Paolo mi disse.

Sedemmo su un muricciuolo: avevo i piedi nell'erba fresca di rugiada. «Sei proprio diversa dalle altre ragazze» egli disse. «Perché non sei felice, adesso?»

«Tu sei felice?» gli domandai.

«Io sì.»

Lo guardai con diffidenza. Temevo che, nascondendomi la malinconia di quell'attimo e dei giorni insidiosi che vivevamo, volesse trattarmi come una bambina. Ma il suo volto era sincero: compresi, allora, che soltanto gli uomini possedevano la forza e la sicurezza: nessuno di loro aveva mai il volto smarrito di mia madre, il volto doloroso della zia Violante, il volto patetico di Lydia quando era lontana dal capitano. Fui presa da un repentino desiderio di impadronirmi della loro forza. Volevo rubargliela, portargliela via, liberarmi dal velo fitto che mi negava la spensierata allegria.

«Anche io vorrei essere felice» dissi.

Allora Paolo mi si avvicinò: il suo viso era contro il mio viso, i suoi vivaci occhi scuri si appannarono. Come erano belle le fattezze di un uomo, il naso forte, la grande fronte. Paolo aveva la pelle abbronzata, e un piacevole odore veniva dalla sua camicia aperta, un odore di pelle che è stata a lungo al sole. Smarrita, chiusi gli occhi.

Così ebbi da lui il primo bacio. In realtà io non credevo che fosse il primo: Claudio mi aveva baciata qualche volta, ma erano baci aguzzi, rapidi, spauriti. Le labbra di Paolo premevano duramente sulle mie, mi faceva male, schiusi la bocca per sottrarmi. Allora egli mi baciò a lungo, forzandomi a schiudere i denti, m'inchiodò nello stupore.

Ci staccammo e io avrei voluto fuggire via: ero trattenuta dal timore che egli non fosse un essere normale e che, perciò, mi avrebbe rincorso per piegarmi a qualche suo brutale impulso, approfittando del luogo solitario. Riprese a baciarmi, e io lo lasciavo fare inorridita e insieme curiosa di provare ancora quella sconvolgente sensazione. Avevo voglia di asciugarmi la bocca, ma temevo che Paolo s'offendesse come se non volessi bere nel suo stesso bicchiere.

«Perché?» Paolo mi domandò vedendomi rattristata.

«Non devi dispiacerti: io ti voglio bene e siamo fidanzati.»

Nel dire queste parole mi stringeva, mi carezzava le

spalle: non si chiedeva se il suo bizzarro modo di baciare mi fosse grato.

«No» dissi.

«Perché no?» egli chiese distrattamente, tornando a baciarmi.

«No» ripetei asciugandomi le labbra: «non siamo fidanzati.»

«Ma sì, certo» Paolo insisteva, ansioso di riprendere il bacio interrotto: «ci sposeremo presto, prima che io possa essere richiamato.»

«No» io dissi, saltando giù dal muretto: «non siamo fidanzati: non sono innamorata di te.»

Egli era rimasto seduto: aveva i capelli in disordine; la sua camicia bianca era gualcita, i calzoni cadevano male, si vedeva la pelle nuda sopra il calzino arrotolato. Mi guardava fisso in uno stupore così candido che io fui presa da una repentina rabbia contro me stessa, contro la mia difficoltà di essere felice. Fu allora che m'incontrai per la prima volta con quello sguardo infantile e smarrito che dovevo tanto spesso ritrovare negli occhi di Francesco: oh, è sempre bastato che gli uomini mi guardassero così perché io mi sentissi una creatura spregevole, tenuta da una sorta di follia. Pentita avrei voluto che Paolo dimenticasse ciò che avevo detto, dimenticarlo io stessa, chiedergli scusa. Caro Paolo, gli dicevo dentro di me, caro; e, intenerita dalla delusione che mi dava, gli carezzavo la fronte per consolarlo. Caro Paolo, su, fa' qualche cosa, solleva questo peso che ci opprime. Mi pareva che sarebbe bastata l'amorosa invenzione di una parola, una di quelle parole con le quali mia madre magicamente suscitava la felicità. Ero così sola che neppure le montagne, gli alberi, le stelle del cielo bastavano a tenermi compagnia. Sui monti non si vedevano più i villaggi, la campagna era disabitata: eravamo soli sulla terra, io e lui, donna e uomo, condannati a vivere sempre insieme.

«Non vuoi?» egli domandò immusito, rassettandosi i

232

capelli. Parlava seccamente, non era più l'amico col quale mi piaceva ridere.

«No» dissi.

«Perché mi hai fatto credere che eri contenta, che mi volevi bene?»

«Ero contenta, infatti.» E lo guardavo, lo fissavo negli occhi perché potesse intendere la mia assoluta sincerità.

«E allora? Perché non vuoi sposarmi?»

«Allora... Vedi, forse è difficile per te comprendermi: io aspetto che sia bello essere sola con un uomo sulla terra e non angoscioso, orrendo. Aspetto...» Stavo per dire "aspetto Hervey". Ma, subito, ebbi cura di trattenere queste parole. Non le avrebbe capite, nessun uomo avrebbe capito. Perciò il mio sguardo lo accarezzava maternamente, gli ravviava i capelli. Caro Paolo, gli dicevo dentro di me, caro Paolo, mi pareva che egli fosse sulla riva, in terraferma, ed io su un fragile veliero che s'allontanava.

Per alcuni giorni andai ad aspettarlo verso sera, al limite estremo del podere. Paolo soltanto avrebbe potuto rassicurarmi, tornando, e restituirmi la certezza d'essere una donna come le altre. Scrutavo il sentiero tra le querce lungo il quale era solito arrivare fino a me. Vedevo solo erba, alberi, cielo. Laggiù non arrivava neppure la voce arrogante della radio.

Con le prime ombre io riapparivo sull'aia, portando nel vestito nero la malinconia dell'attesa vana. Nessuno si stupiva dell'assenza di Paolo e perciò compresi che sapevano tutto. Mi domandavo fino a qual punto fossero informati: se mi guardavano il viso temevo che mi rimproverassero di conoscere quel modo tremendo di baciare. Ero dominata da un'inquietudine invincibile che mi spingeva a nascondermi, credendomi invisa e molesta. Dall'alto della mia finestra vedevo tutti intenti al lavoro. Mi avvidi che i loro gesti erano di una lentezza inesorabile, il ritmo di un gesto diveniva regola di vita. Io non studiavo più, non accudivo alla casa, mi aggiravo ai limiti di quella regola operosa. Fragile, stretta tra due travolgenti ingranaggi, mi riducevo ad ascoltare la radio per ore e ore.

Accanto alla radio trovavo lo zio Alfredo. Talvolta andavo spontaneamente a sedermi presso di lui. Egli mi guardava sempre con ironia: guardava così tutte le donne. Ma io temevo che sapesse del bacio di Paolo, dei discorsi con Fulvia, della mano di Enea che mi aveva sfiorato il seno. Un giorno disse: «È vero, somigli molto a tua madre».

Nell'udire quelle parole, in apparenza innocue, avrei voluto coprirmi il viso, scoppiare a piangere. Ero agitata dal rimorso di aver sciupato il ricordo di lei. Non potevo più sopportare la mia immagine riflessa nei vetri delle finestre; vedevo il peccato in me, nella mia persona bionda alta e snella che, laggiù, costituiva una evidente anomalia. Non bastava più nascondere libri, diari, lettere. Lo sguardo ostile di Giuliano, lo sguardo ironico dello zio Alfredo, i tristi occhi delle zie mi pungolavano, mi rendevano ossessa, mi spingevano ad aprire la finestra, morire per nascondermi.

«Nonna» le dissi una sera: «Non ce la faccio più.»

Era seduta, bianca e maestosa, come l'avevo vista per la prima volta il giorno del mio arrivo. Parlavo sottovoce, senza osare alzare gli occhi alla sua altezza: era duro confessarmi sconfitta.

«Lo so» ella rispose, calma.

Le sue spalle superavano lo schienale della poltrona, la testa si profilava nel vano della finestra, sul cielo, più alta delle montagne. Di lassù certo ella vedeva tutto e perciò era inutile parlare. M'accoccolai ai suoi piedi, le presi la mano, mi pareva di stare in chiesa.

Ma ella mi rivolse la domanda che paventavo: «Perché hai agito così con Paolo? Sembravi contenta».

«Ero contenta» risposi. «Lo aspettavo con ansia. L'ho aspettato con ansia durante tutti questi giorni. Oh, mi piaceva vederlo entrare in casa, andargli incontro...»

«Ti piaceva» ella m'interruppe «andare a passeggio con lui, sola, di sera?»

«Sì, penso che in fondo mi piaceva.»

«E allora perché non vuoi sposarlo? Ti piace farti baciare da un uomo e non lo vuoi per marito?»

Esitai prima di rispondere: alla implacabile severità della Nonna era difficile fare intendere certe sottili reazioni.

«Sì, mi piace» dissi, risolvendomi a parlare con franchezza. «Ma penso che l'amore sia un'altra cosa.»

«Non è un'altra cosa, ti sbagli. Tutti gli uomini sono uguali, dicono le stesse parole, fanno gli stessi gesti. Sono uomini. Paolo è un giovane onesto, garbato, t'avrebbe portato gran rispetto. Tra breve avresti potuto avere un figlio. Quando s'aspetta un figlio s'è molto grate agli uomini. Allora ti senti veramente vivere, il tuo corpo s'espande, un benessere generoso ti pervade, hai fame, sete, sonno, tutti gli istinti sono rinnovati, possiedi la certezza di essere sana e fertile, come la terra quando il grano germoglia. Non serbi più rancore contro gli uomini, anch'essi sono tuoi figli. E infatti una tenera materna compassione ti penetra, nel vederli agitarsi in azioni e problemi così inutili, così poveri, di fronte al trionfo della tua vita.»

«Io non ho rancore per gli uomini. Soltanto mi piacerebbe avere quella sicurezza, quella forza che loro possiedono e sulla quale in ogni momento possono contare.»

«Non è forza» ella rispose battendo la grande mano sul bracciuolo «è mancanza di pietà. E invece solo chi ha pietà è forte. Hai capito?, ricordatelo. Temo che tu abbia sbagliato tutto, credendo che essi siano i padroni e affidando loro la tua felicità. Hai sbagliato. La casa è nostra, i figli sono nostri, siamo noi a portarli, nutrirli: dunque la vita è nostra. Anche il piacere che essi ti danno è una povera cosa che si deve serbare segreta; attraverso questo segreto essi ti tengono soggetta, avvilita. Solo quando si aspetta un figlio si diviene finalmente sicure: allora il legame che ci ha unito agli uomini non è più basso, disprezzabile, ma splendido: siamo noi a profittarne, a insuperbircene. Divieni grassa, bella, il seno ti si gonfia di latte. Tu sola basti a sfamare tuo figlio, egli non chiede altro. Anche il dolore che si prova nel metterlo al mondo è una sorta di mostruoso piacere: se sei veramente donna dovresti aver voglia di provarlo. La nascita di Ariberto fu molto difficile; io gli chiedevo: "Figlio, perché vuoi farmi tanto male? Abbi pietà, fa' piano". In quei momenti gli uomini stanno fuori della porta impauriti, vergognosi, non trovano pace. Sei tu che possiedi la forza di affrontare, sola, il momento terribile in cui si trasmette la vita.»

Le parole della Nonna cadevano dall'alto su di me: erano massi che travolgevano la mia pèrsona debole, i sogni che tenevo cari. "No" pensavo rotolando nel buio, "no, non voglio possedere questa orribile forza, non voglio."

Schiacciata dalla consapevolezza della mia miseria: «Perdonami, Nonna» dissi. «Mi pareva di essere divenuta forte, di somigliare a te. Lasciami andar via, non resisto.»

«Lo so» ella ripeté con voce dolorosa, sorda: «T'avevo detto lascia stare i libri, lascia stare la musica. Bisogna cacciare via duramente tutto questo, via via.» Disse come mia madre: «Avrei voluto che tu fossi felice».

Rabbrividii, stringendomi alle sue ginocchia. Sentivo il fiume scorrere sotto di me, attorno a me, veloce, e io m'aggrappavo a un tronco della riva, a una roccia. «Ho paura, aiutami» mormorai sfinita.

Dalla vicina casa del colono veniva la voce della radio: entrava nella stanza, ci raggiungeva, la respiravamo. La mite sera estiva si popolava d'insidie. Nella voce della radio udivamo il ronzìo degli aerei, il furioso precipitare degli aerei, l'avvitarsi fiammeggiante degli aerei, tre aerei, sei aerei caduti.

«Ho paura» confessai: «Nonna, ho paura».

«Tutti abbiamo paura» ella disse. «Mi pare, anzi, che questa paura non potrà più lasciarci, ormai. Io dovrò avere paura ancora per poco tempo: io sono vecchia. Ma non riesco a dimenticare il viso che tu avevi tornando da Sulmona, la sera dell'annunzio della guerra. Tu avevi capito che nessuno sarebbe potuto sfuggire a questa paura; del resto quello che viviamo è il tuo tempo, è giusto che tu lo interpreti meglio di me. Io, allora, avevo ancora la speranza di salvarti, avevo pensato di far costruire un rifugio nella dispensa: è una grotta solida, di pietra. Tutta la notte ho rimuginato idee assurde, fantastiche: foderare una stanza d'acciaio, benché non avrei avuto il danaro per farlo. Pensavo a questa stanza per te... per Paolo» disse sottovoce, «volevo nascondervi anche la biancheria, i sacchi del grano. Fare una cosa simile, insomma, all'arca di Noè. Sarò più forte della guerra, pensavo. Ma non è possibile. La guerra entra lo stesso. Tuo padre ha scritto che Sista ha paura e vuole tornare al suo paese, in Sardegna. Lui non può restare solo, senza una donna che badi alla casa, che stiri, cucini, rammendi. Dapprima avevo strappato la lettera senza neppure mostrartela: pensavo di mandare Adele.»

«È meglio che vada io» dissi.

«Sì» ella annuì dopo una pausa: «è meglio.»

Rimanemmo vicine, in silenzio. La radio taceva: s'udivano le voci dei grilli, l'uggiolare di un cane. Addio, dicevo dentro di me, addio, addio.

Entrarono le zie e io balzai in piedi tentando di riprendermi. Eppure il silenzioso riserbo che avevamo sempre mantenuto tra noi era spezzato; ci conoscevamo così intimamente come le donne soltanto possono conoscersi, anche se hanno creduto di non confidarsi mai.

«Alessandra se ne va» disse la Nonna. Esse non mostrarono alcuna meraviglia. Fu deciso che sarei partita entro due giorni: lunedì. Il lunedì mattina presto lo zio Rodolfo calzò gli stivali per andare in campagna. «Mi dispiace» disse «avrei voluto accompagnarti alla stazione. Il mezzadro ti condurrà col calesse. Io ho molto da fare: non posso.»

Mi prese una mano. Io lo guardavo: "Perché non mi baci?" gli chiedevo con gli occhi "perché non mi baci come Paolo?". Di nuovo mi sorpresi a considerare che un uomo di quarantasei anni è ancora molto giovane, attraente. "Baciami" insistevo: "prendimi nelle braccia, baciami." Lo imploravo, così, di liberarmi da tutte le cose che mi aspettavano lungo la vita, da tutti i gesti che dovevo compiere. Entrambi sapevamo ciò che significava la mia partenza. Dovevo essere io stessa ad avviarmi, partire, sola per la prima volta. La Nonna mi aveva dato il danaro per il biglietto, poi mi aveva regalato una piccola somma, con solennità. Non sarei tornata più in quella casa, e perciò volgevo in giro lo sguardo per congedarmi dalla vita pacifica che m'aveva respinto. Alle spalle dello zio Rodolfo vedevo i suoi fucili appesi, le pipe, la sua fotografia fatta sul Carso e il mio nome, nel grande albero genealogico, libero, solo, sul ramo estremo, nel vuoto.

«Capisci?» disse: «Non posso accompagnarti. Ci salutiamo qui.»

Erano tutti sulla porta mentre io salivo nel calesse col mezzadro. La Nonna in mezzo, zia Violante a sinistra, zia Sofia a destra, le serve dietro, come in una fotografia. Giuliano sedeva a terra, spolverandosi le scarpe col frustino. Vi fu un momento di silenzio, poi la zia Clarice scoppiò a piangere: «Perché parte Alessandra?» singhiozzava. «È colpa mia? Che ho fatto? Ho fatto qualcosa di male?»

Allora la Nonna abbassando la testa dette un ordine: io feci un gesto quasi per resistere, aggrapparmi. Ma il mezzadro aveva frustato il cavallo e il rumore delle ruote sulle selci presto confuse la voce stridula di zia Clarice che piangeva.

Al ritorno ciò che più mi sorprese fu il buio nel quale era sepolta la città, a causa dell'oscuramento. Infatti, entrando nella stazione di Roma il treno pareva chinarsi per scivolare in una tetra, insidiosa galleria. Nel buio riconobbi appena mio padre, venuto con Sista per prendere le ceste. Durante la lunga separazione la nostra corrispondenza era stata scarsa e fredda; perciò mi pareva inutile fingere un affettuoso trasporto. Del resto egli si occupava alacremente delle ceste. «Hai il foglio per l'annonaria?» mi domandò sottovoce; e, alla mia risposta affermativa, tirò un sospiro di sollievo: «sono stato tutt'oggi in pensiero per questo.»

Mio padre aveva abbandonato la vecchia casa di via Paolo Emilio e aveva preso alloggio in un appartamento piccolissimo nelle nuove costruzioni del Lungotevere Flaminio. Ciò accrebbe la sensazione che avevo di esser giunta in una città sconosciuta; nell'intrico di alte case bianche procedevo zitta, seguendo mio padre e Sista come persone estranee. Reggevo una pesante cesta di vimini che mi graffiava il polso e neppure guardavo in giro. L'ascensore mi sbigottì: era un ascensore moderno, le porte si spalancavano da sole; come all'arrivo in Abruzzo, mi sorpresi a dubitare di esser morta, vivere nell'al di là: forse si poteva morire molte volte, ogni volta rinunciando a qualcosa, a qualcuno.

Le tre stanzette erano soffocate dai vecchi mobili neri: mio padre aveva sostituito il letto nuziale con un lettino di ferro; ogni traccia del passaggio di mia madre era scomparsa, abiti, fotografie, il pianoforte era stato venduto. «Ho buttato via le cose inutili» mio padre andava dicendo; e, nel mostrarmi il bagno, gli armadi a muro, la cucina: «Ti piace?» mi domandava soddisfatto. Io dissi sì, ma, in realtà, non mi ero posta questa domanda e nulla chiedevo se non un angolo ove dormire giacché – più ancora di quando ero arrivata dalla Nonna – mi pareva di avere un grave peccato da farmi perdonare.

Le lampade di poche candele diffondevano una luce fioca e giallastra. In quel tempo mio padre incominciava a soffrire dei primi disturbi alla vista. Spalancò la finestra, il buio era fitto: un fiume nero mi divideva dal quartiere dove avevo vissuto con mia madre.

Al mattino m'avvidi che la casa guardava dall'alto sul ponte e sul canneto, sicché, per noi, era come abitare al cimitero: ma certo mio padre non aveva pensato a questo né si trovava a disagio. «In linea d'aria siamo molto vicini al Vaticano» diceva «non credo che dobbiamo essere preoccupati delle bombe.»

Dinanzi ai fornelli bianchi e celesti, Sista si aggirava sperduta: mi chiamava "signorina", mi dava del lei, e io accettavo senza protestare poiché mi pareva che tutti fossimo altri e le vecchie formule non valessero più. Non avevamo nulla da dirci e, quando io ebbi esaurito le notizie relative alla salute della Nonna e all'andamento della campagna, non fu possibile trovare un altro tema di conversazione. Rimanevo in un atteggiamento di servile gratitudine: ero contenta di avere una camera mia, una finestra. Volevo sdebitarmi in qualche modo, perciò accettai con entusiasmo quando mio padre disse: «Bisognerà che tu cucini, provveda alla casa». Dissi che sarei andata a iscrivermi l'indomani all'università, che avrei cercato lavoro attivamente: poteva fidarsi di me.

Egli sorrise rassicurato. «Vedrai» disse: «quando Sista non ci sarà più, se tu mi aiuti, potremo vivere benino. Adesso avremo anche l'indennità di bombardamento. Un uomo che viene dalla campagna ci porta un po' di carne. E in questa casa si sta bene. Ho trovato un vedovo, al primo piano, col quale giuoco a scopa qualche volta. Qui» disse dopo una breve pausa, fissandomi negli occhi «nessuno sa nulla. Hai capito?»

Il tono della sua voce indicava chiaramente che la vita trascorsa con mia madre era una favola ed entrambe dovevamo pentirci d'averla inventata.

Due giorni dopo andai a trovare Fulvia. Man mano che mi avvicinavo alla strada dove avevo abitato per tanti anni, le mie gambe perdevano la forza e il vigore del passo: riconoscevo i luoghi, le vetrine, i commercianti che sedevano dietro i banchi, ma era come se in realtà non li avessi mai visti e solo me ne avessero narrato diffusamente. Le rondini mi vennero incontro con un grido alto di saluto: le riconobbi, erano ancora mie parenti; rapide, calavano nella strada mettendo ovunque la loro accorata disperazione. Le sentivo gridare dentro di me.

Adagio, trepidante, m'inoltrai nella scala. Mi arrestai dinanzi a quello che, un tempo, era stato il nostro appartamento; aspettavo che la porta si spalancasse d'improvviso, io vedessi la mamma venirmi incontro con l'ineffabile grazia del suo passo: "Oh, Sandi" avrebbe detto "sei tornata...".

Sulla porta, invece, era scritto "Ridolfi", e io proseguii. Quando Fulvia venne ad aprire, stentava a riconoscermi. «Alessandra!...» poi gridò in un convulso abbraccio.

Era così agitata che non sapeva più dove ricevermi: ebbe la tentazione di aprire la porta del salottino giapponese dove non entravamo mai, io feci appena in tempo a trattenerla. Sedemmo sul suo letto, nella camera tappezzata di nuove fotografie dov'ella figurava in costume da spiaggia. Non l'avevo mai vista così, non conoscevo la nuova foggia dei suoi capelli né il vestito che indossava: ero sul punto di scoppiare a piangere. Lei disse: «Sandi, sono felice che tu sia tornata, debbo dirti mille cose, come faremo?, dovremo passare giorni, notti intere a discorrere. Rimani a dormire qui, stasera, perché no? Mi dispiace che la mamma non sia in casa» aggiunse. «È andata...»

«Col capitano?»

Fulvia fece una pausa e poi riprese, seria: «No. Il capitano è stato trasferito, poco dopo la morte di tua madre. Fu un dramma. Questo... questo è un costruttore, un costruttore con la millecinque».

«Ah, capisco» dissi. «Quante cose!...»

«Oh, tante cose...»

«E Dario?» le domandai sorridendo.

«Sta lì» disse indicando col mento il palazzo dirimpetto. Andammo alla finestra per guardare nella strada: stretta, polverosa, un triste corridoio. La facciata di contro era livida nell'ora crepuscolare. Dario non sedeva al tavolino, studiando, come sempre lo avevo ricordato nell'assenza. La sua finestra aperta mostrava una tenda bianca consunta, uno squallido interno. Per brevi istanti il libero verde dei prati, lo splendore delle montagne d'Abruzzo mi traversarono la mente luminosi, abbaglianti, a guisa di paesaggi visti in sogno. Ma la mia vita era qui: alla malinconica strada tornavo ad offrirmi dolcemente.

«Com'è?» domandai, accennando alla finestra di Dario.

«Buono» ella rispose: «affettuoso. Certe volte, invece, è così antipatico, incomprensibile, scompare. Ma forse tu che vieni di fuori non puoi capire: per loro si tratta di un periodo difficile. Dario era di leva, è stato riformato a causa della vista. Io ho vissuto giorni atroci: ora è passato, per fortuna.»

«A causa della partenza di lui?»

«Sì, e oltretutto, figurati, credevo di essere incinta.»

Sobbalzai e mi ritrassi dalla finestra, per nascondere il viso nell'ombra. Sentivo di arrossire violentemente: tuttavia non potevo staccare gli occhi dal volto, dal corpo di Fulvia. Pensavo di non aver compreso bene: forse Fulvia e Dario si erano sposati segretamente; ma, soprattutto, soffrivo di essere stata esclusa da questa confidenza, e anzi ingannata, poiché, durante i mesi trascorsi, avevo continuato a pensare a Fulvia come se fosse stata la stessa di sempre.

«Già» ella disse distogliendo lo sguardo. «Già, tu non sai nulla. È accaduto in autunno, il tredici di ottobre.»

Io seguitavo a fissarla, zitta, a occhi sgranati, la ascoltavo pronunciare facilmente quelle parole, mentre schiacciava una sigaretta sul davanzale. S'era abituata a fumare.

«Volevo scrivertelo» ella continuava: «ma certe cose si scrivono malvolentieri, sarebbe stato necessario parlarne, e poi temevo che la tua corrispondenza potesse essere letta da estranei. Ricordi che, in quel tempo, rimasi parecchie settimane senza scriverti?» Io feci sì con la testa. «Tu mi sollecitavi, eri impensierita, io ammucchiavo le tue lettere: non potevo riprendere a scrivere come prima anche se, in realtà, nulla era mutato. Poi ti dissi: scusami, sono accadute alcune cose importanti... Ricordi?» Io annuii ancora. «Era questo.»

Intanto nel mio animo cresceva un amaro rancore contro di lei, per quel silenzio. Durante lunghi mesi io avevo continuato a corrispondere con un personaggio che non esisteva più; di questo inganno mi dolevo; non pensavo neppure a giudicare la condotta di Fulvia: giudicavo soltanto la sua mancanza di sincerità nei miei confronti. Inoltre, fin da quando eravamo molto giovani, avevamo giurato che non appena l'una di noi si fosse sposata avrebbe rivelato all'altra ogni particolare della prima notte d'amore; ma ormai intuivo che non avrebbe detto nulla: se le avessi ricordato il giuramento forse ella avrebbe riso, mi avrebbe trattato come una bambina. Rivedevo la figura alta di Dario, quando ci aspettava all'angolo della piazza, la indolente scioltezza del suo passo, e mi pareva che egli solo fosse responsabile del tradimento di Fulvia.

Ella mi si accostò, mi trasse al davanzale: nella incipiente penombra distinguevamo ancora la finestra di Dario, il tavolino deserto. Si intravvedeva un letto biancheggiare

243

nel fondo della camera, una giacca posata sullo schienale della sedia. Quei segni della vita quotidiana di un uomo ci apparivano misteriosi, indecifrabili.

«È accaduto qui» ella disse: «una sera che la mamma era fuori, al teatro.»

Avrei voluto volgermi, guardare attorno. Forse non me ne ero avveduta, entrando, tanto avvezza ero a rivederla ferma nel ricordo, ma certo qualcosa doveva esser cambiato; era impossibile che ciò fosse avvenuto tra i vecchi bauli, in quella stessa camera nella quale Fulvia mi si era presentata, quando eravamo bambine. «Sono Gloria Swanson» ella mi aveva detto, rialzando i capelli sugli occhi dipinti col carbone. Qui, pensavo, proprio qui.

«Dimmi» mormorai.

Fulvia cominciò a parlare, fissando la finestra dirimpetto con amoroso rancore. Disse di aver resistito tutta l'estate.

«Ma era una resistenza caparbia, puramente formale: nella fantasia avevo già ceduto da tempo. Dovevo lottare più con me stessa che con lui. Egli lo capiva e assisteva alla lotta senza neppure parteggiare per se stesso, sapeva che io ero la sua migliore alleata: mi lasciava sola, in questa tremenda battaglia. Ci vedevamo ogni giorno, due volte al giorno, e c'era sempre tra noi un rancore nel quale io mi sentivo menomata, poiché non sapevo fino a che punto potessi contare sui miei propositi. Temevo di essere impuntata soprattutto su una convenzione sociale: sarei stata felice di cedere se egli avesse promesso di sposarmi. Egli non mi diceva nulla, a volte neppure mi abbracciava: "Scusa" diceva, se cedeva a baciarmi o a sfiorarmi col braccio. M'irritava il sorriso ironico che talvolta scoprivo sulle sue labbra, un lieve sorriso di compassione al quale Dario non m'aveva abituata. Quel sorriso era la sola insidia che egli mi tendeva. Per il resto era diventato docile, dolce, sempre pronto ad accorrere quando lo chiamavo. Di fronte alla sua generosa tenerezza mi sembrava di essere una creatura indegna, calcolatrice, posseduta da un'avarizia sordida e tenace. Soprattutto mi pareva di recitare una commedia: fingevo di essere sgomenta dal peccato che stavo per compiere, solo per rispettare una rassicurante tradizione. Quando ebbi la certezza che questo timore del peccato era fittizio, che io, in verità, ero ansiosa di consumare il peccato, allora...»

«Allora?»

«Gli dissi: "Mamma va al teatro stasera, vieni su un momento, un momento solo, hai capito?". Anche allora mentivo, volevo che insistesse, che fosse lui a forzarmi, costringermi...»

«E lui?»

«"Va bene" disse.»

«E... quando venne su?»

Fulvia, dopo un silenzio, mormorò: «Tremava».

Dopo questa parola entrambe ci rivolgemmo con tenerezza alla finestra, accarezzandola con lo sguardo. Riandavo il giorno in cui Lydia mi aveva detto «Vieni a conoscere mia figlia». Io m'accostavo timidamente al mondo sconosciuto che Fulvia rappresentava per me, sentivo che una nuova stagione aveva inizio e che quell'incontro sarebbe stato un grave esperimento: i miei giuochi, le mie confidenze, rivelavano intero il mio carattere, era pericoloso affidarli a qualcuno. Perciò tremavo. Anche Dario tremava. Aveva sfidato un rischio, entrando in quella stanza. E io speravo che fossero i nostri giuochi a resistere e lui uscisse sconfitto, umiliato.

«Ci vedevamo spesso» Fulvia continuava: «ogni volta che la mamma usciva di sera.» La parola "vedersi" aveva assunto per lei un altro significato e io arrossivo al pensiero di essere sua complice nel riposto valore di quella parola. «Non era mai accaduto nulla, per mesi. Incominciai a temere proprio quando Dario fu richiamato, nei giorni in cui passava la visita. Non potevo credere che fosse vero, mi pareva ingiusto che una cosa che noi avevamo compiuto così leggermente, da ragazzi, potesse provocare le stesse conseguenze di un matrimonio celebrato in chiesa, col consenso dei genitori, del parroco, di tutti. Mi pareva impossibile proprio perché eravamo avvezzi a vederci qui, in questa stanza: sembrava una delle tante cose, dei tanti discorsi che noi facevamo di nascosto a mia madre e alla tua. Capisci?»

«Sì, certo.»

«Ugualmente mi ribellavo alla partenza di Dario. Era altrettanto ingiusta quanto la presenza dell'essere sconosciuto che s'imponeva in me. Non avevamo voluto questo bambino come non avevamo voluto la guerra. Io tacevo con Dario sui miei dubbi, mi pareva una cosa avvilente, mortificante, di quelle alle quali ricorrono le donne quando un uomo sta per lasciarle. E neppure lui era sincero: mi diceva, "Vedrai, torno subito, che se ne fanno, in guerra, di un uomo miope come me?". Ridevamo, andavamo in campagna. Io mi sdraiavo sul prato, appoggiavo la testa sulle sue ginocchia e lui mi carezzava i capelli. Avevamo preso l'abitudine di parlare di politica come se fossimo due uomini. Sì, leggere i giornali, parlare di politica erano i nostri discorsi d'amore. Al ritorno, sui muri, nelle affissioni delle liste di leva, io leggevo il suo nome alla lettera C, lo seguivo col dito: "Clerici Dario". In ogni strada dove passavamo quelle liste erano affisse. Clerici Dario dappertutto era individuato, seguito, vigilato, non avrebbe potuto sfuggire. Quelle affissioni mi toglievano il respiro; non potevo pensare ad altro che a quel dubbio tremendo, alla ineluttabile presenza che s'annidava dentro di me, simile a un mostruoso polipo che stringeva, soffocava; e alla guerra. Dario mi salutava sul portone. "Ciao, Fulvia." Qualche volta io gli dicevo con indifferenza: "Vieni su, più tardi", lui diceva: "Ah, bene". Un giorno disse: "Debbo presentarmi domani". Oh, Alessandra, non puoi capire, tu, non capisci.»

Era la prima volta che mi diceva così.

«In quei giorni» Fulvia continuava «molto spesso pensavo di uccidermi. Pensavo di buttarmi nel Tevere. Guardavo l'acqua e pensavo che sarebbe stato facile chiudersi lì dentro, come addormentarsi sotto una coperta soffice. Pensavo a tua madre, anche; sembrava che lei mi chiamasse, che dicesse: "Vieni, Fulvina, si sta bene qua sotto". Mi vedevo saltare giù dal muraglione, vedevo il mio corpo tuffarsi, sparire. Invece restavo ferma, attaccata al muraglione e ciò non era dovuto a paura: tu lo sai, non sono vigliacca; ma sentivo che appartenevo alla terra e alla mia angoscia, che dovevo assaporarla pezzo per pezzo. Mi pareva di non poter sfuggire alla legge che è nel dolore, come avevo ubbidito spontaneamente all'altra legge che è naturale in coloro che si amano. Capisci?»

«Sì» dicevo.

«Poi Dario fu riformato, io mi rassicurai circa i miei dubbi. Che sollievo. Sono stati giorni terribili... Ora siamo tranquilli, abbiamo ripreso a litigare.»

Tacevamo, lei mi posò una mano sulle spalle. «Porti ancora il lutto?» mi domandò toccando il mio vestito nero. «Comprati un abito chiaro. Tagliati i capelli. Dovresti cercare di...»

«No» risposi bruscamente.

Poi l'abbracciai temendo di averla offesa: incominciai a parlare del viaggio, del ritorno, ma era difficile riprendere a discorrere con lei tanto diversa, in quella stanza diversa. Tentavo di adattarmi, docilmente. Le dissi che speravo di vedere Lydia, mi sarei trattenuta ancora un poco, benché fosse già tardi.

«Mammà non torna a cena» ella disse con un lieve impaccio: «cena fuori, stasera.» Dopo una pausa aggiunse: «Va a teatro».

«Ah» io feci e rimanemmo in silenzio. Ci volevamo bene, un bene difficile e profondo. «Io vado, allora» dissi «ti telefonerò domani.»

Rifeci la scala, adagio, nella fioca penombra. Intanto vedevo mia madre scendere lesta nel vestito azzurro, andare incontro ad Hervey.

Fu piuttosto difficile, i primi giorni, abituarmi a vivere nella casa del Lungotevere. La mia camera era piccola, i mobili vi erano stati disposti senza amore, secondo il criterio utilitario di mio padre e di Sista; in un angolo vi si accatastavano bauli e valigie ricoperte di un logoro percalle rugginoso. Il corridoio chiaro, la cucina moderna, il bagno nitido, contrastavano col sonno della mobilia che, calando dalla vasta austerità della casa abruzzese, aveva già durato fatica ad adattarsi nell'appartamento di via Paolo Emilio. Non riuscivo a trovare un angolo accogliente; la mia camera s'apriva su un balconcino di gesso, simile a una vasca; nel cortile le persone che s'intravvedevano non avevano l'indulgente fisionomia degli inquilini del vecchio casamento. «Non si può stare affacciati» Sista diceva scrollando la testa, poiché più di una volta qualcuno aveva abbassato lo stoino verde per difendersi dalla sua benevola curiosità. Affacciata al cortile ella lasciava scorrere lo sguardo sui muri bianchi, sugli stoini abbassati, poi sospirando diceva che la guerra aveva cambiato l'umore della gente. Mio padre costringeva Sista, e poi me, a fare lunghe ore di fila per comperare una qualità di frutta o di legumi che, in tempi di pace, non aveva mostrato di preferire. Io lo accontentavo volentieri e questa mia nuova docilità gli piacque, non sospettando che fosse più pericolosa di una ribellione. In verità egli non suscitava più in me alcuna rivolta, ma solo indifferenza o fastidio.

Subito mi resi conto che sopportare questa convivenza era meno facile di quanto io avessi preveduto: egli era in continuo sospetto verso di me; nascondeva accuratamente i danari e mi faceva mancare persino il necessario per comprarmi le calze o per prendere il tram. Era felice soltanto quando mi vedeva andare attorno nelle faccende di casa. «Che c'è di buono?» mi domandava; se tornava a casa con un pacchetto di prosciutto o di acciughe, lo metteva in tavola, tra noi due, e insisteva nell'offrirmene acciocché non ne restasse per Sista: «Ci mancherebbe» diceva, «prosciutto alla serva, di questi tempi». Ogni giorno l'abisso che ci divideva si faceva più profondo: io mi trattenevo a lungo nella mia camera, come se abitassi in pensione: mio padre scendeva dagli inquilini del primo piano e non mi chiedeva mai di accompagnarlo.

Nel nuovo palazzo tutti mi guardavano passare, incuriositi dal mio abbigliamento; indossavo sempre abiti neri, benché il periodo del lutto fosse trascorso; portavo scarpe nere pesanti, comperate in Abruzzo; stringevo i capelli in un nodo sulla nuca. Quando scendevo le scale, rapida, nel mio vestito piuttosto lungo, le ragazze si volgevano a guardarmi: erano ben pettinate, truccate, dietro le mie spalle si scambiavano allegri commenti, ridevano. «Signorina» mi disse Sista: «perché non mette i vestiti della Signora?» Me lo disse pochi giorni prima di lasciare la nostra casa, sicura che non li avrei utilizzati finché ella fosse stata lì. I vestiti erano tutti riposti in un baule. «Voleva venderli» Sista spiegava; avevamo preso l'abitudine di non nominare mai il babbo.

Erano pochi vestiti, grigi, avana, neri. Ne scelsi uno nero; presi anche l'impermeabile, rinvenuto sulla riva. Nel baule si trovava anche un lungo involto frusciante di carta velina.

«Che cos'è?» domandai a Sista.

«È il vestito azzurro del concerto» Sista rispose.

Vi fu un silenzio lungo. Riudivo il suono deciso e vibrante del pianoforte; ascoltavo mia madre sonare, le sorridevo accarezzando la carta bianca che rispondeva con un gemito stridulo.

«Sai nulla di lui?» chiesi in un soffio.

«No» Sista rispose. «Nulla. Soltanto... Ecco: io andavo spesso al cimitero e portavo qualche fiore: ma nei vasi c'erano sempre fiori freschi, i fiori di campo che piacevano alla Signora. Il guardiano mi disse che era sempre il bel signore alto a portarli: "il marito" diceva.»

Le nostre mani si strinsero sulla carta frusciante. Non

potevo togliermi dalla mente il motivo irruente e spavaldo della primavera, gli squilli simili a risate.

«Non bisogna più tornare al cimitero, Sista.»

«No. La signora Lydia ha detto che se incontrasse qualcuno forse non ci tornerebbe più. Bisogna lasciarli soli, ha detto la signora Lydia.»

«Sì» io ripetei: «bisogna lasciarli soli.»

«Perciò preferisco andare via. Non è per la guerra: gli ho detto questo perché non potevo spiegare tante cose. In un modo o nell'altro si deve morire, dicono che sotto i bombardamenti non si ha neppure tempo di sentire niente. Me ne vado perché non ce la faccio più: è stato già difficile aspettare che tornasse lei.»

La accompagnai al treno una mattina all'alba. «Ho paura di soffrire il mal di mare» diceva per mascherare la sua inquietudine. Io sapevo che nulla l'attendeva, in Sardegna, i genitori erano morti: andava a fare la serva in casa di un fratello; ma non voleva restare con me, non poteva vedermi camminare: «Mi fa impressione» aveva detto a Lydia: «mi sembra di vedere la Signora». S'alzava un giorno nebbioso, la stazione era ancora buia: zitte, noi aspettavamo l'ora della partenza, come aspettavamo mia madre, smarrite nel crepuscolo e nel timore. «La Signora...» Sista disse mentre il treno si moveva: «Ho rubato tutte le fotografie.»

Così rimasi sola e presi l'abitudine di studiare in cucina; sul fornello bolliva la pentola e il gorgoglio dell'acqua, il viola acceso della fiamma mi tenevano compagnia. Mio padre era contento perché risparmiava la luce. Non fui mai tanto sola come in quel periodo.

Poco dopo il mio arrivo, Claudio era partito per raggiungere la scuola allievi ufficiali, a Milano, e la sua partenza era stata un sollievo, quasi, una liberazione. Durante quei giorni non aveva fatto altro che aspettare il momento in cui avrebbe potuto vedermi: e se, invece, io mi trattenevo a studiare o andavo a far visita a Fulvia, mi pareva di commettere un atto di crudeltà. Quando gli permettevo d'accompagnarmi, egli era beato di scaldarsi al dolce fuoco della mia vicinanza. Guardandomi diveniva quasi bello, ogni nobile sentimento si specchiava in lui. Pensavo che avrebbe dovuto morire in quegli attimi, non aveva più nulla da apprendere dalla vita.

«Parto domani» disse una sera: «tra ventiquattr'ore.»

Pareva calmo: la sofferenza lo colmava tanto da non lasciare posto alla disperazione. «Se non sei stanca vorrei proporti di tornare in quel viale, a Monte Mario, dove per la prima volta capii che ero innamorato di te.» Dissi sì. Sentivo che voleva rifarsi all'inizio della sua amorosa obbedienza per trovare la forza di accettare la nuova obbedienza che lo aspettava. Lì avevamo parlato di Antonio ed egli era stato incomprensivo, sprezzante, lo aveva accusato di vigliaccheria. Aveva detto che era più vile ribellarsi che accettare tutte le dolorose richieste della vita.

Mi appoggiavo al suo braccio ed egli devotamente di tutto se stesso mi faceva appoggio. Eppure mi pareva d'essere io a patire anche il sopruso che lui subiva partendo. Ormai non potevo più ignorare la guerra se essa raggiungeva anche i miei compagni d'infanzia, il mio amico prediletto.

Della probabilità di partire i miei compagni non parlavano mai o ne parlavano con leggerezza, scherzando: però, come i giovani contadini in Abruzzo, non mettevano più alcun impegno nel vivere: si alzavano tardi, rimanevano ore e ore sul letto a leggere, a fumare, mentre le madri, le sorelle, li servivano premurosamente riconoscendo loro il diritto all'ozio e all'inerzia. Sentivano di appartenere alla guerra, ormai, aspettavano che la guerra li chiamasse; e più odio provavano verso questo richiamo, più inesorabile sentivano il dovere di aspettarlo. Forse era stata questa consapevolezza a renderli scontrosi, fin da ragazzi. Neppure il grande amore che Claudio aveva per me bastava a suggerirgli una rivolta. Le donne si ribellavano perché la guerra non era nel loro destino: la Nonna pensava di costruire un rifugio, la zia Violante di imboscare Giuliano,

251

e io soffrivo nel rimanere estranea ai rapporti misteriosi e inclementi che correvano tra Claudio e l'ordine che aveva ricevuto, tra Claudio e la possibilità che aveva di morire.

Come alla vigilia della mia partenza per l'Abruzzo, ora egli mi supplicava di scrivergli; ancora pochi giorni prima, l'ultima sua lettera era firmata "Claudia": era un sotterfugio infantile. «Indirizza all'allievo ufficiale di fanteria Claudio Lori» egli mi raccomandava adesso, temendo che io potessi dimenticare qualcosa e la lettera giungere in ritardo, smarrirsi. L'allievo ufficiale Lori non aveva più nulla in comune col ragazzo che avevo incontrato per la prima volta, sul terrazzino di Fulvia. Già mi pareva che odorasse di cuoio, come tutti i militari, lo immaginavo scattare sull'attenti, parlare con quella voce inumana che la divisa richiede per poter rispondere: "Comandate", per poter ordinare: "Voi dovete partire subito e trovarvi puntualmente sul fronte africano dove tra sedici giorni, alle 0.28, dovrete morire".

«Non partire» gli chiesi con rabbia.

Commosso da queste parole, egli si dilungò a spiegarmi che l'indomani era il termine ultimo concesso per raggiungere la scuola di fanteria a Milano; e, sapendomi ignorante di tutto quanto riguardava l'esercito, aggiunse sorridendo che egli sarebbe stato uno di quelli che hanno i fucili d'oro sul berretto. Tuttavia questa scherzosa precisazione esprimeva il rammarico di non potersi presentare a me nella divisa militare: sperava che il suo aspetto potesse avvantaggiarsene e destare in me gradevole sorpresa; amore, forse; non sapeva che fin da bambina avevo sempre avuto in avversione i maschietti che giocavano alla guerra. Nel cortile ce n'era uno che, durante tutto il giorno, portava in testa un cappello da bersagliere. Se lo guardavo, egli si pavoneggiava e poi, indispettito di non suscitare invidia o ammirazione, puntava gli indici contro di me col gesto di imbracciare il fucile e faceva «Pum pum». Era un bambino linfatico, gracile, spesso veniva sulla loggia con uno scialle indosso e in testa il cappello da bersagliere. Mia madre diceva che forse solo quando portava in testa quel cappello gli pareva d'essere sano e forte; bisognava compatirlo perciò. «Vedi?» ella considerava «la guerra non è una prova di forza, è una prova di debolezza. Una prova di paura» aggiungeva. «Solo la paura e la debolezza possono spingere gli uomini a uccidere altri uomini che non hanno fatto nulla di male.»

Il vero pericolo della guerra, infatti, sembrava essere proprio nella paura e nell'inerzia che gradatamente, inesorabilmente, come una nebbia densa, s'impadronivano di noi togliendoci ogni fiducia nel futuro. I più anziani almeno potevano sostenersi al passato, ai ricordi. Infatti si affannavano a custodirli, come custodivano gelosamente i beni materiali. Alcuni seppellivano i gioielli e il danaro, senza avvedersi di condannare, con quel gesto, il loro diritto a goderne. Ai giovani, che possedevano solamente il futuro, non rimaneva nulla.

Guardavo Claudio e – ricordando la fotografia dello zio Rodolfo che avevo visto in Abruzzo – tentavo inutilmente di immaginarlo in quell'atteggiamento baldanzoso, le braccia conserte e il piede appoggiato sul masso. Eppure affrontavano la stessa esperienza, alla stessa età. Lo zio Rodolfo mi aveva parlato sovente di quel tempo: e il tono gagliardo della sua voce testimoniava che egli aveva partecipato alla guerra come a una manifestazione di avventurosa esuberanza virile. Quando lo zio Rodolfo, nella penombra dello studio, mi parlava della partenza delle truppe, del loro passo di marcia, gioioso, sicuro, dei canti, dei fiori che le donne gettavano dalle finestre, delle bandiere che schioccavano nel vento, a me pareva di udire nella stanza avvicinarsi, a poco a poco, un suono marziale di fanfare e i miei occhi si accendevano.

Adesso, invece, di notte si sentiva salire dalla strada uno scalpiccio sordo, disordinato. Passava un gruppetto di giovani, squallidi nelle loro camicette estive; portavano in mano un pacco, una valigia, e camminavano in silenzio dietro un uomo in divisa. Nell'udire quel malinconico trapestio la gente si rivoltava nel letto, sospirando. Le finestre restavano chiuse, per discrezione. Di notte le reclute abbandonavano la città, di notte s'imbarcavano, di notte le navi lasciavano l'acqua nera del porto. Infagottati nelle grossolane divise, assiepati nelle stive, non avevano neppure l'odio per sorreggersi né valeva più, per loro, quell'istintiva prepotenza maschile che da bambini li aveva fatti giocare alla guerra: poiché essi sapevano che non avrebbero potuto misurare il loro valore di uomini con quello di altri uomini. Consapevoli della fragilità dell'eroismo umano contro il duro urto delle macchine e degli ordigni, sapevano che li aspettava soprattutto il gesto vile dell'uomo che corre a nascondersi dentro una buca, e trema, scosso dalle esplosioni del bombardamento, trema, vergognoso della propria impotenza. Tutte le notti io udivo quel malinconico scalpicciare: anche Fulvia lo udiva, perché entrambe abitavamo vicino a una caserma. I più anziani dormivano; noi non potevamo dormire. Erano i passi dei nostri amici d'infanzia, i passi che avevamo udito nel cortile della scuola, i passi che si erano accompagnati ai nostri nelle amorose passeggiate. Finché s'allontanavano, tacevano. All'alba la traccia del passaggio delle reclute era segnata da bucce d'arancia e cicche di sigarette.

Così pareva che non accadesse nulla. Roma era una città tranquilla; gli aviatori nemici dall'alto la scorgevano, bianca, innocente, stretta intorno alla grande cupola, pareva che fosse intenta a pregare: perciò, subito s'allontanavano rispettosi. Ma nelle piazze non s'udiva più il discorso amichevole delle fontane: piazza Navona era silenziosa, nel gesto atterrito dei Fiumi. Al posto della cara voce dell'acqua si udiva la voce arrogante della radio. Di sera, quando ero in letto, penetrava nella mia camera attraverso la debole difesa delle pareti; se dormivo entrava nei miei sogni, con l'urlo dilaniante delle sirene: mi svegliavo in sudore, sgranavo gli occhi nel buio. Fulvia diceva: «Questi sono i nostri anni migliori, questo è quello che avevamo atteso, l'amore, la giovinezza. Avevo tanto desiderato di compiere diciotto anni, per avere un vestito da sera, di velo rosa, a volà».

Zitti, Claudio ed io risalimmo il gran viale, sottobraccio. «Si fa buio» egli disse, angosciato «non posso più vederti in viso. Quando ti vedrò ancora?» Era un luogo deserto, ci appoggiammo ad un albero per parlare. Ma, dalla sola casa che fosse prossima, subito ci raggiunse la radio. Ingannevole fingeva il gorgheggìo degli uccelli; poi la voce inesorabile incominciò a parlare. Claudio parve non avvedersene, il suo sguardo tentava di forzare l'ombra per vedere ancora il mio viso. Egli già apparteneva a quella voce; era come se quella voce mi guardasse con amore, adescandomi. «Dammi un bacio» mi supplicò. Io pensai: un bacio prima di morire, e l'agguato di morte che egli portava in sé, nella sua supina ubbidienza, sollevava in me una ripugnanza invincibile. Torsi il viso per togliermi alla dolce insistenza delle sue labbra.

«Oh» Fulvia diceva, «le nostre madri erano così fortunate che potevano persino uccidersi per amore.»

Seguì un periodo oscuro, di lotte, di ostilità e di sconforto. Mi ero iscritta alla facoltà di lettere, benché mio padre non ne fosse soddisfatto. Tuttavia non si oppose: «Basta che tu trovi un impiego». Non sapevo a chi rivolgermi: non avevamo amicizie, ne parlai a Fulvia, a Dario, leggevo gli annunzi del giornale. Incominciai a studiare la stenografia, da sola, con l'aiuto di un manuale. Mi addormentavo sul quaderno, in cucina, e mi risvegliavo a tarda notte, infreddolita.

Ero molto stanca perché non avevo l'abitudine di sostenere, oltre quello dei miei studi, tutto il peso delle faccende di casa. Mi alzavo appena giorno, mi coricavo tardi. Non credevo che lavare i piatti o spazzare fosse tanto pesante: neppure mio padre lo credeva, perché sempre rilevava che la casa non era molto pulita e si mangiava male.

Nel pomeriggio andavo in cerca di lavoro: quando mi domandavano che cosa sapessi fare rimanevo zitta, poi suggerivo: «Potrei fare qualsiasi cosa...». Mi domandavano se avevo parenti al fronte, prendevano nota del mio indirizzo, dicevano che mi avrebbero scritto: ma nessuno mi scriveva.

Mi presentai persino in un negozio di profumeria dove cercavano una "ragazza di bella presenza". Una giovane donna bionda, elegantemente vestita, mi venne incontro e con fredda cortesia mi domandò che cosa desiderassi: intanto osservava il mio vestito nero, l'impermeabile. Dissi che ero venuta per l'annunzio: ella mi pregò di aspettare e io fui contenta di poter rimanere un poco lì dentro, tra le bottiglie allineate, i barattoli chiari, e quell'odore dolce di cipria. Tornò subito, riferendo che il posto era già occupato. Io dissi grazie, e intanto la contemplavo sorridendo perché era molto bella. Pochi giorni dopo mi feci fare una fotografia per la tessera del tram e, guardandola, compresi che avrei fatto meglio a non rispondere all'annunzio.

«Niente di nuovo?» mio padre mi domandava inesorabilmente, tutte le sere, appena rincasato. Lo sentivo salire le scale; l'ascensore era ormai fermo per mancanza di corrente; a ogni scalino il suo passo greve, sordo, si avvicinava, e con esso, la confessione della mia sconfitta. Tremavo mentre egli leggeva sprezzantemente i titoli dei libri che studiavo, sfogliava le dispense. Una sera disse: «Le donne che hanno veramente intenzione di guadagnare o studiano ostetricia o imparano a lavorare da sarte».

Ero tanto sola che a volte mi coglieva una sorta di paura. In casa non veniva nessuno, il telefono non squillava mai. Vinta da una crisi di depressione non avevo neppure la forza di uscire di casa, traversare il ponte. «Non posso» dicevo a Fulvia «devo rammendare, stirare.» Lo dicevo con infantile rammarico, come se fossi stata messa in castigo. A volte, invece, lasciavo tutto e imboccavo la via Paolo Emilio, piena di vento freddo.

La presenza di Lydia e Fulvia mi comunicava un immediato benessere; esse erano sempre animate da qualche proposito che le infervorava: misuravano alacremente la stoffa di un vestito che doveva assolutamente esser pronto l'indomani, la tagliavano, la imbastivano; oppure mi mettevano al corrente di una riffa che avevano indetto, a favore di una pigionante. Fulvia nel pettinarsi mi domandava se avessi trovato un impiego. «Che disdetta» sospirava dandosi il rimmel. Lydia parlava al telefono col costruttore e si nascondeva dietro una tenda perché non udissimo ciò che diceva. Lo stesso faceva Fulvia quando parlava con Dario. Poi venivano fuori e raccontavano tutto.

Si stava bene in quel tepore femminile, tra la biancheria gettata qua e là, in disordine, i bigodì, i vestiti. Mi lasciavo andare sul letto grande, come soleva mia madre. «Riposati» Lydia diceva, ponendomi tra le mani la borsa dell'acqua calda.

Un giorno Fulvia mi chiamò al telefono. «Vieni subito» disse.

«È successa una disgrazia?»

«No. È una cosa bella. Vieni.» Senza aspettare la conferma, disse «Ciao» e tolse la comunicazione.

Arrivai trafelata, per aver salito le scale a due a due. Appena entrai, «Che c'è?» domandai nel togliermi l'impermeabile.

«Indovina...» Lydia rispose.

«Parlo io» Fulvia la prevenne.

«Che c'entri tu? Parlo io.»

Dopo una pausa che servì a mettere un bel cerchio d'ansia attorno alla notizia, Lydia annunciò:

«Lui ti ha trovato un posto.»

"Lui", era il costruttore. Si trattava di un posto modesto, per adesso, nell'amministrazione della sua azienda, ma bisognava guardare al futuro – dicevano – e forse tra non molto avrei potuto sostituire una segretaria che, sposandosi, si trasferiva altrove.

«Spero che non ti presenterai con questo vestito» disse Fulvia. Poi sedemmo sul letto e ci attardammo a lodare la gentilezza d'animo del mio benefattore. Modestamente Lydia diceva: «Credetemi, è proprio una persona fine».

Seppi che era ingegnere e si chiamava Mantovani. Lydia si raccomandò alla mia discrezione e non per salvaguardare se stessa, spiegava: ormai il signor Celanti si era stabilito da solo, a Milano; ma l'ingegnere era in una posizione delicata: la moglie, oltretutto, soffriva di cuore. «Non vorrei avere questo rimorso» Lydia sospirava con un affrettato fremere di ciglia.

L'ingegnere era un uomo sulla sessantina, torinese, bonario e spicciativo. Lydia mi telefonò subito e, in tono di lusinghiera condiscendenza, mi riferì che avevo prodotto in lui una buona impressione. «Ha detto che sei una persona distinta.» Pensai che ciò fosse dovuto al vecchio vestito a giacca di mia madre, che mi ero risolta a indossare; ma trassi un sospiro di sollievo. Ero rimasta piuttosto sfiduciata dopo il cattivo esito avuto alla profumeria.

Sul momento, esso mi aveva lasciata indifferente; poi, avevo incominciato a pensarci qualche volta, anche perché passavo spesso dinanzi a quel negozio che aveva una grande vetrina sul Corso, una delle più rinomate profumerie della città. Nel negozio v'erano sempre clienti eleganti, e le commesse sarebbero riuscite ad essere alla pari con loro se non avessero, a tale scopo, usato una eccessiva raffinatezza di modi che appariva artefatta, simulata. La vetrina specchiava il mio viso aspro, la mia figura magra nel lungo impermeabile: e, alle mie spalle, l'asfalto grigio della strada, la gente che passava lesta, chiusa nei propri pensieri, ragazze che tornavano dal lavoro e ragazze come me che non trovavano lavoro e alle quali il padre domandava «Niente di nuovo?», per sentirle rispondere «No» mentre pelavano le patate scottandosi le dita. Io fissavo le signore che erano sedute nel negozio, perplesse scegliendo il colore del rossetto. Un astio incontenibile affiorava dal mio animo: avrei voluto rompere la vetrina con una sassata e tentavo di giustificare quel risentimento, attribuendolo a una ribellione contro le ingiustizie della società. E invece era soltanto invidia, gelosia. Pensavo che erano, forse, mediocri, stupide, e avevano interessi soltanto superficiali: ma queste considerazioni, che gettavo contro di loro violentemente, a guisa di insulti, non servivano a intaccare il potere della loro bellezza. In quei momenti mi pareva che avrei rinunziato persino al ricordo di mia madre per somigliare a una di loro.

Avvilita, mi staccavo dalla vetrina. Immaginavo come un uomo dovesse essere felice di accoglierle ad un appuntamento: la gioia che la mia presenza aveva fatto nascere negli occhi di Claudio s'impoveriva, svaniva. Da lui ricevevo lunghe lettere, ma ho già detto che non scriveva bene: si dilungava a parlarmi del corso, della vita militare. La mia giornata era una galleria buia. «Niente di nuovo» rispondevo a mio padre. Pelare le patate, lavare i panni, specchiarmi nell'acqua grassa della rigovernatura, sembrava che tutto questo non bastasse a compensare lo spazio che occupavo per dormire, il poco vitto. «Non è possibile che tu vada avanti così, senza far nulla» egli diceva.

Si rallegrò nell'apprendere che ero stata assunta dall'impresa Mantovani; e tuttavia, sotto la soddisfazione apparente, era facile scorgere il dispetto di non poter più umiliarmi ogni sera, quando rincasava. Dopo il primo giorno mi domandò: «Ebbene?» e poi disse «Meno male», con un sorrisetto di compassione verso l'impresa Mantovani che si accontentava di una simile impiegata.

Io lasciavo che mi attaccasse senza neppure tentare di difendermi: seguitavo a camminare nella buia e interminabile galleria: così trascorsi quel triste periodo della mia vita, che durò più di due anni. La qualità del mio lavoro non era tale da suscitare il mio interesse né mi riusciva gradevole la compagnia dei colleghi d'ufficio. Quasi tutti si proponevano, come mio padre, di lavorare il meno possibile, stimando sufficiente a giustificare lo stipendio il fatto che essi acconsentissero a restar chiusi tra quelle pareti, dalle otto alle quattordici precise: a quell'ora, non appena udivano il primo trillo del campanello, si precipitavano in istrada portando negli occhi un'espressione di rivincita. Io non amavo il mio lavoro, ma preferivo tirare le somme o scrivere a macchina piuttosto che conversare con i miei poco attraenti colleghi: i quali, con l'aiuto di un fornelletto, si ingegnavano a preparare macchinosamente qualche tazza di pessimo tè, solo perché il direttore amministrativo aveva raccomandato di risparmiare l'energia elettrica. Nascondevano poi il fornelletto, scambiandosi scherzi scipiti, raccontavano barzellette politiche e persino barzellette scurrili. Il battito incessante della mia macchina da scrivere li molestava; spesso all'ora dell'uscita io ero ancora china sul grande libro mastro, mi dibattevo tra cifre irrequiete, ostili. Avevano una mentalità da scolari e mi presero in uggia come se fossi stata la prima della classe.

Il ragioniere mi girava attorno sospettoso, poi rivedeva i miei conti. Anche in lui, come in mio padre, scorgevo una vena leggera di irritazione mentre diceva: «Benissimo». Notavo, però, che egli si comportava in tal modo anche verso le mie migliori colleghe: c'era sempre, da parte degli uomini, un lieve senso di diffidenza nei confronti del lavoro femminile. Aspettavano sempre che sbagliassimo. Volevano avere la possibilità di perdonarci un errore. Il ragioniere passeggiava nel corridoio mentre la cassiera quadrava il bilancio. La cassiera lo sentiva andare in su e in giù, appena oltre la porta; e quel passo monotono logorava i suoi nervi, i numeri si confondevano, rotolavano giù dalle caselle. Il ragioniere pensava che forse gli sarebbe bastato percorrere ancora venti volte il corridoio perch'ella si arrendesse, chiamasse aiuto: «Non quadro, ragioniere». Accorremmo in tre o quattro presso di lei, tutte donne: smaniava, si portava le mani alla fronte, era una donna matura, aveva tre bambini. La aiutammo, io mi risolsi persino a preparare un caffè con l'odioso fornelletto. «Si calmi» le dicevamo «da brava, si calmi.» Stavamo tutte in piedi dietro di lei quando egli aprì la porta, al termine dei giri che aveva previsto. «Ebbene, signora?» domandò. Eravamo pallide. «Quadrato, ragioniere.»

No, non c'era molta giustizia per le povere ragazze che lavoravano con me. Forse non erano sempre simpatiche, o piacevoli nel loro aspetto; alcune erano disordinate, si dipingevano le unghie e lasciavano che lo smalto si spezzasse, si fingevano bionde e la scriminatura tradiva i loro capelli neri. Talvolta accadeva che fossero nervose perché, come molte colleghe dell'università, erano ancora indecise tra una seria carriera di lavoro e il desiderio di trovare marito. E questa incertezza manifestavano nel fare l'una e l'altra cosa. «Lei è sempre così puntuale» gli uomini dicevano: «firmi per me, signorina.» Esse non rispondevano mai no, erano contente di rendersi gradite agli uomini; così avevano fatto le loro madri, le loro nonne; così facevano anche loro.

S'alzavano alle prime luci del giorno e si lavavano appena perché nessuno ha voglia di lavarsi con l'acqua fredda, d'inverno: però scaldavano l'acqua per gli uomini; rassettavano la propria camera; e, dopo aver preparato la colazione al padre o ai fratelli, o aver accompagnato a scuola la sorellina minore, frettolose si pigiavano nel tram; a volte dovevano correre per non perdere il tram: tutte le donne sono ridicole quando corrono, ma esse non temevano di essere ridicole, temevano solo di non essere puntuali. Giungevano trafelate, talvolta arrivavano appena in tempo a porre la firma sotto l'orologio: se il portone si chiudeva severamente sul loro ritardo, esse rimanevano incredule dinanzi a quell'alta porta vietata, tentavano di scherzare e dentro tremavano perché avevano serbato intatta la loro timidezza di scolare. Quando il portone si riapriva, l'usciere diceva «Dal ragioniere» con la voce burbera del bidello. Si presentavano dal ragioniere, alcune avevano al braccio una reticella con la spesa già fatta per il pranzo. «Ricordatevi» diceva il ragioniere: «negli uffici ci sono già troppe donne.» Io arrivavo sempre con le calze bagnate: ne avevo un solo paio, non riuscivano mai ad asciugarsi durante il poco tempo in cui dormivo.

Nel periodo degli esami dormivo appena due o tre ore. Studiavo in cucina perché era meno freddo; vi si tratteneva a lungo il calore della minestra. Mio padre andava a letto e russava. Il rumore regolare del suo sonno pacifico mi comunicava una irrefrenabile voglia di dormire. Tutte le finestre nel cortile erano buie e io respiravo il sonno dei vicini come un fumo denso, soporifero. Le parole si confondevano dinanzi ai miei occhi, ballavano tra le righe, entravano nei rapidi sogni che facevo chiudendo gli occhi senza avvedermene. A volte erano incubi sfibranti: il professore mi interrogava e io non potevo rispondere perché l'usciere dell'ufficio mi stava baciando sulla bocca; intanto il portone si chiudeva, non potevo più firmare sotto l'orologio, e il professore mi cacciava dall'università. Aprivo gli occhi in un sussulto, pochi minuti soli erano trascorsi sul grande orologio della cucina. Il russare monotono di mio padre limava la calma della notte. Andavo all'acquaio, mi bagnavo il viso e riprendevo a studiare.

Mio padre non mi chiedeva mai se fossi stanca. Non voglio dire, con questo, che mi trattasse male, fingeva di credere che i miei principali interessi fossero quelli della cucina, del mercato, della casa. Non mi domandava mai se il lavoro mi piacesse, si curava solo di segnalarmi gli aumenti e le previdenze interessanti gli impiegati della mia categoria. «Be', com'è andata?» mi domandava al ritorno dagli esami, aggrottando le sopracciglia e fingendo una soverchia apprensione. Io superavo gli esami facilmente, con voti modesti. Egli se ne rallegrava e la sera portava a casa una bottiglia di vino benché mi sapesse astemia. Una volta la settimana mi offriva di uscire con lui ed era convenuto che io accettassi: mi conduceva a prendere il gelato, come quando ero bambina. Credo che in quelle occasioni si congratulasse con se stesso per essere sempre stato un ottimo padre, ad onta di gravi sacrifici.

La mattina, quando era ancora buio, gli portavo il bricco dell'acqua calda per la barba; a volte dovevo reggere dinanzi a lui uno specchio dacché non ci vedeva bene. Se il mio viso era stanco egli mi chiedeva: «Ma che hai fatto?». Le lettere di Claudio lo insospettivano, credo che le leggesse di nascosto, poiché trovavo il mio cassetto in disordine; e la diffidenza istintiva che egli provava verso le donne, era stata accresciuta dal mio rifiuto di sposare Paolo. Questo rifiuto, a suo parere, era talmente privo di buon senso da far supporre che io avessi nell'animo un qualche subdolo disegno: perciò egli annusava la mia giornata, sperando di giungere a scoprirlo. Era già abbastanza irritato dal fatto che io presto mi sarei laureata, mentre egli aveva appena la licenza ginnasiale. «Non vale la pena di prendere una laurea, ormai: la prendono tutti» diceva negligentemente, lasciando supporre che egli l'avesse disprezzata.

Il fatto è che a lui piacevano soltanto le donne che si attenevano al modello tradizionale o quelle dalle quali si trae distrazione e piacere. Una volta, avevo l'influenza, Lydia venne a trovarmi. Mi avvedevo che, nel rivolgersi a lei, mio padre usava frasi galanti e allusive, lievemente indecenti come lo sguardo dello zio Alfredo. Lydia non aveva mai avuto simpatia per mio padre, eppure la vedevo soddisfatta dei suoi vieti complimenti: discorreva con voce civettuola, si scostava il cappottino in una repentina ondata di calore, rideva con un risucchio ingordo e, nel riso, il suo seno ormai pesante si sollevava. «La vostra era una generazione diversa da quella di oggi» gli diceva «sapevate come trattare le donne. E poi» aggiungeva con un sospiro «i meridionali...» Il capitano era meridionale. A causa dell'oscuramento mio padre decise di riaccompagnarla a casa: ella si schermì, ma in fondo era lusingata di quella galanteria.

Restammo sole, mentre il babbo s'infilava il pastrano: «Sono in pena per Fulvia» ella mi susurrò «dovresti convincerla a parlare con Dario, a prendere lei l'iniziativa. Ormai avete più di vent'anni. Anche tu, povera figlia...».
Mi salutarono, restai sola in casa. Oltre la porta udivo ancora Lydia ridere, fingendosi impaurita dal buio della scala: mio padre le faceva luce con la lampadina; quella sera, dalla qualità del suo riso, mi resi conto che non era più una donna giovane.

L'ultima lettera di Claudio giunse quando Dario aveva già saputo, dalla famiglia di lui, che era stato fatto prigioniero. Fulvia e Dario vennero a portarmi la notizia e mi chiamarono di sotto la finestra. Udii a malapena il loro richiamo poiché sul Lungotevere stava passando una colonna militare. Passavano spesso, ormai, e facevano molto rumore. «Scendi» Fulvia mi disse con un cenno; non voleva salire per non trovarsi con mio padre.
Scesi e ci incontrammo tra la polvere e il rumore. «Una brutta notizia» Dario incominciò: «Claudio...»
«Tutto bene» Fulvia l'interruppe vedendomi impallidire: «tutto bene: è stato fatto prigioniero.»
La lettera che ricevetti, pochi giorni dopo, era scoraggiata, ma calma: proprio attraverso quell'amara calma si poteva scorgere il presentimento di una nuova obbedienza, una nuova mortificazione. «Forse» diceva «questa è l'ultima lettera che ti scrivo.» A Monte Mario aveva detto: «È l'ultima volta che ti vedo». Claudio aveva ventidue anni e già molte cose erano state le ultime per lui.
Ogni sera la radio trasmetteva i nomi di alcuni prigionieri, acciocché i familiari si rassicurassero. Il freddo, il buio, la povertà, la paura, chiudevano i cittadini tra le pareti delle case, come gli altri erano chiusi tra i reticolati; e la radio che fino allora era stata la voce inesorabile della guerra che li divideva, ora invece era la sola voce che li teneva uniti.

La radio trasmetteva pochi nomi alla volta: dieci, dodici. Tra un nome e l'altro si stendeva una pausa di silenzio. Era un silenzio di una specie nuova, sgomentante, terribile, in cui sembrava di udire il respiro lento del mare; una pausa che disegnava la deserta terra africana nel vuoto nero della notte insidiosa. In quel vuoto un esile nome di uomo appariva, vibrava per un attimo, e subito da un'altra lunga pausa era cancellato. La casa sembrava popolata da quei nomi senza faccia che si acquattavano negli angoli, come gli spiriti dopo le visite di Ottavia.

Il nome di Claudio non era ancora stato fatto. Ogni sera, dopo l'ultimo nome, tra noi tornava a stabilirsi il vuoto che quelle pause lunghe misuravano. «Forse domani» pensavo ad alta voce. Mio padre osservava: «Perché ti prendi pena, se non lo vuoi sposare?». Non avevo la forza di risentirmi, in quei momenti. «Cerca di capire, papà» gli dicevo: «è il mio migliore amico.» In quelle sere neanche mio padre osava più parlare bruscamente: quei nomi lo intimidivano, lo colmavano di malinconico rispetto. «Quando io ero giovane» replicava «le ragazze non avevano amici.» Sentivo che ciò era vero e provavo una benevola compassione per lui, per la crudezza che aveva sempre trovato nei suoi rapporti con le donne. Intanto egli mi scrutava, esitante tra la curiosità e la diffidenza.

Spesso mi sentivo guardata in tal modo; anche dai miei colleghi, all'università. Frequentavo soltanto le lezioni del pomeriggio: al mattino andavo in ufficio, dove ormai occupavo il posto di segretaria. Avevo un vestito nuovo: una giacca grigia con una gonna a pieghe. Fulvia mi rimproverava perché sceglievo fogge antiquate e portavo le vesti troppo lunghe. Mi ero fatta tagliare i capelli, ma erano di qualità troppo fine e ricadevano lisci ai lati del viso. Fulvia scrollava la testa, benché Lydia dicesse: «A me piace. È il suo tipo, era anche il tipo di Eleonora. Anche lei sembrava che portasse i vestiti di una persona morta molti anni prima».

Queste parole, dette leggermente, suscitarono in me una risonanza profonda. Pregai Fulvia di lasciarmi provare un suo vestito. «No, hai ragione» ella stessa riconobbe: «via, via.» Tornai a indossare la camicetta accollata, la gonna lunga; ma seguitavo a guardare il vestito di Fulvia, bianco e rosso, a fiorami. Ero invogliata di quel vestito, avrei voluto essere una ragazza grassottella, sorridente, con i capelli ondulati, le labbra morbide. In quei vestiti, in quelle fattezze, mi pareva di scorgere la possibilità di aderire facilmente alla vita e goderne. «No» Fulvia diceva richiudendo l'armadio: «tu non puoi vestire così.»

Ci vedevamo più raramente. Ormai la sua vita dipendeva dagli orarî e dall'umore di Dario.

Perciò spesso la domenica uscivo con alcuni studenti. Erano della provincia, per lo più, abitavano in camere mobiliate, al margine della vita cittadina; sfioravano la città, le case, le abitudini, senza riuscire a farne parte. Io mi trovavo bene in loro compagnia, e dividevo la loro incertezza. Siccome non avevamo soldi, andavamo a sederci a Villa Borghese o passeggiavamo lungo l'Appia Antica. La domenica mattina ci recavamo a visitare i musei. Alcuni di quei giovani mi accompagnavano a casa in tram, volevano portare i miei libri. Credevano tutti che io fossi fuori corso, e si meravigliavano di apprendere che non avevo ancora ventun anni. Avevano tanta fiducia in me, che, una volta, uno di loro mi chiese perfino in prestito un po' di danaro; era una somma ridicola, l'avevo nella borsetta. «Scusa» mi disse: «non avrei osato questo con nessun'altra donna.» Quando ci separammo egli salì sul tram in corsa, mi tirò un bacio. Io rientrai a casa a piedi perché ero rimasta senza danaro. Camminavo e mi pareva di andare incontro allo zio Rodolfo. "Sei stanca" egli mi diceva "non voglio che tu sia così stanca." Fermava una carrozza, mi conduceva a cena in una trattoria piena di allegre luci, di dolci musiche, mi comprava un bel fiore da appuntare sul vestito.

Lo chiamavo, non veniva; e io, sola, non sapevo trarmi dalla galleria buia. In quel buio a volte lasciavo che qualcuno dei miei colleghi camminasse con me; mi lasciavo baciare anche, nel viale di Valle Giulia, mentre mi riaccompagnava; una volta mi lasciai baciare in un rifugio, durante un allarme aereo. Ma erano baci aspri, sapevano di sigarette andanti; mi pareva d'essere un uomo e sopportare il bacio di un altro uomo. «Non mi telefonare» dicevo usando il tu con grande sforzo. «Mio padre non vuole.» Al ritorno trovavo il babbo con sollievo, grata della involontaria difesa che rappresentava per me.

«È tardi» egli diceva senza rimproverarmi. Aveva incominciato a perdere la sua tagliente sicurezza da quando la malattia agli occhi l'aveva costretto a rimanere in casa. Per qualche tempo era riuscito a nascondere la sua infermità. Aveva consultato un oculista, a mia insaputa, portava sempre gli occhiali neri. Un giorno gli porgevo una tazza di caffè e non la vide. «Papà...» dissi per richiamarlo. Egli arrossì, tese la mano con un gesto incerto, e mormorò: «Non ci vedo più molto bene...». Poco dopo fu costretto a rivelarmi il nascondiglio dove teneva il danaro.

In breve era divenuto un uomo triste, sebbene la malattia avesse giovato al suo carattere. Non si era inasprito, come accade sovente in tali casi; non volle neppure tentare un'operazione giacché gli avevano dato poche speranze. «Forse più tardi» diceva «quando non ci vedrò più affatto. Ancora vedo» assicurava «vedo tutto dietro un velo bianco.» Poi disse: «Vedo ancora le ombre».

Neanche la mia presenza poteva essergli di conforto: io non lo amavo e, del resto, spingendo il pensiero alle mie prime memorie, consideravo che egli non aveva mai amato me come, invece, aveva amato mio fratello. Quando io nacqui sembra che egli attendesse nervosamente, passeggiando nei corridoi della clinica. «Una femmina?!» aveva esclamato. Poi s'era messo il cappello in testa, indispettito, ed era andato a sedersi al caffè. Mia madre aveva pianto e poi mi raccontò che anch'io piangevo lamentosamente, quasi intuendo di giungere poco gradita.

Egli riferiva spesso questo episodio, quando ero bambina; forse, come tutti gli adulti, non pensava che io potessi soffrirne. Lo raccontava ridendo e, dopo, mi dava un buffetto sulla guancia; ma quel gesto mi avviliva maggiormente perché vi scorgevo indulgenza e perdono.

Ormai aveva dovuto chiedere che lo dispensassero dall'ufficio. Alla fine del mese gli consegnavo, insieme, il mio e il suo stipendio: e non per dargli l'impressione d'essere ancora il capo della famiglia, ma – poiché egli distingueva benissimo i biglietti di banca – per fargli notare che guadagnavo molto più di lui. Lo notava, infatti; diceva: «Le donne sono pagate bene, di questi tempi». Subito si riprendeva, aggiungendo che ciò era dovuto alla guerra. «Non è vero?» mi domandava. Io non rispondevo. «Pretenderesti forse che una donna guadagni quanto un uomo? Vedrete» sogghignava «vedrete alla fine della guerra.» Io rispondevo: «Vedremo».

La mia calma lo esasperava. Mi studiavo di essere sempre più ubbidiente, servizievole, prevenire i suoi desideri; dimenticavo me stessa, appagandomi nei miei duri compiti; l'ufficio, gli studi, la casa, l'assistenza che prodigavo a mio padre sopraffacevano il mio fisico resistente, ma scarso. Ero esausta, quando mi coricavo la sera. Egli diveniva sempre più debole; mi chiedeva persino: «Sei stanca, Alessandra?». «No, non sono stanca» rispondevo, per mantenere in piedi la battaglia che conducevamo sin dalla mia infanzia e dalla quale io uscivo vittoriosa.

Il segno della sua sconfitta si manifestò una sera. Eravamo ancora seduti a tavola, dopo cena. «Vuoi che ti legga il giornale?» gli avevo chiesto. «No» egli aveva risposto: «non voglio più sapere come vanno le cose.»

Vinta dalla stanchezza, io non mi risolvevo ad affrontare lo sforzo di alzarmi, spogliarmi, lavarmi i denti; e tuttavia la dolcezza che il letto mi prometteva era ineffabile. Avevo preso l'abitudine di porre tra le lenzuola una vecchia bottiglia di spumante riempita d'acqua calda. Era la sola cosa affettuosa che m'accogliesse, al termine della giornata.

«Senti...» mio padre disse.

Il tono inconsueto della sua voce m'impensierì: era lo stesso col quale lo avevo udito dire «Nora...» la mattina in cui io ero partita per l'Abruzzo, perciò intuivo che, ora, stava per parlare di lei. Non avevamo più accennato alla mamma, e quel muto impegno costituiva uno dei punti fermi della nostra sopportabile convivenza.

«L'hai conosciuto?» egli mi domandò, sottovoce.

Io rifiatai; sentii un impercettibile sorriso stirarmi il volto e le labbra.

«Sì» dissi. «Certo. Lo vedevo spesso.»

Nel suo silenzio mi parve di percepire un chiaro invito: allora – benché, come lui, l'avessi appena intravisto il giorno del concerto – incominciai a parlare di Hervey, descrivendone la persona, la voce, i gesti. Nel buio degli occhi di mio padre quelle immagini pungevano come spilli. Tuttavia, non appena tacqui, egli mi rivolse altre domande dapprima timide, poi sempre più precise. Rassicurata, io gli rispondevo brevemente per obbligarlo a interrogarmi sui più minuti particolari.

Così prendemmo l'abitudine di parlare di mia madre e di Hervey. Ormai tutte le sere, quando il vicino non saliva a tenergli compagnia, io mi presentavo implacabile nella camera di mio padre e sedevo di contro a lui, nel buio. Il silenzio si faceva denso di immagini. Infine egli domandava: «E allora?».

Io cominciavo a raccontare. Ogni sera arricchivo di nuove attrattive la magica figura di Hervey. Attraverso il ricordo dei discorsi di mia madre, e con l'aiuto delle mie amorose fantasie, ricostruivo la storia dei loro incontri, dei loro dialoghi, dei loro sguardi, persino. Egli non si domandava mai come io fossi venuta a conoscenza di tutto ciò. Ascoltava, e il suo volto era immobile, di pietra. Dalle sue domande comprendevo che egli non aveva mai pensato ad altro, in quegli anni: anche quando sembrava occuparsi solo delle razioni, del danaro, delle provviste. Era irritato che mia madre non avesse consumato l'adulterio, poiché combattere un amore soltanto spirituale era un'impresa troppo ardua per lui.

«Non era necessario che fossero amanti» io gli dicevo attraverso il suo buio malinconico. «Erano molto di più.»

Sapevo di colpirlo, con quelle parole.

«Credi che tua madre mi odiasse?» mi domandò una volta.

«Odiarti?!» io esclamai, indignata che egli sperasse di poter suscitare un tale sentimento. «No, no» ripresi conciliante. «Aveva solo pietà.»

«Allora» egli continuava «per questo non è partita? Per pietà?»

«No» risposi, risoluta a tagliare l'ultimo vincolo col quale egli credeva di tenerla legata: «Non è partita per non lasciare me.»

Subito, appena pronunciate queste parole, m'avvidi che il volto di pietra esprimeva un sollievo. Il gelo di quel viso passò allora in me, mi corse per le spalle: d'un tratto, presi a temere d'essere stata io stessa responsabile della morte di mia madre. Sì, io, col mio amore, l'avevo tenuta stretta, imprigionata, io l'avevo spinta al fiume, io, col mio peso, l'avevo trascinata nel fondo, le avevo riempito d'acqua la bocca. Mio padre ormai era certo che la colpa fosse mia, ma non diceva nulla: voleva stringermi in una disgustosa complicità.

Uscivo, attraversavo i giardini pubblici, e mi fermavo a osservare i bambini. Alcuni erano bellissimi, e tutti parevano avere in viso un'espressione aperta, innocente. Le madri sedevano sulle panchine e vigilavano i figli; intanto lavoravano a maglia, con la lana azzurra e rosa. Anche io mi sedevo sulla panchina e chiamavo i bambini con la mano. «Vieni qua» insistevo: finché, vinti dalla minaccia del mio sguardo, si avvicinavano. Prendevo loro le braccia: erano soffici, lisce, grassottelle. "Sì" pensavo, e mi tornavano alla mente le parole della Nonna: «Sono dolci, i figli. Dolci, morbidi, innocenti». Ci guardavamo e io sorridevo, carezzando le tenere carni, mi specchiavo nell'acqua azzurra di quegli occhi senza colpa. Ma, a poco a poco, dal loro sguardo candido e stupito vedevo affiorare una forza implacabile che traeva il suo vigore proprio da quella sprovveduta innocenza, da quella inerme fragilità. La loro sicurezza nasceva, infatti, da quella carne tenera che nessuno avrebbe avuto il coraggio di ferire, dalla incolumità della quale godono i deboli, coloro che hanno bisogno di essere protetti. Le madri dipanavano leste il filo azzurro, il filo rosa, e ignoravano la possibilità che essi avevano di legare, soffocare, uccidere, con l'infida tenerezza delle mani grassottelle. Io avevo ucciso mia madre con la sola presenza della mia vita.

Oppressa dal rimorso corsi in via Paolo Emilio e infatti fu Lydia a trarmi dall'incubo. «Che c'entri tu?» mi diceva duramente, per scuotermi: «Non sai che cosa accadeva tra loro, in quelle notti. Tua madre lo supplicava, si trascinava in ginocchio. "Non puoi partire" tuo padre rispondeva: "non potresti partire nemmeno se lasciassi Alessandra. Ti farò segnalare a tutte le frontiere, il marito può farlo, ti farò sorprendere dalla polizia. Provaci" le diceva.»

«No» rispondevo a mio padre: «non credo che ti abbia mai amato, neppure quando accettò di sposarti. Non era amore.»

Mio padre non replicava e, con quel silenzio, riconosceva la sua colpevolezza. Una sera soltanto il suo viso improvvisamente si animò: «Taci» mi disse «vipera, sta' zitta!».

Mi alzai, lo lasciai solo. Non poteva più stare solo, ormai: nel buio dei suoi occhi forse i ricordi lo assediavano, lo impaurivano, io andavo convincendolo che la mamma non era al cimitero, ma sotto la sua finestra, nella verde acqua del fiume; gli dicevo che entrava in casa, spesso, ch'io la sentivo camminare col suo passo leggero, «Eccola» gli annunciavo «non la vedi?». Non poteva vederla.

Egli mi richiamava, poco dopo, con voce lamentosa, supplichevole. «Alessandra, vieni qui. Perdonami.»

Gli portavo la minestra, il vino: stendevo con garbo dinanzi a lui la tovaglia e pensavo alle mani innocenti dei figli.

Era ottobre quando un collega d'architettura s'offrì di accompagnarmi all'inaugurazione di una mostra, alla Galleria Borghese. Io studiavo volentieri la storia dell'arte. Mi rivolgevo spesso al giovane professore che sostituiva il titolare della cattedra, impedito da una malattia. Si chiamava Lascari; pensavo che, al momento opportuno, mi sarebbe piaciuto preparare la tesi con lui. Intanto visitavo i musei; e siccome disponevo di poco tempo, qualche volta vi trascorrevo l'ora della colazione, mangiando un panino vergognosamente dissimulato in un giornale. A quell'ora le gallerie erano deserte, sembrava che le statue mi aspettassero: mi presentavo alla porta delle sale e sorridendo mormoravo «Eccomi». Forse ciò potrà apparire immodesto da parte mia, ma, quando mi trovavo sola di fronte alla natura o ad un'opera d'arte, mi pareva che esse avessero atteso con impazienza il mio arrivo per rivelare il loro segreto splendore. Lascari mi aveva sorpresa una volta mentre entravo in una sala, imitando inconsapevolmente il passo di mia madre. «Che fa lei, qui?» m'aveva chiesto con finta severità. Arrossita, io avevo nascosto il panino dietro la schiena.

Avrei voluto domandare a Lascari alcuni consigli sul metodo di studio da seguire, ma non ne avevo il coraggio. Egli era il solo che mi trattasse scherzosamente, come una bambina. Di fronte a lui non trovavo mai le parole, infatti usavo verbi impropri, aggettivi sbagliati. Ero certa che mi giudicasse poco intelligente e perciò temevo che non volesse occuparsi di me.

All'inaugurazione della mostra c'era anche Lascari: nel vederlo, dapprima lo sfuggii temendo che, secondo il solito, m'interpellasse con ironica benevolenza, chiedendomi che cosa facessi tra le persone adulte. Mi sentivo ancor più timida, quel giorno, a causa dell'inebriante commozione che avevo provato nel traversare la villa, a piedi, per giungere alla Galleria Borghese. Era piovuto e poi, subito, il cielo liberatosi dalle nuvole aveva mostrato il più spavaldo azzurro. Sulla siepe di bosso perle iridescenti tremavano e il pettirosso tinniva, frullando tra i rami delle acacie: dai rami cadevano gocciole fresche, rapide, che mi pungevano argutamente il viso.

«Scusami» avevo detto al collega che mi attendeva sulla porta: «sono in ritardo, ma camminavo adagio.»

Il suo aspetto sgradevole mi aveva infastidito, le mani viola, i capelli scomposti: eppure se fossi stata sola non avrei avuto il coraggio di entrare tra la folla. Lo studente conosceva parecchie persone e si fermava a salutarle, presentandomi a loro col mio solo cognome. Io arrossivo, impacciata, rimanevo zitta, non capivo niente, mi annoiavo, ero smarrita. D'un tratto vidi di nuovo passare Lascari ed ebbi un moto improvviso, un subitaneo impulso. «Ciao» dissi allo studente. Egli mi trattenne: «Dove vai? Aspetta».

«No» risposi «non è possibile.»

Mi aveva preso per la manica: «Aspetta».

«Non è possibile, ti ho detto; debbo andare a parlare con Lascari.»

Egli mi tratteneva e io mi divincolavo: ero irritata dalla sua prepotenza, sentivo una violenta rabbia salire in me. Lascari aveva già imboccata la scala, con un amico. Mi colse lo sgomento di non riuscire a raggiungerlo: allora, liberatami, traversai la saletta e incominciai a scendere la scala, svelta, presto, e poi sempre più presto, leggermente, in un volo. Era una scala a chiocciola, come quella di via Paolo Emilio. La lunga gonna a pieghe s'apriva in tondo, ed io ero colta da un dolce capogiro nella spirale grigia della scala. Erano sulla porta. «Professore...» chiamai, e m'arrestai ansante, rossa in viso.

Si volsero entrambi. «Oh, Alessandra...» Lascari disse. Tornò indietro, mi presentò il suo amico. Io sorridevo, ancora affannata per la corsa. Era Francesco.

Ricordo tutto, da quel momento, ogni particolare di quella che fu poi la mia vita; e dirò tutto, con spietata sincerità, con crudezza. Forse solo da questo punto, la storia incomincia ad essere veramente importante ai fini per cui è stata scritta. Ma io non potevo tacere tutto ciò che precedette il nostro incontro: Francesco era in me dal primo momento, quando nacqui, e mio padre s'indispettì perché ero una bambina. Era lui che mi teneva compagnia mentre sedevo presso la finestra, infilando le margheritine. Perciò lo riconobbi, vedendolo passare; e scesi lesta giù per la scala, l'obbligai a volgersi.

Anche adesso Francesco siede vicino a me e parla. Mi dice: "Alessandra, com'eri bella in quel momento. Eri affannata, ti portavi la mano al cuore. Lascari ti disse una sciocchezza, ricordi? Disse che sembravi uscita da un quadro dell'Ottocento. Io avevo pudore delle cose insulse che gli uomini dicono alle ragazze, non volevo adoperare quel linguaggio, mi pareva che non fosse adatto a te, e perciò fin da allora imparai a parlarti col mio silenzio. Eri così bella, e io non avevo mai visto tutta la grazia del mondo raccolta in una persona. Ti mettesti in mezzo a noi, prendemmo a camminare. Lascari poteva camminare facilmente accanto a te, e io non potevo conciliare il tuo passo aggraziato col mio passo pesante di uomo. Fin da allora mi trovai impacciato e goffo; e sempre fu così, perciò mi mostravo scontroso. Oh, eri così bella, Alessandra".

Infatti ci lasciò in modo brusco e io lo guardavo allontanarsi, solo, nel viale. Lascari sorridendo spiegava che Minelli aveva un carattere chiuso, ombroso, lo conosceva da anni, dal tempo delle ginnasiali. Mentre lui parlava io rimanevo seria, muta.

L'indomani Francesco mi telefonò: «Scusi» disse: «Lascari mi ha dato il suo numero. Sembra che io sia stato villano».

«Oh, no...» risposi confusa.

«Sì. Deve essere vero. Avevo molto da fare.»

«Oh...» io facevo e non sapevo dire una parola.

«Vorrei vederla» e aggiunse: «per farmi perdonare. Verrò domattina alla lezione di Lascari, in facoltà.»

Io dissi sì, va bene. Ricordo che, subito dopo, avrei voluto richiamarlo, dirgli che non potevo, la mattina ero in ufficio; ma egli era scomparso, non sapevo dove abitasse, chi fosse, tutta la città era vuota di lui; eppure, forse per questo, tutta la città me lo riproponeva alla memoria. Ero rimasta presso il telefono, avevo ancora la mano sul ricevitore. Mio padre sentì il peso del mio silenzio: «Che c'è?» domandò stizzito.

Risposi, dopo un attimo: «Domattina debbo trovarmi in facoltà». E, riudendo quella parola "domattina", mi parve che l'attesa fosse infinitamente lunga e non avrei saputo come blandirla; mi volgevo al telefono che era duro, nero, muto; dicevo: non domattina, subito. Il mio pensiero smaniava percorrendo tutta la città. Poi presi l'elenco telefonico, lo scorsi ansiosamente: Minelli era un cognome comune, e io non sapevo ancora che Francesco si chiamasse Francesco.

"Io sapevo che tu ti chiamavi Alessandra, invece" egli mi dice mentre interrompo di scrivere per ascoltarlo. "Ero contento di non aver mai conosciuto una donna che si chiamasse come te; poiché nessuna donna ti somigliava. Pronunciai molte volte il tuo nome, quella sera, acciocché l'indomani potessi avere familiarità almeno con qualcosa di tuo. Lo pronunciavo con accenti diversi. Ero nello

275

studio, solo, avrei dovuto preparare una lezione, e invece sedevo in poltrona, la testa abbandonata sulla spalliera, e dicevo Alessandra con naturalezza, come per chiamarti da una stanza all'altra, Alessandra con ironia, Alessandra con malumore, con rabbia. Ma il tuo nome pareva ribellarsi; sicché io incominciai a dire Alessandra con tenerezza, con lieve accento di preghiera. Fumavo, la stanza era annebbiata, odorosa, densa. Alessandra, dissi con amore. Così mi pareva facile pronunciare il tuo nome. Volevo udirlo pronunciato da te, vedere che piega prendevano le tue labbra. Perciò ti chiesi subito come tu ti chiamassi, al mattino seguente. Rimanesti sorpresa, un po' delusa."

Quella domanda mi raggelò. Camminammo per un momento in silenzio. Pensavo che egli era stato tanto poco incuriosito di me che, telefonando a Lascari, neppure gli aveva chiesto il mio nome.

Mi sentivo umiliata di aver preparato una parte che nessuno mi chiedeva di interpretare; vi fu un silenzio e in quel silenzio freddo io mi smarrivo, precipitavo. Uno studente passò, disse: «Buon giorno, professore».

Cercai di riprendermi: «Lei insegna?» gli domandai.

Francesco annuì: «Filosofia del diritto. Sono incaricato».

La sua voce aveva un tono grave, quasi imbronciato: pareva che egli si rammaricasse di dare qualsiasi notizia sul conto di se stesso. Era difficile comprendere se fosse contento di accompagnarmi o se si piegasse scontrosamente a un'incombenza che gli era stata affidata e alla quale non poteva sottrarsi. Non ricordo ciò che andassimo dicendo, nei primi momenti; poiché si trattava appunto di quel linguaggio cui si ricorre quando tra due persone non c'è nulla in comune e si tenta di stabilire una conversazione con mezzi di ripiego; per un momento pensai di ribellarmi ad accettare quegli argomenti vieti e poi compresi che stavamo disponendoli tra noi per opporre un argine ad altre parole che non volevamo dire. Ci abbandonavamo completamente alla stupenda novità di camminare assieme, senza consultarci sulla direzione da prendere; io avevo sempre camminato sola, magari appoggiandomi allo zio Rodolfo o lasciando che Claudio si appoggiasse a me e quel giorno, invece, per la prima volta, scoprivo l'armonico equilibrio del nostro passo affiancato che ci conduceva attraverso strade che non distinguevo, asfalti che si svolgevano dinanzi a noi, alberi che ci tenevano compagnia. Non ero particolarmente contenta e anzi la commozione mi stringeva tanto da vietarmi la felicità, ma l'idea di interrompere la passeggiata mi sgomentava come se avessi dovuto, d'un tratto, smettere di respirare.

«E lei, come si chiama?» d'improvviso gli domandai.

Camminavamo senza guardarci ed egli esitava a rispondere quasi esitasse a consegnarsi.

«Francesco» disse sottovoce.

Arrossii sembrandomi di aver ricevuto un'intima confessione. Tenevo il suo nome lievemente sospeso fra le dita a guisa di una cosa fragile, appena nata. Io pensavo Francesco, lui pensava Alessandra, e la consapevolezza del suo nome che abitava in me, del mio che s'era stabilito in lui, ci procurava un turbamento felice. Al seguito di questi nomi uscivamo dal segreto di noi stessi, ci presentavamo; ognuno parlava di sé con indulgenza come di un amico stravagante al quale si sia affezionati, nonostante le sue manchevolezze.

D'un tratto mi avvidi che eravamo giunti al fiume; bastava svoltare a destra e la mia casa era lì, dopo pochi passi. «Oh!...» esclamai, e un rammarico così profondo era nell'aria del mio volto che egli subito mi domandò: «Dove abita?».

«Lì» feci in un gesto smarrito, quasi indicando un nemico che m'aspettasse in agguato. «Quando ero bambina abitavo in Prati, oltre il fiume.»

«Io ho sempre abitato una vecchia casa in piazza del ponte Sant'Angelo.»

«Avevamo il fiume tra di noi.»

Ridemmo e, mentre io sentivo quella frase trascinarmi in un confuso timore, Francesco mi domandò che età avessi. Poi precisò: «Io ero dall'altra parte del fiume undici anni prima di lei».

Tirava vento, i miei capelli si sollevavano, dovevo trattenerli con la mano. «Mi dispiace» dissi «non lo sapevo. Mia madre mi proibiva sempre di passare il ponte.»

Lui rise, credendo in uno scherzo: «E adesso?».

Il Lungotevere era ventoso, le nostre parole appena dette fuggivano.

«Adesso mia madre è morta. Abito con mio padre.»

«Dovrebbe pentirsi di essere venuta con tanto ritardo» egli disse, e io arrossii.

Volgemmo le spalle al vento, i capelli mi spazzavano le guance. Come obbedendo a un dovere molesto Francesco disse: «Debbo rivederla». «Quando?» ci domandammo. Tutti e due avremmo voluto rispondere "stasera" e invece dicemmo: «Domani».

Bisogna che raccolga i miei pensieri, li rincorra, li costringa: poiché riandando quel tempo della mia vita, e i dolci giorni dell'incontro con Francesco, essi subito si animano, si sollevano, ondeggiano e si gonfiano come se un vento impetuoso li sconvolgesse. In quei giorni avevo sempre in me un ritmo felice di corsa; e il desiderio di dare sfogo alla maravigliosa irruenza che mi animava. Il mio passo era elastico, vibrato: quando scendevo le scale le vicine stentavano a seguire con lo sguardo il rapido trascorrere del mio vestito nero; in ufficio, se l'ingegner Mantovani mi chiamava, io aprivo la porta del suo studio in un gioioso impeto che poi mi faceva arrossire. Scrivevo a macchina spostando il carrello con un arpeggio; il rumore dei tasti somigliava a una grandinata estiva. I colleghi, stupiti, s'affacciavano al mio ufficio, io dicevo «Buongiorno» con un gaio sorriso di trionfo. Spalancavo le finestre, facevo scorrere l'acqua nel bagno, sbattevo le uova, strofinavo i panni sempre in quel lieve ritmo di corsa e tutti si volgevano, si arrestavano, stupivano.

Il fatto è che durante tutto il giorno correvo all'appuntamento con Francesco; e lungo questa corsa compivo facilmente i miei obblighi quotidiani. M'arrestavo soltanto vicino a lui; non appena egli mi veniva incontro sentivo che era giunto il momento di fermarmi. Dopo qualche attimo di silenzio, in cui sentivamo soltanto i nostri nervi distendersi, il nostro respiro divenire ampio e sicuro, incominciavamo a parlarci, raccontare in fretta, con ansia, ci interrompevamo persino l'un l'altro e ci chiedevamo scusa con un sorriso. «Che ti dice?» Fulvia mi domandava. «Nulla» io rispondevo illuminandomi: «non dice nulla.» Infatti ognuno di noi era affannato a parlare solamente di sé, ognuno si traeva dal passato buio e si conduceva dinanzi all'altro per presentarsi. E tutto ciò che era stato finora gelosamente mio io ardevo di dividere con Francesco. Attraverso quei racconti conoscevo me stessa, finalmente, e insieme conoscevo lui. Era una sensazione bellissima.

Parlavo a Fulvia di quella felice ansietà, ed ella mi ascoltava giungendo le mani nel gesto della preghiera. «Gli ho parlato di te» le dicevo; lei sorrideva, riconoscente di essere stata ammessa, sia pure per brevi attimi, nell'incantesimo dei nostri colloqui. «Gli ho parlato anche di questa stanza, dei giuochi che facevamo da bambine.» «E non ti ha detto nulla, ancora?» Erano trascorsi cinque o sei giorni dal nostro primo incontro. «No» rispondevo: «nulla.» «Dev'essere molto innamorato, per non parlare» ella considerò.

Una volta, infine, ebbi l'impressione che il nostro fosse un appuntamento d'amore. Pioveva, perciò avevamo deciso di incontrarci in un caffè. Arrivai sotto una pioggia fresca che mi pungeva scherzosamente il viso; portavo il lungo impermeabile di mia madre col cappuccio rialzato. Nell'entrare scorsi subito Francesco, seduto dinanzi a un tavolinetto sul quale era una tazza di caffè. Intimidita, traversai lo squallore della nuda saletta, dirigendomi verso di lui che era un uomo alto, magro, leggermente calvo. Mi pareva di non conoscerlo se non per il suo aspetto esteriore, il vestito grigio, la cravatta, il cappotto ripiegato sulla sedia. Egli s'alzò in piedi e, trattenuto dal tavolino in uno spazio stretto, s'inchinò salutandomi correttamente, come si saluta una donna con la quale si abbia appuntamento. Nell'angolo opposto della sala, sedeva un'altra coppia, l'uomo era in divisa. Si guardavano, tenendosi le mani. E, specchiandomi in loro, io improvvisamente arrossii: Francesco seguì il mio sguardo, disse: «Scusi: ho pensato di vederci qui perché è vicino a casa sua. Non volevo che lei prendesse tropp'acqua. Andiamo via?». «No, perché?» risposi; ma la pioggia mi metteva un freddo sulle spalle, nella schiena: non volevo togliermi l'impermeabile, per non dar confidenza a quel malinconico luogo. Mi tornava alla mente il giorno in cui avevo sorpreso Lydia, in una latteria, col capitano.

Il cameriere portò il caffè nella tazzina di vetro, lo bevvi senza voglia; pensavo che era il rito da consumare in ogni appuntamento come il nostro. Intanto lo sguardo di Francesco seguiva amorosamente i gesti delle mie mani. Anche io guardavo lui: giacché, camminando insieme, avevo imparato a conoscere soltanto il suo profilo duro, dalla mascella sporgente.

Quel giorno, invece, egli mi stava dirimpetto: man mano, come l'altra coppia, ci eravamo avvicinati. Sentivo i suoi ginocchi duri, vedevo il viso aspro, la fronte alta e, poiché sulla gola aveva un piccolo graffio rosso, seppi che al mattino si era tagliato nel radersi. Egli mi guardava gli occhi, le labbra: io non mi sottraevo al suo sguardo; mi offrivo, anzi, senza sorridere, in un'espressione intensa del volto; e nell'impulso che ci spingeva ad approfondire anche questa conoscenza credetti di riconoscere l'angosciosa presenza dell'amore.

«Sì» risposi a Fulvia, la sera «forse hai ragione, forse è innamorato di me.» Ella si mostrava incuriosita: «Dimmi, dimmi ancora» chiedeva: «Com'è Francesco?». Lo chiamava per nome, come io non avevo osato mai. Di lontano era facile prendere confidenza con lui; incominciai a parlarne, a descriverlo, mi pareva che non fosse più così schivo, si lasciava guardare, corpo sconosciuto che finora ci eravamo vietati persino di immagine precisa. Io esitavo: «No, forse non è bello» dissi «non lo so. È alto» aggiunsi: «molto più alto di me. E poi... No, è inutile, non capiresti». «Dimmi.» «Ecco: la sua nuca ricorda la nuca di un cavallo. Ma non puoi capire, è una sciocchezza.» «Capisco, invece: dicesti la stessa cosa di Hervey, il giorno dopo il concerto. Mi fece molta impressione: guardavo tua madre e pensavo alla nuca del cavallo. Sai, ero giovane. Eppure, ascoltandoti parlare, sembra la stessa storia che continui.» Eravamo sdraiate sul suo letto, nella stanza dei giuochi ove ella adesso riceveva Dario. «La mia» Fulvia disse amaramente «continua la storia di mia madre.»

Francesco mi aspettava in piazza San Pietro. Ero stata io a scegliere il luogo dell'appuntamento, nel desiderio inconsapevole di ritrovare le strade care a mia madre e ad Hervey. Prendemmo a camminare tra i vecchi palazzi delle curie.

A poco a poco, ci allontanavamo dall'abitato e salivamo al Gianicolo per una bella strada di campagna: la stessa che avevo percorso, tanti anni prima, recandomi al concerto a villa Pierce. Ero stata io a procurare l'occasione di quel ricordo; e, ciò nonostante, esso mi colse tanto alla sprovvista che ne fui intenerita.

«Mia madre amava molto questa strada» dissi.

Non avevo mai parlato di lei, con Francesco, né con altri che non l'avesse conosciuta; dopo il ritorno dall'Abruzzo mi ero attenuta strettamente alla versione suggeritami da mio padre. Nelle conversazioni con Francesco avevo soltanto accennato a qualcosa che aveva scosso profondamente e forse mutato il corso della mia vita.

«Era molto felice, mia madre, quando passava di qui»
dissi e, dolcemente forzando la mia trepida reticenza, incominciai a parlare di lei, dei suoi gusti, del modo straordinario che aveva di camminare. Dissi anche della nonna
Editta. «La mamma mi leggeva Shakespeare, ad alta voce,
di nascosto: mio padre non voleva. Avevo sette otto anni.
Di sera, a letto, ripetevo quei versi e così imparavo a pregare.» Egli mi ascoltava con un interesse che le mie parole non avevano suscitato mai; non era l'attenzione umile
e dimessa di Claudio né il divertito stupore di Paolo: e
l'intimità che, attraverso quelle confidenze, si stabiliva tra
noi non sembrava provvisoria o casuale, ma generata da
remote radici, come se da lungo tempo sapessimo tutto
l'uno dell'altra. Infervorata dal racconto mi volsi a Francesco e vidi che mi guardava con una commozione tanto nuova nel suo viso da farmi interrompere e arrossire.

«Come somiglia a sua madre!» egli esclamò affettuosamente.

«Io?» dissi, e m'arrestai confusa.

«Sì, credo: nel parlarne, lei sta facendo il ritratto di
se stessa.»

Turbata, abbassai il capo. La sua presenza ormai mi
procurava, oltre a una distesa felicità, una sorta di inquietante sgomento. Forse anche mia madre non era soltanto felice quando passava in quella strada, forse anche
lei aveva paura.

Smarrita mi volsi a guardare Francesco: eravamo fermi
nel tramonto, in una luce rossa, violentissima: in quella luce egli appariva imporporato da un'intima trepidazione.
Sui piani lisci del suo viso mi pareva che fosse tutto quanto
fino allora io avevo amato soltanto in me stessa e nell'aspetto della natura; un impulso irresistibile mi spingeva verso
di lui, come verso gli alberi, i corsi d'acqua, e la mia immagine riflessa nello specchio. Ormai, sulla guida di uno
sguardo, tutto quanto era più segreto e riposto in noi passava dall'uno all'altro facilmente. Oh, riandando quel mo-

mento e gli altri che seguirono, la luce di quegli incontri, lo splendore del paesaggio, la mitezza dell'aria, e la presenza viva di Francesco, sento le forze vacillare in me, un soavissimo languore invadermi, lacrime di commozione riempirmi gli occhi sì che le parole si confondono e tremano sul foglio.

«Mia madre» dissi in un soffio «si è uccisa per amore.»

Annottava quando rincasai. Avevo pregato Francesco di non accompagnarmi, adducendo una scusa, ma in realtà perché desideravo rimanere qualche momento sola. C'era molta gente nelle strade del mio quartiere, a quell'ora. Nel buio folto dell'oscuramento, si vedevano le persone passare svelte, entrare e uscire dai negozi per gli ultimi acquisti prima della cena. Io camminavo trasognata, col viso in fiamme, e traevo refrigerio da un po' di vento che mi sollevava i capelli. La gente mi sfiorava col braccio, mi urtava, e io neppure mi volgevo; avevo dinanzi agli occhi il volto di Francesco, lo chiamavo, egli mi rispondeva, parlavamo una lingua che nessuno poteva comprendere.

Da quel momento il mio amore per lui non si è più diviso da me, era un ospite che io avevo accolto con gioiosa e commossa gratitudine e che, in breve, aveva colmato ogni cosa di me, sangue e spirito. Mi piace su questo punto soffermarmi. Da allora, e anche adesso, nonostante le cose penose e le cose terribili che sono occorse tra di noi, i miei occhi sono stati sempre pieni del suo volto oltre il quale, in trasparenza, m'appariva ogni altro oggetto: la campagna, i prati, le case, le strade della città, persino gli alberi riuscivo a vederli solo dietro il suo viso quasi dipinti su un lieve velario. E anche il viso di Tomaso, il ridere amabile di Tomaso, vedevo attraverso il viso di lui che accarezzavo, fin da quella sera, non solo coi pensieri amorosi, ma con tutti i buoni e i cattivi pensieri che sono sempre stati in me, dal nascere.

Leggera salii le scale, entrai in casa. Subito corsi alla finestra della mia camera, e m'affacciai. «Domani» mormoravo, ripetendo i termini del nostro appuntamento: «Domani alle cinque.»

Mio padre mi chiamò e io accorsi: sedeva calmo nella stanza appena rischiarata dal gelido chiarore della luna: «È tardi, Alessandra» disse: «vorrei mangiare». La sua voce non tradiva più irritazione, o dispetto: e la miseria del suo stato pareva aver conferito solennità alla sua persona, annobilito i tratti del suo viso. Vestito di scuro, era tutt'uno con la sedia scura: bianco ormai nei capelli e nel marmo liscio della pelle, sembrava una statua anche lui, come la Nonna.

Presi una seggiolina, sedetti ai suoi ginocchi. Egli guardava verso la finestra, benché non vedesse più quasi nulla: e ogni cosa di lui, forma e pensiero, pareva stretta attorno a un nome "Nora", che era intento a ripetere e custodire. "Nora" egli aveva imparato a dire, un giorno, come io adesso imparavo a dire "Francesco". Al sentimento che egli aveva nutrito per mia madre, dovevo d'essere nata e conoscere io stessa un sentimento uguale. Il rancore che, per tanti anni, mi aveva tenuto improvvisamente si sciolse, prostrandomi in un atto di sincera contrizione. Ricordavo il proposito che vagheggiavo di abbandonarlo, la gioia crudele con la quale ogni sera mi accanivo contro di lui per ferirlo. L'amore traboccava da me, la bontà mi inebriava, e gli impulsi generosi che provavo mi pareva che dovessero rivolgersi a mio padre, soprattutto, e in lui convergere. Lo fissavo con grata tenerezza: rammentavo l'abitudine che aveva di condurmi a prendere il gelato, da bambina; anche adesso talvolta mi diceva, in un'umiliante contraddizione: «Accompagnami, ti porto a prendere il gelato». Ma ciò che mi inteneriva maggiormente era il ricordo delle sue giornate monotone, regolate soltanto dagli orari d'ufficio, e l'avvilimento che quel ritmo di vita aveva generato in lui; la sua ingenua pochezza, la sua presuntuosa vacuità, e insomma tutto quanto mi aveva irritato, o sdegnato addirittura, improvvisamente suscitò in me una commozione profonda. Poiché era anche a tutto questo che dovevo di essere giunta, oggi, all'appuntamento in piazza San Pietro.

I miei pensieri erano così infiammati che egli certo ne percepì il calore. Si volse un poco verso di me e domandò: «Che hai, Alessandra?»

Non risposi subito, non volevo dire una bugia: in me non v'era più posto per una sola bugia, un solo inganno. Trepida ascoltavo la conferma di ciò che mi stava sconvolgendo; e, avutala, mi feci leggera leggera per confessare: «Sono innamorata.»

Aspettavo che egli mi aprisse le braccia, sorridendo, e io potessi rifugiarmi in lui, finalmente, posare la testa sulla sua spalla, piangere, forse, effondermi. Invece egli ebbe un sussulto, che io attribuii a sorpresa, e domandò: «Chi è?»

«Si chiama Francesco.»

Non appena ebbi pronunciato il suo nome rabbrividii: sentivo di aver commesso una grave indiscrezione, temevo che, nella sua casa, nello studio ove sempre si trovava a quell'ora, Francesco avesse alzato la testa, bruscamente, udendosi chiamare, e mi pareva di leggergli in viso un'espressione ironica e stupita. Non avevo saputo resistere alla tentazione di pronunciare il suo nome tra le pareti della mia casa: ero, come tutte le donne, incapace di serbare un segreto.

«Non conosci neppure il suo cognome?» mio padre osservò, risentito; e io vagamente intuii che avevo fatto male a parlare. «Come si chiama? Che mestiere fa?»

«Oh, sì, lo so» risposi appena, intimorita: «Si chiama Minelli, Francesco Minelli. È professore dell'università.»

«Professore?» egli ripeté con un lieve accento di sprezzo. «La peggiore categoria degli impiegati statali. Morti di fame pieni di albagia e di pretese. Dove l'hai conosciuto? E perché non è venuto a parlare con me?»

Io m'ero alzata in piedi, esitando a rispondere; ogni

sua parola scacciava un poco dell'ineffabile incanto che m'aveva pervaso fino allora.

«Perché?» domandai timidamente, tentando di ricondurlo all'affettuosa immagine che avevo tracciato di lui: «Perché sarebbe dovuto venire a parlare con te, babbo?»

«Perché così fanno gli uomini onesti quando vogliono sposare una ragazza.»

«Ma lui non mi vuole sposare: non ha mai detto questo.»

«Ah, no? Benissimo. E che cosa vuole, allora? Divertirsi?»

Tacevo inorridita. Fin dalle sue prime domande avrei voluto supplicarlo di tacere, non sciupare la gioia che per la prima volta mi era dato di provare.

«Non vuole sposarti! Divertirsi soltanto. Lo credo. E vieni a dirmelo, anche.»

Tentavo di comprendere il significato della parola "divertirsi", riferita a noi due, a Francesco e a me. E questa parola, in apparenza innocente, mi faceva salire alle gote vampe d'irrefrenabile rossore. Temevo che Francesco potesse ascoltare il nostro colloquio e ritirarsi disgustato e deluso, con una smorfia sulle labbra.

«Che hai da dire?»

«Niente, babbo. Vado a preparare il pranzo.»

La casa era buia, silenziosa, triste. In quel buio io avrei voluto nascondermi, sparire. Ero così sola che neppure il pensiero di Francesco riusciva a tenermi compagnia; mi pareva che non avrei più osato presentarmi a lui, portando addosso le umilianti parole di mio padre. Sul fornello l'acqua sibilava nella pentola; tra poco avrei dovuto buttar giù la pasta, riscaldare il sugo. Neppure quella sera potevo farne a meno: dopo, m'aspettavano i panni da stirare. Non potevo neppure buttarmi sul letto e piangere. Mia madre mi prese nelle braccia. "Oh" disse "neanch'io volevo che tu fossi una bambina."

Il telefono squillò nel silenzio. Esitai un momento, sorpresa che qualcuno telefonasse a quell'ora. Poi accorsi.

«Sono Francesco» egli disse.

Non aveva più telefonato, dopo la prima volta. Aveva una voce calda, contenuta, e il suo viso mi stava davanti nel vuoto nero del microfono.

«Oh, grazie... grazie...» risposi.

«Perché?»

«Ma per avermi chiamato.»

«Già. L'ho infastidita?»

«Ma come? Anzi...»

«Scusi, non potevo aspettare fino a domani. Volevo dirle una cosa.»

«Che cosa?»

Vi fu un silenzio. Era un silenzio dolce, un buio grato.

«Be', non ha più importanza. Volevo parlarle di oggi, ma...»

«Capisco.»

«Capisce?»

«Sì» dissi piano: «Anch'io volevo parlarle.»

Vi fu ancora un silenzio. Non avevamo l'accordo del nostro passo per aiutarci: le parole si presentavano nude nel loro significato.

«È lungo, fino a domani.»

«Oh, sì» confessai in un soffio.

«Ma va già meglio adesso.»

«Molto meglio.»

«Mi scusi. Buona notte, Alessandra.»

«Buona notte, Francesco.» Era la prima volta che lo chiamavo per nome. Rimanemmo in silenzio per un attimo, legati dal filo: udivo nel microfono l'ansima del suo respiro; poi egli riagganciò, io riagganciai, adagio, per non soffrire dello scatto che metteva fine al colloquio.

Mio padre non disse nulla; mangiammo, ed egli mi sentiva forte e risoluta dall'altra parte della tavola.

Pochi giorni dopo, era l'undici di novembre, ci trovammo alla Galleria Borghese. Francesco nell'invitarmi a tornare laddove era avvenuto il nostro primo incontro aveva la voce sospesa in una trepida interrogazione. Seria, guardandolo, io avevo detto di sì.

Cercavo Francesco ansiosamente, di sala in sala, né, passando, salutavo i dipinti, le care statue: rifuggivo, anzi, dalla loro misteriosa immobilità. Camminavo lesta, col passo di mia madre, e mi arrestai soltanto quando vidi Francesco fermo dinanzi a un quadro: guardava il quadro, ma ascoltava il mio passo avvicinarsi e non vedeva nulla. Così mi spiegò dopo. Io dissi: «Eccomi» e non sorridevo. Avevamo quel viso doloroso, affannato, dal quale la felicità inconsapevole è scomparsa per dar luogo allo sgomento dell'amore.

Camminavamo vicini, ammirando i quadri. Si vedevano, sulle pareti, i vuoti lasciati dalle opere che erano state rimosse, a causa della guerra. Di fronte a quei vuoti ci arrestavamo, impauriti, fissavamo la trama della juta, il vile intrico dei fili. Io pensavo che avrei potuto restare desolata, come quelle pareti. Fu così che Francesco mi prese sottobraccio, io mi strinsi a lui, per difenderci. «No» egli disse: «sono esonerato a causa dell'università.»

I miei pensieri gemevano, in un'improvvisa paura. Chiamavo in aiuto la Nonna, pensavo al rifugio che ella voleva costruire per me, nella roccia. Francesco era di contro a me e mi guardava: «Potremmo vederci più presto, domani». «Sì» risposi: «alle tre.» Volevamo avere la certezza di poterci incontrare domani, posdomani, sempre, in una catena ininterrotta di giorni, per trovare la calma necessaria a guardarci. Forse non è facile comprendere che il favoloso ricordo dell'undici novembre consiste in quello stare io appoggiata alla parete e lui di contro a me, guardandoci. Ma nel suo sguardo io ebbi per la prima volta coscienza di me stessa, dei miei occhi, della bocca, della spiaggia liscia della fronte, e infine comprendevo a quale scopo essi fossero stati disegnati sul mio viso.

Non rammento come fu che egli disse di amarmi. Parlava in modo brusco, confuso: forse non disse nulla e io dissi tutto in me, guardandolo. Ma ogni mese, per anni, quando tornava l'undici, io aspettavo di sentirmi bella come quel giorno. Certo è immodesto dirlo: ma io avevo creduto d'essere più bella di mia madre il giorno del concerto, più della nonna Editta nelle sue serate d'onore. Avevo il suo viso romantico sotto il cappello di piume, i capelli di Ofelia, il manto di Desdemona.

Ci vedevamo tutte le sere. Una risoluta spietatezza mi animava durante il resto del giorno: ero freddamente decisa a isolare l'ora dell'appuntamento dalle altre ore della mia vita. Non sentivo più in me la beata felicità dei primi momenti, ma una fervida tenacia che applicavo nel dedicarmi totalmente all'amore. Mi pareva che esso solo avrebbe potuto aiutarmi in quel miglioramento di me stessa cui attendevo dalla mia adolescenza. Infatti ero divenuta più intelligente, più svelta: in ufficio, la prontezza con la quale assolvevo i miei compiti e il senso di responsabilità che avevo acquisito mi valevano ormai il rispetto da parte degli uomini. In casa sbrigavo con maestria le faccende per giungere all'ora dell'appuntamento lasciandomi dietro le stanze rilucenti, la biancheria fresca, ordinata. Mi piaceva portare in me il nitore della cucina tersa, delle belle pagine dattiloscritte, degli studi svolti con metodo. In quel tempo detti un esame e presi trenta e lode.
Ormai avevamo preso l'abitudine di incontrarci in luoghi solitari per poterci baciare. La città era sempre più buia nel timore delle incursioni aeree: di tale cautela, che pur ci rammentava la presenza insidiosa della guerra, Francesco ed io approfittavamo. Ogni mattina, senza confessarlo, spiavamo il tempo per sapere se ci sarebbe stato possibile rifugiarci, la sera, nell'ombra di Villa Borghese. Ci desideravamo ardentemente e io, dapprima ritrosa, mi ero poi abbandonata a questo desiderio che ormai non mi dava tregua: vedere Francesco muoversi, anche quando sedevamo a parlare in un caffè, rinnovava il turbamento che

avevo provato in Abruzzo, guardando i due contadini che battevano le pannocchie sull'aia. Ogni gesto delle sue mani sollevava in me la stessa sensazione, dovevo impedirmi di guardarlo mentre si moveva, indifferente, per non rabbrividire come allora. La prima volta che ci eravamo baciati avevo provato un acuto disdegno contro me stessa: mi pareva che non fosse necessario ricorrere a quel mezzo per saggiare il fuoco dei nostri sentimenti. Inoltre, un delicato pudore mi tratteneva: in quei momenti sentivo che i miei occhi perdevano la dolce limpidezza con la quale ero abituata a guardare Francesco; il mio viso si trasformava, temevo che egli fosse sorpreso di scoprire in me un'altra persona, del tutto diversa da quella che egli conosceva, e rimproverarmi di averlo ingannato. Pensavo a Enea, quando mi aveva trovato sola in casa, e mi si era avvicinato per baciarmi: aveva il viso stravolto, incattivito: mi sembrava di accettare una complicità con lui, accogliendo nel mio viso quella stessa espressione; era come se, a tanti anni di distanza, lo richiamassi, gli aprissi la porta. Nell'ombra scura delle querce Francesco spiava il mio viso, e io lo coprivo con la mano. Egli scostava la mano per conoscermi anche in quell'aspetto contro il quale io lottavo fin da quando ero bambina. "Vattene, Alessandro" dicevo dentro di me e mi ponevo a modello il viso sempre casto di mia madre. Tuttavia quando Francesco mi baciava lo vedevo animato dallo stesso ardore col quale si accaniva a scoprire i miei propositi, il mio passato, i miei pensieri: infatti era facile passare dalle più candide confessioni ai baci più smarrenti: talvolta erano persino i racconti che facevo di mia madre a spingermi sul limite di quel dolce abisso.

Avevo narrato a Francesco la storia di mia madre e di Hervey. Non posso giudicare se la versione di questa storia fosse fedele alla verità perché, ogni volta che la raccontavo al babbo, l'arricchivo di numerose inesattezze che ormai non avrei più saputo individuare. Avevamo preso l'abitudine di andare ad affacciarci sul Lungotevere, la sera, presso il luogo ove mia madre s'era lasciata portar via dall'acqua. Gli parlavo di Alessandro, degli anniversari, della mamma che gettava le margherite nel fiume. «Non voglio conoscere tuo padre» egli mi diceva col viso aggrondato; guardava l'acqua, gli alberi: «mi basta essere qui per sentirmi a casa tua, coi tuoi parenti.» Oh, era veramente un uomo straordinario, Francesco, e la mia vita specchiandosi in lui mi pareva straordinaria anch'essa. Ormai egli circolava nella mia infanzia e nella storia di mia madre, con affettuosa confidenza. Di sua madre parlava raramente: diceva che era una donna asciutta, come lui, e che portava sempre un collarino di nastro bianco: quando telefonavo e lei mi rispondeva, glaciale, mi pareva di urtare contro quel collarino. No, certo ella non poteva gareggiare con una madre come la mia che si era uccisa per amore. Sul Lungotevere che sovrastava il canneto, gli alberi erano verdi, leggeri; a primavera si fiorivano di piuminetti rosa, odorosi di cipria e di confetto. In quel luogo pareva che ci baciassimo con maggiore trasporto; mentre Francesco mi baciava, si udiva il fiume scorrere. Ormai nel quartiere dei Prati io e lui ci aggiravamo come in una chiesa.

Spesso Francesco mi aveva manifestato la sua curiosità di conoscere Fulvia: ma io esitavo a presentarli l'uno all'altro poiché, attraverso i miei discorsi, mi pareva che essi avessero da tempo affrontato il primo incontro e fossero ormai legati da una pratica quotidiana. Dovevano tornare indietro, fingere di non conoscersi: sarebbero stati impacciati di recitare questa commedia in mia presenza. Lo presentivo e perciò ritardavo l'occasione. Francesco insisteva: egli credeva che Fulvia fosse la sola persona informata dei nostri incontri, avendogli io taciuto il disgraziato colloquio con mio padre, e quella testimone sconosciuta lo infastidiva. «Ma insomma» mi domandava: «che pensa Fulvia di me?» «Oh» io rispondevo: «ha molta simpatia...» Egli scattava: «Perché dovrebbe avere simpatia?

Non mi conosce affatto». Gli spiegavo che parlavamo spesso di lui e una innocente vanità maschile lo spingeva a misurarsi col personaggio che io avevo disegnato. Però sapevo che, istigato dal suo carattere schivo, avrebbe invece fatto del tutto per sminuirsi. Non osavo pregarlo di essere amabile, cortese: mi richiamavo alla prima impressione che avevo avuto di lui, per presagire l'impressione che ne avrebbe riportato l'amica.

Infine un giorno combinai l'incontro. Avevamo appuntamento in strada. «Fulvia ritarda sempre» notai, augurandomi che non venisse; Francesco era di umore malsicuro: forse anche lui desiderava che non venisse. Camminavamo su e giù, discosti, e nell'atto di chiamare un'amica a far parte del nostro segreto mi pareva di non essere più tanto innamorata. Francesco indossava un vestito marrone, che mi piaceva poco: non avrei voluto che Fulvia lo conoscesse proprio con quel vestito. «Se tarda ancora» dissi «andiamo via.» Ma, in quel momento, la scorsi di lontano. «Eccola» annunziai. Si era vestita in modo vistoso, come per recarsi ad un ricevimento: agli orecchi aveva un paio di pendenti d'oro che spiccavano troppo sul bruno dei capelli. Infatti Francesco disse: «Questa? La immaginavo diversa».

Fu molto difficile, per Fulvia: andammo a sederci in un caffè e la conversazione si trascinava faticosamente. In rapide occhiate Francesco e lei si studiavano senza pietà: io tentavo di aiutarli, mettendoli l'un l'altro in valore: ma sentivo che Francesco era il più forte poiché aveva il mio amore per sorreggersi: Fulvia non poteva vederlo diviso da questo sentimento e supponeva perciò che egli possedesse pregi superiori a quelli rivelati nella scipita conversazione. Ma ella, invece, era sola di fronte a lui: cosciente della sua solitudine, tentava di superarla con eccessiva vivacità. Fui vile, ricordo: per distinguermi da lei mi chiusi nel riserbo più stretto del mio carattere, mi scostai, accentuando col mio silenzio la magrezza del mio corpo che faceva apparire troppo procaci le belle forme di lei.

Insomma non riuscimmo a superare lo scambievole disagio: e più tentavamo di uscirne più restavamo in esso avviluppati. Non ci fu un momento di sollievo. Fulvia serviva il tè, sorridendo, mesceva il latte. «Niente zucchero, vero?» disse rivolta a Francesco. Io mi sentii avvampare. «Come lo sa?» egli le domandò stupito. Fulvia rimase interdetta, e mi guardò. «Sono stata io» dissi «non ricordo più come, si parlava... Hai una buona memoria» aggiunsi freddamente. La lasciavo affogare. Perdonami, la imploravo dentro di me.

Ci salutammo sulla porta, finalmente: Fulvia andava incontro a Dario che adesso lavorava in un ufficio; si finse rammaricata che Dario non avesse potuto conoscere Francesco. «Peccato» dissi. Francesco ed io prendemmo a camminare e fu dopo qualche tempo che riuscimmo a sentirci nuovamente soli. «Povera Fulvia» sospirai. Lui taceva. Temevo che non mi amasse più: bastava un suo silenzio a comunicarmi quel timore, a far muovere il mio pensiero verso di lui, affannato, smarrito. «Che ne pensi?» gli domandai. «È simpatica» disse, ma la sua voce era sospesa. «E poi?» «Non so; incontrandola non avrei pensato che fosse amica tua.» «Bisogna conoscerla» ammisi. «E a tua madre, piaceva?» «Oh, sai» risposi volubilmente: «la conosceva appena.» Ero irritata contro di lui che mi costringeva a mentire. Io non avrei saputo essere così dura nei riguardi di un suo amico: l'avrei pregato di raccontarmi che cosa faceva Francesco da bambino. Lui non aveva domandato nulla, non aveva visto in Fulvia il terrazzino, il cortile, non aveva capito quanto era stato necessario che ella esistesse in certi momenti della mia vita: l'aveva giudicata per quello che era e non per quello che rappresentava per me. Avevamo dormito abbracciate la notte in cui mia madre era morta. E, soprattutto, accusavo Francesco di non aver compreso che proprio tutto quanto eravamo state l'una per l'altra aveva impedito a Fulvia di essere spontanea, sicura: conoscerlo, e ammetterlo nel nostro affetto, l'aveva tanto intimidita da aver bisogno di quel vestito vivace, degli orecchini d'oro. Mi stringevo al braccio di Francesco chiedendogli una parola amichevole per Fulvia. «Sapeva che non prendo mai zucchero nel tè» egli osservò con ironia: «Tu le racconti tutto, allora, tutto?»

Non risposi: il suo carattere, benché franco e piacevole, a volte pareva riservarmi alcune zone in cui mi era difficile penetrare. Mi riusciva difficile, ad esempio, seguire quello che egli faceva durante la giornata. Era sempre evasivo, sfuggente: non mi parlava mai del suo lavoro, se non con allusioni brevi, ironiche, che forse stavano a indicare una soverchia modestia. Riportava sempre il discorso su di noi e io acconsentivo volentieri a seguirlo.

Tuttavia ogni sera, lasciandolo, mi pareva che egli mi avesse taciuto qualcosa di sé, una cosa molto importante. Se non avessi saputo dove abitava, chi erano i suoi genitori e quale professione esercitava, avrei finanche dubitato di conoscere la sua vera identità. Talora sospettavo che avesse moglie, in qualche parte del mondo: e, perciò, spesso ripetevo che il matrimonio non aveva importanza per me, aveva solo importanza l'amore. Scacciavo anche un altro sospetto che m'assediava di frequente: quello, cioè, che egli avesse un'amante e non osasse abbandonarla: codesto timore nasceva dal fatto che egli, qualche volta, arrivava in ritardo ai nostri appuntamenti o li rimandava all'ultimo momento: una sera, a Villa Borghese, l'avevo visto volgersi di scatto, quasi temesse di essere pedinato. Il suo umore era mutevole: d'improvviso, senza alcuna ragione, il suo viso s'annuvolava; ciò non dipendeva da me, ne ero certa; anzi, in quei momenti, egli mi stringeva caparbiamente al suo braccio.

Passeggiavamo insieme, una sera, e Francesco mi teneva stretta in quel modo rabbioso che era il segno primo della sua inquietudine: sembrava voler sfidare un vento sfavorevole che tentasse di dividerci, una bufera. Io non gli domandavo nulla e solo mi facevo a lui vicina mostrando di voler combattere anch'io quella battaglia benché non conoscessi l'avversario. Poi sedemmo su una panchina isolata, accendemmo una sigaretta. Allora gli domandai:

«C'è qualche cosa che t'impensierisce, Francesco?»

Scrollavo, intanto, la cenere della sigaretta; fingevo disinvoltura, benché fossi pentita di aver sollecitato una confidenza alla quale egli, nonostante l'amore che mi portava, non mi aveva ancora ammessa.

Francesco dapprima mi scrutò, infastidito che i suoi sentimenti si manifestassero in modo tanto palese; poi, stornando lo sguardo: «Sì, molto» disse, e mi prese amorosamente la mano, me la spiegazzò nella sua.

«Tu non c'entri» riprese con accento caldo e rassicurante: «non c'entra il nostro amore» precisò sottovoce, col ritegno che sempre aveva di pronunciare certe parole. «O almeno non c'entra più di quanto non c'entri tutto il resto: tutta la nostra vita.»

«Spiegati» lo pregai; e avevo un gelo in me, sotto la pelle, una improvvisa paura.

«Non oggi» disse: «non me lo chiedere, non ne ho voglia. Ti assicuro: è una cosa che non riguarda direttamente me e te.»

«Va bene» acconsentii, senza più insistere. Egli mi guardò teneramente, apprezzando la mia discrezione, e non perché vi scorgesse quella inesperta mansuetudine femminile che – al contrario – lo irritava tanto, ma solo perché essa era la prova della nostra reciproca fiducia.

Lo salutai come ogni sera. Sorridevo, anche lui tentò di sorridere. Mi strinse a sé, forte, nel buio dell'androne. «Ciao» disse, e s'allontanò bruscamente.

Attesi che giungesse a casa e gli telefonai: non c'era. Lo chiamai più tardi: non rientrava a pranzo. Ero certa che quell'abbraccio esprimesse un addio. Mi affacciai alla finestra sperando che, per caso, egli passasse lì sotto e io potessi almeno vederlo un'ultima volta. Nell'ombra si distingueva la proda erbosa, il canneto. "Aiutami" dicevo a mia madre "aiutami" e gettavo il mio richiamo nell'acqua nera del fiume: il Tevere, passando dinanzi alla mia casa, raggiungeva la casa di Francesco. "Aiutami" singhiozzavo affidandogli un disperato messaggio.

Telefonai anche durante la notte: ma non appena udii il campanello, immaginandolo squillare nel silenzio delle stanze, riagganciai sgomenta. Forse Francesco avrebbe compreso e mi avrebbe chiamato. Attendevo al buio presso l'apparecchio, in camicia, timorosa di svegliare mio padre. Francesco non telefonò. Ero certa che si trovasse presso un'altra donna. «Non importa» mormoravo: «chiamami lo stesso.»

Riuscii a parlargli al mattino, dopo una notte insonne. Egli era sempre laconico al telefono. «Che c'è?» disse.

«Nulla. Allora, ci vediamo alle sei?»

«Certo, va bene.»

Ci incontrammo in un piccolo caffè. Felice di guardarlo, di ritrovare il colore della sua pelle, i segni del suo viso, la sua camicia azzurra un poco lisa, ero tuttavia dominata da una incontenibile angoscia. Avrei voluto aderire al contegno che mi ero prefissa: e cioè non parlare di nulla, accontentarmi di vederlo; sapevo che avrei fatto male a mostrare la mia curiosità, la mia penosa gelosia, ma la sua presenza annullava in me ogni proposito. Ero sconvolta. Mi pareva che gli altri avventori mi osservassero, insospettiti.

«Usciamo» dissi poco dopo: «qui non si può parlare.»

«Sì» egli approvò: «è meglio.»

Il suo consenso mi spaurì. Allora qualcosa c'era, non si trattava di un dubbio, una ridicola supposizione: c'era ed egli si accingeva a confessarmelo. Forse voleva lasciarmi, non mi amava più. Speravo ancora che si trattasse di una faccenda di danaro, un debito di giuoco. Mi disponevo ad accettare qualsiasi confessione.

Facemmo ancora alcuni passi in silenzio; poi egli disse: «Sono vigilato dalla polizia».

Sussultai, atterrita e sollevata insieme. «Perché» gli chiesi a bassa voce, stringendomi a lui: «Che hai fatto?»

296

«Nulla» rispose con un sorriso amaro: «sono antifascista.»

Ricordo che, a questa parola, ebbi l'impressione di ricevere un colpo violento nel petto. Era una parola che mi terrorizzava sebbene non ne comprendessi il significato: in realtà non avrei saputo precisare in che cosa l'essere antifascista consistesse. Non avevo mai visto un antifascista: qualche volta leggevo sul giornale che uno di loro aveva ordito un complotto, lanciato una bomba, ed era stato fucilato alla schiena. Erano fuori legge, individui sospetti, messi al bando: Francesco apparteneva a quella specie e io da mesi camminavo con lui senza saperlo. Il cuore mi batteva forte e provavo un senso leggero di nausea, come se egli mi avesse improvvisamente rivelato di essere affetto da una malattia vergognosa.

Tutti questi pensieri mi traversarono la mente in un attimo mentre, dopo un silenzio, dicevo solamente: «Ah».

«Ti dispiace?» Francesco mi domandò, ostentando una voce sprezzante.

«No» risposi. «Perché dovrebbe dispiacermi?»

Avevo paura di lui. Temevo che potesse maltrattarmi, picchiarmi, estrarre una bomba di tasca; mi pareva d'essere caduta in un tranello e inconsapevolmente giocavo d'astuzia, fingendo di accettare la notizia senza stupore o disapprovazione. Ma non avrei osato ripetere la parola "antifascista" come non avrei osato leggere ad alta voce certe parole scritte sui muri che, da bambina, cercavo nel vocabolario. Avevo creduto di conoscere tutto di lui; invece, d'un tratto, egli diveniva un personaggio incomprensibile e misterioso, come Antonio. Da molto tempo non pensavo ad Antonio. Per mostrarmi spregiudicata dissi:

«Il fratello di una mia amica è stato arrestato coi comunisti.»

«Quando?» egli domandò, fermandosi di scatto.

«Molto tempo fa, nel trentasei, mi pare.»

«Ah, roba vecchia. Fanno molti arresti anche adesso. Io, pochi giorni fa, sono stato diffidato dalla polizia.»

Non riuscivo a vincere un interno disagio, un'infantile voglia di piangere: la gente passava e io non osavo alzare gli occhi, avvilita di essere al braccio di un uomo macchiato da una tara segreta. Un subitaneo sconforto mi colse al pensiero che, forse, la possibilità di preferire agli altri un uomo sospetto o colpevole era sempre stata nel mio carattere. Perciò avevo lasciato l'Abruzzo, perciò avevo rifiutato di sposare Paolo e tutti avevano sempre diffidato di me: mio padre, a esempio, quando si toccava la fronte col gesto di girare una vite, lo zio Alfredo quando mi guardava e pareva che dicesse: "spogliati". Abbassai il capo.

«Che hai?» disse Francesco. «Forse avresti preferito che fossi fascista» aggiunse con ironica amarezza.

«No, no» risposi, subito spaurita: «O cioè non so, non mi sono mai posta questa domanda. Soprattutto non pensavo che gli antifascisti fossero persone come te.»

«Ah» fece, quasi divertito. «E come credevi che fossero?»

«Intanto persone ordinarie...»

«Che significa "ordinarie"?»

«Persone di un ceto diverso dal tuo, terroristi...»

«E un professore, secondo te, non potrebbe essere un terrorista? Non potrebbe uccidere, se fosse necessario?»

Mi pareva irritato. «Ma sì» dissi «certo.» E nel guardarlo stupii di trovare il suo viso tanto piacevole e amabile: lo stesso viso del giorno precedente. «Non so» mormorai: «non so nulla.»

«Ecco, la verità è questa: non sai nulla.»

Disse queste parole duramente e io tacqui, mortificata. Avevo paura che mi abbandonasse, stimandomi una donnetta priva di coraggio. Era peggio che se avesse un'amante: era finito, non mi amava più.

«È appunto perché troppe persone non sanno nulla che io sono antifascista.»

Aveva detto quella frase con la voce che usava ogni giorno per parlarmi e in quella voce era dolce riconoscerlo. Così m'accontentai, mi rassicurai quasi, non chiesi altre spiegazioni. Eravamo in una strada isolata dietro Castel Sant'Angelo, una delle care strade dei Prati. Ero stretta tra il braccio di Francesco e il ricordo di Antonio. «Non sono contenti» Aida diceva. Neanche io trovavo la forza di essere contenta come prima. Era forse peggio che se mi avesse lasciato. Non eravamo più contenti, egli non lo era stato mai.

Mi appoggiai al muro, nel buio: incominciai a piangere.

Francesco mi si accostò, mi prese per le spalle. Era la prima volta che osava abbracciarmi in strada. Si calò un poco il cappello sugli occhi. Un antifascista, pensavo, sono abbracciata a un antifascista.

«Ti dispiace tanto?» egli mi diceva, guardandomi con occhi innamorati.

No, io facevo con la testa.

«Mi ami?»

Accennavo di sì.

«Perché piangi?»

Io mi stringevo nelle spalle e lui continuava: «Non piangere. Ti amo tanto. Scusami, avrei dovuto parlarti subito: ma sono cose delle quali non si parla con una sconosciuta. E – dopo – avevo paura di perderti. Temevo che tu potessi lasciarmi. Non mi lasci, vero, di', non mi lasci?».

Facevo no no con la testa, senza gioia. La gente passando ci osservava con curiosità. «Dimmi che mi ami» egli insisteva. «Sei mia? Dimmelo. Sorridi. Sta' tranquilla. Non credo che mi arresteranno; ma, se fosse, devi pensare che è per poco tempo. Perderanno la guerra...» io spiavo in giro, benché Francesco parlasse pianissimo. «Se ne andranno. E allora, finalmente, potremo essere contenti... saremo sposati, allora, lavoreremo insieme, allora anche tu sarai veramente contenta... Sono sicuro che non sei mai stata veramente contenta.»

Vedevo i suoi occhi esaltati, sotto la tesa scura del cappello: mi pareva di conoscere per la prima volta il vero aspetto di lui, come avevo visto Paolo per la prima volta mentre sedeva sul muretto dopo avermi baciata.

«Pensaci bene: sei mai stata contenta?» egli insisteva.

E, a riandarla dal mio quartiere povero, dal fianco di uno di quei grandi casamenti ove la giornata si snoda in un ritmo logorante, implacabile, davvero tutta la mia vita trascorsa mi pareva dolorosa e squallida, dopo la breve favola che avevo vissuto con mia madre. Davvero non ero mai stata contenta: speravo che infine la mia inquietudine si placasse, si esaurisse in lui, nel nostro amore. E invece bisognava continuare e camminare insieme in una galleria sordida e buia.

«È vero» dissi, guardandolo intensamente «non sono mai stata contenta.»

Invece di consolarmi egli sorrise, raggiante, come se solo in quell'attimo fosse venuto a sapere che l'amavo. Mi baciò a lungo, sulla bocca. E mentre mi baciava io pensavo che egli non era più lo stesso del giorno precedente, era un uomo che non conoscevo affatto. Umiliata, senza più letizia o piacere, ricambiavo il suo bacio; sulle sue labbra, al sapore freddo del fumo, si mischiava il sapore salato delle mie lacrime.

Forse ciò potrà sembrare eccessivo, ma, quella sera, tornando a casa, mi sembrava che nelle scale qualcuno mi seguisse. Dal momento in cui Francesco mi aveva fatto quella terribile confidenza avevo l'impressione d'essere sotto un gelido riflettore che ci spiasse. E, rientrando, ero stretta in una angustia insopprimibile: la radio era accesa e la voce arrogante circolando nella casa sembrava ricercarmi, additarmi severamente. Sbirciavo il telefono, la porta, temevo che tutti sapessero, che mio padre fosse stato messo in guardia dal vicino e tacesse per tenermi in sua balìa. Certo anche Lascari sapeva: infatti egli sembrava contrariato di sapere quanto intima fosse divenuta la mia amicizia con Francesco.

Quella sera, stretta in un senso acuto di colpevolezza,

servii mio padre docilmente, diffidando di lui e persino della sua cecità. Temevo che fingesse, per studiarmi meglio, che d'improvviso si smascherasse e mi si rivolgesse a bruciapelo, accusandomi di frequentare Francesco come se fossi affiliata a una setta. Se avesse detto qualche cosa contro di lui gli avrei risposto spavaldamente: "Sì, anch'io sono antifascista, da anni: da quando fu arrestato Antonio".

Dentro di me stupivo di quella singolare coincidenza: forse, pensavo, sono una donna debole e istintivamente m'accosto agli uomini forti. Non di meno, perplessa, mi domandavo se essi fossero realmente più forti o più deboli invece, come Claudio sosteneva. Francesco aveva tutto contro di lui. Mi aveva parlato della difficoltà che incontrava con gli studenti, a causa delle voci che correvano sul suo conto, e che accennavano finanche alla possibilità di un allontanamento dalla cattedra. Fino a quel giorno avevo creduto che Francesco fosse un uomo sicuro di sé, sdegnoso, e ora, invece, intuivo la cagione della sua scabra solitudine. Era la pietà per quella solitudine che m'aveva spinto verso Antonio, allora, ed ora mi faceva restare con Francesco, desiderosa di confortarlo.

Coi miei pensieri tentavo di raggiungerlo nella sua casa che non conoscevo. Lo ammiravo, lo confortavo come un personaggio inquietante e romantico a me affidato. Non supponevo quale fosse la sua attività e perciò non potevo seguirlo nella doppia vita che conduceva. Immaginavo che, sull'esempio dei cospiratori dell'Ottocento, uscisse nottetempo, travestito: lo rivedevo col cappello calato come quando mi aveva stretto fra le braccia, nella strada dei Prati. E sentivo che l'avrei accompagnato ovunque andasse, rimanendo magari fuori di un uscio per spiare l'arrivo della polizia. Ero indissolubilmente legata a lui da una complicità, che neppure sapevo quale fosse. Mi vergognavo di chiedergli: «Ma che fanno gli antifascisti?».

Fu quella una delle sere in cui udimmo la sirena dell'allarme: ce n'era una sul tetto della casa vicina che urlava dentro la mia finestra. Al primo segnale rimanemmo fermi, ma ogni volta che il segnale si ripeteva mio padre diveniva più pallido. Io stessa ero impaurita perché mi pareva che quel suono mi chiamasse a rendere conto dei miei più segreti pensieri: ogni urlo della sirena mi sospingeva per le spalle, mi obbligava a fuggire, nascondermi. «Vogliamo scendere?» proposi.

Uscivamo di casa quando Francesco telefonò per raccomandarmi di essere tranquilla, ma il tono sicuro della sua voce mi faceva quasi supporre che tra lui e gli aerei corresse uno di quei rapporti misteriosi che io non osavo nemmeno immaginare. Il suo incoraggiamento, invece di rassicurarmi, m'impensieriva.

La notte non riuscii a dormire. Portavo ancora sugli abiti l'odore della muffa che stagnava nella cantina adattata a rifugio. Non c'era stato alcun bombardamento. Tuttavia, poiché le notizie della guerra erano sempre meno rassicuranti e i bombardamenti sulle altre città si facevano ormai quotidiani, neppure a Roma si aveva più la speranza di esserne risparmiati. Nel rifugio eravamo seduti torno torno sulle panche di legno e mio padre mi teneva sottobraccio. Accanto alle donne sedevano i bambini assonnati che tentavano di godere dell'avventura notturna e fissavano gli occhi di mio padre con un misto di spavento e di curiosità. Gli uomini andavano e venivano tra la porta esterna e il rifugio, fornendo brevi informazioni atte a rassicurarci. «Non vengono» gli uomini dicevano «non si fidano di venire a Roma.» Parlavano sempre in modo allusivo. «Non ci sono» annunciavano tornando al rifugio; oppure: «Non sparano». Proprio come una volta Aida aveva detto «Non sono contenti».

Mi pareva che parlassero degli amici di Francesco; e perciò, implicitamente, si riferissero a lui e a me. Una signora che tremava mi aveva domandato donde traessi tanto coraggio. I bambini insonnoliti mi guardavano tentando di mostrarsi innocenti e indifesi, acciocché Francesco non li colpisse. Vedevo le altre donne strette ai figli, scomposte nelle vesti, smarrite nell'espressione pavida del volto: gli uomini le incoraggiavano con palesi menzogne: non le guardavano negli occhi, non le tenevano pel braccio come Francesco quando mi aveva chiesto: «Non mi lasci, vero, di', non mi lasci?». Ormai potevo sopportare qualsiasi cosa, anche la guerra. Appoggiavo la testa alla scabra parete del rifugio, odorosa di muffa, e mi bastava abbassare le palpebre per trovarmi con Francesco. «Saremo sposati, allora...» egli aveva detto. Scenderemo insieme nel rifugio pensavo, se il rifugio sarà scosso dalle bombe, ci diremo: «Coraggio, ti amo». Francesco aveva voluto dire proprio questo, nel telefonarmi. Quando era cessato l'allarme, tutti avevano incominciato a ridacchiare nervosamente: «Non hanno coraggio di venire a Roma» dicevano, e pareva che mi guardassero con spavalderia. Io avevo in viso un'espressione dura: ero già complice di Francesco che diceva: «Non c'è dubbio, perderemo la guerra. Allora saremo contenti».

Eppure tra le lenzuola fredde stentavo a riscaldarmi: vedevo gli occhi dei bambini che m'interrogavano, le grasse donne tremanti. "Perché fai questo, Francesco?" gli chiedevo e udivo il ronzio degli aerei. I bambini tentavano di ridere e poi d'un tratto tacevano, pallidi. "Sei sicuro che servirà a salvarli? E sei sicuro che vogliano essere salvati?" Mi domandavo se egli avesse il diritto di travolgere la loro vita, la vita delle donne che forse domandavano soltanto di somigliare a mia madre. Travolgeva anche la mia vita, e io lo accettavo; accettavo la sua condizione, qualsiasi sciagura: sarei andata ogni giorno al carcere a portargli il pranzo, avrei aspettato in fila tra le altre donne, come Aida faceva, col brodo caldo nella gavetta. Speravo che egli mi dicesse che, per lui, io ero sempre più importante di tutto, anche di quella corrosiva scontentezza. Invece aveva detto che non eravamo mai stati contenti. Avrei voluto telefonargli, supplicarlo: "Parlami, dimmi che alla Galleria Borghese eri contento". Ma non potevo far questo: sua madre dormiva, anche lui dormiva certamente. Pensavo che avrebbe potuto essere arrestato anche di notte: i vicini mi erano apparsi così deboli, appena tratti dal sonno in cui la sirena li aveva sorpresi. Lo vedevo passare assonnato sul ponte Castel Sant'Angelo tra le bianche statue. Ai fianchi aveva due guardie in borghese. Me lo portavano via. «Francesco...» mormoravo, sfinita dall'amore e dalla paura.

Gli incontri con Francesco erano inquieti e angosciati. Come – nei primi tempi – c'ingegnavamo di aver davanti a noi un seguito di giorni liberi, così adesso si stabiliva, innanzi tutto, ciò che avremmo fatto se Francesco fosse stato arrestato. Egli temeva che, frequentandolo giornalmente, io finissi per essere indiziata. «Perdonami» mi diceva baciandomi le mani: «non posso fare a meno di vederti.»

Erano quelli i momenti in cui trovavo ancora gioia nell'amore: avrei voluto che venissero ad arrestarmi, che mi portassero in prigione, che mi torturassero e io riuscissi a tacere il suo nome. «Non ho paura» gli dicevo: anzi, quell'oppressiva paura finiva per ingagliardire il sapore dei nostri incontri. Ogni sera ci lasciavamo straziati, temendo di non più vederci l'indomani; ma, appena divisi, tornavamo indietro per salutarci un'ultima volta tra parole scucite, confuse. Finché egli si staccava da me bruscamente e il buio assorbiva la sua cara ombra.

Vivevo ormai tutto il giorno in uno stato di tensione nervosa. Eppure apparentemente tutto sembrava essere come prima. Ciò mi toglieva il fiato, mi sgomentava: avrei preferito che, in qualche modo, l'insidia si manifestasse per poter più facilmente combatterla.

«Spiegami» dicevo a Francesco: «dimmi com'è andata.»

«Mi hanno chiamato, insieme con un amico: lui è stato trattenuto, io sono stato soltanto diffidato.»

«E poi?»

«Non c'è poi: se continuo e mi scoprono, mi arrestano.»

«E tu?»

Egli mi guardava teneramente, mi prendeva una mano, me la baciava a lungo, senza rispondere.

«Continui, vero?» insistevo.

«Come potrei a meno di continuare? Non sarei più io, dovrei cambiare il mio disegno di vita, i miei pensieri: non mi riconosceresti, forse neppure mi ameresti più.»

«Come potrei a meno di continuare?» anch'io dissi a Fulvia. Per qualche giorno avevo resistito alla tentazione di parlarle: ma, dopo qualche giorno, mi riusciva impossibile mentirle, dissimulare il tono della mia voce al telefono. «Che hai?» ella sempre mi domandava. Di fronte al mio ostinato silenzio giunse a supporre che Francesco non mi amasse più e fu questo sospetto a decidermi. Ci chiudemmo nella stanza dei giuochi e le parlai. Fulvia posava una mano sui miei ginocchi e mi ascoltava seria. Infine, timidamente, mi domandò se intendevo continuare a vedere Francesco. «Come potrei non continuare?» le risposi. Mi guardavo attorno: la nota stanza, la vecchia mobilia. «Ricordi il giorno in cui Aida annunciò che Antonio era stato arrestato? Maddalena strappò gli occhi alla bambola.» Avevo l'impressione di continuare da allora. Poi Fulvia s'informò dell'attività di Francesco, e io non sapevo nulla: egli mi aveva parlato di riunioni, di discorsi fatti agli studenti, di opuscoletti stampati... «Come Antonio!» ella esclamò. «Già» risposi, e constatai che nulla era mutato in tanti anni. «Non sono contenti» ripetei. La loro scontentezza ci raggiungeva, opprimendoci; avrei voluto ribellarmi, gridare. Dissi: «Come ci si può adattare a non essere contenti? Meglio farsi condurre in prigione, meglio buttarsi nel fiume».

Appena dette queste parole fui colta da una gelida paura. Mi tornarono alla mente le parole malinconiche di zia Violante e quelle orgogliose della Nonna che però, consigliandomi di adattarmi presto alla rassegnazione, esprimevano la stessa somma di amare esperienze. La Nonna e zia Violante mi avevano parlato severamente: entrambe mi amavano e perciò non volevano che io mi abituassi alla felicità. Anche mia madre quando ero bambina qualche volta mi strappava dalla finestra ove mi trattenevo in compagnia dei sogni. La Nonna aveva chiuso l'armonium in soffitta.

Mi divincolai da questi pensieri, rifugiandomi nel ricordo di Francesco: bisognava lottare insieme per difendere il cerchio amoroso della nostra vita. Non mi sarei mai adattata ad essere scontenta di lui né ridotta alle piccole cose sporche che avevano turbato l'ordine della stanza dei giuochi. «Ci sposeremo» annunziai a Fulvia.

Francesco ed io ne parlavamo spesso; e, liberamente alludendo al futuro, sembravamo volerne sperimentare la sicurezza e l'intangibilità. Così, man mano, la nostra storia aveva ripreso il sopravvento: il pericolo era divenuto il sale dei nostri giorni e il faticoso lavoro della casa e dell'ufficio che io, prima, sopportavo facilmente, ora mi pesava come una crudele imposizione. Non studiavo più, trascuravo la casa: la cecità di mio padre mi pareva rivelatrice della cecità nella quale si era svolta la sua vita. Lo accusavo di non aver lottato mai, di aver dormito tranquillo affidato allo Stato e alla prospettiva della pensione.

Francesco mi aveva prestato alcuni libri che tenevo riposti tra la biancheria. Li leggevo di notte, poi li nascondevo, e però la casa, le pareti, i mobili, parevano tradire la loro presenza. Ormai ero colpevole anch'io per quelle letture che bastavano a costituire la prova della mia complicità con Francesco. Avevo fretta di sposarlo per approfondire questa complicità. Egli mi guardava ammirato, con una tenera luce di gratitudine negli occhi: io stessa mi ammiravo specchiandomi in lui. Oh, erano giorni bellissimi. «Vorrei che ci sposassimo al più presto» Francesco disse: «verrò a parlare con tuo padre.»

Aprii la porta a Francesco con molta timidezza. Finora io mi ero presentata a lui, sola con la mia leggenda. Gli avevo parlato dei mobili abruzzesi che avevano oppresso la nostra casa e la mia infanzia; dell'incubo che la loro presenza aveva rappresentato per me. Temevo che, vedendoli, gli apparissero comuni, inoffensivi, e potesse giudicare esaltata la mia fantasia: eppure gli avevo detto la verità. Infatti, nell'entrare egli subito osservò con simpatia un grande armadio che il vicino aveva stimato di valore: era il grande armadio nero che soffocava il mio letto di bambina e che credevo abitato da Cola perché, la notte, scricchiolava.

Francesco si guardò in giro, forse considerando che eravamo una famiglia di condizione modesta: la sua casa, come vidi più tardi, era diversa. Suo padre era stato magistrato: dappertutto si vedevano libri chiusi nelle vetrine, anche in ingresso. Nel nostro ingresso invece c'era una stadera sulla quale il babbo pesava la farina che veniva dalla campagna.

Avevo informato mio padre il giorno prima. Invece di accogliere la notizia con gioia, egli aveva avuto un momento di fredda esitazione e quasi di contrarietà: Francesco, in tal modo, veniva meno alla figura che egli godeva a immaginare di lui, a mio dispetto. Tuttavia ci eravamo abbracciati. Al mattino mio padre aveva voluto farsi la barba, vestirsi di scuro e mi aveva domandato quale fosse la cravatta che gli porgevo. Io avevo comperato qualche fiore e, proponendomi di offrire un caffè a Francesco, tratto dalla credenza certe graziose tazzine che non usavamo mai.

Li lasciai soli. Quando tornai col caffè essi avevano già raggiunto lo scopo principale del loro incontro: Francesco aveva dato alcuni ragguagli sulla sua famiglia e su di sé, aveva detto che intendevamo sposarci tra un mese, e aveva saputo che io non avevo un soldo di dote, salvo il corredo che la Nonna avrebbe mandato dall'Abruzzo e un pezzo di terreno alla morte di lei; quando io entrai, mio padre stava appunto parlando di quel terreno e mi parve che contrattassero la vendita di un animale. Facilmente, tra loro due uomini, avevano assolto questo brutale compito del quale sembravano vergognosi in mia presenza. Io non provavo più amore per Francesco, ma solo il desiderio di ribellarmi e fuggire. In realtà egli non aveva mosso alcuna obiezione e anzi aveva detto che questi particolari non lo interessavano. Mio padre aggiunse che io ero una discreta massaia e che in ufficio guadagnavo bene. Francesco rise. Li odiavo. Servii loro il caffè con astio. Nell'uscire Francesco disse: «È un brav'uomo» e io richiusi la porta dietro di lui come dietro un estraneo.

Speravo almeno di ritrovare la felicità nell'imminenza delle nostre nozze e invece mi sentivo stretta nel giro di una ruota irrefrenabile. Dal giorno in cui Francesco era venuto a parlare con mio padre fino a quello del nostro matrimonio, fummo sempre occupati a rincorrerci. Dovevamo risolvere problemi che, apparentemente, sembravano essere relativi al nostro amore ma, in verità, non facevano che distrarlo. Avvezza alla solitudine e agli incontri segreti, mi trovavo disorientata: mi pareva che stessimo commettendo un grave errore accogliendo tanta gente e tante cose nella nostra gelosa intimità. Manifestavo il mio timore a Francesco il quale sorrideva, credendo che scherzassi; poi mi baciava: quando mi baciava io non pensavo più che stavamo per commettere un errore.

Eravamo poveri, e non dovevamo fare molti preparativi. La casa, però, era ai Parioli, in un casamento elegante, che dapprincipio m'intimidì; anzi ad intimidirmi fu proprio il portiere il quale salutò rispettosamente il "professore" e poi, sbirciando me, mostrò di disapprovare la scelta che il professore aveva fatto.

Soffrivo di quei giudizi, temendo di non piacere a Francesco; in quei giorni egli mi guardava meno perché era molto occupato: quando lui non mi guardava non credevo più di essere bella. Comperai alcuni vestiti ma, siccome Fulvia mi consigliava, Francesco temeva che fossero eccentrici o vistosi: in quei giorni Fulvia e Francesco si conobbero meglio e fecero il possibile per divenire amici: ma non riuscirono neppure a darsi del tu.

Intanto la paura, che dapprima pareva soltanto essersi allontanata da noi, via via sparì del tutto. Era impossibile che si pensasse a colpire due persone onestamente impegnate nei loro preparativi di nozze. Francesco, in quei giorni, non avrebbe potuto negare di essere contento; a volte pensavo che avesse esagerato persino nell'immaginarsi in pericolo, e questo pensiero me lo rendeva più caro, accrescendo in me il desiderio di accompagnarlo e proteggerlo; e, da quando avevamo visitato la nuova casa, anche il timore di aver perduto la nostra prediletta solitudine era scomparso: si trattava solo di poche settimane e poi tutta la vita sarebbe stata come al Palatino e a Villa Borghese.

Mi ero proposta di giungere alle nozze attraverso un seguito di giorni idilliaci: era ormai primavera, la città, il fiume, il colore del cielo si trasformavano e io avrei voluto godere tutto ciò col mio amato. Ogni giorno mi proponevo un romantico itinerario, per l'indomani: ma l'indomani non avevamo tempo. Una sera tornammo a Villa Borghese; gli alberi erano trasparenti di foglie nuove e ormai il sole tramontava tardi, le giornate s'allungavano: non fu possibile trovare un poco d'ombra. Ci baciammo frettolosamente, temendo d'essere visti; io avevo sperato di trascorrere una dolce serata come nei primi tempi: immaginavo, anzi, che dovesse essere ancora più bello, ora che non avevamo più la paura in noi né il senso della colpa. Invece non ritrovammo più lo stesso ardore: pensai che quei baci rubati non ci appagassero più, smaniosi come eravamo della totale libertà che ci attendeva.

«Senti» dissi a Francesco: «voglio tornare spesso a Villa Borghese per baciarci. Anche dopo» precisavo: «non voglio perdere questa dolce abitudine.» Attorno, la sera primaverile era di una tenerezza invitante. «Andremo sempre al Gianicolo, sempre al Palatino...» D'un tratto mi strinsi al suo braccio, dissi: «Francesco, ho paura. Nessuna coppia è sposata, di queste che ci passano accanto».

«Ma sì» egli disse: «ma certo.»

«No» io insistevo sgomenta: «no, ne sono sicura. Domandiamoglielo.»

Egli rideva affettuosamente. Negli ultimi tempi l'avevo visto ridere poco: un subitaneo timore mi spinse verso di lui.

«Ho paura» ripetevo. «Le persone sposate non vengono mai a Villa Borghese. Ci vengono la domenica coi bambini. No, Francesco, vero? Mi giuri che non sarà così? Passeggeremo ancora insieme, vero?»

«Sì» egli mi assicurava guardandomi con una dolcezza grave: «sì, te lo giuro.»

Disse proprio così; perciò dovevo credergli. Tornammo indietro adagio, sottobraccio. Gli raccontavo di via Paolo Emilio; lo squallore delle convivenze coniugali, la vita faticosa e malinconica che a tutte le donne avevo visto condurre. Le giovani spose, nei primi anni, aspettavano impazientemente la domenica sperando di ritrovare nel marito l'innamorato ardente e devoto d'un tempo, poi non aspettavano più nemmeno quella: imparavano a fare una bella torta, per la domenica. Con ansia frugavo tra i miei ricordi ricercando almeno una coppia che si fosse salvata. «Nessuna» gli dicevo impaurita: «Oh, Dio mio, nessuna. Se escono insieme vanno al cinematografo. Fulvia e io li vedevamo sbadigliare negli intervalli.»

«Come sarebbe possibile questo, tra di noi?» diceva Francesco. Incominciava a parlare della mia fantasia, del mio carattere e io mi rasserenavo: mi piaceva tanto sentirlo parlare di me. Nella sera odorosa tornavo a sentirmi leggera, felice. Sorridevamo mentre, senza saperlo, uscivamo felici dalla villa per l'ultima volta.

In quei giorni Francesco mi presentò alcuni suoi amici che, come lui, non erano contenti.

Era soddisfatto che i suoi amici mi piacessero e subito s'avvide che io piacevo loro. In quelle occasioni avevo una conversazione piacevole, dicevo sempre cose intelligenti; ma non ero più Alessandra, ero Alessandra che impersonava la donna amata da Francesco: mi piaceva che egli amasse una donna singolare. Alberto e Tomaso mi ascoltavano attratti, incuriositi. Alberto era un filosofo, aveva già quarant'anni. Non insegnava più: scriveva libri che era proibito pubblicare e che circolavano dattiloscritti tra gli amici. Tomaso era giornalista: non era contento, ma sembrava che lo fosse. Era il suo mestiere, diceva; invece capii che era il suo carattere. Tomaso aveva ventisette anni e, scherzando, chiamava Francesco "il capo". Dapprima entrambi esitavano a consegnarmi il loro amico Francesco; soprattutto Alberto esitava; poco dopo furono loro stessi a offrirmelo, guardandomi con simpatia. Sentivo che Francesco mi amava molto, mentre ci allontanavamo soli ed egli mi portava a braccio. Eravamo alti, camminavamo bene insieme; ma il nostro passo era divenuto troppo sicuro.

L'incontro con sua madre fu meno facile. Avrei preferito presentarmi a lei accompagnata da Francesco, ma egli al telefono aveva detto «Ti aspettiamo» e io non avevo osato replicare.

Era un pomeriggio bellissimo: il cielo giallo si rifletteva nello specchio grigio del fiume. Esaltata dalla nuova stagione, arrivai un po' stordita: avevo i capelli in disordine, il viso trasognato. Questo accadeva sovente anche a mia madre: distrarsi proprio quando voleva fare migliore impressione. Rimasi subito intimidita dall'ingresso spazioso con mobili antichi e tende rosse: non potevo a meno di paragonarlo al mio ingresso dominato dalla stadera. Mi mancò soprattutto l'aiuto di Francesco che per la prima volta non era più soltanto mio, era anche il figlio della signora anziana dal nastro bianco stretto attorno al collo. Provai una sensazione bizzarra: non osavo guardare in giro, vergognosa di conoscere le cose tra le quali egli viveva e che suscitavano in me una profonda malinconia. Sua madre mi osservava: ella non era contenta del nostro matrimonio perché io ero povera e costretta ad essere impiegata. Tuttavia non manifestò la sua contrarietà e fu persino cortese: solo incidentalmente mi domandò se ero una brava dattilografa e Francesco si affrettò a precisare che assolvevo il compito di segretaria del direttore. Era vero, ma lo diceva perché si vergognava di me. Eppure aveva sempre mostrato di stimarmi molto per il lavoro che svolgevo, lui stesso ne aveva informato Alberto e Tomaso, aggiungendo che trovavo anche il tempo di seguire i corsi all'università. Sua madre disse che si rammaricava di non poter aiutare il figlio acciocché io avessi la possibilità di lasciare l'ufficio.

«Perché, signora?» replicai: «Non sarebbe giusto. Se anche Francesco fosse molto ricco mi piacerebbe ugualmente lavorare, contribuire alle nostre spese. È una sensazione spiacevole quella di pesare sul lavoro di un uomo. Del resto pure mia madre lavorava: andava tutto il giorno in giro per insegnare il pianoforte.»

Vi fu un silenzio freddo e io compresi d'aver sbagliato. Poi entrò una cameriera col vassoio del tè; sul vassoio erano alcune tazzine molto belle. Anche loro, pensai, hanno messo fuori le tazzine migliori. Ma questo non bastava per farmi vergognare di mia madre.

Con finta disinvoltura aiutai la cameriera a servire il tè: Francesco mi guardava soddisfatto e anche la signora parve apprezzare il mio gesto, che era in realtà facile e ovvio, qualunque ragazza avrebbe saputo farlo mentre non tutte avrebbero saputo occupare il mio posto, in ufficio. La conversazione s'avviò sui nostri preparativi, e io incominciai a prendere confidenza, guardavo le fotografie nelle cornici. La signora Minelli disapprovava la scelta della nostra casa, benché fosse molto difficile trovarne di quei tempi: era troppo piccola, ella diceva: «Bisogna prevedere il futuro: vi sposate, si sa, per avere bambini...».

«Oh no, signora» io l'interruppi credendo di rassicurarla «noi non ci sposiamo per questo. Ci sposiamo per stare sempre insieme.»

Di nuovo le mie parole stabilirono tra noi un silenzio penoso. Francesco mi passò un braccio attorno alle spalle.

Sua madre sorrise acremente, versandosi un'altra tazza di tè. Diede una breve occhiata a Francesco e poi disse: «È molto graziosa, nella sua ingenuità».

Avrei voluto ribellarmi e spiegare che non ero ingenua, non lo ero mai stata: ma Francesco, stringendomi il braccio, mi fece cenno di tacere. Per dissipare l'imbarazzo parlò d'altro e a me sembrava di essere caduta in una trappola. Parlavano di parenti, di amici ai quali avrebbero dovuto inviare la partecipazione delle nostre nozze: si domandavano se sarebbe stato necessario invitare al matrimonio, intimissimo, la signora Spazzavento, tenendo gran conto delle reazioni. Io confessai di non aver parenti, a Roma: non supponevo, come poi fu, che zia Sofia sarebbe venuta dall'Abruzzo per assistere al matrimonio. Dissi che avevo solo un'amica che abitava in via Paolo Emilio. Fu deciso, allora, di invitare la signora Spazzavento. Io ascoltavo, sperduta nella malinconia: mi pareva che quella cerimonia e quei preparativi non avessero più nulla in comune coi discorsi che Francesco e io facevamo a Villa Borghese o al Gianicolo.

«E dove andrete, poi, per un breve viaggio di nozze?» la signora Minelli domandò mentre ci avviavamo alla porta.

Francesco mi teneva sottobraccio, perciò mi pareva di essere più forte:

«Scusi, signora» dissi gentilmente, arrossendo «questo è il nostro segreto.»

Francesco non mi parve contento di questa risposta, quando fummo in istrada: io tentavo di spiegargli che non avevo voluto rivelare il luogo ove avevamo deciso di trascorrere i nostri primi giorni solo allo scopo di ritrovare, in qualche modo, i nostri tempi clandestini, segreti. Egli mi trasse a sé, nell'ombra dei platani, sul Lungotevere: «Ma sì, certo» diceva «mi piace, anzi, questo tuo capriccio».

Mi affannavo a spiegargli che non si trattava di un capriccio: «Fulvia lo capisce» gli dicevo «lo capisce benissimo».

«Sì, certo» egli annuiva sperando che io smettessi il mio atteggiamento polemico, perché voleva baciarmi.

Accadeva che, da quando avevamo stabilito la data delle nozze, egli mi prendesse per la vita e mi baciasse all'improvviso, consapevole del suo diritto. E a mano a mano che la sua sicurezza cresceva, io divenivo più confusa, invece. Da qualche tempo non pensavo ad altro che alla prima notte che avremmo trascorso insieme; non potevo distrarmi dalla dolce e tremenda attesa. Il pensiero di quella notte, e tutti i particolari di essa occupavano la mia mente anche mentre rispondevo al telefono, in ufficio, mentre scrivevo a macchina, o stenografavo le lettere che mi dettava l'ingegner Mantovani. Mi turbava finanche misurare la vestaglia azzurra che avevo ordinato. Azzurra, in ricordo del vestito di mia madre. Mi addormentavo immaginando Francesco che scioglieva il nodo della vestaglia. Era come una pellicola che si svolgesse ininterrottamente nella mia fantasia: e non era neppure tanto il desiderio ad attrarmi, quanto il senso religioso del rito che compivamo nell'unirci. Mi perdevo nell'immaginare le parole che Francesco avrebbe pronunziato; come quando ero in chiesa un fiume ininterrotto di parole d'amore mi colmava; mi figuravo i suoi gesti e abbassavo le palpebre. Immaginavo di entrare nella nostra camera, presentandomi a lui, con grazia; era una camera diversa da tutte quelle che conoscevo; vasta, elegante, ovattata da lenti cortinaggi: io camminavo su un tappeto soffice. La luce era discreta, alti fiori odoravano in angolo, tuberose. Non avevo mai visto una camera simile, mi figuravo che così fossero le camere di villa Pierce.

Eravamo rimasti soli, un giorno, nella casa nuova: i facchini erano usciti dopo aver disposto i lucidi mobili della camera da letto, il regalo della signora Minelli. Spentosi il tonfo della porta, ci eravamo trovati di fronte, Francesco ed io, di qua e di là dal letto grande. I mobili nuovi, impeccabili, sembravano ancora in vetrina: il materasso era d'un biancore invadente e spudorato.

Francesco, baciandomi, mi spinse a sdraiarmi sul materasso, in traverso, e si sdraiò vicino a me. Il suo viso aveva un'espressione diversa, quando egli era sdraiato: era un viso nuovo, lo accarezzavo per prender confidenza. Non ero mai stata sdraiata con lui: mi baciava, e non vedevo più il suo viso. Dal cortile venivano le voci di alcuni bambini che giocavano. «Siamo soli» Francesco susurrava: «vuoi?» Intanto si accingeva a sbottonarmi la camicetta.

Mi sciolsi da lui e balzai in piedi: egli mi seguiva dicendomi di non aver paura.

«Non ho paura» gli dicevo: «ma tu vorresti, qui? Qui?»

Volgevo gli occhi alla stanza fredda, al materasso bianco, al filo elettrico che pendeva dal soffitto. «Qui?» ripetevo; e intanto m'immaginavo nella vestaglia azzurra. "No, certo, non accadrà la prima notte" avevo pensato. "Sarà già così difficile essere in albergo sola con lui."

Egli si ravviò i capelli, disse: «Scusa. Ti amo tanto. Andiamo via».

Ci sposammo in una chiesetta romantica: Sant'Onofrio, ai piedi del Gianicolo. Avevo scelto quella chiesa in ricordo della nostra prima passeggiata, e perché spesso me ne parlava mia madre. Verso sera ella scendeva con Hervey da villa Pierce, passeggiavano adagio, e poi entravano in quella chiesa per riposare un poco. Quando ci eravamo recati la prima volta lassù, con Francesco, avevamo avuto l'impressione di entrare in un luogo due volte sacro. «Ci saranno anche loro» io avevo detto lasciando scorrere sui banchi uno sguardo affascinato.

315

La sera precedente le nozze Francesco mi aveva lasciata al portone di casa come nei primi tempi. Era arrivata anche zia Sofia, che dormiva sulla branda; sicché era divenuto impossibile trovare una pausa di solitudine e di libertà. Ormai sembravamo soltanto due soci, smaniati di concludere un vantaggioso affare: ci telefonavamo brevemente, per accordi, trascorrevamo molte ore nei grigi corridoi dell'anagrafe. In casa avevo trovato Fulvia che mi aspettava con zia Sofia: stavano ammirando le lenzuola che la Nonna aveva mandato dall'Abruzzo: mio padre le guardava con la mano. Un lenzuolo era spiegato tra loro, molto bello. «Che fate?» avevo detto. «Lasciate stare quella roba!» Poi avevo chiesto scusa: «Sono molto nervosa» ma ero tornata a dire: «Ripiegate tutto» ed ero andata a chiudermi con Fulvia in camera mia.

Fulvia fu molto buona, quella sera. Era una sera tremenda, la più difficile che io avessi affrontato fino allora; anche più difficile di quella in cui erano venuti gli agenti, con la borsetta di mia madre in mano.

Chiusa la porta, Fulvia mi aveva guardato con tenerezza. «Sandi» chiamava. Io passeggiavo in su e in giù, poi l'avevo abbracciata, posandole la testa sulla spalla. Lei aveva detto, timida: «T'ho portato un regalo».

Era un regalo costoso e io immaginavo che fosse stato necessario l'aiuto dell'ingegner Mantovani. «Grazie» avevo detto e avevo incominciato a piangere.

Fulvia mi accarezzava: non era stata né fu mai più così dolce. «Coraggio» mi diceva e poi mi diceva: «Non lo ami tanto?»

«Sì» rispondevo io: «appunto per questo.»

Guardavamo la valigia aperta, pronta per la partenza dell'indomani. Si vedeva la mia vestaglia azzurra ripiegata. Io non avevo mai posseduto una vestaglia di seta e Fulvia lo sapeva. Eravamo sedute su un baule e nella camera c'era molto disordine, scarpe buttate all'aria, lettere strappate, le coperture di percalle stinte. «Quanti anni...» diceva Fulvia. Un profondo legame era tra me e lei, tra me e quei bauli e la vecchia macchina da cucire con la quale, una volta, da bambina, mi ero punta un dito. Pensavo che avrei dovuto abbandonare tutto quanto mi aveva accompagnato finora.

«Ho paura» avevo detto levandomi d'improvviso e fissando Fulvia negli occhi. «Ho paura di non essere contenta. Lo sai?» avevo aggiunto agitata, spaurita: «In questo momento non lo amo più, non ricordo neppure com'è fatto il suo viso.»

Fulvia mi aveva rivolto uno sguardo tanto compassionevole da sgomentarmi, quasi.

«Calmati» mi aveva detto: «oggi è così, sarà peggio domani...»

«Peggio?!»

«Sì, forse» e intanto riponeva le pianelle sulla vestaglia azzurra. «Poi passerà, sarai molto felice.»

Durante la cerimonia pensavo alle parole di Fulvia aspettando che la gioia tornasse, ma non tornava mai: non ero affatto commossa; mi pareva d'assistere alla funzione di Pasqua o di Natale. La chiesa era molto bella, Fulvia l'aveva gentilmente adornata di fiori. Lydia e lei piansero, commosse di vedermi all'altare: avevano gli occhi arrossati, si soffiavano il naso rumorosamente. La signora Minelli si volgeva a guardarle, anche Francesco si volse, neppure sciogliendo le braccia che aveva conserte sull'abito scuro. Le condannavano, certo, senza capire che esse pensavano a Dario, all'ingegner Mantovani, al capitano, e insomma erano intenerite da quei pensieri che tutte le donne hanno quando un'altra donna si sposa.

Io indossavo un abito bianco, corto, che poi portai tutta l'estate, e sui capelli avevo una piccola blonda appartenuta alla nonna Editta; quando avevo accennato a questa blonda, Francesco dapprima aveva fatto mostra di apprezzare la mia romantica intenzione, ma poco dopo

317

aveva detto: «Non sarà una cosa da teatro?». Ciò mi aveva mortificata: non capivo che idee si facesse del teatro e soprattutto di me. Però al mattino mentre andavo all'altare, accompagnando mio padre, Francesco per la prima volta mi susurrò: «Sei molto bella» e, impacciato, mi tese un mazzetto di gardenie.

Così, di tutta la cerimonia, solo quelle gardenie mi commossero e il canto degli uccelli che veniva dalla pace della remota piazzetta, insinuandosi tra le note dell'armonium. Li portai in treno con me. Nell'uscire di casa mi ero volta indietro e avevo esclamato: «Le gardenie!». Tutti mi baciavano; zia Sofia aveva detto: «Mi piace, tuo marito»; e passava gli occhi da lui a me, quasi tentando di stabilire un raffronto. Mio padre si trasferiva in Abruzzo e sarebbe partito pochi giorni dopo, con lei. Volle che ci salutassimo, soli, nella sua camera.

«E allora, Alessandra?» disse: «È finito.»

Mi prese la mano e di nuovo io sentii il calore secco della sua pelle. Al dito portava sempre l'anello d'oro a forma di serpente: rividi la sua mano tendersi verso quella di mia madre e pensavo a Francesco che aspettava dietro la porta.

«Sei felice?»

«Sì» dissi, e non era vero: ero soltanto frettolosa.

«Meno male. Credevo che per te sarebbe stato difficile essere felice... Già. Sai bene quel che voglio dire.»

Era la prima volta in ventidue anni che mio padre ed io parlavamo insieme.

«Mi piace, tuo marito» anch'egli disse, come zia Sofia, procurandomi un vago senso di timore. «Mi auguro che verrete presto in Abruzzo: vorrei che Francesco conoscesse la Nonna.»

«Certo. O verrai tu qui, potresti venire da noi.»

«No, grazie» egli rispose deciso. Poi ripeté: «È finito».

Francesco mi sollecitava e perciò uscimmo di casa, allegramente, in fretta. «Addio» diceva Fulvia affacciandosi dal pianerottolo. «Addio» io ripetevo agitando una mano nel vuoto della scala. Qualche porta s'apriva mentre noi passavamo, il portiere sorrise con simpatia e così alcuni inquilini radunati sul portone. Una ragazza, dal terzo piano, ci gettò un geranio colto sul davanzale.

L'errore fu nell'aver atteso quel viaggio con troppa ansietà: avevamo impiegato settimane, mesi, a immaginarlo, e invece esso si consumava rapido, gesto dopo gesto, minuto dopo minuto.

Avevamo rinunziato a Capri e a Napoli, a causa dei bombardamenti: avevamo scelto Firenze e io ero contenta che fosse una città con un bel fiume. All'arrivo Francesco si era irritato col facchino, per la prima volta lo avevo udito alzare la voce: era così giusto ciò che Francesco sosteneva che io stessa ero stata contagiata da quell'irritazione. Inoltre, non appena in albergo, vi fu un diverbio perché non ci avevano riservato una camera con la finestra sull'Arno. Io avevo espresso questo desiderio; Francesco aveva scritto alla direzione dell'albergo molti giorni prima e perciò aveva diritto di stizzirsi. Discuteva col portiere, col direttore, senza comprendere quanto fosse imbarazzante per me assistere a quell'alterco. Ripeteva: «Ho scritto chiaramente: una camera sull'Arno». Gli altri protestavano. Io ero sola presso le valigie, con le gardenie in mano. Infine avevamo avuto la camera: chiusa la porta eravamo andati subito ad affacciarci alla finestra. «Oh!» egli aveva esclamato in tono di rivincita, ma ancora troppo irato per godere della vista del fiume.

Sì, l'errore fu proprio nell'aver troppo atteso quel giorno. Forse avremmo dovuto attendere che quel giorno passasse. Invece neppure cenammo: io stessa avevo detto «Non ho fame» perché non desideravo altro che quel malumore e quel freddo disagio si dissipassero. Aspettavo di sentirmi felice: mi sforzavo di esserlo, sorridevo, tentando di concentrarmi nella dolce novità di esser sola con Francesco. "Aiutami" gli dicevo dentro di me "aiutami, parlami." Avevo bisogno di udirlo parlare di me, di lui, del nostro amore per tornare a rivolgere tutta l'attenzione in noi due; non potevo impedirmi di pensare che egli sentiva come me e sorrideva e mi baciava soltanto perché in quel momento aveva il preciso obbligo di farlo. Avremmo fatto meglio a uscire e passeggiare lungo l'Arno, affidati all'accordo del nostro passo. Invece rimanemmo in quella camera, fingendo di non poter resistere al desiderio. Io non riuscivo a togliermi dalla mente il viso arrogante del facchino, dagli orecchi le parole villane che il direttore aveva detto. Pensavo a Fulvia, vedendo la vestaglia azzurra ammucchiata in terra. Sulla parete bianca gli ospiti che ci avevano preceduti avevano schiacciato due zanzare.

Dopo, Francesco s'addormentò. Il silenzio era pesante e il ticchettìo della piccola sveglia che Fulvia mi aveva regalato misurava l'interminabile trascorrere del tempo. Francesco aveva le spalle nude fuori del lenzuolo e io osservavo freddamente la sua pelle sconosciuta. Sulle spalle aveva sette nei, disposti in un ordine che ricordava la costellazione dell'Orsa maggiore. La sua nuca era liscia, tenera, invitante. Io lo chiamavo: "Aiutami" gli dicevo coi miei pensieri: "Svegliati, parlami, prendimi nelle braccia". Mi rispondeva il ritmo regolare del suo respiro che rendeva più profondo il silenzio e più angosciosa la mia solitudine.
Tutto era stato diverso da come avevo pensato: avevo immaginato che Francesco mi avrebbe baciato le mani, sfiorandomi appena con lo sguardo, e a poco a poco, in virtù delle sue amorose parole, mi avrebbe condotto ad accettare l'arditezza dei suoi gesti. Non aveva parlato affatto, invece: credeva forse che, in certi momenti, anche i gesti possano essere amore. E invece no: egli aveva undici anni più di me, ma io ero donna e sapevo che gli sguardi e le parole sono amore, prima ancora dei gesti che servono anche ad esprimere sentimenti affatto diversi. Egli, spesso così carezzevole, pareva divenuto severo, tutto gesti frettolosi: dovunque mi volgessi

urtavo contro le sue braccia. Lo scostavo da me per fissarlo negli occhi, sentirmi viva e amata nel suo sguardo; ma subito le sue braccia mi erano di nuovo addosso e non riuscivo più a vedere il suo viso. "Francesco, amore" gli susurravo nei miei pensieri: "guardami." Sentivo di avere un'espressione supplichevole in tutto il corpo e in quella voce segreta che egli tante volte aveva mostrato di sapere udire.

Onestamente debbo confessare che l'intimità con un uomo non mi aveva stupito; non aveva neppure suscitato in me la rivolta e la sorpresa del primo bacio che mi dette Paolo. Allora non supponevo quel bacio né la sconcertante novità che era in esso: poiché non ero innamorata di lui, non mi ero presa la pena di supporlo. Invece, amando Francesco, avevo immaginato ogni gesto nella fantasia e già l'avevo accettato per amore. Stupivo solo che, dopo, egli non mi guardasse amorosamente, non mi chiamasse "regina", inginocchiandosi davanti a me. Rimanemmo per un poco sdraiati accanto, lui prese le sigarette dal comodino; io avevo il sangue ghiacciato dentro di me eppure fumavo tranquilla, guardando il soffitto bianco, le vecchie tende. "Zio Rodolfo" dicevo dentro di me "zio Rodolfo, vieni, aiutami." Rivedevo i suoi occhi, il giorno in cui avevamo fatto colazione a Sulmona.

Francesco ed io discorrevamo fumando, per aiutarci a fingere disinvoltura: egli riandava qualche particolare della giornata, proponeva itinerari per l'indomani, ricordava persino la contesa col direttore, mostrando una maschile soddisfazione per il buon successo ottenuto.

Presso il letto, le gardenie emanavano un acuto profumo: da allora, ogni volta che sento quel profumo, mi sembra di tornare a quella notte. Nel vederle mi rimproveravo di essere ingiusta, sconoscente, dimenticando tutto ciò che la loro presenza esprimeva. Vedevo Francesco entrare nel negozio, indicare le gardenie: ero lusingata che, pensando a me, avesse scelto quei fiori: lisci, morbidi, profumati.

«Francesco» gli avevo detto «i tuoi fiori mi hanno parlato durante tutto il giorno: anche adesso parlano e sono un grande conforto. Volevo dirti grazie: sono molto importanti, per me, i pensieri d'amore.»

Egli aveva taciuto, dapprima. «Ecco» poi aveva risposto: «bisogna che ti dica la verità. È stata Fulvia. Io, ti confesso, non ci avrei pensato: forse è una mia manchevolezza, o forse un uomo non pensa mai a queste cose. Fulvia mi ha telefonato: mi ha domandato discretamente se avessi già provveduto ai tuoi fiori. Io ho detto no, che non sapevo, non sapevo che fiori scegliere, quali avrebbero potuto piacerti di più: insomma ero impacciato. E allora lei, con molto garbo, si è offerta di aiutarmi. Mi ha detto che avrebbe pensato lei a tutto, mi ha dato l'indirizzo del fioraio: io avrei dovuto solo passare a ritirarli. È stata molto premurosa. Tu lo sai, non mi era simpatica: ma dopo questo suo gesto ho capito quanto ti sia affezionata. Si raccomandava talmente che non ti dicessi nulla! E invece io ho voluto dirtelo, perché tu la conosca ancora meglio, e dirti anche che adesso comprendo perché tu le sia amica. Domani» aveva aggiunto «le manderemo una cartolina.»

Era stata lei. Eppure aveva sorriso, incoraggiante, quando io le avevo mostrato le gardenie dicendole: «Guarda che delicato pensiero ha avuto Francesco». «Oh!» ella aveva esclamato rallegrandosi. Mi aveva abbracciato, sgomenta, al ritorno dalla cerimonia: «Te ne vai... te ne vai...» mormorava; poi aveva detto «Addio» sorridendo tra le lacrime e sporgendosi nella tromba delle scale: restava in casa a preparare la valigia per mio padre, a riporre i bicchieri in cui avevamo bevuto lo spumante.

«Sì» insistevo: «una bella cartolina con la vista dell'Arno.»

«Che hai, Sandra?» Francesco mi aveva domandato, sorpreso dalla mia voce.

«Nulla, che potrei avere?» Non avevo più nulla infatti, in me, oltre il rancore.

322

Rimasi a lungo sveglia: ogni tanto Francesco moveva un braccio, e io mi facevo più lontana. Quando il grigiore dell'aurora schiarì il cielo, dietro le imposte chiuse, m'addormentai rifinita dalla malinconia. Furono ancora le braccia di Francesco a destarmi, nel buio ove la luce del sole trapelava. Non gli ero più nemica, come prima del mio breve sonno. Egli mi teneva abbracciata e parlavamo guardando nel vuoto; parlavamo di cose, di programmi, non parlavamo più di noi, per conoscerci e cercarci. Numerosi personaggi entravano nel nostro cerchio chiuso: la signora Spazzavento aveva mandato un bel regalo e aveva detto a mia suocera che io ero carina, ma troppo magra. Francesco diceva che effettivamente avrei dovuto ingrassare e si proponeva di vigilare lui stesso affinché seguissi una cura. Vergognosa, io rialzavo le coperte fino alle spalle.

Poi Francesco si levò, aprì la finestra, annunziandomi che era una bella giornata e avremmo potuto passeggiare. Quindi mi disse «scusa, cara» e, ravviandosi i capelli con un gesto disinvolto, mi lasciò sola, entrò nella stanza da bagno. Udii l'acqua scorrere nella vasca, lo strofinìo di uno spazzolino. "Si lava i denti" pensai. "Non so com'è Francesco mentre si lava i denti." Sembrava che la parete fosse di vetro e ognuno potesse vedere i gesti dell'altro, il quale tuttavia fingeva abilmente di essere solo. Lo sentii entrare nella vasca, facendo gran rumore: poi incominciò a insaponarsi in un massaggio focoso. "Non è possibile che faccia così tutte le mattine: esagera per mascherare l'imbarazzo. Sì, esagera perché io sto qui a sentire." Si strofinava vigorosamente, si batteva sulle spalle pacche rapide, canticchiava. Era così timido nella sua spavalderia che, d'improvviso, provai per lui un'irrefrenabile tenerezza. Avrei voluto aiutarlo a superare l'arduo inizio della nostra intimità quotidiana, se non fossi stata troppo confusa io stessa per poter soccorrere lui.

Avevo acceso una nuova sigaretta: mancava un posacenere accanto al letto: e il letto, così smosso, suscitava in me un senso acuto di disagio. Chiusi gli occhi per tornare a dormire, ed evitare quella giornata difficile: ma le lenzuola non serbavano più soltanto il mio odore: smovendomi sentivo l'odore della brillantina di Francesco, profumata di spigo: era l'odore che egli portava con sé dal giorno in cui l'avevo conosciuto, che sentivo quando mi si avvicinava, quando mi baciava, l'odore stesso della nostra amorosa vicenda; eppure in quel momento mi parve un odore assolutamente estraneo, tanto turbata ero di sentirlo nel mio letto. Quell'odore suscitava ricordi aspri, colpevoli; apparteneva al disordine in cui si trovavano la mia persona e i miei capelli; era legato allo sciacquìo che veniva dal bagno, alla voce maschile che canticchiava sicura, al cappotto grigio che pendeva dall'attaccapanni, sotto un cappello nero, e che non era più il vecchio cappotto grigio nel quale Francesco mi veniva incontro ai nostri appuntamenti, era quello di un uomo che si era spogliato per coricarsi con una donna. Mi sentivo sola, sciupata, gualcita, benché quello fosse il primo risveglio dopo le mie nozze: non pensavo che anche quella mattina sarebbe stato necessario compiere i soliti gesti, credevo che tutto si sarebbe svolto per magia.

«Francesco!» chiamai smarrita.

Egli apparve, dopo pochi istanti: aveva indosso una vestaglia a righe, non molto nuova, e attorno al collo un asciugamano, col quale si strofinava le guance ancora qua e là sbavate di sapone. «Scusa, cara» mi disse premurosamente: «che c'è?» Intanto seguitava ad asciugarsi il viso.

L'avevo chiamato d'impeto, in un grido. Mi piaceva che indossasse una vestaglia vecchia, era certo la stessa che usava quando veniva a rispondermi al telefono; la tasca era un po' sformata dal peso delle sigarette. Se avesse avuto indosso una vestaglia nuova lo avrei insultato, credo: "ipocrita, bugiardo" gli avrei detto. Speravo che egli non notasse la pretenzione della mia vestaglia azzurra di seta artificiale; mi proponevo di non usarla, indossare il cappotto sulla camicia, come facevo in Abruzzo. Epperò proprio la sua vestaglia vecchia, le sue pantofole dal tallone ripiegato, suscitavano in me una irrefrenabile voglia di piangere. Poiché mi sembrava facile innestare l'una all'altra due vite effimere, accuratamente preparate per un piacevole e rapido incontro: se il letto fosse stato in ordine, la squallida camera d'albergo si fosse trasformata in una camera arredata lussuosamente, ogni cosa attorno avesse rivelato l'agiatezza, l'indifferenza agli assilli quotidiani, e noi stessi fossimo apparsi conformi al modello dei nostri ideali estetici, forse il mio stato d'animo sarebbe stato spensierato e felice. "Francesco" avrei detto con quella intonazione che sapevo così bene e che faceva volgere gli uomini sorpresi e commossi come quando odono la musica di un carillon, "Francesco, ti prego, ordina la colazione." Avrei avuto molta fame, la capricciosa fame dei ricchi. Era invece difficile intrecciare l'una all'altra le nostre vite di due persone povere, abituate a lottare in solitudine e impegnate in un profondo amore. Lo pregavo: "Nascondi quella mia vestaglia azzurra, nascondila subito, Francesco, non ci fingiamo altri, dobbiamo accettarci così, nel disordine di questo letto, coi miei capelli scomposti, con le tue vecchie pantofole, vieni qui", lo chiamavo disperatamente. "Affrontiamola insieme, questa mattinata difficile."

Invece egli disse: «Scusami, amore, ti lascio subito libero il bagno».

Seguitava ad asciugarsi il viso, e i capelli radi si rizzavano sulle sue tempie. Mi volsi e incominciai a piangere. Affondavo il viso nel cuscino per approfondirmi nell'odore della notte trascorsa, in quell'odore di sonno maschile che conoscevo per la prima volta. E il fondo amaro di quella disperazione era il mio grande amore per Francesco, che avrei voluto libero dalla schiavitù del letto, delle lenzuola, avrei voluto che ci fossimo uniti in un modo angelico, mistico, innocente, sfuggendo alle leggi comuni a tutte le creature. «Francesco» mormoravo «Francesco...» Mi tornava alla memoria l'immagine del giardino dei Pierce, dei grandi cedri del Libano abitati da cavalli, di Emilia che si copriva il viso con una sciarpa di velo per andare incontro all'amato. E io lì, non ancora lavata, tra quelle lenzuola.

«No, dimmi» egli insisteva tenendomi stretta: «ho fatto qualcosa che ti ha ferito? Dimmi, ti prego, l'ho fatto certamente. Quando?» mi domandava con ansia: «Iersera? Stanotte? Stamattina? Devi dirmelo. Quando? Mi devi dire tutto, tutto.»

«No» rispondevo tra i singhiozzi: «ti assicuro, non hai fatto nulla.»

«Non è possibile» egli insisteva «cara, perdonami, che ho fatto? Sandra, dimmi...»

Uscimmo, più tardi. C'era sempre quel velo fitto tra me e la felicità. Sono stata io a rovinare tutto, mi dicevo; la colpa è mia.

"Sì" egli mi dice adesso; e la sua voce si fa vibrante, polemica; solo quando parliamo di quella notte mi pare che egli tenti di difendersi. Forse perché, nel ricordarla, anch'io non riesco più a scrivere con calma, a dominare la sofferenza e il furore: "Sì" egli insiste, "la colpa è stata tua. E sei stata tu la prima a soffrirne, lo ammetto. Oh, Alessandra, non sapevi com'era difficile affrontare quelle ore già vissute da mesi nella fantasia. È difficile rimanere all'altezza della fantasia, arrischiarsi a compiere quei gesti che nel pensiero non hanno peso, scontro, e che nel compierli, invece, assumono il loro aspetto più crudo. Se non ti avessi amato – devi credermi, esigo, ormai, che tu mi creda – tutto sarebbe stato molto facile; con un'altra donna avrei potuto agire freddamente e finanche superare il ritratto che ella aveva di me, nei suoi pensieri. Ma tu eri Alessandra e io ti amavo. Quando ti vidi entrare nella vestaglia azzurra, la commozione mi strinse così forte che mi pareva di tornare indietro vertiginosamente al turbamento che provavo quando avevo poco più di otto anni e vedevo affacciarsi una bambina della quale ero innamorato. Quando ci incontravamo, non riuscivo mai a parlarle: lei mi chiamava 'muto', 'stupido', mentre io la guardavo, adorandola, e poi rideva di me. Oh, eri così bella, ti movevi con tanta grazia e i gesti che dovevamo compiere, per uscire dal nostro ineluttabile obbligo, mi sembravano volgari tutti, di fronte all'incanto della tua persona. Del resto, io non ti desideravo affatto, quella notte: avevo detto 'andiamo a cena', avrei voluto soltanto guardarti muovere nel bel colore che ti vestiva, baciarti le mani: e forse andarmene, umiliato di essere un uomo. Ma il pensiero del mio dolce e spietato compito, e un selvaggio sprezzo maschile mi spingevano a essere più forte dei miei stessi timori. Avrei voluto che tu capissi tutto ciò, pur sapendo che non potevi comprenderlo perché io ero il primo uomo che tu conoscevi. E l'errore nacque proprio dal grande amore che ti portavo e che mi aveva fatto rimanere in tanto rispetto davanti a te. Ciò che accadde quella notte avrebbe dovuto invece accadere subito, non appena avevamo sentito di essere innamorati; e avrebbe dovuto accadere d'improvviso, precedendo la nostra fantasia. Allora, vedendoti entrare nella vestaglia azzurra, io sarei stato in vantaggio con l'aspetto di me che m'aveva preceduto. Fu un grave errore, quello, che mi spinse a liberarmi il più presto possibile dall'angoscioso obbligo di non deluderti. Da allora mi nacque il rancore contro tua madre che non aveva avuto il coraggio di affrontare la concretezza di un amore, l'abitudine, e forse la decadenza, la fine. Se fosse stata l'amante di Hervey, non ci avrebbe fatto tanto male: me ne avresti parlato in altro modo, tu stessa saresti stata diversa. Mi accanivo, nella mente, contro di lei, la accusavo di viltà, di ipocrisia, la insultavo quasi. Oh, Alessandra, era quasi una polemica che intavolavo con lei, rivelandoti come sono veramente gli uomini. Ti amavo tanto, e dentro di me dicevo 'cara', dicevo 'regina', e mi pareva impossibile osa-

327

re con te tanta confidenza. Ero così sfinito da queste acerbe lotte e incertezze che – dopo – subito m'addormentai. Non volevo essere testimone dei tuoi pensieri, non volevo sapere se soffrivi. Fu questo solo il mio torto. Oh, Alessandra, non era facile parlarti allora: eri una ragazza timida, nella sua prima notte di matrimonio. Sei una donna, oggi. Oggi puoi capirmi. Perdonami."

Credetti di perdonarlo subito, in verità. Appena uscimmo all'aperto ritrovai il suo passo, che m'era familiare. Mi pareva anzi che avrei potuto dimenticare tutto, persino le gardenie. Nel pomeriggio fui così ardita da appuntarne una all'occhiello del mio abito nero. Non sapevo che quella notte angosciosa da allora avrebbe sempre abitato in me, subdolamente conquistando il mio sangue, ogni mia fibra, come un germe maligno. Tuttavia, in quei giorni, seppe occultarsi così bene, da consentirmi di essere felice. Ero così felice che mandai a Fulvia due cartoline dal testo sciocco ed esaltato. L'ozio e la possibilità di dedicarci totalmente all'amore ci aiutavano con efficacia. Ci recammo insieme a visitare gli Uffizi e Francesco si arrestò davanti a un quadro. «Adesso esci dalla sala» mi disse sorridendo «e poi vieni all'appuntamento, come quel giorno alla Galleria Borghese.» Io rientrai ed avevo nel viso un'espressione tanto drammatica e allucinata che Francesco rise. «Prova ancora» insisteva. Io rientrai facendo il personaggio di me stessa, in caricatura. Ridevamo. Ci baciammo. Così ci sorpresero due turisti tedeschi e anche loro risero; noi eravamo felici al punto da rallegrarci del riso dei tedeschi. Andavamo nelle trattorie dove c'era l'orchestrina, ci facemmo fotografare sul piazzale dei Colli. Insomma seguivamo con giovanile divertimento tutti gli itinerari consueti ai viaggi di nozze. La notte ci addormentavamo tardi, abbracciati.

Rientrammo a Roma il giorno prima che la mia licenza finisse: non avevamo più un soldo e alla stazione dovemmo portare noi stessi le valigie. Questo fu molto divertente e Francesco ammirava il mio piacevole carattere: non ricordava, forse, che io ero abituata alla povertà. Dissi che avrei potuto riscuotere il mio stipendio con due o tre giorni di anticipo e Francesco rideva dicendo che era stato sempre il suo sogno, quello di farsi mantenere. La sera andammo a pranzo in casa di sua madre e io raccomandai a Francesco di non dirle che eravamo rimasti senza soldi: non volevo farle sospettare che egli avesse speso troppo per me. C'era stato il commovente acquisto di una paglia di Firenze che egli aveva insistito per regalarmi; si adattava molto bene al mio viso, infatti, e io mi rammaricavo di non poterla mettere poiché ormai nessuno più portava cappello. La paglia era ingombrante e alla stazione, a causa delle valigie, ero stata costretta a metterla in testa. Ciò fu ragione di puerile allegria perché tutti mi guardavano. Il portiere dei Parioli ci vide arrivare a piedi, con le valigie in mano e quel cappello. Fu un disgraziato contrattempo perché egli subito ebbe di noi, come nuovi inquilini, una cattiva impressione.

La casa era graziosa, un attico: davanti alla nostra camera si stendeva una terrazza ammattonata di campigiane rosse. Pensavo che lì avrei potuto leggere e studiare tranquillamente. Ma sul principio non trovavo mai tempo per studiare, perché in casa non avevamo tutto quanto ci occorreva e bisognava adattarsi, attraverso numerosi ripieghi. Non chiedevo nulla a Francesco, temendo che egli si rivolgesse a sua madre per aiuto: ella avrebbe potuto rimproverarlo di aver sposato una ragazza povera, la quale, oltre tutto, guadagnava poco. Perciò decisi di trascurare gli studi, in quei primi tempi, e fare, nel pomeriggio, alcune ore di lavoro straordinario. Il costo della vita aumentava continuamente e per i poveri non era facile approvvigionarsi. Peggio ancora per coloro che – come noi – dovevano mantenere un apparente decoro.

Non avevo nessuno che potesse aiutarmi: la casa dei Parioli era ancora più impenetrabile di quella del Lungotevere Flaminio: i cortili erano chiusi, specchianti, e neppure le serve vi si affacciavano. Non conoscevo i nomi degli inquilini perché v'erano rare targhette sulle porte: nelle scale sembrava non passare nessuno e nessuno si tratteneva mai sui pianerottoli. In quella casa si nasceva senza gioia, si moriva senza drammi, rispettosi della buona educazione. Il portiere ci salutava appena perché non avevamo domestica: e io debbo confessare che mi vergognavo di passare davanti a lui con la reticella della spesa.

Spesso per liberarmi da quella inclemente prigione, calavo fino ai Prati, beata di sentirmi di nuovo tra gente simpatica e cordiale, e tornavo alla casa di via Paolo Emilio. C'era molta polvere nell'androne: mi domandavo se fosse stato sempre così sporco, mi pareva impossibile. Subito la portiera s'informava della mia salute, di mio marito, e godeva nel chiamarmi "signora". Le difficoltà politiche di Francesco gl'impedivano di svolgere la sua attività professionale e, perciò, spenta l'effervescente spensieratezza dei primi giorni, ormai ci trovavamo di fronte a condizioni di vita molto dure. Non solo sussultavamo a ogni squillo di campanello, Francesco era sempre più cauto nel telefonare e nell'incontrarsi con i suoi amici, ma eravamo ridotti ad avere fame, spesso, pur protestando entrambi di aver mangiato a sufficienza. Non era più possibile per Francesco eseguire quei lavori che, a fianco dell'esiguo stipendio dell'università, ci avrebbero permesso di vivere con minori fastidi: io non riuscivo più a studiare e la casa non aveva preso ancora l'aspetto accogliente che desideravo. Nello studio c'era solo il tavolino di Francesco e alcune librerie, venute da casa di sua madre. Era molto spiacevole avere soltanto sedie e nessuna poltrona: a tutta prima io non avevo calcolato quali inconvenienti ciò avrebbe creato tra di noi: nello studio ancora freddo e disabitato conversare seduti sulle sedie era impossibile, avevamo l'impressione di trovarci nell'anticamera di un dentista. Era più facile quando gli amici venivano a trovarci: ci sedevamo attorno al tavolino; tuttavia, immaginando che desiderassero rimanere soli, io presto fingevo di aver sonno e andavo a letto. Ma, se eravamo in due, seduti sulle sedie, era impossibile iniziare quelle interessanti conversazioni sulla religione, sull'arte, e sui nostri disegni spirituali, temi da noi preferiti durante il fidanzamento, quando si smetteva di parlare del nostro amore o della futura vita coniugale.

Dopo cena, andavamo a sederci sul letto; ma eravamo stanchi e presto Francesco diceva: «Se continuassimo a discorrere in letto?». Lì, a causa della nostra stanchezza, subito ci addormentavamo. Io lottavo coraggiosamente per far sì che la nostra vita rimanesse fedele a quella che avevamo immaginato; ma contro due cose non potevo lottare: contro il disagio che ci procurava la mancanza delle poltrone, e contro lo stupore che in Francesco suscitava la nostra mancanza di danaro. Egli aveva l'abitudine di consegnarmi tutto ciò che guadagnava, che era molto poco; da quel momento, e durante tutto il mese, sembrava credere che nelle mie mani il danaro divenisse inesauribile. «È finito?» mi domandava maravigliato: nella sua sorpresa mi pareva di scorgere un sospetto di dissipazione. Arrossivo e mi affannavo a spiegargli come lo avessi speso: volevo prendere un lapis, sommare alcune cifre. «No, no» egli mi diceva galantemente: «non devi rendermi conto di nulla. Puoi spendere il danaro come vuoi, farne quello che vuoi.» Queste frasi mi gettavano in un risentimento rabbioso che riuscivo però a dominare. Insistevo nel volere fare i conti, ma lui si opponeva, sicché io rimanevo sotto l'accusa inespressa di aver sciupato il danaro per me. Un giorno preparai la lista delle spese e riuscii a fargliela leggere di sorpresa: non c'erano altre spese oltre quelle della casa, già ridotte al minimo e addirittura all'essenziale. Dopo averla scorsa egli me la restituì, ripetendo: «Ma certo, cara, è inutile giustificarti: ti ho già detto che del danaro puoi farne ciò che vuoi».

Rimandai a primavera il proposito di prepararmi per un esame e fui lieta di dare ripetizioni di italiano a una bambina che frequentava il terzo ginnasio. Era una ragazzetta ricca e presuntuosa; mi faceva aspettare, mi chiamava "signorina", dicendo che tutte le maestre sono zitelle. Aveva il vizio di far merenda durante la lezione e i libri si macchiavano di cioccolata, di caffellatte. A quell'ora io soffrivo di una gran fame: aspettavo di minuto in minuto che la merenda giungesse e mi sfamavo guardando la mia allieva che mangiava. Qualche volta ella mi offriva un crostino imburrato o una fetta di torta; Francesco ed io ci saziavamo con insalata di pomidoro e di fagiuoli: eppure ogni giorno, per mostrare indifferenza o disprezzo, io mi proponevo fermamente di rifiutare. Ma non riuscivo mai.

Da quando avevo accettato di dare quelle lezioni pensavo più spesso a mia madre. Mentre io salivo le scale nella villa della mia allieva mi domandavo se, anche in quei momenti, mia madre riuscisse a serbare la grazia inimitabile del suo passo: e, supponendo di sì, mi sentivo avvilita. Il cameriere, quando la signorina era occupata, mi faceva attendere nell'anticamera; era un uomo gigantesco e la sua statura accresceva la mia soggezione. I familiari, traversando l'anticamera, mi salutavano con un cenno frettoloso del capo.

Non potevo rinunciare a quelle lezioni; ma una sera, uscendo di lì, per consolarmi comperai due piante di gelsomini da mettere in terrazza: la terrazza così adornata era graziosissima e il profumo entrava nella camera. Francesco tardava a rincasare e, ogni volta che tardava, io ero presa dallo stesso terrore di quando aspettavo mia madre; ma non appena udii i suoi passi nelle scale mi sedetti su un cuscino, nella terrazza rallegrata dai fiori. Avevo raccolto i capelli al sommo della testa, vi avevo appuntato un rametto di gelsomino. Francesco mi cercò dappertutto e io non rispondevo. Chiamava: «Alessandra!» con una vena di smarrimento nella voce. Mi trovò e subito ci stringemmo, felici, entrambi ci rassicurammo. Dopo la cena sedette con me, sul cuscino, in terrazza e guardavamo le stelle. Anche dal nostro letto, più tardi, si vedevano le stelle affacciarsi nel vano della finestra. Presto, il mattino seguente, io corsi da Lydia a farmi prestare i soldi per la spesa; poi la salutai in fretta e, temendo di far tardi in ufficio, scesi lesta la scala col passo arioso di mia madre. Francesco ed io prendemmo l'abitudine di rimanere in casa, la sera; per via della terrazza, non pativamo il caldo. Ci stendevamo sul letto. In quei momenti io non ero stanca o povera: ero innamorata. Ormai le braccia di Francesco nello stringermi non mi urtavano più. Egli aveva le braccia molto lunghe e io ero contenta di essere magra: le sue braccia s'avvolgevano a me come convolvoli, trovando il loro posto naturale attorno alle mie spalle e nell'incavo della vita. Quando egli non mi abbracciava sentivo che il mio corpo era indifeso.

All'inizio dell'autunno Francesco fu costretto ad assumere, nel pomeriggio, un modestissimo impiego privato presso un parente di Alberto. Spesso non veniva a pranzo per recarsi alle riunioni con gli amici che, come lui, non erano contenti; quando tardava io temevo sempre che fosse stato arrestato. Per avere notizie telefonavo a Tomaso. Anche Tomaso, che era stato sempre così abile, mi aveva confessato di incontrare molte difficoltà nel suo lavoro. Francesco ormai non poteva più scrivere e dappertutto si vedeva fatto segno a una crescente freddezza: si recava malvolentieri all'università dove, ormai, tutti lo evitavano, ma senza avere il coraggio di disapprovarlo apertamente: volgevano la testa quando passava o lo salutavano appena, timorosi, come i bambini che hanno ricevuto una proibizione dai genitori. Persino Lascari lo sfuggiva, dicendosi molto occupato.

Era una situazione molto triste, accresciuta dalla povertà che si andava facendo assillante: avevamo un debito col droghiere di contro e io uscivo di casa rapidamente, fingendomi distratta, per tema che egli mi affrontasse in presenza del portiere. L'atteggiamento di costui mi era insopportabile; in quell'epoca i portieri erano tutti al servizio della polizia e quindi presumevamo che egli non ignorasse la posizione politica di Francesco. Francesco mi aveva raccomandato di essere prudente, anzi cortese. Da qualche tempo, infatti, il portiere sembrava desideroso di fermarsi a discorrere con me: accennava alle mance cospicue che riceveva dagli altri inquilini, ai vestiti che la signora del secondo piano regalava a sua moglie: belli, bellissimi, come nuovi. Soprattutto tentava di sapere chi erano gli amici che venivano a trovare Francesco: io rispondevo vagamente e andavo a rifugiarmi in casa.

Rincasavo sempre stanca, sfinita. Ogni giorno facevo lunghi percorsi a piedi, per risparmiare: e, camminando sull'asfalto grigio, tra le case grigie, riandavo alle belle passeggiate che avevo fatto in Abruzzo. La Nonna, da quando ero sposata, mi scriveva di frequente: s'informava della mia vita e dei miei studi, nel suo stile sobrio, asciutto: io rispondevo che tutto andava bene. In ogni lettera mi domandava se avevo nulla di nuovo da annunciarle: e cioè se attendevo un bambino.

Trovavo le sue lettere rientrando affannata dall'ufficio, con la sporta della spesa: dovevo cucinare e rigovernare in fretta per essere puntuale con la mia allieva: a sera ritornavo impensierita di quanto sempre rimaneva arretrato: lo stiro, i rammendi alla poca biancheria che possedevamo. Pensavo alla Nonna seduta nell'orto, appagata nella pace e nel benessere della campagna: se le avessi risposto "sì", mi avrebbe spedito le lenzuola destinate ai pronipoti, qualche corpettino, e un sacco di polenta. Io sarei stata costretta a smettere di lavorare e Francesco avrebbe dovuto da solo provvedere a tutto, poiché aver generato un suo figlio mi avrebbe assicurato per sempre il diritto di farmi mantenere. Non mi sarei mai più presentata a lui disgiunta dal bambino: sarebbe stato sempre con noi, avrebbe dormito con noi, lo avrei tenuto per mano, tra noi, durante le nostre passeggiate. E ogni giorno io avrei annunciato candidamente a Francesco che al bambino servivano le scarpette, le vitamine, e che egli avrebbe dovuto trovare il danaro, in qualche modo: bastava che lavorasse ancora di più, rinunziando, per il momento, ai suoi studi prediletti. Del resto se anche, alla fine, avesse dovuto rinunziarvi per sempre – a causa delle spese aumentate e del mio stipendio che veniva meno – poteva trarre la sua felicità dal pensiero che il figlio, tra vent'anni, forse si sarebbe dedicato lui a quegli interessi che egli era stato obbligato a sacrificare. La Nonna avrebbe potuto aggiungere un altro ramo all'albero nel quale s'era innestata la sua vita sicura e vigorosa. "Non credo che avremo figli per ora" le scrissi: "sono troppo povera, o forse non lo sono ancora abbastanza. E soprattutto sono troppo innamorata, voglio stare sola con Francesco: non saprò mai adattarmi a rinunziare all'amore. Altrimenti avrei sposato Paolo e sarei rimasta con te."

La Nonna restò qualche giorno in silenzio: poi rispose: "Cara Alessandra, sei molto temeraria. Non mi dispiacciono le persone temerarie. Ma, a parer mio, privarsi di avere figli non è solo un grave peccato: è anche un grave rischio. Mi auguro che tu riesca a essere felice, sola con tuo marito: ma se tu non riuscissi, non potresti neppure attribuire ai sacrifici fatti per i figli la causa della tua sconfitta".

Queste parole della Nonna mi colpirono. Spesso durante il giorno le riudivo, severe e inesorabili come la persona di lei. "Mi auguro che tu riesca." Spronata da questa sfida, lavoravo con maggior precisione e fermezza, tentando di stabilire qualche dolce pausa nella nostra giornata. Era difficile, con la vita che conducevamo, eppure io riuscivo a essere sempre fresca, rassettata, mi mantenevo serena, sorridente, armoniosa. Stiravo, rinfrescavo i miei vestiti, e solo mi dispiaceva di non potere mai comperarmi un bel paio di calze: erano sempre rammendate. Così dovevo sempre nascondere le gambe, sebbene sapessi che non erano brutte. Negavo che la miseria potesse essere più forte del nostro amore. Tentavo di convincermi che tutto dipendesse dal fatto che Francesco non era contento: all'università stavano svolgendo una inchiesta su di lui e trepidavamo per l'esito. «Perderanno la guerra» un giorno egli mi aveva detto «allora saremo liberi, saremo contenti.» È doloroso essere ridotti a desiderare che il proprio paese perda la guerra; ma io lo desideravo fermamente. Durante gli allarmi non scendevamo mai nel rifugio: uscivamo sulla terrazza, nel freddo, e ci tenevamo stretti: speravamo che le bombe cadessero, uccidendoci o liberandoci, infine.

Alberto e Tomaso venivano più spesso, e ormai anche noi, come Fulvia e Dario, parlavamo sempre di politica, lasciavamo che la nostra casa risonasse della voce arrogante della radio. Pareva che parlasse in quel tono per ammonirci, minacciarci: ma di notte, chiudevamo le porte, ci sedevamo in terra, schiacciando l'orecchio contro l'amplificatore e ascoltavamo le stazioni proibite. Rimanevamo in attesa; Francesco girava l'ago, nel silenzio. Infine udivamo un bussare cupo, insistente, cauto. Era come se fossimo in prigione e qualcuno dal di fuori bussasse contro la parete per darci coraggio. Pensavo a ciò che mia madre mi aveva raccontato di Hervey: quando era bambino e, nel delirio, immaginava di bussare contro lo scafo del sommergibile affondato. «Non rispondono» gridava smaniando «non rispondono più.» Mi pareva che anche noi, tra poco, non avremmo più potuto rispondere.

Ci trattenevamo fino a tardi seduti in terra, nel freddo. Al mattino io dovevo andare presto in ufficio e Francesco mi abbracciava dicendo: «Hai il viso stanco». Non mi guardava mai e, se lo faceva per un attimo, non trovava da dirmi che questo. Sì, ero molto stanca e certo si vedeva sul mio viso: ma non avrebbe dovuto dirmelo perché queste parole mi toglievano gran parte della mia forza. Del resto egli sapeva che dovevo continuare ad essere stanca. Così temevo anche di essere brutta.

Soltanto adesso, da quando sono qui, egli mi guarda. È seduto in una delle due grandi poltrone di cuoio, che io avevo tanto desiderato di possedere e che un giorno riuscii a vedere entrare in casa, solide e fide nella loro ampia gravità. Francesco siede sulla sua poltrona, dunque, e ogni volta che alzo gli occhi su di lui lo trovo intento a guardarmi con amorosa devozione.

Avevo sognato di disporle l'una di fronte all'altra, appunto perché Francesco mi guardasse. Ormai ero convinta che dalla mancanza di queste poltrone dipendesse gran parte della nostra infelicità. «Sì» Fulvia aveva detto «le poltrone sono necessarie.» Si era offerta di garantire per me in un negozio dove vendevano a rate. Io mi risolsi a chiedere all'ingegner Mantovani un anticipo sulla gratifica natalizia.

«Le cose vanno male?» egli mi disse alzando la testa dalle carte.

«Già... piuttosto. Ma è perché vorrei comperare due poltrone: in casa non abbiamo dove sedere.»

Egli ebbe un movimento di stupore.

«Oh, sì, naturalmente» io aggiunsi, subito arrossendo: «abbiamo alcune sedie, ma non è la stessa cosa. Mio marito studia fino a tardi, la sera; si studia male seduti su una scomoda sedia. Inoltre è sempre stanco e...»

«E lei non è stanca, signora Minelli?» egli mi domandò tirandosi indietro sulla poltrona girevole e guardandomi.

«Sì, naturalmente, anch'io sono stanca. Ma io rimango spesso in cucina, per le faccende.»

«E i suoi studi?»

«Sono un po'... come dire? un po' fermi, per il momento. Sono obbligata a dare alcune lezioni nel pomeriggio e allora...»

Vi fu un silenzio ed egli mi guardava. Fu molto buono con me, sempre, l'ingegner Mantovani: mi maravigliavo che fosse così buono, perché era ricco e i ricchi sono spesso distratti.

«Io credo proprio che anche lei abbia diritto alla sua poltrona, signora Minelli.»

Chiamò il cassiere e dette ordine che mi venisse versata una piccola somma. «Oggi stesso» disse.

«Come dovrò registrare questo versamento?» il cassiere domandò.

Egli rifletté un attimo, poi disse: «Gratifica straordinaria. Gratifica... per scopi di riposo».

La cifra superava di poco quella necessaria all'acquisto delle poltrone. Io non osavo guardare il cassiere perché mi vergognavo di lui. Fissavo l'ingegner Mantovani e lo vedevo confusamente a causa di alcune sciocche, irrefrenabili lacrime che mi riempivano gli occhi.

«Oh, grazie» gli dissi appena fummo soli. «Forse non dovrei...»

«Lei deve, invece» mi disse con fermezza. Poi, cambiando tono, aggiunse: «Io vengo da una famiglia povera eppure mio padre che era capomastro possedeva una poltrona. La ricordo benissimo: era coperta di percalle rosso. Chissà dove è finita quella poltrona... Noi eravamo otto figli e mia madre lavorava molto, lavorava in casa più di quanto mio padre lavorasse al cantiere. Andava a far legna, a prendere l'acqua, e tuttavia non osava mai sedere su quella poltrona. Mio padre non gliela cedeva mai. Fatto uomo, quando ripensavo al suo modo d'agire, provavo rancore contro di lui. E quando avrei potuto comperare io la poltrona per mia madre, lei era morta. Così la ricordo seduta sulla sedia, in cucina, fino a tarda ora, lavorando per noi otto figli.» Si perdette in un'altra pausa e poi concluse: «Ah, sì, io sono proprio convinto che lei, signora Minelli, abbia diritto alla sua poltrona».

Io feci un leggero inchino con la testa e uscii: ero troppo commossa per poter parlare; ma certo lui capì, lui che capiva tutto delle donne e delle poltrone.

Disgraziatamente il giorno in cui Francesco le vide per la prima volta vi fu un contrattempo che guastò in gran parte la sorpresa che avevo preparato. Era il suo compleanno ed egli non si attendeva regali da me, sapendo che non avevo danaro. Le poltrone, secondo i miei ordini, giunsero in mattinata, quando lui era assente: io ero libera perché il suo compleanno cadeva in un giorno festivo: fin dal mattino mi ero adoperata per rendere netto e lucido lo studio; avevo comperato alcuni fiori e, avendomi mia suocera manifestato il desiderio di fare un regalo al figliuolo, avevo ardito chiederle il tappeto che era nella sua vecchia camera di scapolo. Me lo dette volentieri e io lo stesi tra le due poltrone. Così arredato, lo studio mi parve molto accogliente. Sedevo sulla poltrona e immaginavo Francesco seduto di contro a me, guardandomi come quando eravamo alla Galleria Borghese.

Invece, quando sentii girare la chiave nella toppa udii, insieme con la voce di Francesco, un'altra voce maschile: rientrava con Tomaso, lo aveva invitato a colazione. Era un caso, certo, ma egli non aveva considerato quanto mi sarebbe piaciuto far colazione sola con lui, il giorno del suo compleanno. Entrarono, e io arrossii come sorpresa in colpa.

«E queste?» Francesco domandò arrestandosi.

«Splendide!» Tomaso esclamava, sedendo sulle poltrone nuove per provarle.

«È il mio regalo» dissi.

«Ma dove hai preso i soldi?»

«Ho avuto una gratifica.»

Anch'egli sedette sulla poltrona, molleggiando, a prova. «Molto comode» disse. E guardava Tomaso, gli diceva: «Che ti ripeto sempre? Sposati».

«Grazie» poi disse, alzandosi e avvicinandosi a me: «sei stata bravissima». Mi prese per il mento e mi baciò. Tomaso tossicchiava alle nostre espansioni.

«Il tappeto te lo regala tua madre» io dissi e andai in cucina ad approntare la colazione. Avevo preparato due coppe di macedonia: dovetti dividerle in tre. «Nel dividerle» spiegavo molto tempo dopo a Tomaso «avvertii, per la prima volta, una penosa impressione.»

Sì, quelle del compleanno e dell'onomastico sono date difficili, nel matrimonio. Di tali date, disgraziatamente, io serbavo un impareggiabile ricordo dal tempo dell'infanzia. Mia madre era povera, a volte non so come riuscisse a comprarmi un dono. Tuttavia non erano mai doni utilitari, mai le scarpe nuove, mai i guanti o la sciarpetta. Per i miei dodici anni, ricordo, mi regalò un cardellino. Venne a svegliarmi, con un sorriso allegro: «Che ho qua?» diceva, mostrandomi le sue belle mani unite a fuso. Io ero pallida, avevo il cuore in tumulto. Ella aprì le mani e l'uccellino volò nella camera, si posò sull'armadio.

Sì, quella delle date è una questione piuttosto importante, tra un uomo e una donna. Nel corso del nostro matrimonio spesso Francesco dimenticò le nostre date e, quando se ne ricordava, io, memore delle gardenie, supponevo sempre che avesse ricevuto una previdente telefonata di Fulvia. Del resto i regali di Francesco mi mettevano addosso una profonda malinconia: erano quelli particolari alle persone che non possono permettersi di sprecare danaro per un capriccio, una pazzia. Una volta mi regalò un paio di calze, mostrando così di aver notato il gran bisogno che ne avevo: aveva visto i rammendi, le larghe sfilature riprese e, peggio, non me ne aveva parlato. Era un'inaspettata umiliazione: e, per impedirmi di scoppiare a piangere, mi riparai dietro una ironica durezza.

«Perché hai speso tutto questo danaro?» gli dissi. «Oggi è il mio compleanno e avrei preferito qualche fiore e un biglietto nel quale ti rammaricassi che io fossi giunta con tanto ritardo.»

«In ritardo?» ripeté sconcertato: ma subito si riprese. «Oh, sì, amore, scusa, ora capisco. È vero, sarebbe sta-

340

ta una idea molto graziosa, tu hai sempre queste idee.» Guardava con rimpianto le belle calze che posavano sul letto, la forma lunga del piede.

Quel suo sguardo mortificato mi trafiggeva. «No» protestavo subito, abbracciandolo «no, era solo uno scherzo, sono così belle queste calze. Era uno scherzo; perdonami, mi hai perdonato? Adesso siamo felici.» Ma, nel desiderio di esserlo, poco dopo tornavo involontariamente a rimproverare Francesco: «Perché non mi scrivi più lettere d'amore?» gli dicevo.

Egli rimaneva addolorato, perplesso. «È vero» rispondeva «forse perché ormai posso parlarti quando voglio.»

«Ma non mi parli mai d'amore...»

«Non te ne parlo mai? Bisogna che tu abbia pazienza, Alessandra: sono molto nervoso, di questi tempi. Accadono molte cose significative, e per me è difficile pensare ad altro. Tu forse non puoi capire, perché sei donna.»

«Finora avevamo parlato sempre di te e di me» io osservai simulando indifferenza, e però sentivo la pelle che mi doleva: «non degli uomini e delle donne. Ricordi? Ci eravamo proposti di non farlo mai.»

«Già» egli annuì: «ma forse non è possibile. L'ho capito poco fa mentre mi parlavi del biglietto che avresti voluto ricevere, oggi, per il tuo compleanno: tu aspetti sempre da me quello che tu faresti al mio posto. Tu donna.»

«Ma io soffro» proruppi abbandonando ogni proposito di controllo.

«Lo so» disse: «lo capisco. Ma io sono fatto così.»

La sua sincerità mi sconvolse; non reagiva, non protestava. Si limitava solo ad opporre alla mia natura di donna romantica e sensibile, la sua di uomo fermo e deciso, senza misericordia.

«Perché, allora, sembravi un altro alla Galleria Borghese e al Gianicolo?» domandai. «Perché mi hai ingannata?»

«Oh, Alessandra, perché dici questo? Sono stato sempre lo stesso, ti assicuro, non ho mai agito diversamente.

A volte, scusami, mi prende il timore che tu mi abbia creduto diverso da quello che sono in realtà. Nulla è cambiato, in me: anzi, oggi io ti apprezzo maggiormente. Di nuovo c'è solo che non abbiamo mai tempo.»

«Lo trovavamo, allora...»

«Già. Non so proprio come facessimo, allora. E poi ogni giorno io sono meno contento di ciò che accade, sembra sempre di essere arrivati e non lo siamo mai. È avvilente non poter lavorare, esprimere le proprie opinioni...»

«Neanch'io ho più potuto studiare.»

«Lo so: e me ne dolgo tanto. Ma tu almeno ti esprimi nell'amore. Temo che sia sempre così, tra gli uomini e le donne. Ogni coppia pensa di poter sottrarsi, sfuggire...»

«No!» gli gridai «ti prego, non dire questo, sta' zitto!»

«Vedi, cara?» egli riprese calmo, dopo una pausa. «Anche questa è una forza delle donne; voler sempre ignorare la verità.»

«Allora tu pensi che io debba arrendermi? Che debba rinunziare?»

«No, non è questo, cara; ma abbiamo un modo diverso di sentire. C'è il fatto del bicchiere.»

«Quale bicchiere?» domandai stupita.

«Oh, è semplice: quando io vedo un bicchiere riempito per metà penso che è mezzo pieno: tu pensi sempre che sia mezzo vuoto.»

Risi, ma dentro ero raggelata. Con quelle parole sembrava aver definito i nostri due caratteri: opposti, inconciliabili. Era inutile perciò svelargli un'altra causa della mia sofferenza: l'abitudine che egli aveva presa di non dirmi più "ti amo" ma "ti voglio bene". Avrebbe risposto che era la stessa cosa: eppure io avevo Fulvia, Lydia, la Nonna, molte persone che mi volevano bene; e lui solo per amarmi.

Non dissi più nulla; egli cambiò discorso, persuaso d'aver scherzosamente dissipato il nostro malumore: forse non considerava quanto fossero gravi le parole che avevamo detto. Io lo consideravo, invece, quando, poco dopo, mi trovai ad essere sola dietro il muro delle sue spalle.

Faceva ancora freddo, nella camera: la terrazza delle nostre belle sere estive ci lasciava assediare dal gelo. Sveglia, ero oppressa da un incubo: nell'appartamento di sopra, in quello contiguo, nei bianchi casamenti moderni che sorgevano accanto al nostro, in tutte le case di Roma, in tutte le case del mondo, vedevo le donne sveglie nel buio, dietro l'invalicabile muro delle spalle maschili. Parlavamo lingue diverse, ma tutte tentavamo invano di fare udire le stesse parole: nulla poteva attraversare l'incrollabile difesa di quelle spalle. Bisognava rassegnarsi ad essere sole, dietro il muro; e stringerci tra noi, sorreggerci, formare un grumo di sofferenza e di attesa. Era il solo conforto che ci fosse consentito, insieme con quello di lavorare, partorire, piangere; e questo davvero era il nostro sollievo: piangere, sole, sedute nelle cucine azzurre che al tramonto divengono livide e tristi, nelle cucine grigie dove i ragazzini giuocano in terra e spesso anche loro piangono con voci lugubri e già adulte. Alcune tra noi, come la Nonna, si appagavano nell'esser padrone dei grandi armadi della biancheria, cupi e solenni come bare: altre, senza saperlo, si riducevano addirittura a dimenticare se stesse in un seguito di giorni ricchi, futili, mondani. Ma tutte, talvolta o sempre, dormivano nel freddo, dietro un muro. Tutte. Le sentivo gemere, implorare, senza essere udite: perché la voce di una donna è solamente povero fiato; e il muro è pietra, cemento, mattoni.

Accadeva sempre che dopo un piccolo diverbio Francesco divenisse più affettuoso con me, per qualche giorno. Durante il primo anno ciò m'induceva ad abbandonare i miei timori e moltiplicare la volontà di difendermi dall'infingardo tranello dell'abitudine. Perciò mi studiavo di esser sempre calma e sorridente, considerando che la nostra primitiva felicità sarebbe potuta rinascere più facilmente in un'atmosfera serena piuttosto che da amare discussioni e vicendevoli accuse. I miei nervi si ristoravano: in me pareva stendersi un bel mare tranquillo. Seguivano così giorni tediosi, avvitati torno ai nostri monotoni orarî di lavoro; ci vedevamo soltanto a colazione e, a quell'ora, io avevo le mani ingombre di piatti pentole e bicchieri; la sera spesso restavamo in casa, ma Francesco non poteva guardarmi perché era sempre nascosto dietro un giornale spiegato. La sera leggevamo fino a tardi; poi spegnevamo le luci, andavamo a coricarci, compiendo sempre gli stessi gesti, già invogliati dal sonno. Stenderci insieme nello stesso letto non ci procurava più alcun turbamento, ma ristoro alle gambe doloranti, ai fianchi appesantiti dalla stanchezza, come quando ero sola. Tuttavia, nel mezzo di quella stanchezza, comprendevo subito se Francesco non aveva voglia di dormire. Si avvicinava a me, domandandomi: «Che leggi?», mi toglieva di mano il libro, lo guardava appena e lo posava sulla coperta. Questi erano i preamboli. Poi, senza alcuna parola d'amore, seguivano sempre gli stessi gesti, nello stesso ordine silenzioso. Era tacitamente inteso che, se io trattenevo il libro, Francesco riprendeva a leggere o si voltava dall'altra parte per dormire.

Quegli squallidi amplessi mi procuravano un senso di amara umiliazione: non potevo a meno di paragonarli alle dolci sere in cui salivamo a Villa Borghese sempre parlando, smaniosi di conoscerci: pareva che solo per conoscerci meglio e meglio amarci noi cedessimo ai baci o alle carezze. Io avrei voluto riprendere il caro discorso interrotto e parlare di me, dei miei ricordi, ma ormai Francesco li conosceva tutti. Inoltre se tentavo di avviare le nostre conversazioni sugli stessi temi di allora – usando la stessa voce, gli stessi aggettivi – Francesco mi guardava con diffidenza e a me sembrava di recitare. Non potevamo neppure più illuderci sulla nostra vita futura, ormai la conoscevamo: era quella.

E io ormai sapevo che quella vita non sarebbe bastata

a renderci felici: eravamo cresciuti, la nostra statura umana era cresciuta, neanche l'innocente allegrezza dei giorni di Firenze ci avrebbe appagato più. Io ero divenuta più grande di un'abitudine coniugale e mi sarei trovata in essa come in un vestito stretto. Del resto durante il fidanzamento non ci eravamo ripromessi il matrimonio come scopo, meta. Pensavamo soltanto di essere più forti, in due, per aiutarci a compiere i nostri intimi disegni, a migliorarci, insomma. Sì che, rendendomi conto del progressivo scadimento della nostra convivenza, pensavo che la colpa fosse mia, che io fossi tanto decaduta, in me, da non meritare più l'attenzione di Francesco. Animosamente, allora, riaffermavo i miei orgogliosi propositi, combattevo le debolezze del mio carattere, fiammeggiavo vittoriosa. Non potevo comperarmi libri, ma Tomaso me ne prestava sempre, togliendoli dalla biblioteca di suo padre che era uno studioso di teosofia. Tomaso aveva un'intelligenza pronta, vivace ed espansiva, mi piaceva parlare con lui. Quando parlavo egli mi guardava sempre, con lo stupore naturale agli occhi grandi e chiari. Ma il crescente interesse che suscitavano in me quelle conversazioni, invece di consolarmi, mi procurava un'acerba amarezza: avrei voluto che fosse Francesco a seguirmi nei miei problemi e nelle mie letture; inoltre egli era molto più intelligente di Tomaso. Invece – per un improvviso pudore stabilitosi tra noi dopo le nozze – Francesco ed io non parlavamo mai di argomenti che mi stessero a cuore. Quando m'offrivo di fare qualcosa per lui egli mi chiedeva di copiare a macchina i suoi scritti: cosa che facevo da tempo con diligenza ed entusiasmo; un'altra volta mi propose di cambiare la fodera a una sua giacca. Forse fu per suo suggerimento che la signora Minelli m'invitò a recarmi da lei, quando ero libera, a fare maglie per i soldati.

La signora Minelli riuniva parecchie amiche, nel pomeriggio, a tale scopo. Mentre sferruzzavano si confidavano ricette per dolci senza zucchero e senza uova, tisane per sostituire il caffè. Due o tre volte io presi parte a queste riunioni, ma non avevo mai alcuna ricetta da suggerire: perciò senza smettere di lavorare a maglia, quelle signore mi osservavano stupite, alzando i sopraccigli e giudicandomi, forse, fannullona o pigra, benché nessuna di loro lavorasse e tutte avessero una domestica. Mi obbligavano a confessare: «No, io non so fare dolci», e poi subito sogguardavano mia suocera con aria d'intesa e di commiserazione. Inoltre lavoravo male; i miei ferri non picchiettavano svelti come i loro, col ritmo di una conversazione pettegola. A causa dell'accento sprezzante col quale parlavano delle altre donne, io immaginavo che quelle signore fossero tutte perfette, ed ero portata ad avere un lieve sentimento d'invidia per loro. La nostra casa mancava di quasi tutti gli utensili che loro nominavano; io non andavo mai dal parrucchiere, quando mi lavavo i capelli li lasciavo asciugare sulla terrazza, al sole; non conoscevo i negozi più rinomati, facevo i miei acquisti nel quartiere. E, quando dicevo che Francesco ed io non andavamo mai al cinematografo, quelle signore mi fissavano, incredule e anzi insospettite, temendo che ardissi prenderle in giro.

In quei momenti mia suocera si volgeva verso di me e mi carezzava i capelli. Forse anche lei si rammaricava che io non sapessi fare dolci; e insomma non fossi una ragazza simile alle figlie e nuore delle sue amiche. Ma Francesco le raccontava che con la mia gratifica avevamo pagato le poltrone. Una volta Francesco era stato malato con febbre alta; si temeva il tifo e invece era solo un avvelenamento per le pessime sigarette che fumava. Avevo chiamato subito mia suocera e, aprendole la porta di casa, le avevo chiesto: «Mi aiuti, ho paura». La guardavo muoversi nella camera, sicura dei suoi gesti: io non avevo pratica di assistere malati, inoltre ero stata sempre bene in salute; sedevo presso il letto, guardavo Francesco, gli posavo le pezzuole sulla fronte, ed erano come baci, ferventi preghiere che lo supplicavano di guarire. Rimanevo accanto al suo letto, per ore, immobile, guardandolo con la fedeltà di un cane. Così m'avvidi che sua madre mi osservava; in quelle ore, per stare più comoda, ella si toglieva il collarino bianco e la sua vecchia pelle si abbandonava.

«No, Alessandra non sa fare dolci perché a mio figlio non piacciono: non li mangiava neppure da ragazzo.» Fece una pausa e il collarino si mosse come per lasciare passare qualcosa: «Del resto ha poco tempo» spiegò: «è segretaria in un ufficio. Guadagna, e così aiuta suo marito».

Ma le signore seguitarono a guardarmi con fredda ostilità. Non bisognava condannarle: erano cresciute in una società dove si crede che le donne che lavorano siano donne diverse dalle altre.

Francesco una sera venne a riprendermi e, nel vedermi, sorrise teneramente: forse per il mio modo di vestire che era rimasto piuttosto antiquato, o per l'espressione modesta che avevo sempre in viso, sembravo una trovatella, che le altre accogliessero per pietà.

Nel rincasare Francesco sorrideva, ricordando la mia immagine tra quelle delle amiche di sua madre. Era un po' cambiato, da quando viveva con me: per esempio non si curava più di ciò che diceva la signora Spazzavento.

Io gli dissi: «Sai? Quando sono con loro provo la stessa penosa impressione che provavo con le compagne, quando ero alle elementari. Ero alta, più alta di tutte: la maggiore mi arrivava appena alle spalle. Perciò mi guardavano come se mi fossi introdotta nella classe con uno stratagemma. Accadeva che io avessi anche i punti migliori e ciò accresceva il mio imbarazzo. Stavolta, almeno, i miei calzettoni sono bruttissimi».

Francesco rideva, ma io d'improvviso mi feci seria: «Senti» ripresi: «io non so fare i calzettoni. Non posso adattarmi come le altre a lenire il male prodotto dalla violenza: vorrei lavorare attivamente perché non si ricorresse alla violenza. Hai capito, Francesco?».

Camminavamo adagio pel viale che allora era detto dei

Martiri Fascisti: una salita tortuosa, asfaltata: di qua e di là si stendevano terreni incolti nei quali detriti e immondizie erano ammonticchiati.

«Insomma» dissi «vorrei lavorare con te.»

Francesco non rispose subito; vedevo il suo agro profilo contro il cielo già schiarito da un annunzio di primavera. Arrossivo, quasi fossi venuta meno al mio femminile riserbo, osando per prima una dichiarazione amorosa: ma avevo parlato d'impeto, come quando avevo detto a mia madre: «Non partire senza di me».

«Non so che cosa potrei fare, precisamente» insistetti. «Ma tu lo sai, certo. Tomaso l'altra sera mi ha detto che potrei essere utile.»

«Chi ha detto questo?»

«Tomaso.»

«Tomaso è scapolo» rispose con durezza.

«Che c'entra questo?»

«Tomaso non capisce niente.»

«Perché dici così? Quando tu esci, e non mi dici dove vai, so che vai coi compagni, io resto a casa legata alle faccende, molto spesso in cucina. Ma tra noi sento un vincolo di solidarietà tanto stretto che a volte duole, quasi. Rimeno la minestra e ogni giro che do nella pentola è guidato da una volontà così precisa, un sentimento così profondo di colleganza con te, da farmi credere che il mio gesto casalingo e pacifico possa produrre, per miracolo, gli stessi effetti del tuo rischio e della tua battaglia. Così quando vado a fare la fila al mattino presto, prima di andare in ufficio, mentre tu dormi. D'inverno è ancora buio, è molto freddo, tutte le donne si lamentano, non sono contente; e ogni volta che io faccio un passo avanti nella fila, penso a te che dormi. Mi pare che ti sarà concesso di riposare solo a patto che io non abbandoni il mio posto, anche se ho le mani che sembrano staccarsi, intirizzite. Ma adesso questo non mi pare più sufficiente. Sono diventata così forte, dentro di me, così vigorosa...» dicendo queste parole mi passai un dito sul sopracciglio per nascondere la mia timidezza: «So che potrei aiutarti.»

Camminammo ancora un poco in silenzio. Francesco mi prese il braccio e lo strinse forte; lo lasciò, lo riprese per stringerlo di nuovo. Eravamo una sola persona, un solo passo; intorno circolava un tempo di dolce marcia che ci sospingeva. Commossa io pensavo "Siamo sposati".

«No» egli disse «non è possibile.»

«Perché?» gli domandai delusa.

«Perché non sono cose per le donne.»

«Eppure vi sono molte donne tra voi, che lavorano. E anzi Tomaso mi ha detto...»

«Domandagli perché non fa lavorare Casimira.»

«Chi è Casimira?»

«Una ragazza» rispose evasivo; e insisteva: «domandaglielo.»

«Forse Tomaso non crederà che questa Casimira sia abbastanza coraggiosa, o pronta, oppure...»

«Appunto: io penso per te ciò che lui pensa per Casimira.»

Io tacqui un momento, e poi domandai, con incerta trepidazione: «Cioè che io non sia?...».

Vi fu una pausa; infine Francesco confessò a bassa voce, con fermezza: «Già».

Rincasammo in silenzio. Non eravamo più una sola persona, ma due persone diverse: e l'una aveva coraggio e l'altra non ne aveva.

"Sì" ora Francesco mi dice, "e quella che non aveva coraggio ero io. Tu non sapevi che, qualche giorno prima, era stata arrestata Marisa. Marisa era la compagna di Alberto; io non avevo il coraggio di patire come pativa Alberto. Non la conoscevi perché era incinta e non voleva farsi vedere, aveva molta soggezione di te: lei era separata dal marito. Era una donna singolarmente coraggiosa,

Marisa; quasi quanto te. Voleva sempre trasportare il materiale più compromettente, diceva che il suo stato l'avrebbe difesa, e infatti era difficile che potessero sospettare di lei. Non viveva con Alberto, abitava in camera mobiliata, da una sarta; da quando Alberto e lei lavoravano insieme, erano molto prudenti: non lasciavano mai in casa lettere o altro che potesse provare la loro amicizia, si incontravano lontano dagli sguardi del portiere. Era una donna molto intelligente, Marisa: quasi quanto te. E invece fu proprio il suo stato a perderla: svenne, mentre camminava per il Corso: la portarono all'ospedale, lì, a due passi, e aprirono la sua borsa piena di roba stampata. Fu un'infermiera a chiamare la polizia: un'altra donna. Non appena lo seppe, Alberto si rifugiò presso un altro amico e da un'ora all'altra aspettavamo che Marisa, in quello stato, sfinita, parlasse. Alberto aspettava impazientemente di sapere che erano andati a cercarlo, sarebbe stato un sollievo per lui. Ma i giorni passavano e la nostra inquietudine cresceva. Alberto voleva andare a costituirsi, ma gli facemmo comprendere che sarebbe stato inutile, dannoso anzi, ormai anche lei si era resa colpevole, e noi non sapevamo quali argomenti avesse scelto a sua difesa. Alberto, presentandosi, le avrebbe nociuto certamente. 'È colpa mia' egli ripeteva: 'sono stato io a farla lavorare con noi. Forse domani parlerà: se parla la libereranno.' Invece non parlò, perché era coraggiosa; anche tu saresti stata coraggiosa. E perciò io non lo ero."

Seguirono settimane fredde, sgradevoli. Francesco mi parlava raramente, si tratteneva fuori a lungo, e io ostentavo di non voler sapere dove fosse stato. Una domenica preparai una torta: quando la posi sulla tavola egli mi interrogò con lo sguardo: io dissi: «È la famosa ricetta delle amiche di tua madre». Era pessima, non la toccammo quasi: e, poiché mangiavamo nello studio, la torta rimase tutta la sera nel mezzo del nostro silenzio.

Avevamo ormai parecchi amici e venivano sovente a trovarci: dapprima non mi piaceva che turbassero la nostra solitudine e poi ero io stessa ad invitarli temendo le nostre tediose serate. Tomaso era tra i più assidui e qualche volta veniva anche Denise, una donna già anziana che portava un basco e conosceva tutti i compagni che vivevano a Parigi. Aveva atteggiamenti maschili e mi salutava inchinando la testa come fanno i tedeschi. Parlava tutta la sera, senza mai rivolgermi la parola; talvolta sembrava improvvisamente ricordarsi di me e delle regole della buona educazione: allora, con un gentile sorriso, mi domandava se avessi bambini, dimenticando di avermelo chiesto già altre volte. «Verranno» poi mi rassicurava maternamente e volgendosi agli uomini riprendeva i discorsi che la interessavano: parlava sempre di quando sarebbe venuta la libertà. Pensava che a me, invece, premesse soltanto che venissero i bambini.

La presenza di quella donna mi infastidiva. «Non ha torto, però» Lydia mi diceva, sospirando «bisognerebbe che tu avessi un bambino.»

«Sì, lo penso anch'io: ma più avanti. Quando avrò trent'anni, mettiamo, e non sarò più così ansiosa di vivere per Francesco e per noi.»

«No. Meglio adesso» Lydia insisteva. «A trent'anni sarai ancora più smaniosa di vivere, più ancora a quaranta. I figli legano, trattengono un uomo. Quando c'è un figlio un uomo torna sempre, anche se ti tradisce.»

«Torna per il figlio?»

«Certo. Ma così non può neppure abbandonare te.»

«Oh, che orrore!» dicevo nascondendo la faccia: «Che vergogna!» Immaginare Francesco presso un'altra donna mi faceva avvampare dalla gelosia. Lo vedevo presso la compagna dai capelli opachi che sfuggivano dal basco. "Non posso lasciare Alessandra" le diceva. "Non posso lasciarla a causa del bambino." Egli la guardava amorosamente e io aspettavo in casa, smunta, con un bambino in braccio.

Volevo che potesse lasciarmi come si lascia un uomo, un compagno. Magari – dopo – quella sarebbe stata una buona occasione per scendere la scala, lesta: mi vedevo camminare verso il fiume col vento che gonfiava l'impermeabile. Francesco non amava più sentirmi parlare di mia madre: una volta aveva detto che ella aveva un'età in cui si deve imparare a rinunciare. Diceva anche che mio padre doveva essere un brav'uomo, in fondo. «Ma lei non poteva accontentarsi di un brav'uomo!» io rispondevo, sprezzante. «Perché l'aveva sposato, allora?» «Non lo sapeva forse o forse si credeva più forte... Ci si crede sempre più forti.» «Storie» egli disse una volta. «Intanto ti ha fatto molto male.» «A me?!» dissi. «Mia madre mi ha fatto male?» «Sì, e non credo che quel macaco ne valesse la pena.» Nell'udire queste parole m'ero scostata da lui, inorridita. Macaco era una parola che avevo letto soltanto nei libri di lettura e che mi pareva simile al raccapricciante rumore del coltello che sgricciola sul piatto. Non potevo sopportare che Francesco chiamasse Hervey con quella parola, umiliando la romantica storia di mia madre. Io sapevo che egli la condannava, ormai: a mia suocera aveva raccontato che era annegata per disgrazia. «Che donna straordinaria» Tomaso aveva mormorato nell'ammirare le fotografie di lei.

Un tempo anche Francesco ed io eravamo sempre d'accordo, manifestavamo gli stessi gusti, le stesse opinioni: e invece adesso, quando si discuteva con altri, egli si trovava sempre nel campo avverso. Molto spesso io condividevo l'opinione di Tomaso, forse perché egli aveva soltanto pochi anni più di me. Ma ciò che sinceramente mi addolorava era avvedermi che, mentre i suoi amici mi ascoltavano volentieri – affermando anzi che possedevo una notevole chiarezza di idee e una cultura valida anche nei problemi politici – Francesco non sembrava mai prendere in considerazione ciò che dicevo io. Lo giustificavo pensando che ormai egli mi vedeva sempre occupata nelle faccende casalinghe e forse supponeva, come mio padre, che esse costituissero i miei principali interessi. Una sera, nel corso di queste discussioni, Francesco mi rivolse una frase un po' rude. Io tacqui, e Tomaso prese le mie difese. Lo guardai, ringraziandolo con gli occhi: anch'egli mi guardava e pareva chiedermi scusa per ciò che Francesco aveva detto. Tomaso aveva un bel viso chiaro, schietto e i suoi capelli castani erano lucidi, vivi, mossi, come quelli dei miei amici d'infanzia. Questo ricordo fece dilagare in me onde calde di tenerezza. "Grazie" dissi ancora con gli occhi: e nel salutarci ci stringemmo lungamente la mano.

La più ingannevole virtù del matrimonio è la facilità con la quale, al mattino, si dimentica tutto ciò che è avvenuto la sera precedente. Rassicurata dal colore terso del primo sole, dal ritmo energico dei gesti quotidiani, ero sempre io la prima a tornare verso Francesco.

Eravamo sposati da oltre un anno: i giorni si sommavano ai giorni, i mesi, lesti, ingoiavano i mesi, le stagioni volgevano. Io dicevo sempre: "Ora lavoro e poi sarò felice, ora lavo i piatti e poi sarò felice, ora faccio la fila e poi sarò felice". Francesco aveva imparato a baciarmi sulle guance, con uno schiocco leggero: non mi baciava più sulla bocca. Eppure un tempo non conoscevamo altri modi di baciarci. Poi mi baciava sulla bocca soltanto quando s'avvicinava a me, la sera. Infine prendemmo l'abitudine di leggere e non mi baciò più affatto. Egli ormai non mi raccontava più ciò che sentiva a causa del suo amore per me: pensava forse che ormai fosse superfluo parlarne: e invece l'amore è proprio nel bisogno di esprimerlo continuamente e nel desiderio di udirlo continuamente espresso. Io non sapevo più nulla di ciò che era in lui: non potevo concedergli tante libertà soltanto perché sapevo se aveva fame, sete, sonno, poco danaro o difficoltà politiche.

Quando mi si avvicinava, di notte, non pronunciava mai

il mio nome. Io lo chiamavo appassionatamente invece: «Oh, sei Francesco...» gli dicevo, volendo a ogni momento riconfermarmi che era proprio lui, l'essere amato sopra ogni cosa al mondo, a darmi quelle smarrenti gioie. Presto i brevi incontri notturni divennero per entrambi una zona segreta, proibita, nella quale era consentito di aggirarsi solo nascostamente, sebbene ognuno col permesso dell'altro. Al mattino Francesco non parlava mai di ciò che era accaduto, come se volesse dimenticare una debolezza, un riprovevole abbandono.

Tomaso telefonava spesso e aveva una voce allegra, giovanile. «Non stare sempre in casa, Alessandra. Vuoi uscire? ti accompagno. Andiamo fino in Prati. Mi piacerebbe vedere la casa dove abitavi. La sera c'è sempre un buon odore di caprifoglio, in Prati. Andiamo, su: vuoi che lo dica a Francesco?»

Gli rispondevo che ero molto occupata; benché, in realtà, i suoi inviti mi invogliassero di tornare al mio vecchio quartiere. Ma volevo tornarvi con Francesco; speravo che anche lui si avvedesse della primavera. Salutavo Tomaso brevemente, poi tornavo in cucina giudicandomi ipocrita: non volevo che Francesco s'avvedesse della stagione, volevo che s'avvedesse di me.

Posavo il piatto che avevo in mano, mi lasciavo cadere su una sedia. Ero sola in casa come al tempo della mia infanzia, ma il fervore che m'accendeva non era più rivolto verso gli alberi e il cielo che vedevo dalla finestra: si riversava tutto in me, nella vita fisica della mia persona. Sotto la mia pelle il sangue scorreva col ritmo acceso e puntuale della giovinezza. M'alzavo, andavo a stendermi sul letto, nella camera ombrosa e fresca. Avevo le labbra arse, una gran sete.

Da tanto tempo nessuno mi aveva più baciata sulla bocca. Mi pareva finanche impossibile che quello fosse un modo naturale di baciare e io lo avessi provato. Chiudevo gli occhi: immaginavo che una bocca si posasse sulla mia con la rabbiosa caparbietà che è nei baci conquistati dopo una lunga attesa o una battaglia. Io resistevo, dubitosa, come si fa guardando il fiume prima di tuffarsi: e poi m'abbandonavo, ero sommersa. Tentavo di ricordare minutamente com'era fatto un bacio, com'era il momento in cui, vinta, disserravo i denti. Ma la sensazione precisa mi sfuggiva. "Com'è?" mi domandavo sgomenta: "Non ricordo più com'è."

Allora mi levavo, mi spazzolavo i capelli, cambiavo vestito e m'incipriavo accuratamente. Non mettevo rossetto perché sentivo d'aver tutto il sangue raccolto nelle labbra. E poi aspettavo sognante, inoperosa, tralasciando di apparecchiare, cucinare le vivande: certo non avremmo pensato a mangiare.

Francesco rientrava, io l'aspettavo dietro la porta. Nella penombra dell'anticamera il mio vestito bianco era una fresca gardenia.

«Oh, cara» diceva «sono contento di tornare a casa.» Andava nella stanza da bagno e l'acqua scorrendo fresca nel lavabo, ravvivava in me quella furiosa sete.

«Che c'è?» egli mi chiedeva.

«Nulla, caro» io rispondevo. Aspettavo che, volgendosi, vedesse la mia attesa, la cogliesse come un dono.

«Non è pronto?»

«No, non è pronto.»

«Ho fame.»

Si dirigeva allo studio e io lo seguivo. «Non è pronto niente, amore» dicevo, «mangeremo più tardi, dopo, mangeremo alle quattro.»

«Perché?» egli mi domandava. «Che c'è? Che cosa è successo? Se sei stanca posso aiutarti» mi offriva con gentilezza.

Io lo guardavo intensamente. E la mia vita era raccolta sulle labbra senza rossetto. "Com'è un bacio?" gli chiedevo dentro di me con angoscia. "Non rammento più, Francesco, è terribile, aiutami, non voglio perdere quel ricordo." Avevo sete, mi pareva che avrei potuto cadere in terra, sfinita dalla sete.

«No» rispondevo. «Grazie. Scherzavo: sarà pronto tra pochi minuti.»

Adagio traversavo l'anticamera, tornavo in cucina, preparavo la frittata col formaggio che a Francesco piaceva molto. Lentamente la sete mi abbandonava, mi cadeva di dosso, sprezzandomi. Al posto di quella dolce sete, in me si stabiliva un pianto solitario e logorante come l'uggiolare di un cane.

E il giorno seguente dimenticavo. Era un logorante alternarsi di speranzosi mattini e di sere disperate. Le notti erano pause buie. Una domenica, la giornata ebbe inizio con un atto di involontaria pigrizia, poiché avevamo dimenticato di rimettere la sveglia secondo l'ora legale. Ciò fu motivo di apprensione dapprima – Francesco sarebbe dovuto essere fuori da tempo per un appuntamento – poi di puerile allegria. Pareva che avessimo deciso di non prendere più cura di alcuna cosa importante e godere della nostra giornata di vacanza. Dalle persiane socchiuse il sole sollecitava il nostro risveglio. «Rimani, Francesco» io dicevo con tenerezza: «rimani.»

«Rimani, tu» Francesco disse mentre io lo trattenevo per la manica del pigiama. «Rimani. Io debbo uscire, adesso. Sai che faremo?, ci daremo un appuntamento in città e torneremo a casa insieme, piano piano, godendo il sole.»

«A piazza di Spagna?» io proposi, entusiasta.

«Se vuoi.»

Prima di uscire spalancò la finestra e il sole cadde sul letto, ai miei piedi, simile a un fiotto d'acqua. «Ciao, Sandra» disse. «Ciao» risposi, sorridendogli con civetteria. Avevo la sensazione d'esser rimasta in letto lungamente per una infermità e che quel giorno dovessi alzarmi per la prima volta, iniziando la convalescenza.

Ogni cosa mi festeggiava infatti, quel giorno, quando

uscii dal portone. L'aria era tepida – né appena un po' fresca né appena un po' calda – e i vestiti così giusti nel loro peso che pareva di non averli indosso. Alle finestre erano stesi panni di colore e la grande mimosa del giardino dirimpetto era fiorita. Splendevano le arance nelle ceste; le bottiglie di vino rosso nelle vetrine erano grossi rubini. Il tram correva con un gaio scampanellare e un ragazzo, al finestrino di coda, sventolava lietamente la mano, certo illudendosi di partire in un bel treno. Passava molta gente nella strada; e tutti mi guardavano con insistenza: ero sola, ma camminavo lesta mostrando di avere una meta precisa e anzi – si capiva benissimo – un appuntamento. Certo tutti capivano che io avevo un appuntamento con un uomo e perciò ostentavo tanta spavalda sicurezza.

Entrai in via Veneto come su un palcoscenico. Il mio passo dominava il marciapiede: un'arguta spavalderia mi stava tra le ciglia; la terra e la bellezza della stagione s'inchinavano dinanzi a me: ero una superba regina con un frustino in mano. Gli uomini mi guardavano con una insistenza che, d'ordinario, mi avrebbe infastidita: quel giorno invece, lasciavo intravvedere un lieve invito, mentre m'allontanavo rapida verso un appuntamento d'amore. Mi specchiavo riflessa di vetrina in vetrina e mi trovavo irresistibilmente attraente; mi riconoscevo perfino una qualità che avevo sempre creduto di non possedere: quell'atteggiamento provocante delle forme che stimola, più che l'ammirazione, l'immediato desiderio degli uomini. Ciò era dovuto forse al gioioso respiro che gonfiava il mio seno sotto la giacca; una vecchia giacca che ero felice di ritrovarmi indosso, fedele e sicura, di buon taglio, come un'amica della quale ci si può sempre fidare. Quella giacca grigia piaceva molto a Francesco. Anzi, d'improvviso ricordai che indossavo proprio quella giacca il giorno in cui l'avevo conosciuto. Ebbi un sussulto a quel ricordo, un attimo di smarrimento, quasi: avrei voluto entrare in un negozio, telefonare a Francesco, dirgli: "Senti, ti vengo incontro vestita come il primo giorno. Vengo subito, aspettami, Francesco". Ma non sapendo dove egli si trovasse in quel momento fui presa da una irragionevole angoscia: sarà ancora vivo?, pensavo, lo vedevo steso in terra, pallido, con molta gente intorno come accade negli investimenti stradali, io mi facevo largo tra la folla: "Sono la moglie" dicevo "lasciatemi passare". L'angoscia era così viva che mi lamentavo, gemevo. "Francesco" gridavo dentro di me, "Francesco, aspetta: dobbiamo vivere questa felice giornata."

Entrai in piazza di Spagna da via Propaganda Fide: una strada aristocratica che mi aveva sempre incusso soggezione.

Mi fermai all'angolo della piazza perché il marciapiedi era ingombro di alcuni rami di pesco. «No» diceva una signora alla fioraia «sono troppo cari.» Quei fiori avevano l'odore dei noccioli di albicocca che, da bambina, mi divertivo a schiacciare sul davanzale: un odore amaro, proibito.

«Li prendo io» dissi e mi compiacqui del tono della voce. «Che voce hai tu, Alessandra» un giorno mi aveva detto Tomaso. «Quando parli talvolta non riesco a cogliere il senso preciso di ciò che dici. Scusami, forse è ineducato; ma, provo il desiderio di chiudere gli occhi, come faccio ai concerti; ascoltare la musica.» Pagai con le ultime cinquanta lire che possedevo e intascai il resto con disinvoltura.

Francesco era già lì, dove sono le palme. Ricordai ciò che mi diceva, al tempo del nostro fidanzamento: «La palma è un albero che ti somiglia: alta, snella, coi capelli scomposti al sommo della testa». Quel paragone mi lusingava molto. Forse egli aveva scelto apposta quel luogo. Non potevo trattenermi dal sorridere, inorgoglita di me e del suo amore. Mi piaceva camminare adagio, farlo aspettare un pochino. Non mi aveva visto ancora, si credeva solo, lo vedevo passeggiare su e giù, impaziente.

«Francesco...» mormorai fervidamente.

«Oh, cara» egli esclamò. «Mattinata sprecata. Sono arrivato in ritardo, erano andati via. Questa dannata ora legale.» Poi, volgendosi, disse: «Belli, questi fiori». Riprese, assorto nei suoi crucci: «Bisogna che cerchi di raggiungere Alberto, col telefono».

«Andiamo a piedi?» chiesi, e la mia voce lo invitava a riconoscermi nello splendore del mattino.

«No, no, è troppo tardi: potrebbero telefonare e non trovarmi.»

Scostò il ramo di pesco e, prendendomi pel braccio, incominciammo a camminare. Nel tram egli rimase presso il finestrino reggendo i fiori, che erano piuttosto ingombranti.

«Francesco...» lo chiamavo più tardi per trarlo dal sonno con dolcezza.

Aspettavo ancora, pazientemente, la mia giornata di allegra vacanza. Alberto aveva telefonato. «Tutto bene» aveva detto: «fra pochi giorni arriverà la zia.» Ciò voleva dire che tra pochi giorni i nemici sarebbero sbarcati in Sicilia. Attraverso la radio li sentivamo bussare ogni sera alle porte della nostra prigione. Adesso ci venivano incontro piegando sotto il loro passaggio i mandorli, gli aranci, i bergamotti. Ero contenta, benché sentissi quegli alberi piegarsi dentro di me. «Sei contento?» dicevo a Francesco; ma egli era ancora chiuso nelle rigide pareti dei suoi pensieri: dopo colazione si era sdraiato sul letto, aveva preso un libro e si era addormentato. Docile io aspettavo, come un bambino al quale sia stato promesso qualcosa: c'era in me una gran calma che minacciava di crollare travolgendomi. Fissavo il libro che Francesco aveva posato sul comodino: lo posava aperto, divaricato, per non perdere il segno. Lo posava in quel modo anche prima di volgersi verso di me, la sera; desideroso, dopo quelle brevi parentesi, di tornare alla lettura. Era un patto tra il libro e lui, col quale si faceva perdonare la momentanea trascuratezza. A volte io fingevo di dormire: una lotta s'impegnava tra quell'odioso libro dalla costa dura, rigida, e il mio orgoglio ferito.

«Francesco» chiamai ancora. Egli si destò e io lo baciai, a lungo, con un disperato invito.

Dopo, rimasi sdraiata sul letto; per difendermi dalla luce che filtrava dalla finestra o forse perché provavo un senso acuto di vergogna, avevo piegato il gomito sugli occhi. Mi pareva d'essere una di quelle donne alle quali è stato reso oltraggio, e che poi vengono abbandonate in campagna con gli indumenti lacerati, scomposti. E la vergogna della violazione subìta mi pareva aggravata dal fatto che ero stata io stessa a sollecitare l'oltraggio e da esso, per qualche attimo, avevo tratto piacere.

Nel buio della camera, trafitto da qualche raggio di luce bianca, giungevano le voci spensierate della strada. Francesco avrebbe voluto tornare a dormire, era solo il mio silenzio a tenerlo desto: in quel silenzio egli coglieva un'accusa e a malapena riusciva a rassicurarsi, pur essendo convinto della sua innocenza. Sentivo che era proprio il timore che aveva di me a impedirgli di pronunziare una sola parola, tuttavia intuivo che, se l'avesse detta, sarebbe stata una parola sbagliata.

«Vorrei parlarti, Francesco» infine io dissi.

Egli non rispose, non mostrò alcuna curiosità: forse sapeva ciò che stavo per dirgli. Il suo corpo nudo posava sul lenzuolo: era un corpo giovane e sicuro che rivelava la presenza di una forza nascosta nei muscoli delle spalle, del collo, dei lombi.

«Non è possibile, così, capisci?»

«Che cosa ho fatto?» egli domandò, calmo, dopo una pausa.

«Nulla, non hai fatto nulla: ma bisogna che ti parli. Scusa, abbi pazienza.»

«Ti ascolto.»

Aveva una voce conciliante che, invece di rasserenarmi, accresceva il mio cattivo umore. Avrei preferito che egli confessasse di non amarmi più; che avesse agito in quel modo, pur amandomi, era la ragione principale del mio risentimento.

«Bisogna che ti parli. Un giorno dovrai ricordare che io ti ho detto tutto questo, non potrai rimproverarmi di aver taciuto: bisogna che ti dica tutto, con sincerità. Non sono irritata, non sono nervosa.» Gli presi la mano che posava sul lenzuolo. «Appunto perché ti amo debbo parlarti.»

Egli vide che non ero incollerita e mi parve che ciò aumentasse la sua apprensione. I suoi occhi si accesero di un lume doloroso e tenero. Era molto bello Francesco, in quel momento.

«Voglio parlarti con franchezza, voglio dirti quelle cose che agli uomini non si dicono mai perché gli uomini rispondono in modo amaro, tagliente. Non rispondere così, ti prego: lasciami parlare.»

La mia voce era tanto insolita che Francesco si volse a guardarmi, sbigottito: era la voce con la quale parlavo a Fulvia, a Claudio, a Tomaso, con la quale parlavo a Francesco nei primi tempi del nostro amore.

«Ti tradisco» gli dissi. «Ti tradisco, ogni giorno, innumerevoli volte, con la fantasia. Non ha importanza» aggiunsi «che io ti tradisca con l'immagine di te stesso. Poiché questa tua immagine fa quello che tu non fai mai, dice quello che tu non dici mai e quindi non sei tu: è un altro. Dall'urto con questo personaggio fantastico tu esci più impoverito che dall'urto con un uomo diverso da te, un estraneo. Se ti tradissi con un altro avrei per lo meno rimorso, rimpianto: così non ho che rancore.»

La camera era avvolta in una penombra grigia: sulle persiane brillavano nodi di luce simili a stelle e i rumori giungevano a noi attutiti, lenti, col ritmo ondoso del mare.

«Volevi dormire» continuai. «Tu dormi sempre, dopo, mentre io rimango sveglia a pensare. È tanto tempo che non parliamo più. Tu non sai più chi sono io, che cosa mi porto dentro, il valore che attribuisco ad ogni gesto o parola d'amore.»

Disse qualcosa, accennò al desiderio che poco prima aveva avuto di me.

«Zitto» gli suggerii prendendogli la mano: «Non parlare di queste cose. Che c'entrano, queste cose, con l'amore? Non è amore quando, dopo, si ha voglia di piangere. Fin da quando ero bambina io sapevo che cos'è l'amore. Ci pensavo notte e giorno, davanti alla finestra o nel lettuccio tra gli armadi. Lo so, so tutto, lo so benissimo. Tutte le donne sanno com'è l'amore, anche se a volte fingono di dimenticarlo, di adattarsi, di non pensarci più. Non bisogna scambiare l'amore con un gesto spicciolo che procura piacere, appaga, sazia, come il bere o il dormire. Tu stesso devi impedirmelo, non devi permettere che io mi avvilisca, che insieme ci si avvilisca così.»

«Perché?» disse calorosamente. «È stato bello.»

«No, non è stato bello. Il tuo desiderio è stato provocato dal languore che è nell'inizio del sonno e non dall'amore per me. L'amore è un'altra cosa. Non mi hai neppure baciata sulla bocca» dissi coprendomi il viso. «L'amore è un chiedersi continuo, un baciarsi, uno stringersi, guardarsi, volersi specchiare l'uno nell'altra a tutti i costi, un continuo temere di perdersi proprio quando parrebbe d'essere più legati, "mi ami, Alessandra?" dubitare sempre, "mi ami, Francesco?". Non dirmi che sei sicuro del mio amore: perché allora ti confesserò che, spesso, mentre tu mi prendi, non ti amo. E tu non lo sai, sei ottuso, imprigionato nel tuo corpo, insegui un tuo scopo preciso; non mi ami, altrimenti non mi lasceresti sola. È terribile essere soli in quei momenti. Non basta che tu mi voglia bene. L'affetto basta a giustificare che io viva con te, lavori con te, mangi con te: non giustifica che io sia qui stesa con te, nuda, sul letto.»

«Alessandra!» egli mi riprese dolcemente.

«Non mi rimproverare, non essere un marito, un parente, se mi rimproveri non parlerò più, e invece è necessario che tu sappia. Solo l'amore giustifica che io sia qui, con te, in questo modo. E l'amore non è questo, capisci? non è in questi gesti. Ascolta: noi non abbiamo una vita facile, non abbiamo danaro, tutt'e due lavoriamo e certe volte io sono stanca. Non è stata facile la vita per me, fin da bambina, ma non me ne sono mai avveduta, perché possedevo uno sconfinato patrimonio di amore che mi ha sempre impedito di sentirmi povera o stanca. Da bambina sedevo presso la finestra e aspettavo; ero calma, quieta, docile: aspettavo. Le donne sono capaci di qualsiasi sforzo o sacrificio mentre aspettano. Ma non vogliono piangere, dopo, non vogliono aver voglia di piangere e coprirsi il viso con la mano. Non possono, capisci? è una condanna: non possono fare a meno dell'amore. Perciò io ti tradisco. Ti tradisco ogni giorno. E con questa sognata immagine di te passeggiamo, leggiamo insieme, parliamo, ci confessiamo così intimamente che ognuno conosce tutto dell'altro, l'angelo e il demonio che portiamo in noi. Abbiamo notti lunghe, liete, giovani: la luce dell'alba entra dalla finestra mentre lui mi tiene ancora tra le braccia e mi parla dolcemente, all'orecchio. Non ridere ti prego, sarebbe veramente finito tutto se io pensassi che tu hai voglia di ridere mentre ti dico queste parole.»

«Non rido» egli disse. Mi teneva la mano, e il suo corpo non appariva più così ricco di muscoli, ma debole, affaticato.

«Potrebbe anche accadere che io ti tradissi con un altro, un giorno.» La figura di Tomaso mi traversò la mente; la respinsi bruscamente, con antipatia e repulsione. «Forse non avrebbe molta importanza. Seguiterei a vivere con te, sincera, affettuosa, sarei sempre la stessa: onesta.» Potevo parlargli francamente poiché, giunti a quel punto, egli non contava, per me, più di me stessa. «Sono certa che non avrebbe molta importanza. Ma ho voluto parlarti affinché tu capisca, tu sappia che le donne fanno tutto il possibile per resistere all'amore. Ma l'amore è sempre più forte di loro.»

«Sì» egli disse: «Capisco.»

Mi trasse a sé: nudi, ci stringemmo in un abbraccio triste, disperato.

E il giorno seguente dimenticavo. Tuttavia, se Francesco tardava a rincasare, temevo che la mia sincerità, invece di avvicinarci, avesse scavato tra noi un incolmabile abisso. Inquieta lo aspettavo al davanzale, a volte per tema di rimanere in ansia pochi minuti di più, gli andavo incontro fino alla fermata del tram. Nel vederlo, subito un buon calore m'inondava le vene. A ogni scossa il mio amore resisteva incrollabile. Ciò mi procurava un sentimento di rabbia, e di paura, soprattutto: mi pareva terribile che il mio amore potesse sopravvivere nonostante l'infelicità.

Lydia mi suggerì di andare da una chiromante: mi fornì parecchi indirizzi, ma disse che, tra tutte, aveva molta fiducia nella signora Adele la quale le aveva predetto che il capitano l'avrebbe abbandonata: e anzi le aveva consigliato di fare una fattura. «Non la feci» Lydia confessava scotendo la testa: «mi pareva impossibile...» Io stessa desideravo ritrovare Ottavia: tutte le notti mia madre veniva a trovarmi e mi guardava, afflitta di non poter comunicare con me.

Una sera, in casa, parlammo a lungo di spiritismo: Francesco si rifiutava di dar credito a questi fenomeni e anzi scrollava le spalle, benché Tomaso affermasse di aver avuto esperienze interessanti.

«Senti, Alessandra» mi disse, quando fummo soli «vorrei pregarti di non pensare più a queste cose: ti commuovono, ti fanno male. Non dar retta a Tomaso...»

«Sei geloso di Tomaso?» gli domandai con un sorriso malizioso.

«No, perché dovrei esserlo?»

«Perché mi fa la corte.»

«Ah, lo so: passa la serata a guardarti.»

«E allora?»

«E allora che cosa dovrei fare? Proibirglielo? Lo conosco da troppi anni, Tomaso: so che lo fa per passare il tempo, o forse addirittura per cortesia: tu sei l'unica signora...»

«Ho capito. Tu credi, insomma, che nessuno possa interessarsi a me, seriamente?»

«Ma no, e l'ho dimostrato, mi sembra. È molto più facile fare la corte a una donna sposata. Vuoi che davvero m'impensierisca per Tomaso?»

«Perché no?»

«Intanto perché conosco te. E poi» aggiunse dopo una breve pausa, «scusami l'immodestia, perché penso di valere più di Tomaso.»

«Oh, questo è vero, ma...»

«Ma non mi piacciono questi discorsi. Tomaso scherza, lo conosco bene.»

Io sapevo che Tomaso non scherzava, invece. Altre volte tentai di farlo capire a Francesco e lui rispondeva sempre nello stesso modo. Mi indispettiva che egli mi giudicasse tanto fatua da illudermi sulle intenzioni del mio corteggiatore. Una sera lo chiamò macaco.

Il giorno dopo uscii per la prima volta con Tomaso senza che Francesco lo sapesse; ma fu solo perché volevo andare a cercare Ottavia ed egli non desiderava che lo facessi. Eravamo allegri come due ragazzi e ridevamo immaginando ciò che Francesco avrebbe detto, se fosse venuto a conoscenza della nostra scappata: Tomaso imitava la voce di Francesco, il piglio col quale ci avrebbe rimproverato. Io ridevo, intenerita, pensando che veramente Tomaso conosceva molto bene Francesco. Egli mi guardava ridere. Io dissi: «È così straordinario, Francesco» e poi rimanemmo un momento imbarazzati.

Ottavia non c'era più: era sfollata al suo paese. Rimanemmo delusi sul portoncino, in una vecchia strada presso piazza Navona; ci guardavamo attorno, a mani vuote; e, non sapendo come occupare il tempo che avevamo disponibile, andammo a sederci in un caffè. Era un piccolo caffè, frequentato da coppie. Io dissi sorridendo a Tomaso che mi compromettevo per lui ed egli sorridendo rispose che, ahimè, non era vero. Ebbi solo un momento di vergogna di fronte al cameriere, il quale ci trattava in modo sbrigativo, e nascosi la mano che portava la fede. Lo confessai a Tomaso, ed egli mostrò di offendersi, per burla: «Perché» disse «non potrei essere io, tuo marito?». Ridemmo. Ridevamo molto spesso, ma con un tono forzato, impacciato. Così incominciammo a parlare del matrimonio e, soprattutto, dei rapporti tra uomo e donna: insomma dell'amore. Ognuno di noi aveva molte cose da dire; e, parlando, ci interrompevamo a vicenda, le nostre frasi si accavallavano addirittura. Intanto il caffè si era spopolato: guardammo l'orologio e io sussultai: «Oh!» feci confusa «già così tardi».

Tomaso mi contemplava con un buon sorriso negli occhi chiari: «Come sei bella, Alessandra» disse. Facemmo un pezzo di strada, in silenzio, e poi ci separammo. Io dissi sorridendo: «Potremmo anche confessare a Francesco di essere stati da Ottavia; tanto, non l'abbiamo trovata...».

Egli m'interruppe: «No, ti prego, Alessandra. Certo, potremmo farlo. Ma mi piace avere un segreto con te. Anche se innocente come questo».

Mi parve che potessi accordarglielo: e chiudemmo così quella dilettevole giornata. Da molto tempo non passavo una giornata simile, riflettevo salendo le scale con malinconia. Sotto le nostre finestre qualcuno sonava la fisarmonica. Erano operai, vidi, affacciandomi dall'alto della terrazza. "Che aria dolce, mite." Sarei rimasta per ore ad ascoltare la fisarmonica.

Dissi a Francesco che ero stata da Fulvia: poi rimasi incerta, aspettando che egli si volgesse e mi rimproverasse con amarezza: "Perché dici una bugia?". Arrossivo, benché non avessi fatto nulla di male. Ma Francesco era seduto in terra ascoltando la radio; a causa del volume ridotto sembrava che gli parlassero sottovoce, all'orecchio.

«Sono stata da Fulvia» ripetei, sperando che si avvedesse della bugia. Egli crollò la testa mostrando di aver capito e, con un cenno, m'invitò accanto a lui.

Vedevo Fulvia più raramente. Una mattina eravamo state insieme dalla chiromante che sua madre ci aveva raccomandato e che abitava in una strada isolata, nei pressi del Colosseo. Per far questo io avevo dovuto chiedere alcune ore di permesso in ufficio, adducendo non so più quale scusa: il sotterfugio mi aveva esilarato e soprattutto la libertà che non ero avvezza a godere nelle ore del mattino. Ridacchiavamo, salendo la stretta scala grigia, polverosa; la signora Adele abitava sotto il tetto: entrammo e nell'ingresso subito scorgemmo molte donne che aspettavano pazientemente, sedute torno torno alla parete, guardando verso la porta a vetri, oltre la quale si vedeva l'ombra della signora Adele.

Era una casa poverissima; alle pareti, oltre ad alcune oleografie, erano appese numerose immagini di santi, tra i più accreditati. L'ingresso era buio, appena rischiarato da due lampade minuscole che ardevano dinanzi a un'immagine di sant'Antonio. Quella luce rossastra pareva accendere fiammelle negli occhi di coloro che aspettavano. Erano donnette modeste, per lo più: una reggeva in braccio un bambino al quale diceva ogni poco «Sta' buono» benché lui non si movesse. C'erano anche alcune signore vistose, ossigenate, che mostravano impazienza e fingevano d'essere lì per un molesto dovere. E poi c'era Fulvia che era venuta per sapere se Dario l'avrebbe sposata, e c'ero io; e io non ero più quella bambina che sedeva presso la finestra, quella ragazza che scendeva le scale lesta per andare incontro a Francesco: ero una delle tante che non avevano più fiducia in se stesse e si riducevano a chiedere aiuto ai sortilegi. Avevo forse lo sguardo smarrito della donna che mi era vicina e lasciava penzolare la borsetta sui ginocchi; come tutte quelle che erano lì, non avevo pudore di rivelare ad altre donne la mia sconfitta.

Passavo lo sguardo dall'una all'altra, e la loro miseria suscitava in me compassione e rivolta.

«C'è troppa gente» dissi a Fulvia, e la trascinai via.

Avevo invitato Fulvia a desinare con me. Francesco era assente da qualche giorno, era andato a una riunione con alcuni compagni a Milano. Io avevo l'abitudine di accompagnarlo alla stazione e sorridevamo fino all'ultimo; ma, quando il treno si moveva scivolando adagio sui binari, era come se il sangue mi scivolasse via dalle vene. Il mio sorriso si spegneva e tornava a cogliermi quella paura della quale ormai era tessuta la nostra vita. Ogni volta mi pareva un rischio quello di separarci come se, per una nostra sbadataggine, non dovessimo vederci mai più. Tornavo e il casamento mi appariva simile a una grande scatola vuota; la porta gemeva nell'aprirsi: la chiudevo e il tonfo echeggiava sinistramente nella casa deserta. La prima notte era terribile, non riuscivo a prender sonno. Poi, adagio, la pace mi fasciava al modo di una benda bianca e liscia, la solitudine mi chiamava con allettanti lusinghe: potevo tracciare qualsiasi programma per i miei pomeriggi: ma tutti i programmi mi sembravano impari alla sconfinata libertà della quale ero signora. Finivo per rimanere in casa, cucendo presso la finestra. Fulvia s'impadroniva di me: «Non c'è Francesco?» mi domandava: «Vengo, allora. Ho tante cose da dirti: quando ci sono gli uomini non si può mai parlare».

Era vero. Passavamo settimane senza vederci, dicendo: «È inutile». Se Francesco era con noi io concedevo a Fulvia un'attenzione limitata, quasi salottiera. Fulvia non se ne stupiva: sapeva che ciò era nella parte che ogni donna deve interpretare e sapeva anche che io ero sincera in quella parte; la parte di una donna che ha un uomo accanto a sé è molto diversa da quella che una donna interpreta quando è sola.

Spesso, finivamo per chiuderci a parlare nel bagno. Io disapprovavo questi sotterfugi ma credere ad essi era più forte di me.

Da quegli atteggiamenti eravamo noi le prime ad uscire avvilite. Eppure, quando Fulvia arrivava, eravamo subito ansiose di rimanere sole: le nostre prime frasi erano convenzionali e qualsiasi cosa Francesco dicesse, riconosco che gli rispondevamo appena. Avevamo bisogno di parlare di ciò che era essenziale per noi e lasciare Francesco nella solitudine in cui rimaneva anche in nostra presenza; infatti, quando io chiedevo a Fulvia, sorridendo: «Vuoi pettinarti?» oppure «Vuoi toglierti il cappotto?», eravamo contenti tutt'e tre. Francesco prendeva in mano il giornale, noi ci allontanavamo nel corridoio lasciando che tra le pareti echeggiassero ancora le nostre frasi indifferenti. Mentre giravo la chiave nella serratura Fulvia deponeva il suo contegno vivo, ardito: «Be'?» mi chiedeva premurosa. Io mi lasciavo cadere sull'orlo della vasca, dicendo: «Sono disperata». «Sapessi...» ella rispondeva con un sospiro, accennando a se stessa. Avevamo il volto teso, lo sguardo smarrito. Di tanto in tanto tacevamo, tendendo l'orecchio alla porta, poi riprendevamo a parlare sottovoce: «Figurati, ieri avevo preparato la tavola coi fiori, perché era l'undici, e l'undici...». «Eh, lo so...» «Ecco. Lui sorride, dice: "Che festa è oggi?". Io avrei voluto mettermi a piangere, invece dico: "Indovina". Portavo lo stesso vestito di quel giorno, avevo pettinato i capelli morbidi, sciolti, come allora, "Indovina" ripetevo sorridendo. Non ricordava nulla. Ho dovuto dire tutto.» «E lui, allora?» «La sera mi ha portato una boccetta di profumo.» «È strano» Fulvia diceva «ma gli uomini credono di poter riparare tutto con le cose che costano danaro...» Intanto spiavamo verso la porta, mettendoci un dito sulle labbra, accennavamo parole inconcludenti, ad alta voce. Mi dispiaceva pensare che pur amandolo tanto – e anzi proprio per quello – io fossi costretta ad avvilirmi, agendo così.

Eravamo sole a desinare, dunque, e nella casa circolava quell'atmosfera insieme distesa e fervida che le donne stabiliscono quando sono sole. Io andavo e venivo dalla cucina, servivo Fulvia, a tavola, senza impaccio. Potevo non controllarmi e ciò mi riposava indicibilmente: quando ero con Francesco temevo sempre che un mio gesto, una mia parola, bastasse a farmi giudicare male. Una donna comprende sempre quanto sia penosa la vita di un'altra donna, sa che è facile sbagliare quando si è stanche: le donne sono sempre molto stanche. Fulvia guardava affettuosamente la casa che io ogni giorno riordinavo, spazzavo, spolveravo, e il suo sguardo era una buona carezza sulle mie spalle.

Desinavamo su una tavola pieghevole nello studio. «Si sta bene, qui» Fulvia disse.

Il sole si pigiava contro le imposte socchiuse, tentando di violare la penombra; l'aria già calda e una disperazione che saliva in me, tenacemente, mi toglievano il respiro.

«Non ho voglia di mangiare» dissi. «E poi, scusami: tutto è molto cattivo. A causa di Francesco, non posso arrischiarmi a tenere in casa provviste, nemmeno un chicco di riso, o un poco d'olio. Non hanno coraggio di arrestarlo deliberatamente, Francesco è troppo conosciuto. Lo farebbero volentieri, invece, col pretesto di un piccolo reato di questo genere. È il loro sistema.»

Compresi che la mia disperazione nasceva anche dal timore che qualcosa potesse essergli occorso mentre era solo, in una città sconosciuta. Sebbene avessi ricevuto sue notizie soltanto il giorno prima, d'un tratto si formava in me la certezza che lo avessero arrestato, a Milano, o in viaggio. Lo vedevo scendere dal treno, tra le guardie, immaginavo il dolore che avrei provato nell'apprendere la notizia, lo sentivo nella gola, a guisa di una soffocazione, uno schianto, eppure sapevo che neppure allora avrei potuto morire per sottrarmi. Sarebbe stata soltanto un'altra lunga pena da patire. Mi passavo la mano sulla fronte per liberarmi da questo incubo o, meglio, da questo amore.

«Vieni» dissi quando Fulvia ebbe finito di mangiare «andiamo nella mia camera, stendiamoci sul letto a discorrere.»

Nella camera si stava molto bene. «Scusa» ella disse «mi spoglio; sto più fresca e non gualcisco il vestito.» Si sdraiò sul letto in una breve sottoveste nera che lasciava scoperta la bella forma delle gambe e il seno gonfio sotto il merletto. Io seguitavo a parlare senza più tenere solidamente il filo di ciò che andavo dicendo: fingevo di guardarla negli occhi e invece le guardavo il seno, tondo, bianco. Che dolce cosa, pensavo, un seno femminile.

«Spogliati anche tu» m'invitò: «è un refrigerio.»

Esitavo. Andavo rassettando la camera e non mi decidevo a togliermi il vestito perché ero vergognosa della mia magrezza. Mi proposi di fare una cura per aumentare il volume del seno.

«Come sei graziosa!» ella esclamò quando fui svestita. «Sei come un giunco» aggiunse con un leggero accento di ironia «non ho mai visto un giunco, è una parola che si legge scritta, ma ti sta bene, mi piace il suono. Giunco. Una parola mezzo uomo e mezzo donna. Che cos'è, poi, il giunco?»

«È una pianta che nasce vicino all'acqua» spiegai sorridendo. «Almeno credo. Una pianta molto flessibile.»

«Ah!» fece, già distratta: «Vieni qui, sdraiati, riposati: quando due donne sono sole insieme finiscono sempre sdraiate sul letto, a chiacchierare. Ricordi tua madre e la mia?»

«Già» risposi, assorta.

«Parlavano sempre di Hervey. Sono cresciuta con una così acuta curiosità di conoscerlo... Ma forse è meglio così. Sai? Quando Dario mi fa patire io penso sempre a Hervey, per vendicarmi. Se lo avessi conosciuto lo avrei trovato un uomo come gli altri.»

«Non credo» osservai con un severo rimprovero nella voce.

«Sì, sì, peggiore forse. Ti confesserò anzi che una volta, l'anno passato – non te l'ho mai detto – ho sentito parlare dei Pierce. Mi trovavo in un gruppo di gente che va spesso ai concerti. Parlavano della madre, parlarono anche di lui. Sai che cosa dicevano di Hervey?»

«Di Hervey?» ripetei pallida. «Di'.»

«Dicevano che è un pazzo, un maniaco: che soffre di fissazioni. Anzi mi parve di intendere...»

«Che cosa?»

«Non so, forse è soltanto una mia impressione, ma insomma...»

Tacque, interdetta, e mi guardava sperando che io indovinassi le sue parole.

«Di'» io la sollecitai: «parla.»

«Dicevano, insomma, che è un tipo anormale. Non... come dire? Non gli piacciono le donne.»

«Che sciocchezza!» esclamai io. «Com'è possibile?»

«Certo» ella ammise subito: «non è possibile.»

Rimanemmo in silenzio, fumando. «Non c'è mai nulla in lui che mi ferisca» mia madre diceva «io parlo e lui risponde come io stessa mi risponderei.»

Era caldo; nonostante le imposte chiuse l'aria diveniva afosa, insopportabile. Io avevo leggermente sonno, mi teneva desta soltanto il desiderio di continuare a parlare di quelle cose. Era incredibile che un uomo non sbagliasse mai un gesto, una parola.

«O forse...» io mormorai, ammettendo una desolata ipotesi, senza osare volger gli occhi, incontrare lo sguardo di Fulvia.

«Già» ella rispose.

Tacemmo. Una soave malinconia si spandeva in noi, insieme col bisogno d'essere consolate. Intanto fumavamo, accennavamo parole casuali per sollevare il peso di quel silenzio, «Ecco il posacenere, grazie, scusa».

«Non dire questo a Francesco, se si parlasse di...» la pregai.

«Oh, figurati! Vedi non l'avevo detto neppure a te, non lo ricordavo io stessa. Adesso, non so come...»

«Ma sì, certo...»

«Forse perché parlavamo di tua madre, di quando eravamo bambine. Sempre, quando ricordo quel tempo mi viene voglia di tornare indietro. Perché siamo divenute adulte, abbiamo conosciuto gli uomini, tante cose?» Aggiunse sorridendo: «Credo di non averti mai detto che, da bambina, ero innamorata di te».

«Di me?» ripetei smarrita. Il cuore mi batteva forte.

«Sì, per questo ti trattavo male. Poi mi mettevo a piangere.»

«Oh» io feci con un breve riso incerto.

«Mi piaceva il tuo nome, l'eleganza dei tuoi modi, il tuo vestito chiuso fino al collo, tutto ciò che ti rendeva così diversa da me. Allora agivo in modo sfacciato, eccessivo, per urtarti. Ti abbandonavo, andavo a spasso con Aida, con Maddalena, per ingelosirti, farti soffrire.»

«Infatti» io risposi con un filo di voce: «ero gelosa.»

Guardavo nel vuoto, dinanzi a me. Ma, nella memoria, contemplavo il viso che Fulvia aveva da bambina, e i suoi capelli neri sciolti sul cuscino di Francesco, il suo bel corpo morbido, le dolci colline del seno. Oh, pensavo, che cosa maravigliosa è una donna, perché nessuno sa vederla, nessuno amarla compiutamente?

«In fondo» ella disse con accento scherzoso «è un peccato che siamo donne tutt'e due. Avremmo potuto sposarci. Mi avresti sposato?»

«Certo» risposi: «ti avrei condotto in viaggio di nozze a Venezia.»

Lei rise leggermente. Anch'io risi. Ma un commosso impaccio alitava attorno a noi. Mi pareva che quell'ora non fosse vissuta per caso. Una precisa forza nasceva in me, con la diabolica determinazione di non lasciare più uscire Fulvia dalla camera. Ci saremmo chiuse insieme nella casa, nell'ordine e nel disordine femminile, come nel giro di un prezioso anello. Pensieri e desideri parevano correre tra me e lei, liberamente, in una intesa naturale. L'avrei pregata di togliersi la sottoveste, lasciarmi vedere il seno. Siamo donne tutt'e due, le avrei detto, che male c'è? Aveva la pelle di madreperla. In me si stabiliva un'acre polemica con Francesco. Avrei voluto mostrargli che io conoscevo la religiosa attenzione che si deve a una donna; io avrei saputo che parole dire, che favole inventare, un rabbioso rancore mi coglieva ricordando che egli non chiamava mai il mio nome, nei momenti che avrebbero dovuto essere i più dolci ed erano aspri, invece, crudi.

«Sì, sarebbe stato bellissimo sposarci. Ma così come siamo: due donne. Ah!» feci con un sospiro di rammarico nel quale si sfogava tutta l'amarezza di non essere accompagnata e compresa.

Fulvia mi prese la mano per consolarmi. Era così desiderosa della mia pace che certo, osavo supporre, "se le chiedessi di far qualcosa per me, scoprirsi il seno, lo farebbe".

Indugiai per un attimo, stringendo la sua mano grassottella, morbida: per la mia mano forte era un riposo.

Squillò il campanello e io sussultai, come se fossi stata colta in fallo. Decisi di non rispondere. «Non apro» dissi. Il campanello squillò ancora, con insistenza. «Aspetta» esclamai balzando dal letto: «potrebbe essere un telegramma di Francesco.»

M'infilai la vestaglia, tornai recando un abito di seta sulle braccia. «È la tintora» dissi. «È riuscito bene, mi pare, che ne dici?»

«Sì» rispose lei, levandosi a sedere sul letto: «mi pare di sì.»

«È stata onesta» ammisi: «ottanta lire.»

Cercai il danaro nella borsetta e tornai all'ingresso. Quando rientrai nella camera, Fulvia era in piedi, si abbottonava la camicetta. Vi fu un momento d'impaccio e mi parve che ella fosse di cattivo umore.

Allora mi avvicinai a lei: «Torna, stasera» le dissi sottovoce. «Io non vado mai al cinema: andiamoci insieme e poi tu vieni a dormire con me, siamo sole. La sera è fresca, questa finestra dà sulla terrazza: si sta bene, c'è un buon odore di gelsomini.»

Ella mi fissava, incerta. Io le stringevo il polso fra le dita. «Vieni, hai capito?»

«Sì» rispose piano e non ne parlammo più.

Fui puntualissima all'appuntamento e Fulvia non c'era. Gli uomini mi guardavano passeggiare fuori del cinematografo, sola, in attesa, mi gettavano addosso la luce bianca delle lampadine. Ero irritata temendo che Fulvia mancasse al nostro patto. Finalmente giunse, voleva scusarsi per il ritardo ma io non gliene detti tempo, poiché l'ultimo spettacolo stava per incominciare.

Avevo comprato il biglietto per i posti più costosi: Fulvia non mostrava di stupirsi e si comportava come se ci trovassimo insieme per la prima volta. Non parlammo di Francesco né di Dario, eravamo simili a due nuove conoscenze che abbiano ancora pochi argomenti in comune. Ella evitava di guardarmi e, tuttavia, sentendo il mio sguardo cercarla spesso nel buio, controllava il suo atteggiamento, manteneva le spalle erette con bel garbo, si ravviava i capelli. Io ero agitata dal timore che qualcosa potesse impedirci di tornare a casa insieme: temevo finanche che lei avesse dimenticato il mio invito. Perciò dissi: «Se ci fosse l'allarme, stanotte, in casa mia c'è un rifugio sicuro». Fulvia non replicò, e io mi rassicurai: sarebbe venuta.

Ci scambiavamo impressioni sulla pellicola che era brutta e non ci interessava affatto: erano commenti piuttosto sciocchi, e io compresi che stavamo tentando di tornare indietro alla confidenza che avevamo da bambine, ci rifacevamo allo stesso linguaggio, e soprattutto all'impressione che avevamo, allora, di far qualcosa di male ogni volta che ci trovavamo sole. Andavamo al cinematografo accompagnate da Sista; nel buio, mentre la pellicola ci proponeva apertamente problemi ai quali noi ardivamo appena accennare, ci sembrava di essere altre. Per nascondere il suo imbarazzo Fulvia faceva sempre qualche commento ad alta voce; una volta, mentre gli interpreti si baciavano lungamente, era scoppiata a ridere. Ormai conoscevo la chiave della sua sguaiataggine di allora e dell'improvvisa indifferenza dietro la quale si difendeva, adesso.

«Fulvia» la chiamai. «Prendi, ti ho comprato i cioccolatini.»

Il cinematografo non era lontano da casa mia. Io le indicavo la strada come se non la conoscesse. Era una sera luminosa di luna; e il quartiere nuovo era bianco, sembrava d'essere in una sconosciuta città dell'Algeria o del Marocco. «È un bel quartiere» diceva Fulvia. Le rispondevo animatamente, acciocché non udisse i passanti parlare dell'invito che quel cielo chiaro e illuminato rappresentava per gli aerei.

Salimmo a tentoni nella scala buia e io guidavo Fulvia per la mano. L'incertezza che le causava quella improvvisa oscurità dava al suo passo il peso di una resistenza. Spronata, dovevo tirarla un poco, affinché mi seguisse. Anche quella era una scala a spirale, interminabile, avvolgente, allucinante; echeggiava il nostro respiro e la mia mano tremava nell'aprire adagio la porta. «Sssst!» feci.

Seguitavo a guidare Fulvia nella casa buia. Dalle finestre aperte la luna entrava come acqua gelida e la camera odorava di gelsomino. In quell'odore mi pareva di ritrovare Francesco. Scacciai il suo ricordo: «Ecco» dissi a Fulvia «guarda com'è bello, quassù».

«Oh...» ella fece, sorpresa. Dal terrazzo si vedevano le nuove case dei Parioli, la campagna piatta, solitaria, accorante: il fiume, basso tra le rive, era una striscia d'ombra. Ma le grandi case, la distesa pianura, gli alberi e le colline, tutto si perdeva nella sconfinata vastità del cielo. Pareva infatti che il cielo solo avesse vita, con la sua luce di luna, il lieve moto delle nubi, il vivido brillare delle stelle. Fulvia ed io, sull'alto terrazzo al nono piano, sembravamo destinate a trattare per prime con quell'elemento mirabile e infido.

«Fa paura...» ella disse.

«No» io la rincorai: «non vengono, bisogna tornare a guardare il cielo con fiducia...»

Rientrai e scelsi affannosamente, tra la mia poca biancheria, una camicia da notte per Fulvia; mi decisi a offrirle la migliore, quella che era stata delle mie nozze. Poi chiusi la persiana e, nel buio, volgendomi senza volerlo, la sfiorai: ella sussultò, dette in un grido soffocato. «Aspetta» io dissi.

Andai nel bagno, tornai in camicia da notte. Ero decisa nei miei gesti, ma proprio quella secca decisione e il tono tagliente della voce davano la misura del mio disagio. La camera era ancora nel buio: quando accesi la luce vidi Fulvia in piedi, immobile: non aveva osato muoversi d'un passo. Era così smarrita che io provai il desiderio di consolarla parlandole a lungo, accogliendola nella difesa delle mie braccia. Invece, senza guardarla, bruscamente le domandai: «Preferisci spogliarti nella stanza da bagno?».

«No, grazie» ella rispose umile: «mi spoglio qui.»

Voltava e rivoltava la camicetta, dicendo che la mattina seguente aveva molte cose da fare. Infine lasciò scendere la gonnella a fiori e restò nella sottoveste che le scopriva i ginocchi grassocci, arrossati dal caldo. La sottoveste era lisa. Ella indovinò il mio pensiero e, accennando insieme alla sua e alla mia biancheria, disse: «C'è un negozio, in Prati, dove vendono a rate e senza punti».

Esitò un attimo, con un vago sorriso, tra ambiguo e spaurito: poi si tolse la sottoveste e restò nuda, spiegando la camicia da notte.

Il suo corpo bianco raccoglieva la poca luce della lampada: era una grande macchia lattiginosa che feriva lo sguardo. Ella non riusciva a sciogliere un nastro che le impediva di far passare la testa nella scollatura della camicia: tutta la sua persona si moveva, frettolosa di coprirsi, le gambe si stringevano, le braccia si agitavano nervosamente nella seta bianca che le nascondeva la testa. Avevo agio di guardare il suo corpo, senza che gli occhi di lei me lo vietassero. Era giovane, sotto l'immacolato splendore della pelle: ma, essendo Fulvia piuttosto formosa, appariva in qualche modo già stanco. Più forte, più tondo, tuttavia lo riconoscevo simile al mio in ogni piega; e, a causa di quella somiglianza, una struggente pietà mi vinse per le sofferenze che a ogni corpo di donna sono inflitte. Dalla sbigottita offesa dell'adolescenza al sopruso delle nozze, dallo sformarsi del candido grembo al dilaniarsi nella maternità, allo sfinimento di nutrire un figlio, fino alle umilianti sofferenze dell'età in cui la giovinezza lo abbandona. Fissavo il corpo di Fulvia con una pietà così intensa che ella lo avvertiva forse, poiché si dibatteva nella camicia stretta: sentivo che era sul punto di strappare tutto pur di riuscire a liberarsi dal mio sguardo. Infine, in un grido rabbioso, disse: «Aiutami!».

Mi avvicinai a lei, sciolsi il nastro ed ella, passando la testa nella scollatura, dette un sospiro di sollievo. Si guardò in giro quasi temendo che, in quei brevi attimi, qualcosa fosse cambiato nella camera. Rassicurata si volse allo specchio.

Ci vedemmo entrambe vestite di bianco, come angeli; dietro di noi era la bianca distesa del letto. Senza rossetto sulle labbra, i capelli ravviati semplicemente, pur essendo tanto diverse l'una dall'altra sembravamo due sorelle giovani che abitino la stessa camera e insieme aspettino l'avvenire e i sogni. Io le allacciavo la cintura alla vita. «Com'è bella, questa camicia!» Fulvia esclamava slargandola in un gesto grazioso. E con lo sguardo attraversando la sognante figura di sé ritratta nello specchio, ella superava i limiti della camera, raggiungeva qualcuno per offrirglisi. Anch'io, contemplandomi, mi tendevo verso il mio viso innamorato. Ambedue, immobili, c'inoltravamo nella lucida lastra dello specchio, leggere, a piedi scalzi, andavamo incontro ad Hervey. «Aiutami» io dissi a Fulvia crollando sul letto, tra i singhiozzi. «Aiutami» anche lei diceva. Dicevamo Dario, Francesco. Tutta la notte dormimmo abbracciate.

Sentivo, a volte, che solo nella vecchiaia avrei potuto trovare conforto: allora forse avrei potuto raggiungere la limpida calma alla quale aspiravo: mi proponevo di invecchiare presto, subito, ma era difficile poiché ero molto giovane e la gioventù portava in sé la insistente necessità di riferire tutto all'amore. "Forse" mi dicevo "un'intesa soltanto spirituale potrebbe essermi di grande aiuto": e in questa speranza coltivavo il pensiero di Tomaso. Lo avevo incontrato, una sera, e avevamo passeggiato insieme, a lungo: appena rincasata, avevo informato Francesco del nostro incontro. Non gli avevo detto però che, durante tutto il tempo, avevamo parlato di mia madre: Tomaso aveva voluto sapere tutto, ogni particolare: mi aveva persino domandato se avessi una fotografia di Hervey. Ogni volta che vedevo Tomaso, al ritorno m'attardavo, pensierosa, al davanzale della terrazza; poi d'impeto correvo da Francesco e mi stringevo a lui.

Gli parlavo, in quell'abbraccio. Mi confessavo, muta nascondendo la testa sul suo petto; ma neppure allora egli riusciva a udire la mia voce: ormai temevo persino che, se l'avesse udita, mi avrebbe rimproverato, come fanno i parenti; mi avrebbe chiesto di non più vedere Tomaso, senza però curarsi di comprendere perché ero tanto contenta quando lo vedevo. Egli si teneva compagnia coi suoi scritti e con la lotta che conduceva a fianco degli amici: era anche quello un modo di parlare, di esprimersi. Non era giusto che io non parlassi mai.

Tuttavia non vorrei che, da questa narrazione, Francesco apparisse diverso da quello che era in realtà. Era buono, Francesco, e inoltre era l'uomo più intelligente che avessi mai incontrato. Io invece ero una ragazza come ce ne sono tante, ed è per questo che mi dilungo a parlare di me, a farmi conoscere: tutti sanno chi era Francesco.

Mi piaceva tanto. Non era bello, ho già detto, ma possedeva quella naturale grazia che negli uomini si esprime in riserbo e sobrietà. Spesso avevo osservato come tutti, in qualche momento, apparissero brutti o sgradevoli: Francesco mi piaceva sempre, invece. Talvolta, quando eravamo in casa di altri, non ci trovavamo vicini e tuttavia io mi sentivo sempre legata a lui da un filo invisibile; egli teneva il capo di questo filo senza neppure guardarmi. "Ti amo" gli dicevo, ed era come se, tra tutti gli altri, lo scegliessi ancora una volta. "Hai capito? Amore, vòlgiti. Ti amo." Ma egli non sentiva mai ciò che gli dicevo dentro di me. È un uomo odioso, pensavo, egoista, freddo, e sentivo il filo invisibile stringermi i polsi, "lasciami" gli dicevo: "voglio respirare". Ma anche nel rancore che gli portavo mi sentivo a lui legata indissolubilmente; egli era mio marito, e quelle sorde difficoltà, quelle delusioni scottanti ci appartenevano; gli riconoscevo il diritto di essermi nemico.

Lo amavo e non intendo accusarlo: intendo solo far conoscere quello che egli era per me. Poiché tutti sanno ciò che valeva per i suoi scritti, ciò che era per i suoi allievi, gli amici conoscono il suo modo di essere amico e sua madre quello di essere figlio, ma io sola posso sapere di lui come marito. Non pensava mai che io ero la stessa donna che egli aveva amato e desiderato un giorno, e avevo lo stesso carattere e le stesse esigenze di allora. Francesco era molto intelligente, eppure sembrava credere che tutto fosse cambiato in me, per il solo fatto di essere divenuta sua moglie. Mi aveva detto «Tutto dovrà cominciare, dopo»; se mi avesse detto, "tutto dovrà finire" io non lo avrei sposato, forse, perché sapevo di non essere tanto forte da poter rinunziare a tutto. Io ero rimasta la stessa; e in più lavavo i piatti dove lui mangiava, lustravo le scarpe con le quali camminava, copiavo i suoi scritti e poi li nascondevo sulla credenza di cucina, facevo la fila. Io avrei preferito mangiare pane e olio soltanto, piuttosto che lavare i piatti e fare la fila. Non è vero che fare queste cose sia nella vocazione delle donne: le fanno quando è necessario e soprattutto per essere utili e gradite agli uomini, come fanno molte altre cose per loro, quando amano, anche le cose orribili e crudeli che ho fatto io. E gli uomini credono di compensare tutto ciò con la certezza che essi hanno di mantenerle. Ma solo raramente lo fanno, in verità: certo, vi sono donne che dormono fino a mezzogiorno e quando escono vanno dal parrucchiere, dalla sarta o al teatro, benché gli uomini lavorino giorno dopo giorno per dare loro agio, comodità, vistose pellicce e gioielli: e si accontentano di questo. Io non ne conoscevo alcuna, non le incontravo mai perché passavano rapide nelle loro automobili. Conoscevo invece le donne che lavoravano con me, quelle che abitavano in via Paolo Emilio, e quelle che facevano la fila, nel freddo, con un bambino in collo, quelle che mi sedevano vicino, nel tram, quando andavo in ufficio o a dare lezioni. Quasi tutte, in casa, facevano lo stesso lavoro di una serva; ma alla serva non diciamo mai "ti mantengo" perché lei – in cambio del danaro che riceve, e del vitto, e del letto – ci dà il suo fidato lavoro. E la moglie, invece, fa lo stesso lavoro di una serva, e quello di una donna che si paga, e allatta i bambini, e li custodisce, e cuce i loro vestiti, e rammenda i panni del marito, senza pretendere neppure lo stipendio della serva. Eppure, nonostante questo, il marito può dirle: "Ti mantengo".

Io facevo volentieri tutto ciò: e, rassettando il letto, spesso passavo la guancia sul cuscino di Francesco, e rivoltando i polsini delle sue camicie mi pareva di tenere i suoi polsi fra le dita, e facevo la fila per comperare gli zucchini che a lui piacevano tanto, e, se non arrivavo a prenderli, sentivo dentro di me una rabbiosa invidia per le donne che potevano cucinare gli zucchini al loro marito. E copiavo a macchina i suoi scritti e avevo paura quando non tornava a casa, e lo incoraggiavo a lavorare con i compagni e mi vestivo per lui, mi pettinavo per lui, tutto facevo per lui, avrei fatto le cose più basse, come ho fatto, purché lui s'avvedesse che ero sempre la stessa che scendeva le scale della Galleria Borghese in un volo e perché mi guardasse stupito, come se fossi una creatura maravigliosa. Poiché le donne fanno tutto questo e danno anche la vita ai bambini e non domandano, in cambio, che qualche parola d'amore.

Io rimandavo da una domenica all'altra la speranza di ascoltare queste parole. Forse ciò potrà sembrare ridicolo a chi, non avendo mai lavorato, non conosca la màcina inclemente delle ore e il cieco rotolare nell'ingranaggio della settimana. Io amavo la domenica, invece; mi sembrava che il sole fosse più smagliante, il cielo più terso, e credo che davvero lo fosse. Non andavo mai in chiesa, ma mi piaceva sentire tante campane: mi piaceva vedere l'espressione intrepida delle ragazze, i loro vestiti nuovi: guardare dalla finestra le domestiche che si lisciavano i capelli con la brillantina e poi uscivano, spaesate, sopraffatte dalla libertà.

Aspettavo che si facesse domenica anche dentro di me: dalla mattinata rimandavo all'ora di colazione; poi, nel pomeriggio, Francesco lavorava e io leggevo o cucivo presso di lui. Sono appena le sei, consideravo, c'è ancora tempo. Egli alzava lo sguardo e mi diceva affettuosamente: «Hai l'aria stanca». Erano le otto, le otto e mezzo; e io stessa mi arrendevo domandandogli: «Vuoi mangiare?». «Sì, grazie» egli rispondeva stirandosi leggermente. Andavo in cucina. È finito, pensavo, anche oggi è finito. Avevo la gola secca, arida, legnosa; sotto la mia pelle circolava un brivido di pianto. E il giorno seguente dimenticavo. Se pioveva, speravo nel prossimo giorno di sole; se lavoravo, in un giorno di vacanza; arrivavo persino a confidare nel potere di un vestituccio nuovo. Oggi, dicevo: forse domani; e nulla valeva, non mi sentivo più giovane né bella e avevo soltanto ventun anni. Passavo nella strada sembrandomi che io sola, tra tutte le donne, non avessi più occhi né passo né mani.

La domenica Francesco, tornando a casa, mi portava sempre le paste. La strada dove noi abitavamo era cieca, e strettina piuttosto, fiancheggiata da case nuove fitte di balconcini ai quali la gente godeva di affacciarsi nei giorni festivi, quando c'era sole. Sul vestito scuro di Francesco il lucido pacchetto bianco faceva gran risalto: sicché quella era la prima cosa di lui che i vicini notavano, non appena imboccava la strada. Si sporgevano per guardarlo, certo pensando che quella tenera premura contrastava con l'apparente austerità del professore, il quale, oltretutto, avrebbe dovuto essere preoccupato perché la sua posizione politica non era gradita né chiara.

«Sandra, ti ho portato qualche dolce» egli mi diceva.

«Oh, grazie» io rispondevo sorridendo: «grazie», come se ogni volta provassi una sorpresa.

Ricordavo il periodo del nostro fidanzamento, quando Francesco ed io andavamo a sederci in qualche caffè per parlare con maggiore calma e intimità: evitavamo accuratamente i caffè appartati, così cari alle coppie, non volendo in alcun modo che i loro rapporti potessero essere scambiati con i nostri, che ritenevamo del tutto diversi da quelli degli altri innamorati. Eravamo divenuti assidui dei caffè frequentati da uomini anziani, i quali vi trascorrevano l'intero pomeriggio. In un caffè di via Nazionale spesso ci trovavamo vicino un gruppetto di pensionati ministeriali, che parlavano di politica, e perciò discorrevano sottovoce, cambiando argomento all'avvicinarsi di chicchessia.

Appena seduti, Francesco ed io incominciavamo a parlarci frettolosamente, ansiosi di far entrare, nel poco tempo disponibile, tutto quel che avevamo da dirci. Il cameriere si avvicinava e noi ci volgevamo infastiditi, per esaurire il molesto dovere che avevamo di ordinare qualcosa. Quando il cameriere s'allontanava, noi subito tornavamo a sorridere felici, come se avessimo conquistato la nostra solitudine a prezzo di eroismo. Ma egli aveva lasciato sul tavolino un piatto con alcune paste, cannoli, "sospiri", barchette ripiene di ciliegie. E la loro presenza era per noi un insulto, un affronto addirittura: poiché lasciava supporre che ci fossimo dati convegno in quel luogo per sfamarci o per la rinomanza della quale godeva la pasticceria.

Attorno spesso vedevamo qualche coppia taciturna. L'uomo sfogliava un giornale, la donna mangiava golosamente un gelato guarnito di canditi, in una coppa. Finito il gelato, letto il giornale, entrambi, per distrarsi, osservavano gli altri frequentatori; raramente scambiavano qualche parola, un cenno del capo. «Sono marito e moglie» noi dicevamo ridendo. Il marito controllava il conto, pure la moglie lo sogguardava accigliata, e io volgevo la testa mentre Francesco, vergognoso, in fretta, posava alcuni luridi biglietti di banca sul vassoio. Poi ci allontanavamo sottobraccio.

Ma ormai, passato oltre un anno dal nostro matrimonio, uscivamo raramente insieme: quando accadeva che lo facessimo era sempre per uno scopo preciso.

Non ci eravamo mai più recati a Villa Borghese per baciarci, mai più in un caffè per discorrere. «Che bisogno c'è?» egli aveva detto un giorno: «possiamo discorrere a casa, adesso.» E invece a casa Francesco leggeva, scriveva, e io cucinavo, rifacevo il letto, stiravo: non potevamo mai discorrere. Tante volte avrei voluto proporgli di andare a discorrere al caffè come un tempo, quando io mi presentavo a lui libera dalle faccende domestiche e ignoravo se egli avesse in tasca quanto bastava per pagare il conto. Ma ormai temevo che, se pur fossimo tornati al caffè, non avremmo trovato nulla da dirci, egli avrebbe aperto il giornale e forse io sarei stata invidiosa di lui, che aveva un giornale.

Infine ciò che più temevamo accadde. Francesco venne a casa una sera e disse che l'inchiesta su di lui, all'università, era chiusa. Io lo guardai, pallida, interrogandolo con gli occhi. Dopo una breve pausa egli disse, piano:

«Da ora in avanti non potrò più insegnare.»

Ci stringemmo, in silenzio. Era una cosa tanto grave che non trovammo neppure la forza di parlarne neppure nei giorni che seguirono. Ma, per entrambi, era difficile dormire, la notte. «Buonanotte, cara» egli diceva. Io rispondevo: «Buonanotte, amore», e il buio calava su di noi, fitto, opprimente. Nel buio sentivo ovunque attorno invisibili presenze minacciose, udivo una macchina fermarsi al portone, e palpitavo. Francesco era immobile, credevo che dormisse. La notte era interminabile: la sveglia segnava tutti i minuti che ci dividevano dal giorno in cui Francesco avrebbe finito di non essere contento. "Sono qui, caro: dormi" gli dicevo, dentro di me, sembrandomi che riposasse nel mio sangue, in tutte le mie membra come in un astuccio. Avrei voluto nasconderlo, difenderlo dagli invisibili occhi che lo vigilavano, dalle invisibili dita che lo ammonivano, dalla voce arrogante della radio.

Nel vasto letto non ci sfioravamo: eppure era come se ci tenessimo per mano; io mi sentivo legata a lui da una solidarietà indistruttibile, un'accanita volontà di difenderci. Portavamo lo stesso nome e non ci bastava abitare la stessa casa, volevamo dividere il letto, le lenzuola, il sonno. «Francesco...» mormoravo chiamandolo presso di me.

Lui era sveglio, si volgeva: ci cercavamo, sollecitati da un improvviso desiderio di sperimentare la nostra confidenza. Nella insidiosa notte che ci circondava volevamo affermare di esser ancora liberi dei nostri desideri e dei nostri gesti. In quei giorni ci prendevamo spesso con l'accanimento delle persone povere, desolate, oppresse, che dispongono di quel solo mezzo per manifestare ancora il loro potere. Ogni notte forse sarebbe stata l'ultima che trascorrevamo insieme, forse tra poco avremmo udito bussare alla porta, e prenderci era un atto di sprezzante coraggio. Dalla finestra aperta si vedeva il bel cielo di giugno e le stelle: non ci sentivamo più umiliati né deboli, in quei momenti.

Poi venne il tempo in cui mangiavamo soltanto patate bollite. Si era diffusa la voce della disgrazia toccata a Francesco e tutti ci sfuggivano. Persino mia suocera ci riceveva malvolentieri, e ci disapprovava con le parole della signora Spazzavento. Io capivo che tutte le accuse che moveva contro il figlio – rallegrandosi finanche che il marito fosse morto prima di potere essere coinvolto in quella sciagurata vicenda – erano mosse, soprattutto, contro di me. Infatti, dopo ogni frase dura, mi sogguardava per essere certa che io l'avessi raccolta. Sedeva su una rigida poltrona e noi dirimpetto, su due sedie; ci parlava severamente: io sorridevo, invece. Sentivo che Francesco non era più suo figlio, ormai, ma mio marito. Ricordavo la prima volta che ero entrata in quella casa, quando egli sedeva sul bracciuolo della poltrona di sua madre e io sulla sedia dinanzi a loro. Adesso, invece, sedeva accanto a me e lei era sola. Francesco aveva perduto anche il piccolo impiego pomeridiano presso il parente di Alberto. «Capirà...» questi gli aveva detto. E Francesco aveva capito. Anche la madre della mia allieva mi aveva detto «Capirà...» quando la notizia era apparsa sui giornali.

Mia suocera ci domandò come avremmo fatto per risolvere i problemi quotidiani; attendeva la sua rivincita da quella domanda che, volutamente, aveva serbato per ultima. Sperare, forse, che chiedessimo aiuto. Io dissi che ci rimaneva il mio stipendio e che contavo su parecchie ore di lavoro straordinario. La mia modesta indipendenza suscitò in lei, di nuovo, un evidente disappunto.

«Ha visto, signora?» le dissi. «È un bene che anche le donne lavorino e gli uomini non siano costretti ad accettare qualsiasi condizione umiliante, pur di riuscire a mantenerle.»

«Così tu approvi tuo marito?» ella disse, stizzita di non aver trovato in me un'alleata: «Lo approvi, lo incoraggi?»

Come mi parevano assurde quelle parole; e vecchia quella casa con le tende rosse, i mobili neri; e presuntuosa la cameriera col grembiulino: uscivo di lì per l'ultima volta, era chiaro, non avrei mai più sentito nominare la signora Spazzavento. Tuttavia ricordavo la notte in cui Francesco era stato malato e parlai con dolcezza.

«Cerchi di capire, signora» le dissi: «è molto più di questo. Io lo amo.»

«È stata sempre bugiarda» ella ha detto più tardi: «ipocrita, bugiarda benché si fingesse docile e mansueta: io, però, l'avevo capita subito.» E ha tracciato di me un ritratto nel quale, onestamente, non posso riconoscermi. Ha affermato finanche che ero invidiosa della sua casa, delle sue porcellane. «Oh, non è vero, perché dice questo, signora?» Avrei voluto convincerla: ma sono stata zittita. Ha detto anche che non amavo Francesco, è stata la sola persona a dire questo. E io l'ho perdonata perché, dopo di me, era certo quella che soffriva di più. Ma ripensavo alla solitudine in cui ci eravamo trovati, Francesco ed io, uscendo quella sera da casa sua, in piazza di ponte Sant'Angelo. Non era più la dolce solitudine dei nostri primi incontri: era un gelido vuoto, animato dalla sua voce che ci condannava. Io avrei voluto dirgli che nulla contava, per noi, più del nostro amore, ma sapevo che egli avrebbe annuito senza convinzione. Non era contento, e perciò non era contento neppure di me; anzi, il coraggio che io dovevo avere lo confermava nella sua scontentezza.

Talora pareva irritato che io avessi ancora la possibilità di lavorare; quando uscivo per recarmi all'ufficio egli mi salutava appena. S'era fatto brontolone, scontroso; diceva persino «Sempre patate». Ne avevamo ricevuto un sacco dall'Abruzzo; la Nonna era la sola persona alla quale non mi dispiacesse chiedere aiuto: ella non poteva credermi interessata o poco coraggiosa, sapendo che avevo rinunciato al podere e non potevo neppure procurarmi le patate. I pochi soldi che avevamo servivano per le sigarette che Francesco fumava ininterrottamente. Non era facile trovarle; un collega d'ufficio mi cedeva la sua razione e l'usciere ne vendeva: ma non voleva venderne a me perché era contrario alle idee politiche di Francesco. Dietro la scrivania egli aveva appeso una grande carta geografica sulla quale, nei primi mesi della guerra, si svolgeva una travolgente avanzata di bandierine; egli era sorridente, gioviale, e si vantava di avere un figlio sotto le armi. Poi, via via, le bandierine erano scomparse e alle sue spalle, sulla carta, si vedeva l'Eritrea perduta, la Libia perduta. Da quando Francesco era stato allontanato dall'università, l'usciere Salvetti mi guardava severamente come se la ritirata delle bandierine fosse colpa mia: ciononostante, sapendo che egli avrebbe potuto fornirmi le sigarette, io mi presentavo ogni giorno a lui che rispondeva con arroganza: «Ma che cosa credete, che faccia il contrabbando? Non lo sapete che mio figlio è combattente?». Io insistevo: «La prego, Salvetti». Egli rispondeva ancora no e poi dava un'occhiata d'intesa alla carta.

Una volta, in ufficio, ebbi un malessere: tutti mi si fecero attorno dicendo che, forse, avevo mangiato qualche cibo guasto o alterato. «Non è possibile» risposi: «iersera ho mangiato solamente patate.» Allora con disagio vidi che i colleghi si guardavano tra loro e poi qualcuno sottovoce mi domandò se avevo fame. Io negai, non volevo che mi compiangessero, sarebbe stato come schierarmi contro Francesco. Dissi che mangiavo spesso carne, e fagioli che venivano dall'Abruzzo: davvero non avevo mai patito la fame. Vidi allora che tutti osservavano pietosamente le mie braccia, il mio busto sguarnito e mi pareva disonesto che incolpassero Francesco della mia congenita magrezza. «Sto benissimo» dissi in tono aggressivo: «stiamo benissimo.» Una ragazza propose una colletta e io ringraziai, tuttavia dichiarando che non potevo accettarla appunto perché mio marito era disoccupato per ragioni politiche. Allora alcuni colleghi mi si avvicinarono e, parlandomi con le mani in tasca, mi consigliarono di non essere troppo orgogliosa. Minacciavamo di finire in uno spiacevole diverbio e ciò mi addolorava perché essi erano i miei compagni di lavoro da molto tempo; mi rivolsi alle donne, soprattutto; ma sentivo che finalmente sfogavano la diffidenza che avevano sempre avuto per me: mi si fece il vuoto attorno. Soltanto l'usciere Salvetti, mentre uscivo, mi disse:

«Da me lo accettate un pacchetto di sigarette, signora Minelli?»

Non volle assolutamente essere pagato: torceva il capo, nascondeva le mani, come un bambino.

«Mi piace» disse «una donna che difende suo marito.»

Lo ringraziai del regalo, gli porsi la mano e, appena a casa, detti le sigarette a Francesco, raccontandogli l'accaduto. Egli mi lasciò finire e poi scattò, disse che non aveva bisogno di elemosine. Prese le sigarette e le contorse. Io sussultai, sembrandomi di offendere Salvetti. Infine annunziò che avrebbe provveduto lui a tutto; l'indomani sarebbe andato a vendere il tappeto. Era la prima volta che lo udivo parlare in quel tono, come, al nostro arrivo a Firenze, aveva parlato col facchino.

«Dov'è il tappeto?» mi domandò bruscamente.

Non rispondevo, e lui insisteva: «Alessandra, ti ho domandato dov'è il tappeto».

Dovetti confessare di averlo già venduto.

«Quando?»

«Tre mesi fa.»

«E perché? Che cosa spendiamo? Mangiamo soltanto patate lesse, elemosina di tua Nonna, e io non posso neppure fumare, senza ridurmi all'elemosina dell'usciere.»

Io tacevo, allibita. Avevo venduto anche la spilletta che

mi aveva regalato zia Violante e messo al Monte di Pietà due lenzuola del corredo.

«Venderemo le poltrone» egli disse.

Allora io proruppi: «No, le poltrone mai».

«Ah, perché quelle sono tue, vero? Perché le hai pagate tu, col tuo danaro?»

Come doveva essere addolorato Francesco per dire quelle cose. Gli mossi incontro per abbracciarlo, e così fargli intendere perché non volevo vendere le poltrone.

Ma egli seguitava: «Non venderò le tue poltrone, venderò i miei libri. Va bene così? Sarò padrone di vendere i miei libri?».

Soffrivo nel vederlo in quello stato e perciò, senza rispondere, mi allontanai. In cucina c'erano solo patate lesse e un pezzo di caciotta. Francesco aveva ragione, non era giusto che egli patisse così, ma io non avevo più alcuna risorsa. Sedevo presso l'acquaio, come sedeva Sista nella cucina di via Paolo Emilio. Sista diceva sempre che l'uomo ha diritto di mangiare. Comprava la carne per mio padre e noi ci nutrivamo di minestre e di insalata. «Non importa» anche mia madre diceva «basta che ci sia tutto per lui.» Infatti, a tavola, rispondeva gentilmente: «No, grazie, Sista, non ho fame».

Dovevo trovare una soluzione, l'avrei trovata certamente. Mi proponevo di andare in ufficio a piedi, ma non sarebbe servito a nulla. Bisognava chiedere un sacchetto di farina alla Nonna benché la pasta non mi riuscisse bene: avrei imparato meglio, con un po' d'attenzione. Temevo che non fosse sufficiente, mi disperavo: "Oh, Francesco, Francesco" dicevo dentro di me, come si dice: "Oh, Dio, Dio". Non volevo che vendesse i suoi libri. Meglio le poltrone, una sola per il momento, tanto io avevo così poco tempo per restare seduta. Corsi nello studio per dirglielo.

Lo trovai che tentava di ricostruire una delle sigarette contorte, e la nascose nel vedermi entrare.

Pochi giorni dopo vi fu il primo bombardamento di Roma. Tra i morti c'era Antonio, il fratello di Aida. Anche lui non poteva lavorare, come Francesco; liberato dal confino, era stato costretto a lasciare il mestiere di tipografo e adattarsi a scaricare merci allo Scalo San Lorenzo. Abitava lì presso con la sorella, che ormai s'era sposata, e dalle loro finestre si vedeva il panorama del cimitero. «Di giorno è triste quando non si è abituati» Aida aveva detto una volta; «ma di sera è bellissimo, si vedono tutti i lumi accesi, il mio bambino quando s'affaccia batte sempre le mani.» Antonio era stato colpito al ventre, si era tenuto i visceri con le mani finché erano venuti a prenderlo per portarlo all'ospedale. Lì aveva capito subito che non c'era nulla da fare e aveva detto: «Mi dispiace». Aveva ripetuto sempre quelle parole ed era morto la sera stessa. «Mi dispiace.» Ai compagni di corsia che lo incoraggiavano, alla sorella che piangeva, al sacerdote che gli suggeriva di rassegnarsi al volere di Dio, infine aveva spiegato: «Mi dispiace di morire adesso, perché manca poco». Diceva Aida che i presenti lo avevano creduto in delirio; ma lui aveva seguitato a parlare con gran fatica: «Sono dieci anni che aspetto: in prigione, al confino, e me ne vado proprio adesso che manca poco», e fino all'ultimo aveva ripetuto, anche nel rantolo: «Mi dispiace... mi dispiace...».

Durante il bombardamento io ero in una vecchia cantina di via Venti Settembre. Le altre donne avevano molta paura e gridavano, chiamavano la Madonna. Io avevo molta paura e chiamavo Francesco, non sapevo dove si trovasse, supponevo che fosse in casa di Tomaso. Circolavano le notizie più assurde: tutta la città colpita, distrutto il quartiere dove noi abitavamo e dove abitava anche Tomaso. Uscita dal rifugio ero corsa a telefonare.

«Tomaso» avevo detto piangendo: «è lì Francesco?» «Sì, è qui con me.» «Come sta? Dimmi.» «Sta seduto, fuma.» «Oh, non scherzare, ti prego. Dammi Francesco.» «Eccolo»; poi aveva aggiunto in tono scherzoso: «voglio rassicurarti: anch'io sto bene.» Mi ero scusata, incolpando la mia agitazione, lui aveva riso.

Francesco diceva che Tomaso scherzava sempre. Lo disse anche quella stessa sera: eravamo sulla terrazza e guardavamo il fumo rosso di un incendio. Disse anche che Tomaso era molto impensierito per me, mentre cadevano le bombe, senza riflettere che ciò contrastava con l'opinione che egli aveva di lui. «Io ero tranquillo, invece» asseriva: «nelle vicinanze del tuo ufficio non ci sono obiettivi militari; e tu sei sempre così pronta, pratica, decisa; Tomaso aveva paura che tu fossi in istrada, tentando di raggiungere me.»

Io tacqui e accennai un sorriso vago.

«Perché sorridi?»

«Perché Tomaso mi conosce bene.»

«Che vuoi dire?»

«Ero uscita dall'ufficio, infatti, per tornare a casa; ma in via Venti Settembre sono stata fermata e obbligata ad entrare in un portone.»

Due giorni dopo andai con Tomaso a vedere il quartiere bombardato. Eravamo sul piazzale del Verano quando ci raggiunse l'odore dei cavalli morti: era un odore così acuto che dovemmo portare il fazzoletto al viso, e Tomaso mi prese sottobraccio. Una scuderia era stata colpita in pieno, ci dissero, quella dove stallavano i cavalli neri dei trasporti funebri. Chi era giunto per i soccorsi aveva udito i nitriti alti, disperati. Le voci degli uomini sepolti vivi nelle cantine non si udivano, invece. Durante l'opera di salvataggio sempre i cavalli avevano nitrito e quando, infine, tacquero, certo anche l'ultimo grido umano si era spento sotto le macerie.

Il quartiere di San Lorenzo era deserto. Sui fianchi delle case, negli squarci, pendevano materassi, indumenti, ritratti, e il silenzio pesava nei cortili soffocati di calcinacci e polvere. Dappertutto si sentiva quell'odore dolciastro e nauseabondo. «Tomaso» io domandavo pallida:

«che cos'è quest'odore?» E lui mi stringeva al suo braccio. «Sono i cavalli» mormorava. Incontrammo un vecchio che portava in mano un secchio da riempire alla fontana. «Ero appena uscito in istrada» diceva «e la casa mi è crollata dietro.» Ripeteva sempre queste parole; io volevo interrogarlo su quell'atroce odore, ma Tomaso mi prevenne: «Sono i cavalli, vero?». Il vecchio accennò di sì, ripetendo: «Ero appena uscito in istrada e la casa mi è crollata dietro». Anche due soldati dissero che si trattava dell'odore dei cavalli; anche una donna magra che aveva scarpe da uomo ai piedi e il corpo ravvolto in un soprabituccio nero. «Sì, sì sono i cavalli.» Poi si volse a Tomaso e disse che non era luogo quello da venirci con la sposa.

«Lasciami stare» io dicevo a Tomaso il quale insisteva per condurmi via. Vedevo mia madre camminare avanti a noi, nelle strade deserte: guardava, si affacciava ai portoni, stupita di quella morte che non conosceva. Trascorreva aggraziata, col suo passo leggero, arioso, senza sporcarsi i piedi di polvere. Vedevo anche la nonna Editta: camminava adagio, maestosa, col volto incipriato sotto il grande cappello di piume. E mi pareva che la loro non fosse vera morte come quella di Antonio, che si teneva i visceri con le mani bianche di calcina, come quella che poteva cogliere noi, che era dappertutto attorno e lasciava odore di cavalli morti. «Mi dispiace» Antonio aveva detto «perché manca poco.» Io ero ancora bambina quando Aida ci aveva raccontato che non era contento. Adesso Aida si era sposata, il suo bambino si divertiva con le luci del cimitero, e io aspettavo che Francesco fosse contento. Dopo avremmo potuto tornare a camminare come mia madre, come la nonna Editta. «Manca poco» dissi a Tomaso; ero inquieta, sconvolta: «manca poco e poi saremo contenti.»

Tornavamo indietro sottobraccio e io tenevo il fazzoletto sotto il naso perché i cavalli morti erano in tutte le cantine, in tutte le strade. Affrettavo il passo e avevo paura, temevo perfino che gli aerei tornassero, ora che si faceva buio. Non volevo dire anch'io "mi dispiace", come Antonio; smaniavo di tornare da Francesco, aspettare con lui, salvarci, giacché mancava poco.

«Sì» Tomaso disse: «ma io non potrò essere contento come te, come Francesco, ormai...»

«Perché?» chiesi, arrestandomi stupita.

Tomaso mi guardava e io tolsi il fazzoletto bianco dal viso. Così sentii insieme l'odore dolce dei cavalli morti e la sua voce che mi confessava:

«Perché ti amo.»

Nelle notti che seguirono restavo sempre sveglia dietro il muro. Il caldo assediava il nostro letto e io mi passavo la mano sulla fronte per sollevare i capelli e scacciare la voce di Tomaso che diceva: "Ti amo". Francesco si destava, andava a bere sulla terrazza, scalzo, nudo. «Sei sveglia?» mi domandava. Io gli chiedevo: «Manca poco, vero Francesco?» e lui rispondeva che forse si trattava di poche settimane. Bisognava che quel giorno venisse presto, acciocché Francesco tornasse ad essere quello di prima: ero stata colta dalla paura irragionevole di non fare più in tempo ad essere contenta con lui, per colpa della voce di Tomaso. Allora, quando egli tornava a stendersi nel letto, lo abbracciavo e gli dicevo «Ti amo». Faceva caldo, Francesco mi pregava «Scusa, tirati un poco più in là». Era colpa del caldo, ma io mi sentivo abbandonata, anzi, respinta. Mi rivoltavo nel letto per liberarmi delle parole che Tomaso mi aveva detto e che mi stringevano, mi si avvolgevano al collo come un nastro, ti amo ti amo ti amo, formavano una interminabile spirale. Stavamo svegli, supini, nel buio, e guardavamo verso la finestra.

Ormai portavamo le patate lesse vicino alla radio e le mangiavamo lì seduti, in terra. Francesco le mangiava volentieri e, del resto, il sabato seguente arrivò la farina che avevo chiesto alla Nonna. La domenica mattina, non appena egli uscì, io incominciai a fare la pasta. Ero contenta di rimanere sola in casa; temevo soltanto che potesse venire su il portiere. Nel vedere arrivare così spesso le lettere di Claudio, costui mi aveva domandato premurosamente se avessi un parente prigioniero. Io avevo risposto che si trattava di un amico. Da allora egli aveva preso l'abitudine di porgermi le lettere con aria d'intesa, sottomano quasi. Una volta disse perfino: «È arrivata stamattina» facendomi comprendere che non aveva creduto opportuno darla a mio marito. Ne avevo parlato a Francesco: egli diceva che era più prudente lasciar correre, sopportare, poiché avevamo da temere una denunzia o una perquisizione. Temevo che conoscesse i miei pensieri e potesse ricattarmi su quelli, entrando in casa e chiedendomi duramente: "Dove sono gli scritti del professore?". Pensavo che forse avrei avuto il tempo di correre in camera, prendere la rivoltella che Francesco teneva nel comodino e sparare. Avevo paura di essere obbligata a sparare. Perciò tirai il paletto non appena Francesco fu uscito e incominciai a fare la pasta.

Mi piaceva affondare le mani nella pasta molle: era un gusto che dalle dita saliva per le braccia al collo, agli angoli della bocca, alla nuca. "Ti amo" Tomaso mi susurrava, e io tentavo di staccare le mani dalla pasta, ma essa mi tratteneva. "Lasciami, Tomaso" dicevo "lasciami." Mia madre circolava attorno a me e si affacciava alla finestra esclamando: "Che bella domenica". Io la supplicavo, supplicavo Tomaso: "Lasciami, lasciami stare". Le braccia mi dolevano per la fatica. "Manca poco" gemevo, "lasciatemi stare." Stesi una larga sfoglia, liscia, resistente e mi pareva di aver vinto una sfida.

Francesco non poteva adoperare la chiave, a causa del paletto. Bussava con insistenza, frettoloso. Diceva: «Sono io, Alessandra, apri, Alessandra». Mi piaceva sentirmi chiamare da lui, ansiosamente. Appena entrò mi strinse in un abbraccio.

«Che c'è?» gli domandai, seguendolo mentre si dirigeva alla radio.

«Bisogna ascoltare tutto il giorno.»

«Ma perché, che cosa è successo?»

Egli esitò: «Sembra che... Insomma hanno detto: bisogna ascoltare la musica». Poco dopo io volevo tornare in cucina e lui disse: «No, vieni qui, non ti allontanare».

Ascoltammo tutto il giorno, seduti in terra. Mangiammo la caciotta col pane, lui disse che non aveva fame. Ogni tanto io pensavo alla sfoglia e dicevo «Peccato». Anche quando la radio non trasmetteva nulla rimanevamo in terra, io nelle sue braccia, cullati da quel ronzio. Oh, era una domenica senza speranza, una bella domenica. Eravamo stanchi, avevamo le ossa rotte, i nervi logori: eppure seguitavamo ad ascoltare; se il telefono squillava io accorrevo e Francesco mi diceva: «Fa' presto». Tomaso aveva telefonato raccomandandoci di non perdere il programma di musica. Tuttavia, quel giorno, la voce arrogante sembrava parlare con accresciuta insistenza, quasi una furiosa spavalderia: io guardavo Francesco interrogandolo. «Aspettiamo» egli diceva: «aspettiamo ancora.» Persino Fulvia aveva telefonato dicendo che stava ascoltando la musica. «Grazie, anche noi» risposi. Sentimmo che anche nell'appartamento contiguo e in quello di sotto si trascorreva il pomeriggio alla radio. Francesco avrebbe voluto parlare con Alberto, ma le linee telefoniche erano sempre occupate: da un apparecchio all'altro leste passavano voci circospette che dicevano: «Ascoltate la musica». Si faceva buio e io cominciavo a credere che anche quella domenica si sarebbe chiusa senza speranza. «Francesco...» mormoravo smarrita: «è tardi.» Egli mi disse come tutte le sere: «Adesso chiudi la finestra». A quell'ora ogni sera, mentre chiudevo la finestra, vedevo le donne del casamento dirimpetto chiudere la finestra benché il caldo fosse soffocante; per un attimo ci guardavamo. Ci guardammo con maggiore intensità, quella sera. Tornai accanto a Francesco e, accostando l'orecchio alla tela che nascondeva l'altoparlante, udimmo bussare cupamente come per dirci di avere fiducia, attendere.

Ma noi sapevamo che quella sera il conforto della stazione proibita non ci sarebbe bastato più. Francesco girò l'ago e volontariamente tornammo a consegnarci alla voce arrogante che per anni avevamo ascoltata, zitti, aspettando. La nostra rivolta si esprimeva proprio in quel silenzio, in quel modo paziente di aspettare; nella pazienza di Antonio che aspettava in prigione, o scaricando merci allo Scalo, senza cedere; nella paura che Alberto aveva, che Francesco aveva, e che sopportavano senza cedere; nella grande paura che io avevo perché amavo Francesco e che sopportavo senza cedere. Nella pazienza con la quale mangiavamo sempre patate lesse, aspettando. Nella pazienza con la quale i miei amici d'infanzia partivano e Claudio aspettava, zitto, dietro i reticolati; nella pazienza di tutta la città, di tutto il paese che, ogni sera, chiudeva la finestra perché aveva paura e però, ogni sera, preferiva avere paura piuttosto che rinunziare ad ascoltare quelli che stavano fuori della prigione. Sapevamo che in questo stare zitti, aver paura e aspettare era la nostra più tenace rivolta. Ma un'improvvisa stanchezza pareva essersi manifestata in noi, quella sera: io ero disfatta, pallida, il caldo diveniva opprimente dietro le finestre chiuse, eppure Francesco non mi diceva "scostati": s'era tolto la giacca e le nostre braccia sudate si toccavano. Aspetteremo tutta la notte, porteremo qui il materasso, aspetteremo sdraiati, sfiniti, bastava non stancarsi d'aspettare. Sapevamo che con noi, tutta la città sarebbe rimasta sveglia, aspettando.

D'un tratto si fece silenzio dietro la tela gialla dell'apparecchio. Era un silenzio lungo e pauroso, più pauroso e più lungo di quello che si stabiliva tra noi e i nomi dei prigionieri: in esso, invece del respiro del mare, si sentiva il respiro di tutti coloro che erano in ascolto, col viso appena rischiarato dalla lampadina. E anzi non pareva più d'essere noi in ascolto, ma che l'apparecchio ascoltasse noi. Io balzai in piedi, mi staccai dall'apparecchio, stavo per gridare. Era la prima volta che provavo veramente la paura. «Francesco» dissi prendendolo per le braccia: «non apriamo se vengono, vero? Non apriamo!»

Fu in quel momento che la voce nuova parlò: senza arroganza, dolorosa, grave. E, poiché non la conoscevo, dapprima mi ispirò una paura più forte della paura alla quale ero abituata. Sapemmo che la voce arrogante non avrebbe parlato mai più. E io avrei dovuto essere contenta, se Antonio, morto solo sei giorni prima di poter udire questa voce nuova, aveva ripetuto tante volte «Mi dispiace», e Francesco ascoltandola la riconosceva come la cara voce di un amico. Ma io ero sola di fronte a questa voce saggia e modesta: e, sebbene contenta di non aver più paura, scoppiai a piangere, umiliata che la voce arrogante fosse stata proprio la voce del mio tempo e della mia età.

Subito, al mattino seguente, Francesco scucì la fodera di una valigia dove erano nascoste le copie del giornale clandestino, le piegò e se le mise in tasca. Andava a prendere gli amici che uscivano di prigione, come se andasse a prenderli all'uscita della scuola. Io telefonai in ufficio, ma mi risposero ridendo: l'ingegner Mantovani era partito in viaggio, per ignota destinazione, e l'ufficio sarebbe rimasto chiuso durante qualche giorno. Allora telefonai a Lydia e la trovai in angustie: diceva, piangendo, che l'ingegnere era partito per ragioni di salute; e adoperava lo stesso tono circospetto che avevamo usato per dire che bisognava ascoltare la musica. Capii che era partito perché aveva paura: eppure io speravo che, ormai, nessuno più avrebbe avuto paura.

Era stato molto bello, la sera prima; mentre io piangevo Francesco mi aveva preso nelle braccia, dicendomi: «Calmati, Sandra, calmati», e con quelle parole anche lui si calmava. Poi eravamo andati ad aprire la finestra: era una notte limpida, illuminata dalla luna: nel silenzio, al posto della voce della radio, si sentivano le voci dei grilli. Ci affacciammo e, contemplando la notte e il cielo, una luminosa pace dilagava in me: allora compresi che, fin dalla nascita, c'era stato sempre qualcosa che mi aveva impedito di soffermarmi ad ascoltare il canto dei grilli. Quella sera, invece, una dopo l'altra tutte le finestre si aprivano: di contro a noi era un grande caseggiato bianco dove abitava molta gente: e tutta la gente si affacciava fiduciosamente alla finestra, usciva sui balconcini, per godere la notte stellata e il canto dei grilli; e, pur conoscendosi, non si salutavano tra loro né si parlavano da un davanzale all'altro: erano avvezzi a tacere, da molti anni, e perciò si contentavano di aprire la finestra e ascoltare i grilli. Da molti anni nessuno aveva più considerato quale importanza avessero, in estate, le voci dei grilli.

Francesco ed io eravamo affacciati, spalla a spalla, in silenzio, e guardavamo quelli della casa dirimpetto: a me era sempre piaciuto guardare in viso le persone e immaginare la loro storia, i loro pensieri: ma, quando ero nel tram, provavo sempre un triste disagio perché le vedevo assorte, accigliate, e sapevo che erano stanche di lavorare e che pensavano a tutte le cose angosciose della loro vita: al danaro che non avevano, ai parenti che erano in guerra o erano prigionieri, e sapevo che aspettavano sempre qualcosa: la posta o la fine del mese o la fine della guerra. Quella sera, invece, mi piaceva guardare le persone che apparivano calme, serene, e sembravano non avere più pensieri tristi, ma solo rosee e prossime speranze. Si vedevano le mogli parlare coi mariti, sottovoce, e io immaginavo che ogni più felice sogno pareva loro che stesse per avverarsi, quella notte, anche tutto ciò che inutilmente avevano atteso sin dall'infanzia. Certo tutti pensavano che avrebbero potuto essere sempre contenti, e le coppie povere pensavano che sarebbero divenute ricche e quelle sterili credevano che presto avrebbero avuto un bambino; quelli che erano stanchi pensavano che avrebbero potuto riposarsi e i bambini si figuravano un mondo senza castighi e senza esami, le ragazze sorridevano come se fossero state appena chieste in isposa. E quelli che avevano parenti al fronte credevano che il giorno seguente, al risveglio, li avrebbero trovati sorridenti, dietro la porta di casa, tornati finalmente. Certo i malati si addormentavano sicuri che l'indomani sarebbero guariti.

E anch'io, che avevo vissuto notti affliggenti e notti malinconiche, vivevo una trepida e dolce notte di speranza. Era ancora più dolce delle notti in cui mi trattenevo alla finestra contemplando il fiume e avevo da pochi giorni conosciuto Francesco; forse ero stata così contenta solo da bambina, nella notte che precedeva la venuta della Befana. Francesco era affacciato con me, e mi parlava come non faceva più da molto tempo. Dopo, appena rientrati, io ero andata a prendere i suoi scritti, sull'alto della credenza di cucina, e li avevo posti sulla scrivania.

Oh, quello fu un momento importante. Fino allora, a ogni passo che udivamo nelle scale, eravamo stati costretti a nascondere quei fogli, spiando in giro, timorosi di averne dimenticato qualcuno. Francesco lavorava malsicuro come se fosse intento a una vergognosa attività: e, nel copiarli, io avevo l'impressione di scrivere parole volgari, frasi oscene. E quella sera invece, nel cerchio della lampada, esse si trovavano onestamente al loro posto, bianche sul legno scuro del tavolino. Abbracciati contemplavamo quelle pagine: Francesco le scorreva lentamente e così ripercorreva le giornate trascorse, le ansie che avevamo patito, la fame, la paura. La nostra vita, insomma.

Tuttavia, dal mattino seguente, non ci fu più possibile restare a lungo insieme poiché Francesco era sempre occupato; io non potevo accompagnarlo, trattandosi di riunioni alle quali – egli mi spiegava – le donne non prendevano mai parte, salvo la compagna Denise. Del resto io stessa, nei primi giorni, uscivo malvolentieri perché nelle strade tutti gridavano e a me non piaceva sentire gridare la stessa gente che per tanti anni era stata zitta; finanche il nostro portiere gridava. In ufficio tutti mi trattavano con deferenza, come se fossi improvvisamente divenuta una persona anziana, e ostentavano una gradassa soddisfazione per ciò che era accaduto. Solamente l'usciere Salvetti era chiuso in una cupa malinconia: si passava la mano sul cranio calvo e diceva che, da quella notte, non aveva più potuto dormire. «Darei qualsiasi cosa» diceva: «anche la posizione che ho raggiunto, questa scrivania, la casa: tutto.» Io mi sedevo con lui, parlavamo. Mi dispiaceva che Salvetti non fosse contento e, per confortarlo, avrei voluto confessargli che neanch'io lo ero.

Ormai non vedevo più Francesco; spesso, desinavo sola. Molta gente telefonava per lui e quando, al ritorno, io gli riferivo di coloro che lo avevano cercato, egli era costretto a trascorrere al telefono la maggior parte del poco tempo libero. Era così stanco la sera che appena entrato in letto s'addormentava senza neppure leggere, talvolta dimenticando accesa la luce sul comodino. Io mi rialzavo per spegnerla e, prima, guardavo a lungo il viso di Francesco, i suoi pensieri dietro le palpebre chiuse. Lo baciavo, piano: lui non se ne avvedeva. Poi tornavo a stendermi dietro il muro, con un sospiro. Non volevo ancora ammettere che soffrivo: Francesco mi trascurava a causa del lavoro, ma doveva essere così entusiasmante per lui tornare a lavorare, a parlare liberamente. Aveva avuto testimonianze di affetto da tutti i suoi studenti; ormai la sua firma appariva sovente sui giornali e una sera venne un editore a prendere il manoscritto che, per un anno, avevamo nascosto sulla credenza di cucina. Quando uscì, al posto del manoscritto era rimasto un assegno. Non era una somma cospicua, ma abbastanza importante per noi che eravamo sempre stati poveri. «Mangia, adesso» Francesco mi diceva: «comprati la carne.» Quando Francesco non rincasava io mangiavo la carne da sola, in cucina.

L'ingegner Mantovani era tornato, sembrava più vecchio, meno sbrigativo. «Contenta, eh?» mi aveva domandato, per la prima volta senza la sua consueta bonomia. Tutti mi rivolgevano la stessa domanda. «Sarà contenta, adesso?» e, ogni giorno, diveniva più faticoso rispondere di sì. Qualcuno accennava anche al fatto che mio marito ormai guadagnava bene, proprio per l'incarico che aveva assunto e che lo teneva sempre lontano da me. Questa domanda mi offendeva, lasciando supporre che Francesco avesse fatto tutto ciò per calcolo, sebbene, adesso, guadagnasse quanto gli altri avevano guadagnato sempre; una cifra modesta che ci permetteva appena di mangiare, con attenzione ed economia. Col danaro dell'editore io avevo ritirato le lenzuola dal Monte di Pietà. Ma, passando dinanzi al portiere con quel pacco, mi pareva di averle rubate; e arrossii pagando il conto del droghiere.

Ero sempre sola. Da qualche tempo mi mancava perfino l'amichevole connivenza di Fulvia. Se andavo a casa sua ella subito rassettava la stanza, nascondeva le calze abbandonate sulle sedie, e io sentivo che ciò era dovuto alla nuova condizione di Francesco. «È vero» Lydia mi domandò «che lo faranno deputato?» Un giorno, mentre passavo, la portiera di via Paolo Emilio mi pregò umilmente di raccomandare suo figlio a mio marito.

«Ricordi» Francesco mi disse, ridendo «quando nessuno voleva salutarci? Sai chi mi ha telefonato stamani? Lascari. Lascari che aveva sempre fretta quando mi incontrava. Ha detto pure: ricordami a tua moglie.» Mi confessò di averlo trattato freddamente.

«Oh, no, Francesco» dissi: «non dovevi farlo. È stato lui a presentarci.»

Egli sorrideva, mangiando in fretta perché doveva uscire. Allora io dissi:

«Francesco, senti, non abbiamo più avuto un'ora per noi. Non parliamo mai insieme...»

«E adesso, scusa, che cosa stiamo facendo?»

«Ma sì, naturalmente; però tu sai quello che io voglio dire. Dicevi che, dopo, saremmo stati contenti...»

«E non sei contenta, adesso? Vorresti tornare al tempo di prima?» egli diceva, asciugandosi la bocca. Mi piacevano i suoi gesti, anche quando si asciugava la bocca.

«Oh, no davvero. Sono sempre sola, però...»

«Perché non esci con Fulvia, non vai al cinematografo?»

«Al cinematografo?!» esclamai sul punto di adirarmi: «E tu credi che sarebbe lo stesso andare al cinematografo o trascorrere un pomeriggio con te?»

«Lo so; ma, insomma, per passare il tempo...»

«Non ho bisogno di passare il tempo: ho l'ufficio, ho sempre da fare in casa...»

«Potresti prendere una donna di servizio, magari per qualche ora, che ti aiuti...»

«Ma non mi lagno di questo...»

«Mi pare che te ne lagni, invece.» Non riuscivo a farmi comprendere e lui già guardava l'orologio, impaziente.

Non potevamo lasciarci così, io lo trattenevo: «Ti prego, non andare, ancora un momento». Lo aspettavo sveglia, tentavo di parlargli al ritorno. Una sera, mentre gli parlavo, s'addormentò.

Ero sola, orribilmente sola, come tutte le persone che gli altri credono felici. Leggevo molti romanzi e da ogni romanzo uscivo più innamorata di Francesco, più desiderosa di essere felice con lui. Smisi di leggere i romanzi e ripresi a studiare; Francesco mi diceva «Brava, brava» con la stessa voce distratta di mio padre. Non era colpa mia se non mi divertivo a passeggiare guardando le vetrine, oppure al cinema. Quando ero malinconica telefonavo a Tomaso e lo trovavo sempre pronto a consolarmi, ridandomi fiducia in me stessa. Anche Tomaso mi domandava se ero contenta e io rispondevo sì, con una voce incerta, trasparente. Mi pareva che solo con lui potessi essere sincera.

Ormai tra Fulvia e me si stava alzando una parete. Dario le aveva detto una sera: «Vengo su, ti debbo parlare seriamente». Allora lei mi aveva telefonato, gioiosa, aveva pregato la madre di rincasare tardi. Si era vestita semplicemente, ravvivandosi appena le labbra. Ma al mattino seguente ella mi aveva telefonato e mi aveva detto, concitata: «Vengo in ufficio, puoi uscire un momento?». Eravamo andate a sederci in un caffè; e lì lei mi aveva confessato d'essersi attesa che proprio nella stanza dei giuochi egli volesse offrirle di sposarla. «Ero rimasta tutto il pomeriggio in chiesa» aveva soggiunto. Invece, era stata una sera come le altre: dopo, Dario aveva acceso una sigaretta, aveva rialzato il lenzuolo sul corpo di lei e le aveva detto: «Sarà meglio che non ci si veda più così spesso. Ho conosciuto una ragazza che vorrei sposare». Mentre Fulvia mi ripeteva queste parole le lacrime le colavano pel viso. Il cameriere ci guardava incuriosito, e io ricordavo la spavalderia di Fulvia, da bambina, il giorno in cui ella si era tolta la vestaglietta. Diceva d'essersi umiliata fino a chiedergli: «Perché non sposi me?». Dario aveva risposto che non era possibile perché già sapeva tutto di lei, anche le bugie che raccontava alla madre quando voleva ricevere un uomo in casa: non aveva più fiducia. «Come hai fatto con tua madre» le aveva detto «potresti anche fare con me.» Erano così avvilenti quelle parole che io piangevo con lei. Dario la condannava proprio per aver ceduto alle sue insistenze: per averlo amato, insomma. Ricordavo la voce ironica che mio padre usava per descrivere le passeggiate in barca con mia madre, quando erano ancora fidanzati: dinanzi a me, apertamente osava deridere il turbamento di lei. Fulvia continuava: «Era molto difficile per me dirgli "sposami", più difficile che per un'altra: sembrava che volessi indurlo a sposarmi a causa di quello che abbiamo fatto e non perché lo amo. Oh» sospirava «com'è difficile farsi capire essendo donne». Egli le aveva promesso che si sarebbero visti spesso, benché con prudenza: avrebbe detto alla moglie che usciva per affari e sarebbe venuto da lei. «Ah, farà così con la moglie?» io le avevo chiesto. E Fulvia aveva risposto: «Sì, sorrideva dicendo che le mogli credono sempre a queste cose. Ha detto che io potrò telefonargli in ufficio per fargli sapere quando mia madre esce di casa. Io ho detto che non volevo vederlo soltanto in quei momenti, non m'importava nulla di quei momenti. Ma era difficile parlare avendo soltanto un lenzuolo indosso...».

Nel caffè erano entrati due giovanotti e ci guardavano con occhi maliziosi e invitanti. «Che schifo» Fulvia diceva risentita: «andiamo via, che schifo.» Era agosto, il sole ci mordeva le spalle, i polpacci, e lei piangeva dietro gli occhiali neri, seppure, passando davanti a una vetrina, diceva: «Mi servirebbe questa stoffa». Tentai di parlarle della mia solitudine ma ella scoteva la testa, rispondendomi che io ero sposata con Francesco e perciò dovevo essere felice. Insistevo, le dicevo: «Comprendimi». Lei replicava: «No, proprio non posso comprenderti». Un'altra volta le avevo detto: «Forse è meglio così: lascia che mangi con un'altra, che dorma con un'altra, e trovi il tempo di venire a passeggiare con te, a letto con te». Ella s'era mostrata offesa ed eravamo rimaste qualche settimana senza vederci.

Eppure mai come in quei momenti io avevo voluto bene a Fulvia. Ero, con lei, come lei era stata con me alla vigilia delle nozze, come quando aveva telefonato a Francesco di portarmi le gardenie: anch'io l'avevo condannata, allora. La compativo, perché degli uomini non sapeva nulla. Fulvia aveva ricevuto un uomo, di sera, nella stanza dei giuochi. Ma non aveva mai dormito dietro il muro, e solo dormendo dietro il muro si conoscono gli uomini. Sicché questa esperienza divide le donne sposate da quelle che non lo sono, le donne che hanno avuto amanti da quelle che hanno avuto marito.

Così rimasi proprio sola. Inoltre era quello il mese delle ferie annuali che mi concedeva l'impresa Mantovani. Volevo rifiutarle, diffidando dell'ozio, ma l'ingegnere mi disse che anche lui partiva, e l'ufficio sarebbe rimasto chiuso. Tutti partivano, in verità, spaventati dai bombardamenti. Io avevo ripreso a studiare, svogliatamente, con l'impressione di far cosa che la mia età avesse superato: e non solo perché ero fuori corso, ma perché la laurea non m'interessava più. Preferivo leggere, senza ordine o programma, sebbene solo lo studio regolare e metodico sollecitasse l'attenzione di Francesco. Mi sarebbe piaciuto rimanere in casa assieme, lui coi suoi libri, io coi miei: ma ormai egli era sempre occupato; e nervoso, facilmente irritabile. Una volta lo sentii parlare alla radio e udendolo dire, nelle nostre stanze, tutte parole estranee a noi e alla nostra vicenda, mi parve che ormai fosse veramente perduto. Egli si moveva sempre tra persone e interessi lontani da me, era chiuso nel suo mondo, in quello trovando animazione e vita: tutto ciò che era stato il mondo nostro non lo interessava più. «Bei tempi» sospirava, quando rammentavo Villa Borghese o il Gianicolo. Tutti dicevano a Francesco che la nostra casa era molto piacevole ed egli sorrideva soddisfatto di possedere anche una casa accogliente, una graziosa moglie. «Francesco» gli dissi: «ho paura che tu divenga ambizioso.» Non ebbe simpatia per me, in quel momento; io gli dicevo sempre la verità e forse commettevo un errore: avrei dovuto adularlo. Quando egli rientrava io emergevo dall'ombra della casa, come quando tornava mia madre: avevo innumerevoli cose da dirgli e nei libri avevo sottolineato alcuni periodi che mi sarebbe piaciuto rileggere insieme: e gli chiedevo almeno un'ora per noi. Una volta prima di uscire mi strinse il mento tra le dita e me lo sollevò verso il suo viso. Io credevo che volesse baciarmi sulla bocca, non lo faceva da mesi; da sempre, mi pareva; aspettavo il suo bacio, trepida, come la prima volta. Invece egli disse con la voce premurosa di una persona molto maggiore di me: «Cara, non ti piacerebbe avere un bambino?».

Mi proponeva leggermente, a guisa di passatempo,

un figlio: allo stesso modo, un'altra volta, mi aveva proposto di uscire con Fulvia, andare al cinematografo. Da tempo ormai non mi si avvicinava più, la notte: eppure, se gli avessi detto "sì", forse quella sera stessa si sarebbe rivolto verso di me, per darmi, in seguito, la possibilità di divagarmi cucendo, lavorando ai ferri, nutrendo, trastullando un bambino. Era un uomo molto intelligente, tutti conoscevano il suo nome, leggevano i suoi scritti, e io ero una ragazza qualunque, nessuno conosceva nulla di me oltre il ristretto cerchio degli amici, oltre la strada dove abitavo, dove avevo abitato. Eppure tra noi due ero io la sola che capivo quanto fosse importante dare la vita a un figlio.

«No, grazie» risposi con ironica cortesia. E quella notte piansi contro la sua schiena, nel buon odore della sua persona. «Dormi, cara» egli mi suggeriva «dormi, è molto tardi.» Il giorno dopo gli dissi:

«Senti, Francesco, non potresti smettere di lavorare a tante cose? Potremmo vivere benissimo coi tuoi scritti, l'università, il mio lavoro.»

«Ma scusa, perché?»

«Dici sempre che sei troppo occupato e per questo non possiamo mai avere tempo per noi, per parlare...»

Egli guardò l'orologio: poi sedette dicendo: «E avanti, su, parliamo».

Era una cattiveria, la sua. Come avremmo potuto parlare, in quel modo? Lo guardavo tentando di fargli comprendere ciò che io intendevo fosse il matrimonio. Non era facile esprimersi frettolosamente, in poche parole. «Scusa» gli dissi «grazie, scusa.»

Fui più tranquilla quando incominciai a capire che potevo parlare con lui per mezzo di Tomaso.

Lo capii appieno, per la prima volta, in occasione del mio onomastico, il ventisei di agosto.

Tomaso mi telefonava ogni giorno e ci trattenevamo

lungamente a discorrere. Da qualche tempo ormai mi parlava apertamente del suo amore e, mentre lui parlava, io guardavo il ritratto di Francesco. Nella supplichevole intensità dei miei occhi gli dicevo "Ascolta, ti prego, ascolta come Tomaso mi ama". Io ero in vacanza e Tomaso mi telefonava al mattino, quando ero ancora in letto; aveva una voce gradevole e inoltre, essendo innamorato, possedeva l'accento inconfondibile della sincerità. Ascoltarlo era per me come specchiarmi e trovarmi molto bella.

Mi rifiutavo di uscire con Tomaso come egli mi chiedeva spesso nei primi tempi: poi non aveva chiesto più nulla. Quando veniva in casa, Francesco era sempre presente e io mostravo di essere attenta soltanto a mio marito, dimenticando la confidenza delle nostre telefonate quotidiane. Il mattino seguente Tomaso mi telefonava più presto del solito: «C'è il capo?» chiedeva scherzando. E, saputo che ero sola, cambiava tono, domandava angustiato: «Perché hai fatto così? dimmi, Alessandra; non mi hai parlato mai, iersera. Mai guardato. Guardi sempre lui».

«Chi lui?»

«Ma sì, lui... Francesco.»

«Ah» dicevo freddamente per fargli comprendere che doveva chiamarlo col suo nome. «Lo guardavo? Può darsi. Lo guardo sempre. Sai bene che lo amo.»

Mi piaceva parlarne, benché sapessi che Tomaso non aveva mai avuto una sincera amicizia per lui. Francesco era di una statura diversa dalla sua: più serio e intelligente: io ripetevo sempre che era l'uomo migliore che conoscessi; gli parlavo del suo coraggio, della sua dignità, dei successi che otteneva. E Tomaso, che non lo aveva mai amato, lo amava ancora meno perché era padrone di me.

Il ventisei di agosto Francesco non ricordò che era il mio onomastico: glielo ricordai io stessa, a pranzo, ed egli si rammaricò, disse «scusami», disse anche che lo aveva notato sull'agenda e poi aveva dimenticato di con-

sultarla. Ma io ero sorridente, serena: al mattino Tomaso
mi aveva telefonato e mi aveva domandato timidamente:
«Non è la tua festa, oggi, Alessandra?». «Sì» io avevo risposto stupita: «grazie, come lo sai?» Mi aveva spiegato
che, qualche mese prima, aveva scorso con attenzione il
calendario. «Oh, grazie» gli avevo detto commossa: proprio come più tardi dissi a Francesco:

«Non importa: abbiamo tutta la sera per noi; andremo
a sederci sulla terrazza: ho comperato una pianta di gardenie, che profuma.» Era una bugia: la pianta era arrivata al mattino, poco dopo la telefonata di Tomaso.

Egli rispose: «È impossibile: tra poco verrà Tomaso,
abbiamo una riunione».

«Trova una scusa, amore. Capisci, è il mio onomastico.»

Esitò, poi decise: «No, non è possibile».

Io dissi crudelmente: «Mandaci Tomaso».

E lui spiegò: «È soprattutto per Tomaso. Si tratta di
un giornale nuovo, una cosa importante; ne parliamo da
tempo e stasera si dovrebbe concludere. Ci vado per Tomaso, soprattutto, che non ha un impiego sicuro». Ma alle dieci Tomaso non era ancora venuto. «Forse ho capito
male» egli disse «Tomaso è andato direttamente lì.» Mi
abbracciò nell'uscire e soggiunse: «Domani, cara, lo fe-
steggeremo solennemente».

Io tornai in camera; guardavo con pungente rammarico la gardenia che avevo appuntato tra i capelli, i cuscini preparati sulla terrazza, quando Tomaso suonò il
campanello.

«C'è il capo?» disse. Era vestito di bianco, odorava di
sapone.

«No» risposi: «Ti ha aspettato finora. È appena uscito,
se corri lo raggiungi alla fermata del tram.»

Egli mi prese la mano, la baciò, fece per andare via. Poi
s'arrestò dicendo: «E tu, rimani sola?».

«Oh, sì, non ha importanza; sono un po' stanca veramente, e allora...»

«Sola, la sera del tuo onomastico?» Tomaso mi interruppe, rientrando.

Io non volevo che restasse, non volevo che fosse migliore di Francesco: insistevo dicendogli che era una riunione molto importante per lui, si trattava, forse, dell'impiego. Ma egli disse: «E se fossi malato? Se avessi la febbre a quaranta? Aspetterebbero, no? Tutti possono aspettare, quando si tratta di te».

L'indomani Francesco, per festeggiare il mio onomastico, tornò a casa con una borsetta. Era una bella borsetta di stoffa rossa e io l'aprivo e la chiudevo, ammirandola. La paragonammo all'altra borsetta che avevo e la trovammo molto più bella. Si parlò della difficoltà di trovare le borsette, in quell'epoca, e io citai anche il caso di una borsetta che Fulvia avrebbe voluto comperare. Ci augurammo che presto, finita la guerra, finissero anche le difficoltà per le borsette. Egli mi confessò che in fondo – ormai, tra noi, lo poteva dire – credeva di aver fatto un buon affare. E io gli confermai che sì, veramente lo aveva fatto. Lo abbracciai, lui mi dette i colpetti sulla spalla. Poi lui si mise a lavorare, io dissi ancora grazie, e così finirono i festeggiamenti del mio onomastico.

Andai in camera e scagliai in terra la borsetta. Al tonfo ebbi un sussulto perché mi pareva di aver dato un colpo sul viso di Francesco; mi chinai a raccoglierla, la spolverai, e la posai sul letto. Era proprio una bella borsetta rossa, avrei voluto essere contenta, m'intenerivo pensando che egli aveva speso tanto danaro per me: non era la prima volta che il pensiero del danaro che Francesco spendeva per me m'inteneriva.

Mi doleva che solo in quel modo egli riuscisse a esprimermi il suo amore. Avrei voluto che sapesse esprimersi, per esempio, come Tomaso. E mi dispiaceva tanto riconoscere che un altro sapeva fare qualcosa meglio di lui. "Ma se tu non riuscissi...": di notte la voce della Nonna mi parlava all'orecchio nel silenzio della nostra camera nuziale, lo stesso silenzio che pesava nella camera nuziale di mia madre e del quale io m'impaurivo, quando ero bambina.

Tomaso si era trattenuto da me due ore, circa, la sera prima: sedeva nella poltrona di Francesco e mi guardava sempre. Io gli parlavo con fervore ed era appassionante poter raccontare di nuovo quelle cose che non potevo più raccontare a Francesco perché le aveva sentite dire già più di una volta e spesso, bonariamente, me lo rammentava. Tomaso trovava che erano straordinarie. Gli avevo mostrato anche alcune vecchie fotografie che avevo tratto con entusiasmo da un cassetto, frugando, mettendo tutto in disordine: gli avevo mostrato la fotografia di mio fratello e, dopo, lui mi aveva osservato attentamente, poi aveva detto: «Vi si potrebbe scambiare per gemelli». Io ero arrossita ed egli mi aveva domandato che avessi. Senza guardarlo gli avevo confessato che era sempre Alessandro a svegliare in me le tentazioni.

Egli aveva taciuto per un momento e poi aveva detto: «Io non vorrei conoscere Alessandro: vorrei conoscere te». Come sempre quando eravamo insieme, il tempo seguiva una speciale misura, rapidissima: e io vedevo con rammarico avvicinarsi il momento in cui di nuovo mi sarei trovata sola. Tuttavia ero stata io stessa a congedarlo, bruscamente; sulla porta eravamo rimasti in silenzio, discosti, io esitavo a dargli la mano: mi pareva un impegno. Egli l'aveva trattenuta nella sua, baciandola con devozione: e io mi sentivo innocente e contenta.

Francesco diceva sempre che ancora non potevamo essere contenti perché sarebbero venuti altri giorni difficili; ma mi pareva che, dietro questo timore, egli mascherasse la sua indifferenza per me, la sua ambizione. Certo, col suo lavoro, egli tentava di migliorare se stesso attraverso il miglioramento della società in cui viviamo; ma, in quei tempi, non era facile capirlo. Era circondato da molta gente meschina e bassamente ambiziosa, e la fredda praticità che lo animava sembrava essere in contrasto con gli ideali per i quali aveva combattuto. Ogni volta che io m'ero offerta di aiutarlo egli aveva rifiutato con un sorriso. Forse non mi giudicava intelligente quanto Denise con la quale era felice di lavorare insieme.

Un giorno ella venne a colazione; ormai aveva perduto l'abitudine di domandarmi se aspettassi un bambino; si lasciava servire da me come da una domestica; dopo colazione, mentre parlava con Francesco, io andai in cucina per lavare i piatti. Poi uscirono insieme, Francesco mi salutò appena, tutto preso di lei. Era una donna quasi vecchia, senza forma nell'abito a giacca. Eppure mi pareva che Francesco la preferisse a me.

Ero gelosa. Subito telefonai a Tomaso e gli dissi: «Voglio vederti». Gli parlavo seccamente, come avrei voluto parlare a Francesco di Denise. Lo raggiunsi in città e, nel frattempo, consideravo che quell'incontro non mi costava neppure lo sforzo di mentire a Francesco, giacché egli non mi chiedeva mai dove fossi stata. Prendemmo a camminare vicini e la gente ci guardava con simpatia, come non mi guardava mai quando ero sola o con Francesco. Si meravigliavano, forse, di vederci chiusi in un'isola fertile e serena, nonostante il pensiero della guerra, il caldo, la polvere. Non sapevo dove Francesco camminasse in quel momento, accanto al passo goffo e pesante della compagna Denise.

Eravamo in una stradetta solitaria presso il Pantheon quando io m'arrestai d'improvviso:

«Tomaso» dissi: «chi è Casimira?»

Egli mi guardò meravigliato, poi sorrise, e io soffrivo orribilmente. «Chi è Casimira?» ripetei.

Rispose come Francesco: «Una ragazza».

Avevamo ripreso a camminare senza guardarci. Casimira esisteva, dunque.

«Sei innamorato di lei?»

«Io? No» disse subito. «No davvero.»

«Pensavi di sposarla?»

«Io no, lei forse: mi telefonava sempre, la sera, al giornale. È una ragazza affettuosa.»

«La vedi spesso?»

«No... Non la vedo più ormai.» Ebbi un sospiro di sollievo.

«Peccato» dissi: «dovresti sposarla. Francesco mi diceva che Casimira è una ragazza simpatica...»

«Francesco?» egli ripeté sorpreso.

«Sì, perché?»

«Non so, credevo che non gli piacesse...»

«Al contrario. Spero, almeno: dice sempre che ha il mio stesso carattere...»

«Francesco dice questo?»

«Press'a poco.»

Allora Tomaso confessò bruscamente: «Scusami, ma ho sempre pensato che Francesco non meritasse una donna come te».

Camminavamo adagio e lui parlava di me, a guisa di una persona che io conoscessi poco. Mi ravvisavo nell'immagine che Tomaso, con le sue amorose parole, andava disegnando. Perché Francesco diceva che somigliavo a Casimira? Tomaso sapeva molte cose di me seppure non gliele avessi mai confidate; conosceva l'impegno col quale vivevo, le mie lotte, i miei dubbi, e la strada che intendevo seguire. Avevo paura che conoscesse anche il muro dietro il quale dormivo.

Oltre l'isola del nostro passo, la gente camminava assorta, frettolosa, sembrava più impensierita degli altri giorni. Tomaso aveva detto che doveva andare al giornale, e lo dimenticava; io pensavo che Francesco forse era rincasato e mi attendeva. Avrei voluto che mi accogliesse sorridendo, stringendomi tra le braccia, quand'anche io lo avessi informato dei miei incontri con Tomaso. Perché non poteva essere così? Io lo accoglievo felice al ritorno dal suo lavoro che, pur separandoci, gli dava conferma del suo valore di uomo, lo servivo mentre mangiava con la compagna Denise, e dovevo godere dei suoi splendidi successi, che non erano più nostri, ma appartenevano strettamente a lui. Perché, amandomi, egli non poteva rallegrarsi se anch'io avevo conferma del mio valore? Avrei voluto raccontargli tutto quello che mi diceva Tomaso.

«È tardi» mormoravo, vedendo il cielo abbuiarsi.

«Che importa?» Tomaso mi rispondeva.

E attorno a noi la gente passava lesta. Alcune persone si fermarono in crocchio a parlare, poi tutti si aggrupparono presso una bottega dalla quale veniva il segnale della radio. Io avevo paura quando la gente si affollava per ascoltare la radio; era sempre un segno funesto. In Abruzzo erano tutti dispersi nelle campagne, qui indugiavano nelle strade ancora chiare d'estate; erano nelle case, a tavola, alcuni lavoravano, o erano innamorati, sembravano indifferenti, difesi, eppure dovevano subito interrompere ogni altra cura e accorrere docili ad ascoltare ciò che diceva la radio. Non era più una miracolosa invenzione che trasmetteva la musica o i richiami per salvare le navi. Era una inesorabile potenza: il corso della nostra vita dipendeva in gran parte da ciò che diceva la radio. «Aspetta» dissi, sperando che noi due, almeno, potessimo fare in tempo a salvarci; ma Tomaso mi prese pel braccio, come aveva fatto lo zio Rodolfo. Giungemmo appena in tempo per udire le ultime parole e poi restammo zitti, pallidi, mentre qualche soldato lanciava in aria il berretto rallegrandosi che fosse stato firmato l'armistizio.

Da allora incominciò il lungo giorno nel quale io non ho mai potuto riposare. In verità mi sembra di non aver mai dormito un momento, mai mangiato o sorriso, mai riposato fino quando ho riposato per la prima volta, qui.

La notizia non aveva sollevato commenti: da anni, ormai, pur senza dirselo, la gente capiva quando era brutto o bello ciò che annunciava la radio. E la gente – in quei giorni – aveva dimenticato molte cose, ma non la lunga abitudine che aveva di capire. Tutti avevano ripreso a camminare, stretti nei propri pensieri, e non si affrettavano a raggiungere i familiari, a chiudersi con loro nelle case, come avevano fatto nell'apprendere che era scoppiata la guerra; sapevano, ormai, che le case non bastavano a difenderli, e neppure gli affetti: perciò camminavano calmi mostrando già di aver dimestichezza coi giorni lunghi e scuri, con la fame, e con l'odore dei cavalli morti.

Io camminavo al fianco di Tomaso: egli aveva pochi anni più di me e certo neanche lui ricordava bene come fossero i giorni in cui si viveva calmi, senza temere ciò che diceva la radio. Un bambino ci passò accanto e domandava al padre: «Adesso accenderanno tutte le luci nelle strade, vero? Io non ricordo come sono le strade illuminate». Allora anch'io mi volsi a Tomaso: «Tomaso» gli chiesi: «come sono le strade illuminate?». Egli mi prese sottobraccio, senza rispondere, e io pensavo alle strade illuminate nelle quali passavano ragazze come mia madre che studiavano per prendere il diploma di pianoforte e ragazze come mia nonna che studiavano per recitare Shakespeare.

«È un momento difficile, vero?» gli domandai.

«No» egli rispose: ma pensava di sì.

«Potrebbe capitare qualche cosa a Francesco?»

«Non credo: è un fatto che prevedevamo.»

Io avrei voluto rasserenarmi e invece, dopo una pausa, gli domandai angosciata: «Tomaso che accadrà adesso?».

Non eravamo più chiusi in un'isola felice, e ormai anche noi camminavamo tra gli altri nella strada che si faceva buia. Eppure già da quella sera avemmo l'impressione che nessuno ci fosse più sconosciuto, nella città: ci guardavamo privi di curiosità o interesse, a guisa di persone della stessa famiglia benché tacessimo l'uno con l'altro, appunto come fanno tra loro i familiari. Tomaso mi accompagnava a casa, senza neppure domandarmene il permesso: camminavamo in silenzio, ci pigiavamo in silenzio nell'autobus, tra molta altra gente che taceva: un silenzio afoso e oppressivo pesava sulla città oscurata. Tomaso mi lasciò al portone: io non mi chiedevo ciò che Francesco avrebbe potuto supporre vedendoci insieme. Ci separammo in silenzio. Ma avevo salito appena poche rampe quando sentii Tomaso che mi rincorreva affannosamente. Il suo vestito bianco era livido nella luce della lampadina inazzurrata, e ancora rivedo l'intenso ardore che era nei suoi occhi quando io mi fermai e lui mi raggiunse.

«Senti, Alessandra» disse «bisogna che ti confessi una cosa: farò di tutto per portarti via a Francesco. Scusa. Volevo dirti la verità, stasera. Hai capito?»

Lo guardai e non avevo neppure, la forza di rispondere, reagire, oppormi. "Sì" feci con la testa. Lui mi prese la mano, me la baciò, mentre io già riprendevo a salire. Udivo il suo passo allontanarsi ed ero calma, rassegnata alla voce della radio e a quella di lui.

Francesco rientrò molto tardi e subito disse: «Te lo avevo detto che non potevamo ancora essere contenti?». Avrei voluto rispondergli che la nostra era un'epoca in cui bisognava adattarsi ad essere contenti anche solo per poche ore, un pomeriggio, una notte: appena si poteva. Tomaso aveva fatto in tempo a trascorrere un pomeriggio felice con me, prima che parlasse la radio; ma, vedendo Francesco, comprendevo che soltanto con lui io avrei potuto essere veramente felice: egli apparteneva alla mia vita, e anche il patire per lui m'apparteneva, come il lungo giorno che incominciava e che non potevo rifiutarmi di vivere. Francesco ripeté «Che cosa ti avevo detto?» e nella sua voce era un rimprovero, benché la mia sola colpa fosse stata quella di aver tentato, a tutti i costi, d'essere contenti insieme.

Uscimmo sulla terrazza, a interrogare la notte, l'aria, il vento, che erano più forti di noi. Mia madre mi aveva insegnato ad essere amica degli alberi, del cielo, e perfino della pioggia, che lascia dietro di sé l'arcobaleno. Ma tutto era finito di quel tempo, ed esso rimaneva in me come il ricordo vago di una favola.

Era una notte bianca, minacciosa: il cielo, gonfio di nuvole, vibrava di remoti boati come all'approssimarsi del temporale. Io mi stringevo a Francesco, rifugiavo la testa nel cavo della sua spalla, mi sembrava che quella fosse l'ultima notte che ci rimaneva: tutt'e due sapevamo che stava per cominciare il lungo giorno in cui le donne e gli uomini non avrebbero più potuto giacere insieme nei letti né più parlarsi o amarsi. S'alzava allora il vento che poi durò tre giorni; il vento pareva accompagnare ogni ora difficile della mia vita, come spesso il mio umore si accompagnava a quello della natura. La terrazza era percorsa da un vento caldo. Francesco guardava verso sud e pareva tendersi in ascolto come quando, presso la radio, aspettavamo di sentir bussare alla parete della nostra prigione. «Non faranno in tempo a venire» disse. Io pure sentivo che non avrebbero fatto in tempo: ed era bene che fosse così, che trovassimo aiuto solamente in noi. Così sapevo che non avrei accettato l'aiuto di Tomaso anche se, spesso, per superare un momento difficile, mi appoggiavo al pensiero di lui, come per anni ci eravamo sorretti ascoltando bussare la radio.

Di nuovo eravamo soli, Francesco e io; nessuno poteva aiutarci e questa, che era la nostra condanna, era anche la nostra disperata forza. Oh, non potrò mai dimenticare la terrazza nuda, il cielo bianco e noi pure bianchi, in quella luce, tra le case bianche, le finestre chiuse, le alte terrazze deserte. Di lassù si vedeva tutta la città, anch'essa sola nello squallore desolato della sua campagna: indifesa, alla vigilia del lungo giorno, com'eravamo indifesi noi due. E io sentivo che era necessario parlare, in quel momento, rompere il riserbo che fino allora ci aveva costretti, poiché era necessario che due compagni si parlassero, in una notte come quella; e si rifacessero ai loro sentimenti, ai loro impulsi e ricordi, le sole cose sulle quali potevamo contare, come la città contava su tutti noi, sulle nostre case, sulle armi nascoste nelle cantine, e su una tradizione che in qualche modo bisognava pur rispettare. Aspettai durante tutta la notte. All'alba telefonò un compagno dicendo di uno sbarco che si tentava per portarci aiuto. Non era vero. Io sapevo che non c'era aiuto. Riudivo le parole di Tomaso nella scala e i boati che venivano di lontano, annunziando il temporale. Era necessario raccogliere tutte le forze, non ignorare che anche noi due eravamo in pericolo e non soltanto la città. Egli parlava coi compagni: si telefonavano, si suggerivano dove cercare aiuto, armi, e io aspettavo presso il telefono, seduta su uno sgabellino, in vestaglia: volevo essere aiutata anch'io. «Parlami» dicevo a Francesco, andandogli attorno mentre si preparava per uscire. «Cara, ti sembrano momenti questi?...» replicava, accarezzandomi sulla fronte. Bisognava parlare in quei momenti, invece; tutto il giorno le chiese furono affollate di gente che pregava per rassicurarsi che qualcosa rimaneva, qualcosa era certo, anche se i boati si facevano sempre più vicini e ormai si sapeva che non era il temporale.

Francesco prese la pistola e se la mise in tasca avviandosi alla porta. Poi tornò indietro e disse: «No. È meglio che la lasci a te. Non si sa mai. Nascondila, ma a portata di mano. Hai paura?».

«Non credo» risposi. «Come si fa?»

«È tutto pronto: basta premere qui.»

Era terribile avere una pistola, fredda, pesante, tra le mani.

«Hai paura?» Francesco ripeté, vedendomi impallidire.

«No. Soltanto non vorrei essere costretta a sparare.»

«Certo, non servirà mai. Ma a volte si tratta di difendersi.»

«Dove vai, Francesco?»

«Da Alberto, per adesso; poi si vedrà.»

«Non lasciarmi così» gli dissi sulle scale. Ci abbracciammo: mentre mi abbracciava, egli era già lontano, già parlava con gli amici. Rientrai in casa, e poco dopo Tomaso telefonò; neanche lui credeva che avrebbero fatto in tempo a venirci in aiuto. «Vorrei vederti» mi pregò «magari per pochi minuti.» Io dissi no, che restavo in casa ad aspettare Francesco.

Avevo ancora in mano la rivoltella: la riposi nel cassetto del comodino. Passai la mattinata al telefono rispondendo agli amici che cercavano Francesco. Tomaso richiamò più tardi e m'informò che si combatteva fuori porta. «Francesco dov'è?» gli domandai ansiosamente. «Non lo so» egli mi rispose. «Bisogna che ti lasci ora, vado via con gli altri. Senti: volevo dirti che ti amo.»

Era necessario che raggiungessi Francesco in qualche modo, che gli impedissi di andare con Tomaso. Uscii e il portiere mi trattenne: «Signora» s'informò: «che dice il professore?».

Lo guardai per un attimo, e già sentivo l'odio salire in me, un vecchio odio al quale m'ero disabituata; ma dietro di lui era sua moglie e la figlia che reggeva in braccio il fratellino. Tutti mi guardavano con il viso angosciato.

«Faranno in tempo?» il portiere insisteva.

«No, credo di no.»

La donna guardò la rete che portavo a tracolla e disse: «I negozi sono chiusi, ma potrei darle un poco del mio pane».

Molte cose erano cambiate, in una notte. La gente anche senza conoscersi si parlava nella strada. Io cercavo Francesco dappertutto; lo cercavo nei carri che passavano stipati di soldati laceri e tristi, tra gli uomini sperduti che sedevano alle fermate dei tram e che vestivano da borghesi, portando ancora addosso le giberne. Non c'erano mezzi di trasporto né veicoli: io proseguivo a piedi, agitata, per qualche tratto affiancandomi a gruppetti di donne pallide, che camminavano camminavano, anch'esse cercando di raggiungere un uomo che indicavano solamente per nome.

Soffiava ancora il vento, afoso, opprimente. Da Alberto cinquanta, sessanta persone erano riunite in due stanze e ascoltavano la radio. Giungevano giovani in bicicletta portando messaggi scritti a matita; poi venne la compagna Denise: anche lei recava un messaggio e mi scrutò, infastidita. «Vada a casa, signora» disse: «suo marito non sarebbe contento di trovarla qui.»

Lo conosceva molto bene. Infatti, quando Francesco tornò, non fu contento di vedermi lì: me lo disse con uno sguardo. Il suo aspetto severo distrusse l'ottimismo che ancora sosteneva i compagni. La radio delle tredici non aveva parlato dei combattimenti. «Siamo stati abbandonati» Francesco disse: «ognuno di noi è solo coi compagni.» Anch'io ero sola perché lui, parlando, non mi si rivolgeva mai. Ancora una volta lo guardai e lo scelsi, benché non mi guardasse. C'erano intorno a lui molti altri uomini, e alcuni avevano la sua età, altri erano anziani e pochi erano più giovani. Stavano seri, raccolti in gruppo e tuttavia a me sembrava che, anche in quei momenti, gli uomini trovassero grande difficoltà a comunicare uno con l'altro, perché una congenita ritrosia li tratteneva, e il pudore di mostrarsi deboli. Dai loro visi traspariva lo sforzo che sostenevano per accettare la sofferenza; uno sforzo superfluo alle donne, che con la sofferenza hanno familiarità. Erano meno forti di noi, sebbene maneggiassero fucili e pronunziassero parole gravissime, assolute, alle quali io ormai sapevo che era quasi impossibile tenersi fedeli.

Arrivò un messaggio di Tomaso dal quartiere periferico ove si combatteva. Alla fine raccomandava: «Telefonate alla signora Minelli e ditele che suo marito è rientrato in città, che stia tranquilla».

Tutti mi guardarono e io arrossii. Poi Francesco si avvicinò consigliandomi di tornare a casa, provvedere un po' di cibo in previsione delle difficoltà che sarebbero sopraggiunte l'indomani. Nella strada vidi alcune donne che spingevano carretti con sopra i figli e poche masserizie; dicevano di venire dai quartieri dove si combatteva e seguitavano a spingere il carretto senza piangere né lamentarsi, sapendo anch'esse che era incominciato il lungo giorno in cui si doveva soltanto patire.

Da quella sera dovemmo rincasare presto, per via del coprifuoco: sonava l'allarme e scendevamo nei rifugi; di giorno io facevo la fila dinanzi al negozio del fornaio, e nelle strade passavano continuamente autocarri carichi di tedeschi che ci guardavano, misurandoci come bestie. Non vedevo mai Francesco, prima di sera, talvolta neppure mi telefonava: Tomaso invece mi telefonava spesso e mi dava notizie secondo un linguaggio convenzionale perché di nuovo avevamo paura della voce arrogante. Quando eravamo tornati ad udirla, tutti avevamo avuto brividi nella schiena, ma ormai sapevamo che essa non apparteneva ineluttabilmente alla nostra vita come per tanti anni avevamo creduto.

Mio padre aveva scritto offrendoci di passare qualche tempo in Abruzzo; io ne informai Francesco, proponendogli di accettare. Tomaso era impallidito allorché aveva saputo di questa probabilità. «Non te ne andare» aveva detto; e dopo riprovando il suo egoismo, aveva aggiunto: «non saprei come fare a tirare avanti, se tu non ci fossi.»

Francesco disse: «Sì. Bisogna che tu vada: ma tu sola. Ho pensato seriamente a questo, proprio oggi, e ho deciso di mandarti da tuo padre». Parlava di me come di una bambina o di un mobile: capivo che c'era da temere di quel discorso.

«E tu?» domandai.

«Io dovrò lasciare questa casa stasera stessa, o domani. Non è prudente che rimanga.»

«Allora» dissi «perché non partiamo insieme per l'Abruzzo?»

Egli fece una pausa; poi rispose: «No. Ho pensato molto a questo, mi lasciavo tentare: sono così stanco. Ma non è possibile. Bisogna che rimanga con gli amici, ora che si comincia a lavorare: non credo che finirà presto, ci vorranno forse due mesi ancora. Andrò in casa del fratello di Tullio, stasera».

«E poi?»

«Poi cambierò, se sarà necessario. Ma voglio essere tranquillo per te: sapere che sei al sicuro, che dormi bene, che mangi...»

«Ah, ecco...» Non si era accorto che tutto ciò aveva avuto sempre poca importanza per me, e adesso non ne aveva più alcuna. «E così, se anche ti capitasse qualche cosa, io mi salverei, naturalmente.»

«Non mi capiterà nulla.»

«Ma se accadesse...»

«Certo, sarei più tranquillo sapendoti in salvo.»

Tacqui: e poi dissi amaramente: «È una cosa che mi ha fatto sempre pensare».

«Quale?»

«Questa premura che hanno gli uomini di salvare le donne da due cose soltanto: dalla fame e dalla morte, due cose che le donne temono come le teme la maggior parte di voi. E invece non pensate mai a salvarle da tutte le altre cose assai più temibili che sono attorno a loro, dentro di loro. Io non voglio essere messa in salvo.» Ancora una volta lo supplicai: «Francesco, ti prego, fammi lavorare con te».

Io ero seduta ai piedi del letto e lui disteso, col capo affondato nel cuscino; sicché il suo sguardo si alzò verso di me, freddo: «No» disse dopo un momento: «È meglio che tu vada in Abruzzo».

Io gli risposi, irata: «Hai paura che parli, vero? che non abbia abbastanza sangue freddo, che sia una donna come Casimira, vero?».

«No, non è questo...»

«Sì, stimi più l'ultimo dei tuoi amici che me, perché sono una donna...»

«Calmati, ti prego, Alessandra...»

«Non è possibile: questo è un giorno decisivo. Se non

422

vuoi venire con me in Abruzzo, lascia che io ti segua; hai fatto tutto ciò che volevi finora, ma adesso ho paura, ho paura che tutto finisca, capisci? E la sola cosa importante siamo io e te.»

Egli tentò di persuadermi. Disse alcune cose che io sapevo giuste, ma che non volevo credere tali perché lo amavo. Se lui avesse parlato anche di noi, del nostro amore, forse lo avrei capito; ma lui non ne parlò.

«E tutto ciò è anche più importante di noi?» gli domandai, alla fine.

«È più importante di tutto, sì» egli rispose. «Tu dici sempre che non bisogna tradire il disegno di noi stessi, vero?» Io dicevo così, ma egli aveva un modo di ripetere le mie parole che mi faceva arrossire per averle dette. «E questo è proprio il momento di non tradirlo, capisci?»

«No» dissi fredda: «No, non capisco.»

Poco dopo venne Tullio col fratello e gli dissero che era bene andar via subito. Li lasciò aspettare nello studio e tornò in camera ad annunziarmi che sarebbe andato via prima del coprifuoco. Era finito, se ne andava. Al coprifuoco mancava meno di un'ora. Ma in un'ora forse avevamo tempo di parlare. «Io non parto» gli dissi: «voglio restare qui, vicino a te, avere tue notizie. Mi capisci?»

«No» fu lui a rispondere stavolta: «ma sei libera di fare come vuoi.»

«Ti amo...» gli dissi, smarrita, abbandonando la battaglia. Avevamo ancora mezz'ora, potevamo ancora salvare tutto. Presi la valigia, la posai sul letto e incominciai a riempirla: «Quale vestito?».

«Quello che ho indosso.»

«Uno solo? Non è prudente.»

«Già; quello più vecchio, allora.»

Camicie, calzini; speravo ancora che dicesse "No, Alessandra, non ce la faccio ad andarmene". Ero certa che non sarei arrivata a finire la valigia, prima che lui avesse detto qualcosa.

«Nient'altro?» gli domandai.

«No, grazie.»

Aspettavo che dicesse: "La tua fotografia, quella che sta sul comodino". Forse avrebbe detto: "Vieni anche tu" prima che io facessi scattare la serratura. Avevamo ancora pochi minuti, Tullio lo sollecitava. La serratura scattò. Almeno avrebbe detto: "Perdonami, non posso a meno di fare così, ma sono disperato di lasciarti e ti amo, ti amo".

Invece disse solo: «Sta' tranquilla. Ti manderò notizie». E, dilungandosi in questi particolari, si avviava nel corridoio; mi abbracciò in presenza di Tullio e anch'io mi fingevo disinvolta. Quando ebbe sceso la prima rampa, lo richiamai: «Francesco!» in un grido.

«Che c'è?» egli mi domandò arrestandosi: anche Tullio e il fratello guardarono in su.

Dissi: «Se hai bisogno di qualcosa fammelo sapere».

Poi corsi alla terrazza per vederlo. Tre uomini si allontanavano discorrendo fra loro. Quello vestito di grigio, alto, era Francesco.

Pochi giorni dopo Tullio venne a portarmi un biglietto di Francesco. Mentre lo leggevo, Tullio stava in piedi dinanzi a me, guardandomi. «Va bene» dissi. Nel biglietto Francesco mi suggeriva di rispondere, a chiunque m'interrogasse in proposito, che io mi ero separata da lui e non sapevo dove si trovasse, supponevo che si fosse trasferito nel Nord.

«Bisogna bruciare subito il biglietto» Tullio disse. Era un uomo sui quarant'anni, scapolo, biondo, severo: il suo sguardo mi fissava gelido dietro gli occhiali. Sentivo che era nemico di me e della debolezza che io rappresentavo per Francesco. «Prego» disse, chiedendomi indietro il biglietto per bruciarlo. «Francesco desidera avere anche tutta la sua roba» aggiunse. «Non dimentichi nulla, signora: nel bagno, negli armadi. Metta tutto in una valigia. Io aspetto.»

Frugò nella scrivania, prese tutte le carte; era calmo,

preciso, inesorabile. Io scrissi poche parole a Francesco, per rassicurarlo, e soprattutto per aggrapparmi alle parole scritte; ma quando Tullio uscì, portando via la valigia, mi salutò con fredda deferenza, come se io non fossi più la moglie del suo compagno Francesco.

Era pericoloso entrare in quel giuoco: tutti avevamo assunto una nuova identità e dovevamo convincerci che quella sola fosse la vera. Tullio non era più un archeologo: la sua carta di riconoscimento lo qualificava commerciante di legname. Io ero una donna separata dal marito: a volte mi pentivo di aver accettato, quasi fossi caduta in un tranello; giungevo a temere che Francesco usasse quel mezzo sleale per abbandonarmi. Era molto difficile rimanere legati a tutto ciò che era accaduto prima del lungo giorno: portavamo il ricordo del nostro passato al modo di uno scapolare. A volte persino il viso di Francesco si confondeva nella mia memoria: egli non amava farsi fotografare e perciò m'era rimasta solo una piccola istantanea di lui, presa durante un congresso universitario. Era serio, portava il cappello in testa, il cappotto indosso. Non mi pareva lo stesso che veniva con me a Villa Borghese. Eppure mi pareva che in quella fotografia fosse stato colto il suo autentico aspetto: lo immaginavo sempre così, cupo e severo, cappotto indosso, cappello in testa, tra Tullio e gli altri. E i tratti del suo viso, i toni della sua voce andavano perdendosi come s'erano perduti quelli di mia madre.

Mi era più familiare il viso di Tomaso: era anzi divenuto il solo viso familiare alla mia vita. Dovevo compiere uno sforzo per dimenticarlo e talvolta io stessa lo richiamavo per alleviare la mia solitudine. Egli seguiva fedelmente la mia vita che ormai era ignota a Francesco. Anche lui spesso cambiava di casa, però mi telefonava ugualmente varie volte ogni giorno; si annunziava dicendo: «Eccomi...». Cominciai ad attendere con ansia le sue telefonate. Durante i nostri colloqui mi infastidiva il giudizio di colui che era addetto alla censura telefonica; ma poi mi rassicuravo pensando che figuravo d'essere una donna sola, separata dal marito, e ciò avrebbe servito a darne conferma.

Nei primi giorni la casa vuota e la vista degli indumenti di Francesco, dei suoi libri, mi avevano dato un atroce struggimento. Mi aggiravo in casa, chiamandolo, passavo la sera sulla sua poltrona, e così mi pareva di stare nelle sue braccia. Perciò, quando i suoi indumenti scomparvero, provai un amaro sollievo. Andavo all'ufficio, tornavo, mangiavo il cibo triste col quale le donne si sfamano quando sono sole. Credevo di riempire freddamente le ore che mi separavano dal ritorno di Francesco. E, in verità, durante tutto il giorno, aspettavo che telefonasse Tomaso.

Non potevo pensare ad altro: mi sembrava, così, di lottare incessantemente contro il sentimento che incominciavo a provare per lui; ricordavo il suo viso chiaro, aperto, il modo che egli aveva di sorridere strizzando un poco gli occhi. Sovente mi rifacevo a certi romanzi dell'Ottocento, al personaggio di qualche donna forte e coraggiosa che si dibatte per scacciare da sé un sentimento colpevole e tornare al saggio e legittimo amore; ma, ricercando tra i ricordi delle letture fatte, mi avvedevo che quelle lotte erano sempre state fittizie e inutili: ogni assalto serviva ad accostare maggiormente l'eroina all'amato avversario e anzi la lotta la sfibrava, rendendola più prossima ad arrendersi. L'inevitabilità di quella fine mi atterriva.

Allora raccoglievo in me tutte le forze e decidevo di non vederlo più. Per qualche ora mi pareva di essere sicura, decisa, addirittura rallegrata da quella decisione. Poi consideravo che dileguarmi era impossibile: egli avrebbe telefonato, sarebbe venuto a cercarmi in casa, bisognava pur concedergli una spiegazione e insomma vederlo un'ultima volta, fargli intendere quale fosse il sentimento che mi legava a Francesco. Pensavo che avrei fatto bene a telefonargli l'indomani per prendere un appuntamento. Forse anche la sera stessa, o forse subito. Meglio subito, così sarei stata più tranquilla, dopo: tutto sarebbe stato definito, chiuso.

«Pronto» lo chiamavo. «Sono io: Alessandra.»

Godevo nel presentarmi a lui, con grazia, per l'ultima volta.

«Non hai paura?» gli chiedevo.

«Molta; ma non mi cercano, pare. Cercano le persone importanti: Francesco, per esempio, o Alberto o Tullio. Se mi arrestassero, un altro potrebbe facilmente prendere il mio posto. Non tutti possono prendere il posto di Alberto o di Francesco.»

E intanto, a poco a poco, egli tentava di prendere il posto di Francesco presso di me: ed era proprio la sua tenace devozione a sgomentarmi. Mi trattava come se fossi stata una ragazza; mi chiedeva, per grazia, di baciarmi una mano o di prendermi sottobraccio. Temevo la felice innocenza dei nostri incontri, la certezza che avevo di non far nulla di male.

Presto non ebbi neppure più il lavoro per distrarmi: l'ingegnere Mantovani aveva assunto molti importanti lavori che lo obbligavano a trasferirsi nel nord. Era tornato ad essere deciso, sbrigativo. Aveva posto una radio presso la scrivania, ogni tanto l'apriva, magari solo un attimo come per accertarsi che la voce arrogante parlasse ancora. «Lei viene nel nord, vero, signora Minelli?» mi domandò una mattina.

Tra noi c'era lo spazio liscio del tavolino, la cartella di cinghiale, i begli oggetti di cancelleria che io desideravo possedere fin da quando ero bambina. Ormai, quando avevamo tra noi quel tavolino, nonostante la generosa cortesia del mio principale o forse anche per quella, io sentivo che lui era ricco e io povera; lui molto forte e io debolissima. Quel giorno, invece, sebbene egli avesse ripreso la sua sicurezza e Francesco fosse stato obbligato a fuggire, mi pareva di essere molto più forte di lui. Poiché io ero sempre stata povera e, senza il suo aiuto, certo sarei morta, come sua madre, non avendo mai posseduto una poltrona. Ma mi domandavo ciò che lui avrebbe fatto senza quel bel tavolino, i telefoni, e l'inchino che l'usciere Salvetti gli faceva nell'aprire la porta. Soprattutto senza la voce arrogante della radio che lo rassicurava. Francesco ed io eravamo abituati alla vita malsicura.

«Grazie» gli dissi «creda che mi dispiace veramente di non poter seguitare a lavorare con lei: ma sono costretta a rimanere qui.»

«Per suo marito?»

«No» risposi dopo una pausa: «le ho già detto che siamo separati. È perché temo di perdere la casa.»

«Già» disse: «capisco.» Era facile comprenderci, anche ricorrendo a un linguaggio convenzionale, perciò non avevamo l'impressione di dire bugie. Lydia annunziò che avrebbe viaggiato spesso tra Roma e Milano. Io accompagnai Fulvia al municipio e leggemmo tutte le pubblicazioni per sapere quando si sposava Dario.

Fu Tomaso a dirmi di andare il giorno dopo da Francesco, all'ora della colazione.

«Che è accaduto?» domandai sgomenta.

«Nulla» egli rispose: «vuole vederti.»

Capivo che Tomaso era geloso. Si domandava forse se il suo amore non fosse più forte dei diritti che Francesco aveva su di me. Ma io volevo fargli comprendere che non si trattava di diritti, ero felice di andare da lui perché lo amavo. Mi avvicinai a Tomaso per dirglielo, e insieme per tentare di confortarlo. Così, per la prima volta, ci abbracciammo. Io non ero più stata abbracciata in quel modo da anni e mi stupii di provare piacere in una stretta che non fosse quella di Francesco. Compresi che avevo confuso Francesco e Tomaso, finora, ma adesso non potevo più. Ebbi la sensazione precisa dell'intimità con un uomo che non era mio marito, e perciò del tradimento, della colpa. «Va' via, ti prego» gli dissi. Tuttavia il ricordo di quell'abbraccio restò in me anche mentre discorrevo con Francesco.

Avevo fatto un largo giro nel timore di essere seguita. Il fratello di Tullio si chiamava Luigi, aveva moglie e quattro bambini. Francesco figurava essere cognato di Luigi e far parte perciò della famiglia. Abitavano al quarto piano, in una casa sull'Aventino, e bisognava salire una larga scala assolata. Venne ad aprirmi la moglie di Luigi, io non dicevo nulla, lei mi stimò con gli occhi e poi sorrise dicendo: «S'accomodi».

Francesco era seduto nella stanza da pranzo e ascoltava la radio: aveva un bambino sulle ginocchia. Quando io apparvi sulla soglia, egli si volse, e, per abbracciarmi, posò in terra il bambino. Il bambino si mise a piangere, gli altri bambini più grandi ci guardavano. Era un abbraccio diverso da quello di Tomaso. La moglie di Luigi ci contemplava commossa, sorridendo: era grassa, aveva un viso simpatico. Io avrei voluto restare sola con Francesco, ma lei non accennava a lasciarci soli; pensava, forse, che le cose che si dicono tra marito e moglie possono essere sempre ascoltate da tutti. Infatti dicemmo: «Che fai? Come ti senti? Mangi?». Io desideravo prendere le mani di Francesco, desideravo stringermi a lui, ritrovare il suo modo di abbracciarmi, l'odore della sua nuca. E invece sedevo presso la tavola apparecchiata, tra quegli sconosciuti coi quali Francesco aveva già fatto amicizia. A tavola essi mi raccontavano avvenimenti accaduti, palpitando ancora per ansie alle quali io non avevo preso parte. Mi rivelarono l'esistenza di una porticina, dissimulata dietro una libreria, che conduceva all'abbaino. In quell'abbaino si svolgevano sedute, riunioni, e lì Francesco e gli altri potevano nascondersi in caso di pericolo. Io avevo l'impressione di essere un'estranea.

Dopo la colazione Francesco mi disse: «Vieni a vedere la mia camera». Era quella del figliuolo maggiore che aveva dodici anni e alle pareti si vedevano ritratti dei calciatori più noti, negli scaffali libri d'avventure e soldatini di piombo. Mi dispiaceva che egli dormisse in quella camera, volevo a tutti i costi tornare a dormire dietro le sue spalle. Si udivano i bambini giocare oltre la porta a vetri. «Torna a casa, Francesco» gli dissi; e aggiunsi: «Scusa, so che è impossibile; ma non so più stare senza di te.» Rimanemmo abbracciati e io lo amavo con tutte le mie forze, con tutta la forza con la quale mi difendevo da Tomaso. Egli mi disse: «Togliti la giacchetta, non hai caldo?» poi andò alla porta e girò la chiave. Un bambino venne a tamburellare sul vetro della porta, con due dita. Io pensavo alla moglie di Luigi che certamente immaginava per quale ragione un marito volesse rimanere solo con sua moglie, dopo due mesi.

«Pèttinati» Francesco mi disse pochi istanti dopo, assestandosi la cravatta davanti allo specchio. Si udivano sempre le voci dei ragazzi, uno chiamava la madre, piagnucolando. Sullo specchio era incollato un profilo di Biancaneve. Mentre mi pettinavo, Francesco mi si accostò per parlarmi: la sua presenza suscitava una felicità così profonda in me, e insieme una sofferenza così acuta, che mi faceva desiderare di andarmene al più presto perché questo conflitto si placasse.

«Sandra, volevo dirti che domani lascerò questa casa. Andrò in una villetta in campagna, dove abbiamo anche una trasmittente. Bisogna incominciare a lavorare: abbiamo radunato uomini, armi, esplosivo.»

«È molto pericoloso, Francesco.»

Egli esitò un attimo, come scacciando un pensiero; poi disse: «No, non credo. E in ogni caso tu devi capire che io non posso fare altrimenti. Devi capirmi. Capiscimi, ti prego. So che rimarremo qualche tempo senza vederci. Hai bisogno di danaro?».

«No» risposi duramente. Arrossii: mi stavo infilando la giacchetta e mi pareva che egli volesse pagarmi.

«Senti, Alessandra» continuò prendendomi la mano: «io voglio che tu abbia coraggio.»

«Non ne ho affatto.»

«Lo so. E anch'io, del resto, mi sento più forte quando siamo lontani. Forse sono molto diverse, in questi momenti, le reazioni di un uomo e di una donna. Ma io spero che tu capisca ugualmente tutto ciò che accade. Finora abbiamo avuto poco tempo per noi. Io non sono mai stato come tu volevi che fossi. Ma non mi sentivo libero, ancora: sentivo, sapevo che bisognava scontare anche questo, per essere finalmente contenti.» La stanza era fredda; Francesco si era gettato addosso il cappotto e appariva simile alla fotografia. «Presto, forse, tu capirai e io già capisco te, sebbene tu non lo creda. Bisogna liberarsi.»

Non risposi; pensavo che volevo liberarmi dall'amore che avevo per lui.

«Usciamo, adesso.»

Era, di nuovo, impassibile e distante come poco prima. Non riuscivo mai a superare il muro che ci divideva. Nel corridoio la moglie di Luigi aspettava sorridendo e io arrossii, temendo di aver lasciato la camera in disordine, mi ribellavo alla sua benevola complicità. La salutai appena. Francesco mi abbracciò mentre un bambino gli si aggrappava alle gambe. «Ti amo, ho paura» gli mormorai all'orecchio; poi lesta mi perdetti nelle scale.

Alcune sere dopo parlavo al telefono con Tomaso, quando sentii bussare insistentemente alla porta. Era trascorsa l'ora del coprifuoco e quel picchiare affannoso mi insospettì. «Scusami» dissi a Tomaso: «bussano, forse sono loro, ti richiamo subito, ciao.» Era la ragazzina del portiere, pallida: «Vengono, stia attenta!» disse. Poi salì ancora pochi gradini e si rifugiò nel deposito dei cassoni dell'acqua.

Io corsi in camera, presi la pistola e la nascosi nella fenditura di una poltrona, nello studio. Già udivo passi grevi, ferrati, salire le scale; erano i passi che s'udivano nelle strade, ogni notte, i passi che cercavano Francesco e che adesso erano alla soglia della mia casa. «Basta premere qui» Francesco aveva detto.

Il loro modo di bussare somigliava ai loro passi, al loro sguardo duro. Erano tre, e mi salutarono nell'entrare. Non avevo paura, mi sentivo chiusa in una gelida impassibilità. Alle loro domande risposi che mio marito non viveva più con me da tempo, che eravamo separati e supponevo che egli si fosse stabilito a Milano. Parlavo calma, sicura, avrei voluto che Francesco potesse vedermi. Essi mi guardavano con diffidenza e io li fissavo, provando un'acre gioia nell'immaginare di premere il grilletto. Erano alti, biondi, e con loro io avevo in comune la statura e il colore degli occhi, dei capelli. Li conoscevo bene: mia madre mi aveva sempre parlato del carattere della nonna Editta. Sembravamo quattro persone della stessa famiglia e perciò loro dovevano sapere che non avrei detto nulla. Mi domandavo soltanto se avrei saputo resistere al dolore fisico. Essi si mostravano rispettosi, cortesi, dissero «Prego» entrando nello studio e io sedetti sul bracciuolo della poltrona. Scorsero abilmente le carte, e senza ragione, io temevo che potessero trovare qualcosa. Ma fu proprio la precisione del loro metodo a rassicurarmi: se essi non sbagliavano nel cercare, neanch'io potevo aver sbagliato nel distruggere. "Al petto" pensavo "bisogna colpirli nella tronfia sicurezza del petto." Ero in grande apprensione per la pistola, mi pareva che la poltrona fosse trasparente.

I soldati uscirono dallo studio e io feci per seguirli. L'ufficiale disse: «Prego, signora» facendomi comprendere che dovevo rimanere con lui, mentre gli altri frugavano la casa. Mi invitò a sedere e così mi trovai a pochi centimetri dalla pistola.

«Lei legge molto?» mi domandò guardando gli scaffali.

«Sì, è la mia occupazione preferita.»

«Bene» disse; e incominciò a prendere in mano i libri. Lo faceva per cercare, certo, li sfogliava e io disprezzavo la sua inutile simulazione.

«Non troverà nulla nei libri» lo rassicurai.

Allora l'ufficiale si volse, stupito: «Non cerco» disse. «Del resto ho già capito che non troveremo nulla. È difficile trovare qualcosa in casa di una persona che legge tanti libri» aggiunse con lieve ironia.

Avevo paura, temevo che mi conoscesse troppo bene, forse sapeva che non avrei sopportato a lungo il dolore fisico. "Nella schiena" pensavo "mentre prende un altro libro."

«Scusi» disse: «se la infastidisco interrompo.»

Feci un gesto per mostrare che m'era indifferente.

«Grazie. È molto tempo che non vedo libri. Da quando ho lasciato casa mia. Adesso la mia casa è distrutta, tutto, anche i libri. Peccato. Non si possono comprare tanti libri insieme, ma gradatamente. Io le auguro di non perdere i suoi libri.»

Lo guardavo senza rispondere: non capivo bene ciò che voleva dire. Udivo nella mia camera i passi dei soldati, i loro movimenti, sentivo che spostavano un mobile. Forse egli tentava di farmi dimenticare quel che gli altri stavano facendo o forse studiava il modo più opportuno per convincermi a parlare.

Si avvicinò e io lo fissai. Era giovane, doveva essere poco maggiore di me.

«Io entro spesso nelle case di questa città» disse; e c'era un disagio nella sua voce: «Ma non trovo mai molti libri, come in tutte le case del mio paese. Scusi» aggiunse credendomi offesa. «Perché lei ha molti libri?»

«Ho studiato lettere.»

«Io anche» disse con serietà: «preparavo la tesi su questo poeta e la guerra mi ha obbligato a partire.»

Mi mostrò il libro che aveva in mano: era Rilke, i poemi francesi. Sedette di contro a me, nell'altra poltrona, e intanto io udivo i soldati frugare dappertutto nella casa. «Lei conosce queste poesie?»

«Sì, certamente.»

«Legga una poesia che preferisce, prego.» Mi porse il

libro e, mentre lo prendevo, io tentavo di intuire dove fosse, in tutto ciò, il tranello per Francesco.

«Quale?» domandai fissandolo e sperando di indovinare.

«Quella che lei vuole, prego.»

Non avevo mai immaginato di leggere una poesia tenendo la mano a pochi centimetri da una pistola. Pensavo a coloro che avevano udito la macchina arrestarsi al portone, alla notizia che circolava nella breve strada, al casamento desto nel terrore, ai pochi uomini rimasti che si rifugiavano nei nascondigli apprestati. Forse anche leggere una poesia poteva essere un modo di aiutarli.

«Sì, ce n'è una che preferisco» dissi. Sfogliai il libro e lui aspettava rigido, attento.

> Tous mes adieux sont faits. Tant de départs
> m'ont lentement formé dès mon enfance...

Seguitavo a leggere e ogni poco lo sogguardavo temendo che in qualche modo approfittasse della mia sincerità. Non doveva credere che lo odiassi meno, anche se leggevo una poesia.

«*Tous mes adieux sont faits...*» egli ripeteva.

Sentii i soldati avvicinarsi nel corridoio: mi pareva che portassero tra loro Francesco, ero certa d'essere stata io a consegnarlo, con quella poesia. "*Tous mes adieux sont faits*" pensavo avvicinando la mano alla pistola.

Entrarono e mostrarono all'ufficiale due fotografie: l'una era quella di Francesco e l'altra era una di Tomaso che rideva: la tenevo nascosta tra la biancheria. Si parlarono senza che io potessi comprenderli; certo, sulla guida di quella fotografia, avrebbero trovato Francesco; c'era dentro di me un cane che aveva voglia di mordere.

«Prego, signora» l'ufficiale disse, evitando di guardarmi le mani che tenevano ancora il libro aperto. «È necessario che lei mi dica quale di questi due è suo marito.»

Mi mostrò le fotografie: in un attimo il sangue mi si raggelò, poi si sciolse in un flusso bollente.

«Questo» dissi indicando la fotografia di Tomaso.

«Grazie. E l'altro?»

Risposi arrossendo: «È un amico».

«Capisco» egli annuì con un lieve inchino; prese la fotografia di Tomaso e se la mise in tasca.

Sulla porta, quando già gli altri due erano usciti, disse: «Io so che queste visite non sono gradite. Io spero di non più tornare. Vorrei non distruggere con la mia persona il ricordo di Rilke».

Udii i loro passi nelle scale; la casa ne risonava e certo tutti temevano di sentirli arrestarsi alla loro porta; udii il portone sbattere, la macchina avviarsi, allontanarsi. Quando il rumore tacque, io corsi nello studio, presi la fotografia di Francesco e la bruciai. Non c'era più, l'avevo sottratto, salvato.

Mi avviai concitata al telefono, per chiamare Tomaso, e solo allora compresi la gravità di ciò che avevo fatto. Era un'azione vile, abbietta: Francesco mi avrebbe disprezzata per questo. Volevo avvertire Tomaso, subito, formavo il suo numero affannosamente, ma nessuno rispondeva, tornavo a formarlo con frenesia: il richiamo che squillava nel vuoto mi dava la certezza che egli fosse già stato arrestato. Mi convincevo che era impossibile, e intanto pensavo con disperazione al suo viso, riposto nella tasca dell'ufficiale.

Venne su il portiere a riprendere la bambina che era restata tutto il tempo tra i cassoni, nel freddo, tremando. Le porte si aprirono, i vicini uscivano fuori in vestaglia. «Meno male» dicevano. Domandavano perché fossero venuti. Io rispondevo vagamente. Infine rimanemmo soli, il portiere e io.

«Signora» egli mi disse sottovoce. «Mi hanno mostrata la fotografia e ho risposto di sì.»

Io arrossii con violenza; egli continuava: «Quel signore è fuori della porta, che vuole entrare».

«Dove?»

«Giù. Li ha visti andare via, vuole entrare. Gli ho fatto cenno di attendere, ma adesso è meglio forse... è meglio non lasciarlo in istrada... a causa del coprifuoco.»

«Sì» io dissi senza guardarlo. Lui aggiunse: «Non torneranno; in ogni caso, si ricordi della stanza dei cassoni. L'ultimo, a destra, è vuoto».

Poco dopo sentii il passo di Tomaso nelle scale: si avvicinava, leggero, rapido. Egli entrò ansimando, richiuse la porta e ci abbracciammo freneticamente nell'ingresso buio. «Alessandra» egli diceva e io dicevo: «Tomaso» con un accento disperato. Pensavo alla fotografia: «Tomaso, Tomaso...» ripetevo stringendomi a lui. Allora egli si chinò e mi baciò sulla bocca. Ci baciammo a lungo, era maraviglioso baciarsi, sentire la bocca calda, viva, il corpo giovane e libero. «Ti amo» mi diceva: «Ho avuto paura: dopo la tua telefonata sono uscito subito per venire qui.»

«E il coprifuoco?»

«Che importa. Mi sono nascosto tra gli alberi, qui di contro. Vedevo la macchina ferma al portone, e loro non scendevano mai...»

Mi baciava intanto, mi teneva stretta.

«Oh, Alessandra, che paura. Sei qui, è passato finalmente. Pensavo sempre: "Se la portano via sparo". Non potevano essere più di due o tre. Amore...» mi diceva. Io rispondevo: «Amore». Passammo la notte nello studio, io seduta in poltrona e lui ai miei piedi, gli carezzavo i capelli. Guardavo un rotolino di carta bruciata che era la fotografia di Francesco. Parlammo tutta la notte, parlammo anche di Francesco. Lui mi domandava: «Lo ami tanto?» e io facevo sì con la testa: un sì desolato, attonito. Non dissi nulla della fotografia. Prima che fosse giorno volli che se ne andasse. Indugiavamo incapaci di separarci: ci baciammo ancora nell'ombra della scala deserta.

Non vi fu più calma o riposo per me nelle settimane che seguirono. Non potevo liberarmi dal rimorso di aver esposto Tomaso ad un grave pericolo, e quindi non potevo liberarmi dal pensiero di lui. Sapevo che, qualora gli avessi confessato l'azione vile che avevo commesso, egli non solo avrebbe continuato ad amarmi, ma avrebbe compreso e amato anche quel gesto. Perciò desideravo vedere Francesco, e trarre conforto da lui; a questo scopo avevo domandato di parlare con Tullio ed egli mi aveva dato appuntamento in casa di Luigi: non ero contenta di tornarvi a causa, soprattutto, di ciò che era avvenuto nella camera del ragazzo. Venne ad aprirmi la moglie di Luigi; Tullio mi aspettava nella sala da pranzo, e i bambini tacevano, intimiditi dalla presenza dello zio.

«Ho bisogno di vedere Francesco» dissi.

Tullio rispose che non era possibile: dopo la visita che avevo ricevuto ero pedinata, forse, e ciò avrebbe potuto perdere non solo Francesco, ma anche gli altri compagni. Francesco stava bene e, secondo il solito, Tullio mi consegnò una lettera di lui che lessi in sua presenza. Era una lettera molto bella, nella quale Francesco mi rassicurava sulla sua sorte e m'infondeva coraggio riferendosi sempre a sentimenti più alti di noi, a doveri cui bisognava attenersi. Era proprio una lettera nobilissima, come quelle che i rivoluzionari scrivono alla famiglia, prima di essere giustiziati, e che poi vengono pubblicate nelle antologie. Dopo averla letta io mi vergognavo di affidare a Tullio la lettera disordinata, in cui esprimevo a mio marito la necessità che avevo del suo amore e della sua presenza. Tullio chinò la testa sorridendo nel prendere la lettera. Gli chiesi di rivelarmi il luogo dove Francesco si nascondeva: egli mi corresse: «Non è nascosto, signora: sta lavorando», e non volle rivelarmi dove si trovava. Di fronte a Tullio io mi mostravo sempre nel mio peggiore aspetto: avevo gli occhi pieni di lacrime, le labbra tremanti, mi esprimevo con incertezza. «La prego...» provai ad insistere. Ma egli rifiutò decisamente sebbene con rammarico, pareva. Certo avrebbe riferito a Francesco che io ero una donna nervosa, debole. «Eppure» soggiunsi uscendo «era proprio

437

necessario che io parlassi con mio marito.» Tullio, salutandomi, disse freddamente: «Se la interrogassero mentre esce di qui, dica che è venuta a trovare mia cognata. Mia cognata si chiama Maria».

Non incontrai nessuno. Verso sera raggiunsi Tomaso, in un caffè. Lo trovai agitato: «Da quando sono venuti da te, l'altra sera, ogni volta che ritardi temo sempre di non vederti più» mi disse. Ci vedevamo tutti i giorni, ormai. Egli sapeva ciò che facevo ora per ora, quanto danaro mi rimanesse: era stato lui a procurarmi una traduzione dal francese per un editore che lavorava clandestinamente. Gli dissi che non ero certa di tradurre bene; ma quando, arrossendo, gli detti da leggere le prime pagine, egli rimase stupito e mi guardò con ammirazione. «Pensavo che avrei dovuto rivederla tutta» disse «invece non ve ne sarà bisogno, e mi dispiace. Non si può mai fare nulla per te. Si prende sempre, quando ti si avvicina, anche se si ha l'intenzione di dare. Finirai per rivedere tu i miei articoli» concluse sorridendo. La sera stessa scrissi a Francesco; gli dissi della traduzione; avrei voluto scrivergli una bella lettera che giustificasse ciò che Tomaso aveva detto; ma quando mi rivolgevo a lui i miei sentimenti erano sempre più forti della calma necessaria a scrivere.

Mi pareva impossibile raggiungerlo, ormai: io non sapevo nulla della sua vita quotidiana e lui ignorava la mia. Io non avevo osato confessargli di aver scambiato la sua fotografia con quella di Tomaso, pur incolpandolo segretamente di avermi spinta a un'azione spregevole, dettata dall'amore che avevo per lui. A poco a poco, nasceva in me il sospetto che il mio matrimonio fosse stato un errore e che, in verità, io appartenessi all'uomo amoroso e devoto col quale ormai dividevo le ore più impegnative della vita. Forse né lui né io valevamo quanto Francesco: ma la nostra giornata era un cerchio armonioso, un dolce anello. Discorrevamo animatamente, poi, spesso, lavoravamo insieme sotto la luce della stessa lampada, l'uno di qua, l'altro di là del tavolino. In quei momenti, la vita sembrava tanto compiuta e bella che quando, come di frequente, egli alzava gli occhi dal suo lavoro per guardarmi, io arrossivo e avrei voluto piangere. Eravamo sempre legati e concordi; egli mi avvisava quando usciva per qualche compito rischioso; poi mi telefonava subito dopo per informarmi, in un linguaggio convenuto, che tutto era andato bene. Metteva una grande semplicità in tutto ciò che faceva.

«No, non sarò mai un eroe» egli diceva sorridendo, «il destino non me ne darà mai l'occasione. O forse io non metto mai l'impegno necessario a procurarmela.»

In quel tempo la città era piena di persone che non avrebbero mai avuto la possibilità di divenire eroi: eppure, tra noi tutti, circolava una solidarietà così profonda che spesso raggiungeva l'eroismo, benché attraverso la paura. Perciò, forse, c'intendevamo facilmente: bastava un cenno, un'occhiata. Le case si aprivano ai tribolati, accogliendoli nella miseria che era in esse, come se finalmente ci fossimo tutti risolti a rivelarci. Sì, veramente fu un'epoca che rese migliori anche coloro che non avevano l'ambizione di divenire eroi e che pure sentivano l'obbligo di tener fede a se stessi. Parrà strano forse, ma io sentivo che persino i soldati alti e rigidi che ci incutevano tanta paura erano spinti da tale imprescindibile dovere. Non potevo credere che essi fossero soddisfatti di incutere paura a donne e uomini che non conoscevano: e, al contrario di quel che certuni pensavano allora, io intuivo che essi sentivano le loro ragioni farsi sempre più deboli e perciò tentavano di sostenerle col terrore. Pensavo così, forse, perché mia madre che pure era vissuta in tempi tanto diversi dai nostri, mi aveva appreso ad essere clemente verso coloro che si riducono ai mezzi della guerra.

Compresi, inoltre, perché Claudio non mi aveva scritto più, dopo l'armistizio. Non potevo dimenticare ciò che aveva detto, quando eravamo ancora ragazzi; egli condannava, allora, il coraggio di Antonio che io ammiravo tanto: lo giudicava inferiore al coraggio necessario per piegarsi alle umiliazioni proprie di quei tempi, a quelle di vivere, zitto e ignoto, con la propria famiglia alla quale si è inevitabilmente estranei, coi propri doveri che pesano, e appagandosi soltanto della coscienza di ubbidire.

Bisognava, insomma, accettare di non essere eroi né protagonisti. E io avrei dovuto accettare il matrimonio, con la solitudine che esso porta con sé, il decadimento, la fine del romantico disegno in cui ci eravamo inventati. Bisognava avere il coraggio di vivere dietro il muro, come Claudio viveva dietro il reticolato. Ma io non avevo tale coraggio, come Francesco non aveva avuto quello di accettare l'annientamento della propria libertà morale. L'impossibilità che avevamo di adattarci ai modelli che da ovunque attorno ci venivano proposti era un legame che ci imparentava inscindibilmente, al disopra dei nostri caratteri tanto diversi e della sofferenza che l'un l'altro ci procuravamo. Le lettere che ci scambiavamo, infatti, erano forse esaltate o retoriche, ma, riferendosi a sentimenti diversi, parlavano lo stesso linguaggio ed esprimevano la ferma volontà di non accettare una resa.

Di sera, io andavo in su e in giù ravvolta in uno scialle, nella casa gelida ove la luce mancava per ore. Nel buio freddo e silenzioso della casa consideravo quanto sarebbe stato invitante l'arrendersi: erano così dolci le ore che passavo con Tomaso, quando egli m'interrogava sui miei pensieri, sul mio passato, sui miei propositi, e poi mi domandava: «Mi ami?». «No» rispondevo sempre: «Non amo che Francesco» e, in quei momenti, non credevo neppure più che fosse vero. Non avevo nulla per sostenermi oltre il ricordo della sera in cui morì mia madre. Le chiedevo "Aiutami", e invece di vederla col viso allucinato che aveva uscendo per andare al fiume, la rivedevo nell'abito azzurro del concerto. "Aiutami" le dicevo e lei non mi rispondeva, seguitava a camminare, a scendere le scale in un volo, per andare incontro ad Hervey. "Mi auguro che tu riesca" udivo la Nonna ripetermi continuamente e intanto la immaginavo guardare con sfiducia la mia esile complessione, come quando ero arrivata in Abruzzo.

Spesso tornavo a propormi di non vedere più Tomaso ma era molto difficile essere sola, alla mia età: avevo poco più di ventun anni. Era più facile resistere quando si dormiva ogni notte dietro il muro e l'intimità con un uomo appariva una vicenda sudicia, umiliante: ma era difficile resistere quando Tomaso sedeva ai miei piedi, mi guardava con occhi innamorati e mi diceva tutte le parole che io avevo sempre desiderato udire. Eravamo sempre in casa e alla nostra età giovane l'appagamento dei desideri amorosi sarebbe apparso non solo innocente, ma naturale. Talvolta l'allarme sonava, di notte, e al mattino si sapeva che qualche casa era crollata; sul giornale, accanto ai nomi delle vittime, si leggeva "anni cinquantotto", "anni sessanta", ma spesso si leggeva "anni trenta", "anni ventuno"; e allora veniva fatto di pensare se era giusto che una donna portasse via con sé, a ventun anni, solo il ricordo delle notti in cui dormiva dietro il muro o dei giorni in cui faceva la fila, lavava i piatti, e si rifugiava in cantina. "Non è giusto" pensava Tomaso nel lasciarmi e forse era l'ultima volta che ci vedevamo, giacché egli poteva essere arrestato da un momento all'altro. «Non è giusto» ripeteva da quando, per la prima volta, mi aveva chiesto di lasciarlo rimanere. «Non me ne andrò più» diceva «andrò a parlare con Francesco, ci intenderemo facilmente; è facile intendersi tra persone che hanno rischiato la vita insieme.»

«No» io rispondevo «ti prego, non togliermi la calma necessaria, sai bene che non lascerò Francesco, sai bene che lo amo.» Gli dicevo: «Vorresti davvero che la nostra fosse la solita povera vicenda della moglie che è lontana dal marito, che è sola in villeggiatura, che...».

«Questo solo sarebbe?...»

«Sì. Questo solo» rispondevo, evitando di guardarlo.

Speravo che egli dicesse: "Non importa, lasciami rimanere lo stesso". Dentro di me lo pregavo di agire in questo modo, acciocché potessi avere un motivo per disprezzarlo. Ma egli si staccava da me, respirando forte come se riaffiorasse, diceva: «Perdonami», mi baciava la mano: «ciao».

Rimanevo schiacciata dietro la porta. Di notte, mi stringevo alla bottiglia dell'acqua calda, per non sperdermi nella vastità del letto. Sonava la sirena, scendevo nel rifugio e sentivo il tonfo delle bombe, i colpi sordi della contraerea. Io non avevo molta paura; ma pensavo sempre "anni trenta, anni ventuno".

Sì, in quei momenti era piuttosto difficile resistere.

Non avevo nessuno per aiutarmi.

Era molto penoso riconoscere che l'amicizia con Fulvia era finita. Ormai non avevamo più nulla in comune eccetto i ricordi della nostra infanzia. Io ripetevo sempre che avrei desiderato tornare a vivere in quel quartiere, tra quella gente, e forse non era vero. In realtà così intendevo dire soltanto che avrei voluto tornare ad essere quella che ero prima che morisse mia madre, prima che la guerra incominciasse e io conoscessi Francesco, e poi Tomaso. Ma questo non era possibile. Non mi era possibile neppure continuare una sincera amicizia con Fulvia. Ciò mi procurava un'amara desolazione; poiché il suo calore mi aveva sempre confortato, e ora neppure quel conforto mi rimaneva. Non avevamo più nulla che ci legasse, né interessi né persone.

Dario si era sposato, ormai, e sua moglie era la figlia di un danaroso droghiere. Abitavano lì presso, e Fulvia e Lydia avevano preso l'abitudine di trattenersi alla finestra, sperando di vederli passare. Li vidi anch'io, una volta. Lei era grassa, piuttosto volgare: camminando, si appoggiava al marito. Anche Dario era ingrassato, e io non capivo più quale attrattiva Fulvia trovasse in un uomo che aveva scelto di vivere accanto a quella donna, solo perché era ricca. Fulvia e Dario si vedevano due volte la settimana, sempre nel pomeriggio: egli diceva di preferire quell'ora a causa del coprifuoco. Lydia ormai era d'accordo con la figlia e in quei giorni s'attardava fuori di casa.

L'ultima volta che andai a trovarle ci sedemmo sul letto di Fulvia, per discorrere. Io m'ero proposta di non tornare più da loro, anche per salvare il ricordo della stanza dei giuochi. «Era una stanza incantata» avevo detto a Tomaso: «i mobili gettavano in terra vaste ombre nelle quali ci rifugiavamo; il letto dalla coperta verde era una sterminata prateria...» Quando Fulvia aveva lasciato entrare Dario in quella stanza per la prima volta essi erano ancora due ragazzi, e quello sembrava ancora un giuoco pericoloso, proibito. Non volevo immaginare quel giovane borioso e grassoccio spogliarsi lì, coricarsi in quel letto, vicino a Fulvia che si rendeva docile e gradita.

Dicevano che ero stata fortunata a sposare Francesco e io rispondevo sì; mi domandavano se fossi felice e in quella domanda io sentivo l'ultima speranza che esse avevano di sminuire, con l'esempio della mia sventura, il benessere che Dario provava accanto alla figlia del droghiere. Metterle a parte della mia amarezza sarebbe stato l'unico modo di ritrovarci: ma io non potevo confidarmi con loro poiché le nostre aspirazioni, ormai, erano del tutto diverse. Opposte addirittura. Perciò rispondevo sì: e per cancellare, nel ricordo di Fulvia, la confessione delle mie prime delusioni, dicevo che al matrimonio ci si deve abituare, perché dapprima sconcerta, ma poi è una condizione ideale, perfetta. Esse mi guardavano come guardavano passare la figlia del droghiere e, da quel giorno, io sentii di appartenere legittimamente al casamento dove tutti erano felici.

«Già» disse Lydia mentre Fulvia si era allontanata per preparare un po' di vermut che voleva offrirmi a tutti i costi: «è triste essere l'amante di un uomo sposato. Quando finisce la guerra manderò Fulvia a Milano, dal padre:

le ragazze che sono forestiere in una città trovano facilmente marito.»

«Ma lei non vorrà...» obiettai.

«Eh, lo so» Lydia annuì con un sospiro. «Spero di convincerla: non voglio che finisca come me. Quando si è giovani tutto va bene, e poi... Non so spiegarmi, ma certo tu capisci. Tu sei istruita, leggi molti libri. È strano: tante cose ch'io provo non riesco a dirle e anzi, spesso, non riesco neppure a precisarle e così neppure ne soffro. Poi le leggo nei romanzi e allora le comprendo veramente e spesso mi viene da piangere. In questi giorni ho letto un romanzo dove si parla di una donna che è l'amante di un uomo sposato. Non mi ricordo come si chiama, questo libro, io dimentico sempre i titoli: ma spiegava molte cose mie, della mia vita. Per esempio, a un certo punto, lui, che è sposato, vorrebbe andare a trovare lei, invece è trattenuto dalla moglie e allora le telefona, le dice: "Scusi, non posso venire stasera, commendatore". Le prime volte si ride insieme di questi stratagemmi. Anche lui spesso fa così con me, mi chiama "Commendatore". È una sciocchezza, vero? Eppure si rimane molto male dopo aver riagganciato il microfono. Ora, per esempio, io gli scrivo all'indirizzo di un suo usciere, molto fedele, un certo Salvetti. Sempre per la moglie, naturalmente. L'usciere finge che siano sue. Dirai: è una sciocchezza, vero? Eppure, non so spiegarti, questa corrispondenza con l'usciere è piuttosto umiliante.»

«Non mi pare... L'essenziale è nel ricevere e scrivere quelle lettere.»

«Già, sembra così, appunto, quando si è giovani. Ma non è così. Da giovani sembra bello persino incontrarsi nelle camere mobiliate o in albergo. È un'avventura, sembra. Ma poi, in realtà, tu torni a casa, sola, lui torna dalla moglie, va a teatro con la moglie, dorme vicino a lei...»

«E forse neppure la guarda, non le parla neppure...»

Temevo di aver confessato tutto con quella frase, stavo per riprendermi. Ma Lydia continuava:

444

«Sì, lo so. So quello che vuoi dire. Sono stata sposata anch'io per molti anni e, in fondo, ci siamo divisi per un puntiglio di Domenico.» Non capivo come potesse chiamare puntiglio tutto ciò che era avvenuto col capitano. Intanto lei continuava: «Lo so. Non si è felici neppure quando si è sposati, ma è diverso. Il marito è il marito. Non so spiegarmi. Del resto forse tu non capiresti, non avrebbe capito neppure Eleonora. Io invece capisco quello che prova Fulvia quando sta ore e ore alla finestra e poi dice "Com'è grassa", ridendo della moglie di Dario...».

Salutai Fulvia nell'angolo della porta di casa ov'ella mi aveva stretto una volta, da bambina. Mi invitò a tornare, ma io sentivo che non avevamo più nulla da dirci dopo che Dario si era sposato. «Ricordi?» ella mi domandò affacciandosi alla ringhiera mentre io incominciavo a scendere, adagio. Sì, accennai, riconoscendo che non avremmo più potuto sentirci felici come quando non conoscevamo Dario né Francesco. La scala ove mia madre scendeva leggera era oscurata, l'androne era in parte ostruito da sacchi di sabbia. Lì presso mi aspettava Tomaso, proprio come il capitano aspettava Lydia, dissimulato dietro l'edicola dei giornali.

Pochi giorni dopo incominciai a lavorare con Tomaso: era la fine di marzo e la città era piegata nel terrore. Nelle case tutti sembravano aspettare solo il momento in cui sarebbero venuti a portarli via: famiglie intere, spossate dalla fame e dalla paura, sedevano in silenzio nel buio delle case ancora fredde e aspettavano che i passi si facessero sentire, finalmente, mettendo fine alla loro angosciosa attesa. Le strade erano sempre più deserte, la gente passava frettolosamente, a testa bassa, come per sfuggire a un'epidemia. Fulvia mi aveva telefonato per dirmi che Natalia Donati, la mia compagna di scuola, era stata portata via col suo bambino in fasce, perché era ebrea. Ricordavo quando andavamo a sederci nel giardinetto e lei mi leggeva le lettere che credeva scritte dall'Andreani: non rammentavo neppure che fosse ebrea: era una ragazza come me, avevamo avuto la stessa infanzia, gli stessi maestri. «Le hanno portate via in un camion» aveva detto Fulvia: «gridavano.»

Dal tempo della scuola io non avevo più rivisto Natalia: perciò la ricordavo col cappottino verde, le trecce rosse, lunghe, i grevi occhiali. Così la vedevo salire nel camion, ancora bambina, portando in braccio un bambino dai capelli rossi. Gridavano, Fulvia aveva detto. E consideravo che la vita delle donne era ormai divenuta troppo pesante, se ad esse non era risparmiata neppure la morte crudele che gli uomini, anche in tempo di pace, rivendicano quale loro glorioso privilegio.

Incominciai una sera che Tomaso aveva in tasca i messaggi da portare alla radio e temeva di essere fermato all'ingresso della casa di Tullio. «Li porterò io» dissi. Lui si opponeva; io insistetti, seria: «Voglio portarli io».

«Francesco verrà a saperlo» egli obiettò; ma sentivo che questa complicità lo tentava.

«Meglio» dissi.

Camminavamo sul Lungotevere, poco distante dalla casa ove abitava mia suocera la quale era venuta un giorno a chiedermi notizie di Francesco: io le avevo risposto che ci eravamo divisi. Ella mi aveva fissato freddamente; non era mai sicura di me, stentava a credermi. Tuttavia le era stato facile soddisfarsi nella prova che le davo di avermi sempre giudicata con avvedutezza.

Tra i platani si vedevano ombre di altre coppie. Tomaso mi domandò: «Come faccio a passarti i messaggi?».

«Baciami» io risposi: «mentre mi baci.»

Eravamo vicini, sentivamo l'uno il calore dell'altro sotto i vestiti già primaverili. Tomaso mi baciò a lungo; la sua mano entrò nella mia scollatura, trovò la pelle nuda e lasciò scivolare i foglietti nel reggiseno. Non avevo mai baciato un uomo in quel modo tremendo. Poi riprendemmo a camminare sottobraccio e, nonostante l'esitazione di Tomaso, poco dopo ci separammo.

Quando fui sola ebbi molta paura: mi sembrava che tutti dovessero vedere quei foglietti. Avrei voluto abbottonare meglio la giacca, ma temevo che quel gesto bastasse a tradirmi. Non avevo mai provato tanta paura, temevo di aver presunto troppo di me stessa. Ogni volta che un'automobile si avvicinava, sentivo le gambe mancarmi. Mi domandavo se anche Francesco avesse tanta paura, e mi convincevo di sì. Eppure agivo disinvolta, pagavo il biglietto nel tram, dicevo: «Scusi, prego». Finalmente Francesco avrebbe riconosciuto che non somigliavo a Casimira.

In casa di Tullio aprì una vecchia dicendo che non c'era nessuno, io insistevo, e lei mi guardò spaurita. Allora da un uscio a vetri, socchiuso su una stanza buia, venne fuori la compagna Denise e disse di lasciarmi entrare. «Bisogna sonare sei volte» mi spiegò. Mi guardava incerta e, trattenendomi nell'ingresso, «Si rassicuri» disse subito: «suo marito sta bene.»

«Grazie. Ma non venivo a domandare notizie» risposi: «sono venuta a portare i messaggi. Tomaso temeva di essere pedinato.»

Dopo aver visto di che si trattava, ella mi disse: «Bene. Ma perché è venuta lei, signora? Suo marito non sarebbe contento e...».

«Ormai non ha più importanza che lui sia contento o no» risposi seccamente. «È importante che certe cose siano fatte; e Francesco non può impedirmi di sentire la necessità di farle.»

Le parlavo con durezza e Denise mi guardava come se mi vedesse per la prima volta. Alcune sere dopo, infatti, ella venne a rifugiarsi in casa mia, prima del coprifuoco; disse che osava chiedermi ospitalità non solo in seguito a un suggerimento di Tullio, ma anche perché, dopo la nostra breve conversazione, aveva sempre avuto voglia di tornare a parlare con me.

«Andrò via domattina presto» disse: «questi sono giorni molto difficili.» Insieme seppellimmo alcune carte nei vasi della terrazza, tra le radici dei gelsomini, e io pensavo al giorno in cui avevo comperato quelle piante; qualche ramo fioriva già, mandando un tenue odore. Poi discorremmo; io le dicevo che poteva essere tranquilla: il portiere era fidato e c'era pur sempre il deposito dei cassoni.

«Non credo che verranno» ella riprese. Quando si tolse il basco vidi i suoi capelli grigi alla radice, colore del ferro. «Spesso noi esageriamo il pericolo e, andando di casa in casa, cerchiamo soltanto riparo alla nostra inquietudine. A volte penso che la paura che loro hanno di trovarci sia pari a quella che noi abbiamo di essere trovati. La lotta si basa sulla possibilità di sopportare più o meno a lungo questa paura.»

«Sì» dissi «e forse la sofferenza che essi ci impongono non è minore di quella che noi imponiamo loro costringendoli ad essere inumani e crudeli.»

«Però è più facile sopportare la crudeltà che essere crudeli» ella aggiunse; dopo una pausa seguitò: «noi vinceremo appunto perché la crudeltà è contraria a ogni legge naturale della vita. La ragione, alla fine, è sempre dalla parte dei pazienti e dei deboli.»

«Non credo» risposi: «e in ogni caso io non mi rassegnerò mai ad essere paziente e debole.»

«Me ne accorgo» disse crollando la testa: «sono molto più vecchia di te, posso darti del tu, vero? e anch'io pensavo così, una volta. Ma forse è un errore.»

Intanto si spogliava della camicetta maschile che le nascondeva il seno grosso e pesante. «Quando venivo a trovare Francesco» seguitava «mi piaceva vederti muovere attorno a lui, sempre graziosa, nella tua femminile gentilezza. Speravo che tu non fossi intelligente. Le donne non debbono mai essere molto intelligenti se vogliono essere felici. Per gli uomini è diverso: essi non affidano mai tutta la loro vita all'amore. Giudicano che non sia un sentimento molto importante, a volte lo credono persino meno importante dell'ambizione. Lo considerano una debolezza, anzi. Si vergognano di aver sbagliato qualcosa nella loro carriera, o magari soltanto in una operazione finanziaria; ma neppure si propongono di non sbagliare in amore. Le donne, invece, se sono veramente intelligenti, riconoscono che nessun sentimento è più importante dell'amore.»

«E allora?» domandavo sgomenta.

«E allora comprendono che i rapporti tra un uomo e una donna sono alla radice della vita la quale, del resto, si perpetua in essi. Tutti gli altri sentimenti sono meno importanti, spesso non sono neppure originari in noi, ma creati dalla particolare società in cui viviamo; inoltre non si può conformarsi totalmente ad essi se non attraverso la consapevolezza dell'amore. Ma gli uomini non amano le donne che capiscono queste cose e che sanno ciò che li muove, li fa agire: preferiscono chiudersi in loro stessi, non ammettono di subire un giudizio, rischiando, così, di essere condannati.»

«E allora?» io insistevo.

«Be', quando si è intelligenti e non ci si può rassegnare, bisogna adattarsi a rimanere sole.»

Nella penombra distinguevo appena il profilo di lei, pesante sotto gli occhi. Presto ella si addormentò e quel corpo ammassato accanto al mio m'impaurì: il sonno la murava in una solitudine amara e rassegnata che faceva nascere in me una incontenibile rivolta. "È vecchia" pensavo schernendola. "Parla così perché è vecchia." Eppure, osservandola attentamente, consideravo che poteva avere appena quarant'anni, e che, forse, il suo aspetto era soltanto il risultato di un proponimento. Fu con sollievo che la vidi andarsene, presto al mattino. Prima di uscire mi affidò alcuni incarichi: la sua voce era diversa da quella che usava per domandarmi se aspettavo un bambino.

Subito scrissi una lunga lettera a Francesco; gli chiedevo di aiutarmi a veder chiaro in me e in questi rapporti ai quali, fin dal primo momento, io e lui ci eravamo accostati con tanto impegno. Egli mi rispondeva sempre nello stesso tono affettuoso e rassicurante: sicché le mie lettere rimanevano sempre senza riscontro. Mi pareva che il solo modo di raggiungerlo fosse quello di lavorare insieme, pur di lontano. Perciò eseguivo puntualmente le istruzioni della compagna Denise la quale, tuttavia, non mi parlava più come quella notte, ma come parlava agli uomini e certo come Francesco parlava a lei.

D'altronde – e in parte per il terrore che ella, con i suoi discorsi, aveva lasciato in me – provavo sempre maggiore riluttanza a evitare gli incontri con Tomaso. Egli partecipava alla lotta clandestina in modo diverso dagli altri compagni. Costoro erano seri, solenni, murati in una abituale malinconia: Tomaso non agiva con metodo, freddezza e precisione, come Francesco, sibbene con l'estroso entusiasmo che anch'io mettevo nell'adempiere gli incarichi che mi venivano affidati. Liberi dal lavoro andavamo a riposarci nella campagna della periferia; ci sdraiavamo sull'erba come due studenti e, nonostante la giornata pericolosa che avevamo vissuto, sentivamo un'allegra vena di giovinezza circolare in noi, con il fervore della nuova stagione. «Mi ami?» egli mi domandava. E io rispondevo sempre, scherzosamente: «Un poco». In verità, anche in quei momenti, io sentivo di amare soltanto Francesco; tuttavia trovarmi con Tomaso, ascoltarlo parlare e ridere, vedermi guardare da lui, era una gioia sana, giovane, felice, che non ricordavo mai di aver provato.

Spesso rincasavamo insieme. Finché eravamo in istrada io sentivo di non far nulla di male; ma, improvvisamente, leggevo la mia colpevolezza negli occhi deferenti del portiere. Io vivevo sola, Tomaso era un uomo giovane e si tratteneva ore e ore nella mia casa: inoltre il portiere conosceva la storia della fotografia e ciò mi teneva sempre intimidita in sua presenza. Avrei voluto fermarmi a discorrere con lui, convincerlo che quel giovane non era, come lui immaginava, il mio amante. Ma non l'avrebbe creduto; nessuno l'avrebbe creduto vedendoci rincasare sottobraccio, stretti nei confini della nostra isola. E io stessa, in verità, non lo credevo; sentivo che avevamo in comune molto più di una intimità fisica, e cioè l'intimità dei sentimenti e dei pensieri. Tuttavia quando egli mi domandava se amassi Francesco, ero profondamente sincera nel rispondergli di sì.

A volte, temendo di essere già divenuta simile alla compagna Denise, mi spogliavo e mi guardavo nello specchio. «Francesco...» dicevo, ma sentivo la voce di Tomaso che diceva: "Perché non vuoi, Alessandra?". Mi aggiravo nella casa, come impazzita: la parola "adulterio" mi perseguitava, l'avevo continuamente negli orecchi. Ricordavo mia madre e la preferenza che aveva per la storia di Emma Bovary; vedevo quel libro sul suo comodino, le pagine segnate in margine con l'unghia. Forse lo leggeva di notte, mentre stava sveglia dietro il muro. Così, la lotta sostenuta da mia madre si aggiungeva alla mia, sembrandomi che ella mi avesse affidato la responsabilità di vincere la battaglia per entrambe. A volte, invece, mi convincevo di essere schiava soltanto del timore convenzionale di quella parola. "Cedo" mi dicevo; "cedo per liberarmene." Mi sentivo sollevata, respiravo: ma era un attimo. Subito una disperazione fredda, insostenibile mi coglieva. Sì, cedere era forse un modo di liberarsi. Dopo, mi sarei buttata giù dalla terrazza. Mi pareva finanche che, a forza di chiamarla con tanta insistenza, d'implorarla quasi, la morte avrebbe finito per venire spontaneamente in mio soccorso. Ma, invece, non veniva. Ormai portavo spesso i manifesti nella borsa, li impostavo nelle buche delle lettere, li facevo scivolare oltre le cancellate, nelle portinerie deserte. Talvolta aspettavo di sentire alle mie spalle una scarica di mitragliatrice.

Vidi Tullio e gli consegnai una lettera per Francesco. Era, insieme, fiera e desolata. Tra l'altro gli dicevo: "Vi sono molti modi per arrivare a comprendersi l'uno con l'altro, io ho scelto il più pericoloso e il più difficile. È veramente molto difficile. Aiutami". Da Tullio seppi che Francesco si era recato nel Sud con un imbarco clandestino ed era rientrato da poco con lo stesso mezzo, compiendo un'impresa molto ardita. Serbare così rigorosamente il segreto con me, in un momento che era stato pericoloso, non mi pareva più osservanza a un dovere, ma addirittura una prova di sfiducia. Eppure Tullio da qualche tempo mi guardava con occhi meno distanti, seppure ugualmente freddi.

«Lei lavora molto bene, signora Minelli» mi aveva detto «ma abbiamo creduto di non comunicarlo a suo marito, fino ad oggi, per non togliergli calma e serenità.»

Disponeva di noi, dunque, proprio come io avevo sospettato. Tuttavia anch'io sentii la necessità ineluttabile di rispettarlo e ubbidirlo; era divenuto più magro, ma il suo sguardo aveva conservato la sua tagliente vigoria.

Il giorno seguente, rincasando, trovai il portiere che m'accolse pallido, la moglie singhiozzava: «Che è successo?» domandai in un grido. Mi dissero che Francesco era tornato a casa e, sul portone, era stato arrestato.

Sedevo lunghe ore sulla terrazza, verso sera, aspettando: non facevo altro che attendere e le sere, in quell'epoca, si facevano distese, interminabili. Qualche volta veniva a trovarmi la figlia del portiere, una bambinetta bianca e gracile, che si pettinava con due trecce come io facevo alla sua età. Lei ricordava appena il tempo in cui la guerra non era incominciata e forse per questo i suoi occhi erano fermi in un'espressione di sgomento. «Che fa, signora?» mi chiedeva sedendosi accanto a me sul panchettino. «Aspetto che finisca» le dicevo. «Quando finisce?» ella mi domandava; e, poiché io facevo un gesto vago con la mano, mormorava: «Ho paura che non finisca mai». Mi aveva rincorso per le scale, la sera dell'arresto; mi aveva preso la mano e me l'aveva baciata per confortarmi. Era proprio una bambina graziosa e delicata, mi rattristava che dovesse conoscere queste cose.

Tomaso aveva telefonato poche ore dopo e ci eravamo parlati nel linguaggio delle ore difficili. Mi aveva chiesto se poteva venire a trovarmi. Io avrei voluto dirgli di no, che era pericoloso, pensavo sempre alla fotografia che avevo dato all'ufficiale; ma il portiere aveva detto che era stato quello stesso ufficiale ad arrestare Francesco. Così mi parve chiaro che già allora egli sapesse che mentivo e compresi le parole che mi aveva detto sulla porta, riguardo alle sue visite e a Rilke. Certo anche lui aveva supposto che Tomaso fosse il mio amante e, vedendomi indicare la sua fotografia con tanta sicurezza, doveva aver pensato che ero una donna spietata e crudele, anche se leggevo bene Rilke. Del resto, ormai ciò non aveva più molta importanza. Nulla aveva più importanza da quando Francesco – avendo saputo che lavoravo per lui e lo comprendevo – era venuto a dirmi che mi amava e che anche lui, finalmente, aveva tutto compreso. Ma neanche quella volta avevamo fatto in tempo.

Accolsi Tomaso in silenzio; egli sedette di contro a me e per un lungo momento tacemmo. Credo che io lo guardassi con rancore poiché disse piano: «Lo so: mi rimproveri di essere libero».

Infatti l'aria del suo viso era colpevole. Si arrischiò a domandarmi se tra noi due tutto sarebbe rimasto come prima e io gli risposi di sì, lui aveva sempre saputo che io amavo Francesco. Mi guardava, perciò, come se fossi divenuta molto più forte, in quelle ore; e, invece, da quando Francesco era stato arrestato io mi sentivo assolutamente indifesa, poiché se lui era stato costretto ad arrendersi, mi pareva che neanch'io avrei più avuto coraggio o motivo di battermi. Forse, se in quel momento Tomaso mi avesse chiesto: "Vuoi, Alessandra?", io lo avrei guidato alla mia camera e mi sarei stesa sul letto. Nulla contava più, se Francesco era perduto; tradirlo sarebbe stata una piccola vicenda sudicia, come tante altre sudicie vicende cui assistevo.

Rimasi molti giorni senza uscire: la ragazzina del portiere andava a comperarmi il pane e io lo mangiavo con le patate, come nei giorni in cui aspettavamo che la voce arrogante smettesse di parlare. Tutto ciò sembrava già molto lontano. Una delle cose particolari al tempo in cui si viveva allora era la capacità di far apparire distante quel che era accaduto solo pochi mesi prima, e perciò di dare alle persone giovani il senso di aver vissuto abbastanza.

Tullio mi fece sapere che desiderava vedermi e che mi attendeva in un caffè del viale Giulio Cesare. Tomaso volle accompagnarmi. Quel viale è una delle principali arterie del quartiere dei Prati. Lungo la strada ci arrestammo per affacciarci al parapetto di ponte del Risorgimento. Sul ponte passavano pesanti autocarri gremiti di soldati alti e impettiti; sotto il passaggio degli autocarri il ponte, fatto di un arco solo, tremava. Anche noi tremavamo, a causa del ponte.

«Vedi?» dissi a Tomaso: «È lì che mia madre si è uccisa. Allora c'era un bel canneto, la proda era erbosa e l'acqua verde, trasparente, pareva che scorresse sulle foglie.»

Ero certa che Tomaso non mi credesse; infatti pareva impossibile ch'io fossi stata felice di abitare in quel quartiere, in quelle case: o meglio pareva addirittura impossibile ch'io fossi stata felice. Sentivo di aver conosciuto la verità improvvisamente come se fino allora avessero tentato di blandirmi con pietose menzogne. Il Tevere era un fiume di fango; e quel quartiere basso e piatto, uno dei più tristi della città; in me ogni passione s'era spenta, non solo l'ardito odio che per tanti anni mi aveva animato contro il babbo, ma finanche il ricordo di mia madre. E non più il fiume, gli alberi, i lieti voli delle rondini m'erano compagni durante la giornata, ma il passo dei soldati, l'umidità dei rifugi, il buio, e il ponte che tremava sotto il peso degli autocarri.

Tullio ci aspettava nella grigia saletta di una latteria: era pallido, emaciato: eppure dai suoi occhi trapelava un'acuta forza che lo sosteneva tutto, a guisa di un'armatura. Concitato, guardingo, egli ci informò delle più recenti notizie, quasi volesse dividere con noi un prezioso bottino. Credeva di rassicurarci, così, invece io gli dissi che, ormai, nulla aveva più importanza per me: aspettavo; e certo sarebbe venuto un giorno in cui egli mi avrebbe chiamato per dirmi che Francesco non aveva fatto in tempo ad esser contento, e perciò lo guardavo aspettando di sentirlo pronunziare la condanna che avevo sempre letto nel suo viso. Egli, imperturbabile, rispose che, al contrario, aveva buone notizie di mio marito il quale, quando sarebbe stato libero, avrebbe apprezzato al suo giusto valore tutto ciò che io avevo fatto. Tomaso mi sedeva accanto e perciò sembrava che Tullio volesse riferirsi alla battaglia che io avevo impegnato con me stessa, poiché quella era veramente una impresa difficile. Al solito tradii i miei pensieri nel rossore che mi saliva al viso. In un impeto mi volsi a Tullio e gli mostrai, negli occhi, il paesaggio delle mie giornate. Dissi che volevo fare di più, molto di più, e non solo cose rischiose, ma anche cose umili, pazienti. Volevo dirgli che ero andata spesso a sedermi su un muricciuolo in via della Lungara e avevo guardato il grande edificio del carcere, a lungo, fisso, come guardavo Francesco quando sedeva nella poltrona. Il muro del carcere somigliava gli occhi di Francesco che non mi rispondevano mai, somigliava le sue spalle impenetrabili dietro le quali stavo sveglia e piangevo, la notte. Era proprio come stare con lui, mi dava la stessa voglia di raggiungerlo e lo stesso senso di impotente disperazione. Dissi, invece, che volevo andare al cancello del carcere, portare il pranzo a Francesco, come Aida aveva fatto per Antonio, aspettare in fila, con la gavetta, ore e ore; ma Tullio rispose che con queste cose non potevo aiutare Francesco, potevo aiutarlo solo con la mia volontà e col mio lavoro.

Così fu che gli dissi di sì anche quando mi chiese di fare una cosa che egli giudicava molto difficile: quella della bicicletta e delle bombe. Io accettai subito e, per un attimo, lo sguardo di Tullio s'intenerì. Tutti i compagni, quando Francesco lasciò il carcere, gli parlarono di quell'episodio e a me sembrava che volessero umiliarmi, immiserirmi. Poiché io sapevo di aver portato a termine un'impresa ben più difficile, ma essi non lo sapevano e, in ogni caso, non l'avrebbero giudicata tale a causa della diversa valutazione del coraggio che hanno gli uomini e le donne.

La cosa difficile era stata un'altra, e, dopo quella, mi pareva che avrei potuto affrontare qualsiasi cosa senza trovarla difficile. La difficoltà era acuita anche dalla stagione: poiché – sebbene la città fosse pervasa dalla paura, gli uomini lottassero o si nascondessero, e le donne fossero sole, affaticate nella ricerca del cibo, snervate dalla mancanza di danaro – gli alberi mettevano ugualmente le foglie nuove, e nei giardini che nessuno aveva più tempo di coltivare, i fiori crescevano dalle vecchie radici, e l'erba spuntava tra selce e selce anche dove passavano i soldati. Sulla mia terrazza, nei vasi in cui i documenti pericolosi erano stati sepolti, fiorivano nuovamente i gelsomini che piacevano a Francesco. Ho già detto che io sentivo profondamente l'influsso della stagione; perciò, se nell'inverno intristivo, in primavera mi pareva di mettere fuori gemme e foglie.

Era una mattina di queste, quando sonarono alla porta e, mentre accorrevo, udii la voce affannosa di Tomaso. «Apri, Alessandra.»

Lesto richiuse la porta dietro di sé. Era pallido. «Temo di essere seguito» disse. «Ho in tasca i messaggi per la radio e il nuovo cifrario.»

«Quanti sono i messaggi?»

«Quattro.»

«Dammeli: li imparerò a memoria.»

Li lessi, li rilessi, appuntita nell'attenzione; intanto con Tomaso ci dirigevamo in cucina; lì bruciammo il foglio sul quale erano scritti. Poi nascosi il cifrario in una intaccatura, sull'alto della credenza.

«Senti» egli mi disse: «questo è il mio nuovo nome.» E mi tese un documento falso; la fotografia lo mostrava coi baffi, i capelli tagliati corti, gli occhiali. Era così, infatti, da qualche tempo. Mi avvidi che aveva preso il mio cognome di ragazza: Corteggiani: si chiamava Francesco Corteggiani.

«Sono tuo fratello» disse: «hai capito?»

«Sì» risposi e già quella stretta parentela tra me e lui mi sgomentava: non sapevo a che cosa rifarmi nella fittizia realtà entro la quale ci aggiravamo. Feci per ripetere il suo nome, e incominciai: «Francesco...». Mi interruppi e lo interrogai duramente: «Perché hai scelto questo nome?».

«Non so. È stato il primo nome che m'è venuto in mente, forse perché tu lo ripeti tanto spesso. Bisogna che mi trattenga qualche giorno qui.»

«Qui?» domandai sbigottita.

«Sì. La tua casa è la più scoperta e perciò, forse, la più sicura: proprio perché pensano che nessuno verrebbe a rifugiarsi qui, da quando Francesco è stato arrestato. Del resto non sono stato io a decidere ma Tullio...»

«Tullio?!...»

«Sì, io ho tentato persino di rifiutare, addurre qualche scusa. Ma lui insisteva, deciso: "Ti dico che sarai al sicuro soltanto in casa di Minelli". Forse pensava alle terrazze contigue, alla stanza dei cassoni...»

No, Tullio non pensava a questo. Io tacevo, immobile, appoggiata all'acquaio, senza guardare Tomaso che adesso si chiamava Francesco. Mi pareva che Tullio non potesse pretendere anche questo da me, era troppo difficile.

«Non ho altro letto che il mio» dissi.

«Dormirò nello studio, sui cuscini delle poltrone. Scusami, ma non è colpa mia: è stato Tullio. Ti assicuro che, sul principio, io avevo rifiutato: tuttavia mi pareva che, se avessi insistito troppo, avrebbero potuto pensare...» Fece una pausa e poi soggiunse, piano: «Ho rifiutato debolmente, però, te lo confesso: ero felice di avere una precisa

autorizzazione e quasi l'obbligo di venire da te per rima-
nervi. Così come ho preso quel nome, inconsapevolmente, per il desiderio che ho di legarmi alla tua vita, essere
insieme tuo marito e tuo fratello. Del resto, lo sai bene,
manca poco: e io non voglio che Francesco torni a vivere
con te. Non ne ha neppure più il diritto».

«Proprio adesso pensi questo?»

«Sì, perché? Perché è in prigione? Che c'entra la prigione con queste cose? Potrà aver diritto a una medaglia, semmai, a una decorazione. Non c'è più nulla di lui
in questa casa.»

«Io, ci sono.»

«Neppure, interrogati bene: non ci sei più. Poco fa, salivo le scale a due a due, rallegrandomi che qualcosa più
forte di noi ci costringesse ad accettare ciò che io ho già
deciso da tempo, e che tu pure hai accettato. E mi pareva che il diritto che Francesco aveva di tornare qui fosse, al massimo, pari al mio. Salivo le scale gioiosamente,
senza neppure più orecchiare se un passo mi seguisse.»

Io avevo molta paura, invece; era la paura più grande
che avessi mai provato nella vita. Tullio non sapeva questo
e perciò stupì che io non avessi paura, il giorno della bicicletta. Quel giorno, anche se mi avessero preso, nulla
sarebbe cambiato tra Francesco e me.

«Nel salire le scale» Tomaso continuava «avevo dimenticato i messaggi, il cifrario, tutto ciò che accadrà se non
trasmetteremo...»

«Trasmetteremo» dissi «andrò io.»

«No, non è possibile, ma adesso che sono qui nulla
può avere importanza, l'importante era salire, salire verso di te. Capisci?»

Sì, capivo. Avrei voluto chiamare in aiuto Francesco
in quel momento, ma egli non riusciva mai a raggiungermi: lo immaginavo serio, quale appariva nella fotografia,
cappello in testa, cappotto indosso, severo e impenetrabile come il muro della prigione. Pensavo che era stato

arrestato proprio mentre veniva a parlarmi, finalmente, a dirmi tutto ciò che aspettavo di sapere da lui. Non aveva fatto in tempo, però, e il suo gesto rimaneva astratto di fronte alla concreta presenza, alle parole di Tomaso. Avevo tanta paura che mi auguravo di sentire una macchina arrestarsi al portone, sentire i passi pesanti salire le scale, in un silenzio atterrito. "Verranno" speravo, "se lo porteranno via."

«Alessandra» egli mi chiamò.

Sedeva alla tavola di marmo e mi guardava sorridendo: nel sorriso scopriva i denti, bianchi sotto i baffi che gli ombravano il labbro. Aveva gli occhi chiari come me, era mio fratello. "Verranno" pensavo "verranno di sicuro, se lo porteranno via."

«Senti, Alessandra» Tomaso disse allegramente: «ho fame.»

Così incominciammo la vita in comune, quel giorno. Io lo servivo, perché mi era stato assegnato per compagno, e lui mi seguiva sempre con gli occhi. «Come sei bella» mi diceva, e ogni volta che gli passavo accanto mi prendeva una mano per baciarla. I boati si udivano sempre più distintamente ma, nel lucido cielo di maggio, sembravano solo la benevola minaccia di un temporale primaverile. «Mi piace abitare in questa casa» Tomaso diceva sorridendo. E, guardandosi attorno, parlava dello studio come io parlavo della stanza dei giuochi.

Resistere alle lusinghe di una vita tanto armoniosa e serena era un martirio: non sapevo se avrei avuto la forza di farlo. Speravo che più tardi venissero a prendere Tomaso, ero persino contenta di aver dato all'ufficiale quella fotografia. "Verranno, sì, verranno certamente." E, in quella speranza, mi abbandonavo alla nostra felice giornata. Mi auguravo che venissero presto, però; poiché, altrimenti, Tomaso sarebbe rimasto con me tutta la notte. "Verranno prima" mi dicevo rassicurandomi. E, intanto, segretamente accarezzavo la speranza che non venissero e io potessi addossare a questa incuria, a questa sbadataggine la responsabilità della permanenza di Tomaso in casa mia. Immaginavo la città buia, muta, nell'ordine composto del coprifuoco che non sembrava più una misura minacciosa, ma un riguardo per il nostro benessere. Le notti erano lunghe in quel silenzio fermo. Il mattino seguente bisognava consegnare il cifrario. «Andrò io» avevo detto a Tomaso. E in questo proposito mi placavo. Andrò, mi prenderanno, mi metteranno al muro. Sarebbe accaduto così, ne ero certa: ma almeno avrei fatto in tempo a trascorrere una notte felice. Intuivo, nebbiosamente, che nessuno poteva fare in tempo se non era disposto a pagare con una moneta crudele il diritto alla felicità. Certo era questa la ragione per la quale Tullio aveva suggerito a Tomaso di venire a casa mia; compresi anche il motivo della fuggevole pietà che avevo letto nei suoi occhi. Anche Tullio voleva che facessi in tempo.

Così mi sentivo libera di immaginare la notte che mi attendeva. Ascoltavo Tomaso, le sue parole, il suo modo di ridere e insomma tutto quanto apparteneva alla gioventù e mi spettava per diritto. Non volevo tornare a dormire dietro il muro. Tomaso mi avrebbe preso nelle braccia per farmi riposare. Una volta mi aveva detto: «Vorrei vedere come sei quando dormi, quando ti svegli al mattino. Ci sono ancora tante Alessandre che vorrei amare e non conosco». Spesso, senza curarsi del mio consenso, e anzi mostrandosi sicuro di averlo, descriveva quale sarebbe stata la nostra vita, dopo la fine della guerra. Diceva: «Lasceremo Roma: qui non saremmo mai veramente contenti. Il segno di questi giorni angosciosi rimarrà nelle strade, sulle pietre. Qui sentiremo, sempre, come ora, l'impulso di nasconderci. Andremo a Capri, avremo un grande tavolino davanti alla finestra, faremo insieme le traduzioni. Vorrei provare a scrivere un libro. Ma temo che non riuscirei, non so scrivere bene: sono soltanto un discreto giornalista.

Guadagneremo appena quanto basta per vivere, siamo abituati a spendere poco. E io non ho altra ambizione se non quella di vivere con te». Anche quel giorno disse cose che somigliavano a queste. E io ascoltavo, rapita; nella fantasia aprivo la finestra che guardava sul porticciuolo odoroso d'alghe, mettevo i fiori sul tavolino ove lavoravamo insieme. Non erano ancora venuti a prenderlo, forse non sarebbero venuti affatto. Il vibrare veemente dei cannoni si faceva sempre più prossimo e, allo stesso modo della notte in cui la voce arrogante aveva smesso di parlare, sembrava facile abbandonarsi ai più felici sogni. Manca poco, pensavo, forse è l'ultima notte, e non volevo morire la mattina dopo dicendo, come Antonio: "mi dispiace". Bastava resistere ancora, come Francesco resisteva in prigione.

«Senti, Tomaso» gli dissi «tu devi andare via di qui, prima del coprifuoco.»

Ero seduta nella poltrona, lui ai miei piedi e io gli carezzavo i capelli. Doleva tutto, dentro di me, mentre parlavo.

«Perché?» egli disse volgendosi di scatto.

«Perché io non sono molto forte, come tu credi. C'è una sola cosa molto forte in me, anche se certe volte non lo sembra. Ed è l'amore per Francesco. Tutto crollerebbe, se tu rimanessi qui, lo sai bene. Tutto quello che io sono stata fin dal giorno in cui nacqui, tutto quello che è stata mia madre, che è stata mia nonna Editta, e insomma tutto ciò in cui ho creduto finora e che s'esprime nell'amore per Francesco. Perciò sono disposta a qualsiasi cosa, per difendermi. Tutto il giorno ho desiderato che venissero a prenderti e io non fossi obbligata ad essere così forte, stasera. È sempre una cosa difficile essere forti, ma non lo è stato mai come ora. Forse era questo che Tullio intendeva, quando mi domandò se poteva in qualsiasi momento contare su di me. Non credevo che fosse tanto difficile, non credevo che si potesse provare più paura che portando nel petto i messaggi, i manifesti e le pistole nella borsetta.»

Tomaso mi guardò, pallido; poi chiese ansiosamente: «E io?».

«Non lo so, non mi interessa: è tanto spietato quello che sto facendo in me, che non posso aver pietà per alcuno.»

Lo udivo appena supplicarmi, dire parole confuse, angosciate, dire «ti amo», ripetere innumerevoli volte «ti amo». Poi disse: «Non ho più nulla» e allora, non so come, mi venne fatto di replicare:

«Hai Casimira.»

Tomaso rimase incerto, guardandomi. E, d'improvviso, a me parve di comprendere che ella esisteva ancora, non era un nome detto a caso.

«La vedi, qualche volta» arrischiai.

«Chi te lo ha detto?»

«Vorresti negarlo?»

«No, perché? Mi telefona spesso per domandare notizie su tutto ciò che accade. È una ragazza debole, non sa mai come deve regolarsi, di questi tempi, se partire, restare: ha molta paura. Al telefono è impossibile parlare di queste cose: perciò la vedo, di tanto in tanto.»

«Capisco.» Provai una fitta al cuore, come quando la mamma mi abbandonava per andare da Hervey; ma, come allora, una dolente beatitudine mi pervadeva. «Sono contenta» dissi «ho sempre pensato che fosse meglio così. Lei vorrebbe sposarti, vero?»

«Sì» egli rispose bruscamente: «ma che c'entra questo? Io amo te, non m'importa nulla di Casimira.»

Eppure io capivo che, se avessi avuto il coraggio di mandarlo via, quella sera, egli avrebbe finito per sposarla. «Casimira sa che ci vediamo così spesso?»

«Certo. Sa che lavoriamo insieme; ma non capisce niente di queste cose, forse ti immagina molto diversa da quella che sei...»

«Come Denise?...» dissi, ridendo con una insostenibile amarezza.

«Già, press'a poco. Crede che le donne che lavorano

462

con noi non siano proprio donne come le altre. Le sembra impossibile che pensino all'amore, per esempio. È una ragazza semplice.»

«Le vuoi bene, vero?» gli domandai con un sorriso indulgente.

«Ma sì, appunto, le voglio bene. Mi fa pietà, tenerezza. Tu sai che questi sono sentimenti molto lontani dall'amore.»

«Lo so» dissi. «Lo so benissimo.» Avevo abbandonato la testa sulla spalliera e guardavo Tomaso con un sorriso fisso, angelico. «Immagino che dovevi vederla quel giorno in cui avevi tanta fretta di lasciarmi e io non capivo perché.»

«Sì» egli confessò con un sorriso innocente. «Non l'ho più vista, da allora; è trascorso quasi un mese. Mi aspettava in un caffè ed era tutta eccitata perché indossava un vestituccio nuovo. Perciò le dispiaceva tanto che tardassi. Ma io le dissi la verità, sai?, le dissi che ero stato fino allora con te.»

Sorridevo, e intanto immaginavo in qual modo mi avesse presentato a lei: non le aveva detto che ero bella, certo, come mi ripeteva continuamente. Forse le aveva parlato del mio aspetto modesto, della mia magrezza. Casimira doveva essere una di quelle ragazze dai capelli ondulati, dal seno colmo.

«Oh, Alessandra» egli disse, sgomento della immobilità del mio volto. «Non avrei nulla se tu mi lasciassi.» Mi prendeva le mani. «Voglio tornare come prima» infine disse con un accento di infantile capriccio: «come prima che tu mi dicessi di andare via.»

«Non è possibile» io risposi sorridendo teneramente. «Era molto difficile dirlo: adesso mi sembra di essere sollevata da un peso. Sarà ancor più difficile non appena te ne sarai andato, e io rimarrò sola; e, forse, anche nei giorni che verranno. Ma ormai manca poco, e Francesco tornerà, e quella ragazza finirà di avere tanta paura. Tu non dovresti più partecipare ad azioni rischiose. Casimira ti aspetterebbe ancora al caffè, con un vestito nuovo, e tu potresti non andare affatto, quella sera. Quanti anni ha?»

«Venti» egli rispose distrattamente.

«Appunto: è molto giovane.» Parlavo come se io fossi già lontana dalla giovinezza. «A quell'età tante cose sono ancora incomprensibili, lo so bene. Domattina porterò io a Tullio il nuovo cifrario.»

«No, non insistere.»

«Ti assicuro, è semplice per me. Rialzo i capelli e lo nascondo nella crocchia: ho già fatto tante volte così.»

«Oh, Alessandra» Tomaso disse: «non voglio che tu faccia questo per me.»

Era difficile spiegargli che non lo facevo per lui, ma per me stessa. Non lo avrebbe creduto.

«Lasciami rimanere» Tomaso mi chiedeva. «Voglio rimanere per sempre.»

Io scotevo la testa e sorridevo, carezzando i suoi capelli: poiché quello che avevo scelto era proprio il mezzo migliore di rimanere con lui per sempre. Io avrei camminato sempre tra Casimira e lui: sarei fiorita accanto a loro, d'improvviso, quando ella avrebbe in qualche modo rivelato la miseria e la meschinità che è in ognuna di noi. Eppure mandarlo via, quella sera, era ancora più difficile di ciò che mia madre aveva fatto per rimanere con Hervey.

«Alessandra» Tomaso mi diceva: «non sorridere così. Non me ne vado. Lo so che mi ami tanto.»

«No, non tanto» gli risposi, sempre attraverso lo stesso distante sorriso: «un pochino, "tanto" non amo che Francesco.»

Seguitavo a carezzargli i capelli, per confortarlo: avevo un dolore acutissimo sotto la pelle della mano, nelle dita, nelle falangi; quando questo dolore si fece insopportabile io guardai Tomaso e gli dissi:

«È tardi, ormai: bisogna che tu vada.» Qualche giorno dopo, ripensando al momento in cui avevo detto questa frase, avrei voluto rassicurare Tullio, dirgli: "Creda, era molto più difficile che passare il posto di blocco".

Tomaso mi guardò e poi domandò, lentamente, quasi stimando il peso e il valore di ogni parola:

«Andarmene, stasera, ha un significato diverso dalle altre sere, vero?»

«Sì, ha un significato diverso.»

«Perché?» egli insistette con un'amorosa ansia negli occhi.

«Perché, vedi, Tomaso, a un certo punto bisogna scegliere tra arrendersi o difendersi. Non si può sempre vivere nell'incertezza e nella paura. Così avete fatto voi: vi siete nascosti, prima, e poi avete incominciato a lavorare.»

«Non è la stessa cosa.»

«Lo è, invece. Alcuni dicono che sia più difficile arrendersi, e forse davvero è così se io, stasera, ho tanta paura di arrendermi; ma io sono tra quelli che non hanno altra scelta che difendersi, come Francesco. Egli lo capirà, tornando.»

«Perché» disse con intenzione: «vivendo accanto a te non lo ha capito ancora?»

«Sì, certo, ma...»

«No» disse «non ha capito niente, lo so. Non lo capirà neppure tornando. Vedi, Alessandra, io penso che tutto ciò che sta accadendo ora, nel mondo, deve pur avere una ragione: e forse è quella che la gente del mondo capisce. Eppure molti non capiranno: e sarà un grave danno per loro. Questo è ciò che io vorrei scrivere in un libro, ma non saprei farlo. Altri lo faranno, però: forse Alberto, o forse proprio Francesco. E così anche quello che accade tra un uomo e una donna, tra me e te, stasera, per esempio, deve pur avere una profonda ragione, che sfugge a tutta prima: forse anche questo accade perché qualcuno capisca...»

Lo interruppi, non volevo che continuasse: «È tardi» dissi «è meglio che tu vada».

«No, lasciami finire» rispose bruscamente e poi mi prese tra le braccia: «poiché non è giusto che la tua amica d'infan-

465

zia, come si chiama? Natalia, Natalia Donati, venga portata via sul camion, col suo bambino, in obbedienza a una legge contraria a tutte le leggi che sono nel diritto di ogni uomo. E così non è giusto che io vada via, stasera. Eppure Natalia è stata portata via anche se s'aggrappava, gridava. E io me ne vado, anche se adesso mi aggrappo a te, e poi griderò, dentro di me, per tutta la vita: e magari m'aggrapperò a Casimira. Forse anche questo accade perché qualcuno capisca.»

Eravamo sulla porta ed egli mi baciava, mi carezzava i capelli. Tutto era dolore in me, anche il sangue. Tra un minuto, pensavo.

«Amore» egli disse dolcemente: «mi auguro di essere io quello che non capisce.»

Mi strinse ancora, poi uscì sul pianerottolo e la soglia stava tra di noi.

«Dove vai?» gli chiesi sottovoce.

«Non lo so, forse qui vicino, da Saverio, non ha importanza. Dammi quelle carte.»

«No» dissi come impaurita; non potevo togliermi anche quelle. «Va' via, presto.»

«Chiudi tu la porta, se vuoi che me ne vada. Chiudi.»

Tra un secondo, tra un attimo, pensai. Poi chiusi adagio la porta.

Tornai nello studio: era già quasi buio. Sulla poltrona si vedeva ancora l'impronta del corpo di Tomaso e un pacchetto di sigarette vuoto, accartocciato. Io non osavo inoltrarmi in quella solitudine. Poi mi abbandonai sulla poltrona e appoggiai la testa alla spalliera. Si udiva un pianoforte sonare in distanza rendendo ancora più deserto il silenzio che mi circondava. Incominciai a piangere, finalmente. Piangevo, tutta dedicata alle lacrime, senza neppure più ricordare a quale causa fossero dovute; piangere, in quel momento, era la sola cosa importante. "Appena va via piango" avevo pensato, per sostenermi, finché Tomaso era stato lì.

Così, al mattino seguente, mi recai in casa di Luigi, dove si trovava Tullio. Sedeva dietro una scrivania ed era, come al solito, calmo, pallido e severo. Eppure non mi incuteva più il timore dei primi giorni: dirò anzi che ormai, vedendolo, provavo una sorta di sollievo. Io avevo pianto fino alle prime luci del mattino: poi avevo sentito le finestre del casamento aprirsi, le imposte sbattere; allora m'ero decisa ad aprire la finestra lasciando che perfino l'odore delle sigarette di Tomaso se ne andasse.

«Ecco» dissi sedendo incontro a Tullio e togliendo il foglietto dai miei capelli annodati: «Tomaso...»

Tullio m'interruppe: «Lo so».

«È andato via iersera, prima del coprifuoco» spiegai senza guardarlo, a bassa voce. «Ero convinta che non fosse al sicuro in casa mia, perciò» aggiunsi «nonostante il consiglio che lei gli aveva dato, ho creduto meglio di agire così.»

Era l'unico dei compagni al quale davo del lei; e anch'egli mi trattava con rispettoso distacco.

«Ha fatto bene, se era convinta che non fosse al sicuro. Sarebbe stato penoso perdersi proprio adesso che manca poco.»

Il viso di Tullio non s'illuminava mai, neppure quando egli diceva che mancava poco. Altri compagni giunsero subito dopo e anch'essi avevano in viso un'espressione grave e malinconica; ma i loro occhi, al pari dei miei, brillavano. Allo scopo di parlare più tranquilli spostammo la libreria e, per la scaletta buia, salimmo all'abbaino. I boati s'udivano sempre più vicini e, forse a causa della bella stagione, sembravano simili alle salve che si sparano nelle feste di paese. Incorniciati dalla finestra si vedevano gli alberi sul colle verde del Palatino: non appena i boati si fossero taciuti io sarei potuta tornare al Palatino con Francesco.

In quelle settimane un respiro fiducioso aveva rianimato la città; e un felice risveglio già circolava, inavvertito, nelle strade e nelle case, come la linfa nuova circola nei tronchi ancora nudi degli alberi. Tutti salivano sulle terrazze, si affacciavano ai balconi, e lì sedevano, calmi, aspettando che il lungo giorno finisse. Le ragazze andavano in gruppi sulle alture di Monte Mario, si sedevano sull'erba, guardando verso sud, e prendevano a parlare del futuro, come non facevano da tempo. I vecchi uscivano sottobraccio e andavano anche loro a godersi il paesaggio da qualche belvedere. Grandi autocarri passavano velocemente e i soldati camminavano sempre più vigilanti nelle strade: andavano in coppia o in drappelli e tutti, nell'impassibilità del contegno e degli occhi, rivelavano una disperazione crudele. Avrebbero voluto che la città domandasse grazia, sfinita dal terrore; sentivano, più urgente del solito, l'impulso di essere spietati, inumani, fino a dimenticare se stessi; ma non potevano far nulla, non potevano arrestare donne, vecchi e bambini, soltanto perché sedevano sulle terrazze e guardavano verso sud.

Anch'io sedevo sulla mia terrazza, aspettando; la figlia del portiere aspettava con me; a volte, poiché io ero più alta, mi domandava «Che vede?». Avevo molto affetto per lei: eravamo forse le sole persone del casamento ad essere veramente smarrite in quell'attesa, lei a causa della sua età e io a causa del mio amore per Francesco. Stavamo bene insieme, benché io sapessi che ella non sarebbe più tornata ad avere gli occhi che debbono avere i bambini. Forse tra breve i bambini avrebbero potuto avere di nuovo gli occhi che spettano di diritto a quell'età; e allora mi sarebbe piaciuto avere un figlio. La bambina del portiere riconosceva il tipo degli aerei, li indicava col dito, ma non conosceva una favola né una poesia. Io speravo che mio figlio potesse conoscere le favole e le poesie.

Sulle terrazze i gruppi di persone si andavano facendo sempre più numerosi; era la bella stagione e sembrava che volessero soltanto trattenersi all'aperto. Ma i soldati sapevano che, nelle case, molti uomini giovani stavano dietro le finestre chiuse, guardando come noi facevamo dall'abbaino. E poiché ognuno di noi, nel lungo giorno, aveva compiuto le cose più difficili che ci erano state richieste dalla vita, i soldati sapevano che, pur di difendere la stupenda novità di questa attesa, non avremmo esitato a compierne ancora. Infatti ogni tanto Tullio ordinava qualcosa e uno di noi si allontanava, zitto, per non turbare l'attesa dei compagni.

Tomaso non era con noi, era più prudente che rimanesse in casa di Saverio; questo aveva detto Tullio e lui aveva ubbidito. Io provavo una sorta di refrigerio nell'affidarmi completamente a Tullio: così avvenne il giorno in cui eravamo tutti raccolti nell'abbaino, ed egli domandò se c'era una ragazza che avrebbe saputo andare in bicicletta. La bicicletta sarebbe stata pesante da condurre, aggiunse.

Tutti comprendemmo che rispondere sì, o no, era una cosa importante. Vi fu un silenzio che Tullio scambiò per incertezza: io andavo bene in bicicletta e mi feci avanti. Vidi che la compagna Denise avrebbe voluto trattenermi.

No, non fu veramente difficile. Poiché il pericolo era fuori di me e non in me stessa: perciò io potevo impegnare tutta me stessa nell'affrontarlo. Ricordo che mi pettinai con cura, e indossai la larga gonna a pieghe che piaceva a Francesco: era ormai lisa, ma possedeva pur sempre quell'ampiezza che mi dava la sensazione di un volo.

In quel tempo tutte le donne si recavano a prendere la verdura negli orti della periferia. E, dacché era proibito andare in bicicletta, tutte avevano adattato la propria a triciclo, aggiungendo due rotelle sotto una cassetta o un cestino. Nel pomeriggio si vedevano lunghe file di queste biciclette, guidate da donne. Al ritorno quando passavano dinanzi al posto di blocco i militi guardavano nei cestini e nelle cassette. Talvolta si contentavano di guardare, altre volte affondavano la mano, frugavano, e portavano via una manciata di piselli.

All'andata io avevo l'impressione di fare un gita in campagna; pedalavo leggermente e la cassetta balzellava dietro di me, con allegrezza. Ma, tornando, ero seria e decisa come quando facevo la fila tra le altre donne, presto al mattino, e Francesco dormiva perché gli era proibito di lavorare. Allora ogni passo mi pareva che potesse aiutarlo e così, quel giorno, ogni colpo di pedale. Eravamo numerose e, pur senza conoscerci, passando ci si diceva una parola: magari solo «Come pesa la bicicletta». Io avevo una bicicletta molto vecchia: pesava più delle altre anche perché sotto i piselli c'era l'insalata e, sotto l'insalata, c'erano le bombe. Pesava molto, il manubrio minacciava continuamente di sterzare: io ho le mani forti e tuttavia lo reggevo con difficoltà. Più ancora dovetti farmi animo quando vidi, a poche decine di metri, il posto di blocco. Le altre donne innanzi a me erano faticosamente curve sui manubri e, poiché dovevano passare una per una, già andavano mettendosi in fila. Io mormoravo "Francesco" dentro di me e così non mi pareva di andare verso il posto di blocco, ma verso di lui che immaginavo in piedi come nella fotografia, cappotto indosso, cappello in testa, aspettandomi. Forse per la commozione di andare verso di lui le mie gambe tremavano tanto forte; vi fu un momento in cui credetti di non aver più forza di pedalare: posai il piede a terra, ed ero davanti al posto di blocco. Il milite metteva la mano nel cestino. Ma subito la ritirò, deluso. «Sempre piselli» disse. Ci guardammo, e io capivo che egli era stanco di essere lì, a controllare le donne che passavano con la verdura. «Sempre piselli...» ripetei macchinalmente, e si capiva che anch'io ero molto stanca: sicché egli mi dette una spinta per il sellino senza sapere che, altrimenti, non sarei potuta ripartire perché non sentivo più le gambe e le bombe pesavano.

Era un vecchio viale, presso ponte Milvio; nel silenzioso crepuscolo si udiva il sibilare delle biciclette sul terreno battuto: era un rumore uniforme e confortante. Affidate a quel sibilo, simile a un ronzìo lieve di officina, tutte pedalavamo insieme, senza guardarci. «Sempre piselli» aveva detto il milite sospirando. Guardavo le nuche delle donne come quelle delle compagne di scuola, e avrei voluto accarezzarle con tenerezza: alcune di queste donne si logoravano nella paziente ricerca del cibo per i figli, nella ricerca del danaro necessario a mantenerli; lavoravano tutte, dacché gli uomini erano lontani, e alcune di esse erano andate a rubare nei vagoni merci colpiti dai bombardamenti, altre andavano a letto coi soldati. Poiché tutto si poteva chiedere alle donne, non c'era limite: Tullio chiedeva di preparare un letto, lavare la biancheria di una compagna che aveva bisogno di rifugiarsi, chiedeva di far cucina a tutte le ore, per tutte le persone che passavano, bisognava servirle tutte, per tutte trovare cibo e talvolta danaro; chiedeva persino di ospitare Tomaso e poi domandava se sapessimo andare in bicicletta. Agli uomini chiedeva solamente di andare in bicicletta.

Mi arrestai, come convenuto, davanti alla bottega di uno stagnino, presso la casa di Luigi; con lo stagnino lavoravano altri due uomini in tuta i quali avevano le mani singolarmente fini per essere operai. «Ecco» dissi «ho portato la verdura», e gli consegnai la bicicletta. Essi mi guardarono, resi incerti dal mio aspetto esaltato, frugarono nella cassetta e si rassicurarono. Allora entrai nel portone e incominciai a salire le scale: ricordavo la prima volta in cui ero entrata in quella casa per andare a trovare Francesco: ero titubante, commossa. E adesso salivo quelle scale lievemente, come avevo sceso quella della Galleria Borghese: il giorno della mia prima visita, Francesco e io eravamo ancora due persone che avevano poche cose in comune oltre l'incontro sul lettino del ragazzo, tra le fotografie dei calciatori. E spesso l'uno di noi diceva «Le donne» e l'altra «Gli uomini» e sia l'uno che l'altra avevamo risposto «Non capisco». Nel salire quella scala ero certa che ormai io avevo proprio capito tutto: avevo chiuso la porta sul viso a Tomaso e avevo portato la verdura nella cassetta.

471

La moglie di Luigi appena aperta la porta mi abbracciò. Poi spostammo la libreria e io m'inoltrai nella scaletta rapida che conduceva all'abbaino.

Nell'abbaino c'erano tutti: persino Alberto che non vedevo da parecchio tempo. Quelli che mancavano erano in prigione, come Francesco, o raccolti in casa di Saverio, come Tomaso, oppure erano andati fuori, come me, e si aspettava che tornassero. Alcuni non erano tornati più, come una ragazza che si chiamava Laura e un giovane professore che si chiamava Pino. Perciò tutti aspettavano sempre con ansia che i compagni tornassero. «È Alessandra» sentivo che dicevano, rallegrandosi, e la loro attesa era ancor più gradita a me che non ero stata amata mai, né dai colleghi né dai compagni di scuola. Nessuno aveva intuito quanto amore portassi dentro di me e quale desiderio avessi di esprimerlo a coloro che mi circondavano: e adesso finalmente m'avvedevo d'esser stata riconosciuta, perciò apparvi sulla porta dell'abbaino come mia madre entrava in casa, la sera.

Tullio mi venne incontro e, inaspettatamente, mi chiamò per nome: «Alessandra» disse «così tardi: abbiamo avuto molta paura».

«Paura?» ripetei. «Perché?»

Sapevo di aver superato altri pericoli, molto maggiori, e certo anche loro li avevano superati, nel corso del lungo giorno: non capivo perché dessero tanta importanza all'avventura della bicicletta e delle bombe. In essa, tutt'al più, potevo morire.

«Non bisogna esagerare» dissi. Gli altri mi circondarono in silenzio e mi piaceva, da quel silenzio, comprendere che mi volevano bene.

«Dovreste sapere» aggiunsi «che queste imprese non sono poi molto difficili.» Ma vidi che fraintendevano le mie parole: mi credevano sprezzante, forse, o presuntuosa. Anche Tullio mi guardava, incerto, e tutti giustificavano il mio atteggiamento attribuendolo all'ansietà per

Francesco: mi assicurarono, infatti, che non sarebbe stato portato via e, in ogni caso, tutto era pronto affinché la sua liberazione fosse sicura. «Manca poco, ormai» tutti dicevano guardando verso la finestra e ascoltando i cannoni sparare come nei giorni di festa. Io guardavo il cielo velato dalla sera, e il Palatino.

«Non ho paura» dissi: «sono certa che Francesco tornerà.»

Poco dopo risalivo verso casa in bicicletta. Tullio mi aveva suggerito di dormire, quella notte, in casa di Luigi e io avevo detto che non ne vedevo la necessità: l'avevo pregato soltanto di lasciarmi tornare a casa in bicicletta: era proibito, egli aveva obiettato, e io avevo risposto sorridendo che tutto quello che facevamo da qualche tempo in qua era proibito. Tullio aveva ribattuto che non valeva la pena di correre un rischio senza ragione. «Creda, Tullio» avevo insistito: «io sento che c'è una ragione.» Lo stagnino aveva sganciato la cassetta e io ero partita subito, sorridendo in un cenno felice d'addio. La bicicletta, non più trattenuta da quel peso, correva facilmente. Era il primo giorno di giugno: una brezza leggera mi sollevava i capelli e, pedalando rapida, io sentivo di nuovo il giovanile vigore del mio corpo circolare in me. Andavo lungo il fiume che, nella verde sera, aveva ripreso il suo bel colore d'acqua che scorre sulle foglie.

Correvo lungo il fiume discorrendo con mia madre. Ella non mi passava più accanto senza vedermi, come la sera in cui camminavo con Tomaso, nell'odore dolciastro dei cavalli morti. Io la chiamavo, lei mi rispondeva, usavamo lo stesso linguaggio. Nessuno avrebbe potuto più impedirmi di parlare con lei: passavo spavaldamente dinanzi ai soldati, tenendo tra i denti una foglia d'insalata che avevo preso mentre lo stagnino sganciava la cassetta. Pedalavo lesta, movendo le spalle e facendo serpeggiare la bicicletta quasi in un passo di danza. I soldati mi guardavano senza sospetto: dimenticavano persino

473

gli ordini ricevuti e che ormai non sembravano più validi se una donna giovane poteva tornare a concedersi la gioia di andare in bicicletta. Del resto essi non erano più così rigidi, ostili, sicuri, benché tentassero di conferire dignità alla loro paura. Forse, tra breve, avrei potuto nuovamente scrivere alla Nonna: da mesi non sapevo più nulla di mio padre né di lei. "Riesco" le avrei scritto: "sono riuscita." Ero riuscita persino a chiudere la porta sugli occhi angosciati di Tomaso: riudivo le parole di lui e, accesa da quei ricordi, pedalavo più lesta nel timore di non fare in tempo a raggiungere Francesco. Forse perché ormai il suo ritorno era prossimo, egli mi ricompariva nitido nella memoria. Non aveva più l'espressione severa della fotografia, cappello in testa, cappotto indosso; eravamo alla Galleria Borghese, l'undici di novembre: e lui mi guardava con amore. Per la spinta della bicicletta la mia gonna si gonfiava a tondo, come quando avevo sceso la scala in un volo. Gli sarei andata incontro come allora. Gli avrei aperta la porta: "Dovrebbe pentirsi di esser venuto con tanto ritardo" gli avrei detto sorridendo.

Non potei dirglielo: ancora una volta ciò fu dovuto al caso, eravamo sempre sfortunati. Negli ultimi due giorni non avevo più voluto vedere nessuno. Non volevo neppure ricevere notizie, alcuni si maravigliavano che io non temessi per Francesco, ma, in verità, dal giorno in cui ero riuscita ad allontanare Tomaso, non avevo più avuto alcun dubbio sul ritorno di lui.

Nella notte si udirono dapprima gli autocarri passare ininterrottamente; poi a intervalli sempre più lunghi: così, a poco a poco, l'ultima luce del lungo giorno si dileguava. Francesco sarebbe tornato a dormire con me, tutte le notti. Rassettavo la casa, felice di riprendere, in breve, a cucinare per lui, a sprimacciare il suo cuscino. Tuttavia, a quei preparativi, la casa pareva offrire resistenza. Nei cassetti la mia roba s'era assestata occupando tutto lo spazio; così i miei libri negli scaffali, i miei aggeggi sulla mensola del bagno: il tavolino di Francesco era occupato dai miei vocabolari, dai manoscritti delle mie traduzioni. Sembrava impossibile che in quelle stanze avessimo già abitato in due, ognuno con la propria vita. Gioiosamente gli facevo posto nella casa e in me stessa, come avevo fatto quando ci eravamo incontrati ed egli aveva sconvolto la mia solitudine. Immaginavo il gran tempo che avremmo occupato a discorrere: volevo narrargli di ciò che era accaduto, e poi di me, diffusamente, perché mi pareva che, altrimenti, non avrebbe potuto riconoscermi. Volevo, subito, parlargli di Tomaso. Gli avrei detto delle notti in cui ero sola, avevo paura, e pensavo che potevano essere le mie ultime notti. "Capisci?" avrei detto, gli avrei confessato di aver baciato Tomaso, a lungo, la sera della fotografia, ma gli avrei fatto comprendere che cercavo lui in quel bacio, la sua vita salva, libera, "Capisci?" gli avrei detto. Non volevo che serbasse rancore a Tomaso: Francesco era il vincitore, e perciò mi pareva che avrebbe dovuto mostrarsi generoso con l'avversario e anzi apprezzare la nobiltà del suo sentimento, della sua condotta. Lo vedevo andargli incontro con la mano tesa. "È naturale che tu l'abbia amata" gli avrebbe detto "non si può vivere accanto a lei senza amarla." Abbracciati, avremmo congedato Tomaso; io gli avrei chiesto di farmi conoscere Casimira. E, ascoltando il suo passo allontanarsi nelle scale, noi saremmo rimasti soli nella casa che era nostra, finalmente, col posto per noi due, coi nostri indumenti mescolati, i nostri libri, il grande letto ove avremmo potuto stenderci insieme, senza colpa.

Tomaso telefonò per informarsi se avevo bisogno di nulla. Alla fine mi chiese se ero contenta. «Sì, sono molto contenta» io ammisi, piano; né mi trattenni dal domandare: «Uscirà subito, credi?». Più tardi ricordai quale opaco accento avesse la sua voce, mentre diceva: «Sì, credo che domani a quest'ora sarà da te». Avrei voluto telefonargli ancora, la sera: ma i telefoni furono interrotti, la luce elettrica si spense; gli ultimi autocarri che abbandonavano la città vollero lasciarsi dietro il buio e il silenzio. In quel buio, in quel silenzio, io udivo il passo di Francesco salire le scale, a due a due, come usava Tomaso.

Ero ossessionata dai passi di Francesco che salivano le scale. "Domani" pensavo. Avrei indossato la vecchia gonna grigia che avrebbe rotato, stringendomi in un cerchio, mentre aprivo la porta sorridendo. "Dovrebbe pentirsi di essere venuto con tanto ritardo." Abbandonavo la testa all'indietro, immaginando la violenza del bacio di Francesco. Di nuovo attorno alla mia vita si fece il vuoto delle sue braccia. "Manca poco" mi dicevo: "poche ore."

Al mattino tutti uscirono guardinghi; ispezionarono cautelosi le strade e le piazze dove non si vedevano più autocarri né soldati coi fucili spianati. Lo squallore li sgomentò, dapprima: temevano che celasse un tranello, un estremo stratagemma: ma fu proprio la deserta malinconia delle strade umiliate e malconce a dar loro la certezza che la città era stata abbandonata. Allora le case si svuotarono in un baleno, la gente correva via come acqua, dilagava nelle strade. Le vie tornarono a echeggiare passi, richiami. Tutti parlavano a voce alta, si chiamavano di sotto le finestre, le ragazze correvano in bicicletta e i loro capelli ariosi si sollevavano nel vento. Dalla terrazza vedevo la gente pigiarsi, impaziente, assiepata lungo i marciapiedi del gran viale prossimo alla mia casa: aspettavano l'arrivo di coloro che avevano bussato per anni, con tenacia, al muro della nostra prigione, mentre noi raspavamo con le unghie dall'altra parte; lentamente il muro che ci divideva s'era logorato, assottigliato, e infine, oggi, saremmo riusciti ad incontrarci. Erano appena usciti, dalle porte a nord, gli autocarri gremiti di soldati alti e severi che, dalle porte a sud, già entravano altri autocarri carichi di soldati allegri, scamiciati. Al torvo silenzio del lungo giorno inclemente seguivano ora grida frenetiche

e applausi. Questo era dunque il momento che avevamo atteso; io avrei dovuto essere contenta ma non lo ero;
non sarei riuscita ad esserlo finché, tra i passi di coloro
che tornavano, non avessi riconosciuto il passo di Francesco. Affacciata alla terrazza mi stordivo nell'aria libera della bella estate e nelle grida festose che scoppiavano
qua e là, come fuochi d'artificio. Dalla finestra sottostante udivo salire voci che disapprovavano un così clamoroso entusiasmo: invece a me pareva facile comprendere che
quello era un modo di applaudire noi stessi, il nostro coraggio, la nostra pazienza, e così cancellare i duri giorni
trascorsi, applaudire, gridare, urlare, provare che il lungo
e tetro giorno era veramente finito. Bisognava essere privi di pietà per non comprendere che tanta vita repressa,
costretta, imbavagliata, doveva pur esplodere in qualche
modo. In me tutta la vita era raccolta attorno al passo di
Francesco che saliva le scale.

Così attesi Francesco per due giorni. Incominciavo ad
aver paura. Mi trattenevo a lungo nell'ingresso, aspettando. E, a ogni ora che passava, la mia paura si faceva più
fonda. Non telefonavo a Tullio per sapere notizie; quando
il telefono squillava, io accorrevo fin lì, poi mi mancava il
coraggio di staccare il ricevitore. Il suono del campanello era stridulo, nella casa deserta, e l'apparecchio nero,
freddo, impassibile, non avrebbe sussultato nel recarmi
una cattiva notizia. «Non voglio sapere nulla» mormoravo
scrollando la testa, tappandomi gli orecchi: «non riusci-
ranno a dirmelo.» Sarei rimasta sempre in casa, aspettando; non sarei uscita più per non incontrare persone le
quali avrebbero potuto annunziarmi che Francesco non
sarebbe tornato. "No" dicevo dentro di me, macerando-
mi: "no. Francesco deve tornare, tornerà."

Aspettavo seduta su una sedia, in ingresso. La luce del
giorno si accendeva, si affievoliva, e in me si faceva sempre più vivo il ricordo della sera in cui aspettavo mia madre. A un tratto, udii parecchia gente salire nelle scale;

poi i passi si avvicinarono e udivo anche le voci: erano di uomini. Voci e passi avanzavano, si fermavano al piano di sotto, pensavo. E invece proseguivano: lassù non abitavo che io. Sonarono. "Non apro" mi dissi, "non lo voglio sapere." E intanto aprivo.

Francesco mi guardava allegro, sorridendo. Dietro di lui altra gente sorrideva.

Mi prese nelle braccia, mi baciò sulle guance, di qua, di là, mi tenne stretta. «Oh, cara» disse. Udivo altre voci, erano quelle dei compagni, le stesse che udivo quando Francesco non c'era; perciò mi sembrava impossibile che ora anch'egli fosse tra noi. Era impossibile che il suo ritorno avvenisse tanto semplicemente. Lo avevo atteso per mesi e adesso in un attimo si trovava qui, eravamo abbracciati in mezzo a molte persone che ci guardavano. Non osavo staccarmi da lui, non osavo guardarlo, avevo paura che fosse un altro, divenuto diverso; inoltre mi vergognavo di quella gente, non volevo che assistessero alla mia commozione, li odiavo. «No» dicevo, nascondendo a Francesco il mio viso. Era proprio lui, riconoscevo la forma delle spalle. «Calmati» egli disse: alzai gli occhi e lo vidi che sorrideva agli altri. Dicevano: «Si sa, l'impressione». Francesco mi carezzava il mento sorridendo appena. Era proprio il suo viso aspro, duro, inclemente. Lo amavo. Tornai ad abbracciarlo. «Cacciali via» gli susurrai all'orecchio. Egli fece cenno di sì e, tenendomi per le spalle, entrammo tutti nello studio.

Gli amici si affrettarono a farmi sedere: Francesco guardava intorno soddisfatto, guardava il tavolino, gli scaffali, li toccava con un gesto lento, delicato: io aspettavo che quella gente se ne andasse perché Francesco mi guardasse come guardava il tavolino, mi toccasse come toccava i libri. Poi sedette nella poltrona e tutti sedettero in circolo, un po' scostati da lui, raccontando alla rinfusa gli ultimi avvenimenti. Era un momento di quelli in cui si deve offrire il vermut.

«Sei contento di essere a casa, eh?» disse Alberto.

«Sì» egli rispose: «pensavo sempre a una cosa: alla vasca da bagno.» Risero, poi Francesco incominciò a parlare coi compagni, a ricordare la sua vita nel carcere. Mentre parlava mi teneva la mano e accarezzava le mie dita, senza guardarmi. Io sentivo una violenta furia salire in me; avrei voluto cacciare fuori quella gente, via, volevo trovarmi di nuovo sola ad aspettare Francesco. Non desideravo trattenermi in quella stupida letizia familiare. E invece, in quel momento, Luigi interrompendo i compagni, si tese verso Francesco e gli disse:

«Tua moglie è stata molto brava.»

«Lo so: è sempre coraggiosa e brava» Francesco annuì carezzandomi affettuosamente la mano.

«Sì, ma non sai...»

«Ti prego, Luigi» interruppi.

Gli altri compagni protestarono, anche loro volevano parlare a Francesco.

«No, vi prego» io dissi. E rivolgendomi duramente a Luigi: «Ti prego, Luigi» ripetei.

Caro Luigi. Volle parlare a ogni costo, e finì di rovinare tutto. Disse di ciò che avevo fatto e, ora che i giorni difficili erano passati, mi convincevo di non aver fatto nulla e la generosa elemosina di Luigi avvilì persino il poco orgoglio che io avevo in me per quelle imprese.

«Ma brava» Francesco diceva. «Davvero sei stata così brava?» Mi sollevava il viso per il mento e io sorridevo, ferma, mentre avrei voluto fuggire via, piangere. Non potevo più fargli intendere che quello era stato, soprattutto, un mezzo per conoscere di lui anche ciò che mi faceva soffrire, che m'era naturalmente estraneo, o nemico, e includerlo nel nostro amore; né più avrei potuto confidargli che, quando avevo paura, chiamavo Francesco come gli altri chiamano Dio. Alberto disse anche delle bombe e della verdura; Francesco allora mi fissò per un lungo momento, poi disse: «Brava», e io mi sentivo vergognosa. Non avevo più nulla da raccontare, ormai.

Essi ripresero a discorrere e io rimasi a disagio, rossa in viso.

«Dove vai?» Francesco domandò nel vedermi alzare.

«In cucina, vorrei scaldare l'acqua per prepararti un bagno.»

Non c'era gas. Accesi il fuoco e versai l'acqua, a fatica, da una pesante damigiana. Poi sedetti presso il fornello, aspettando che l'acqua si scaldasse.

Francesco venne, dopo parecchio tempo: «Che fai, Alessandra?» disse: «Vogliono salutarti». Congedai gli amici che mi salutarono a uno a uno, sulla porta di casa, come dopo un matrimonio o un battesimo. Infine richiusi la porta e m'appoggiai ad essa, con tutta la persona. Francesco mi stava dirimpetto: io lo guardavo e, col mio sguardo, gli correvo incontro come la prima volta alla Galleria Borghese. Ora egli entrava veramente in casa: mi avrebbe stretta tra le braccia, baciata, sentivo le mie labbra farsi arrendevoli, molli. Mi si avvicinò, poi disse, guardandomi con tenerezza: «Dovresti riposare, cara, hai l'aria molto stanca».

Disse questo e io avevo l'impressione che il tessuto della mia pelle si facesse gelido: era un'impressione che non provavo più da quando lui era partito. «No, grazie» risposi: «non ne ho voglia» e lo fissavo, disperatamente, domandandomi quando si sarebbe deciso a tornare.

«Perché sei venuto su con quella gente?» gli domandai.

«Erano venuti a prendermi e...»

«Lo so. Ma io volevo incontrarti solo.»

«Siamo soli, cara, adesso...» Intanto mi baciava. Le sue mani tentavano di sbottonarmi la camicetta; forse egli credeva che quello fosse il più efficace mezzo per manifestare la gioia del ritorno. Ero disabituata alle sue mani e perciò, istintivamente, i miei muscoli si tesero in uno scatto di difesa. Ricordavo la corsa leggera con la quale avevo immaginato di andare ad aprire la porta, dicendo "Dovrebbe pentirsi...". Scostai Francesco da me, dolcemente.

«Aspetta amore» gli dissi piano: «ti prego, non così...»

Eppure ormai era veramente difficile ricominciare. Ormai sapevo che egli non aveva dato importanza al fatto di rivedermi sola, che aveva trovato naturale baciarmi, per la prima volta, in presenza di estranei, di qua e di là, sulle gote. L'ansia mi logorava, insieme col proposito di resistere all'ira e al rancore.

Sentivo che era assolutamente necessario che Francesco ed io ci parlassimo, prima: tante cose erano accadute, in quei mesi. Bisognava di nuovo ritrovarci e, quasi, di nuovo sceglierci.

«Guardami» dissi. «Sono molti mesi che non ci vediamo...»

«Sembrava impossibile che durasse a lungo, ricordi? Dicevamo sempre che mancava poco. E invece... Sono stato in pena per te. Dicevano che non si trovava più cibo, che prendevano in ostaggio le persone di famiglia. Ero veramente impensierito.»

«Questo era il solo pensiero che ti turbava?»

«Sì. Ero sereno, per il resto. Vedi: si ha paura fin quando non si è costretti ad arrendersi. Dopo si acquista la calma. Inoltre, sapevamo di essere in molti. Nella mia cella eravamo in cinque, poi ti racconterò. E attorno sentivamo altre persone: bastava un tocco alla parete, uno sguardo quando si andava a prendere aria, per sentirci un circolo chiuso. E c'era, soprattutto, la sensazione ineffabile di scegliere i propri pensieri, raccoglierli, perché forse potevano essere gli ultimi. Non puoi capire, ma...»

«Capisco, invece» lo interruppi.

«Scusami, cara; ma non credo. Sono cose che può capire soltanto chi è stato in prigione, sia pure un solo giorno. Non so se è un bene. Forse... forse non è un bene; ma si esce del tutto cambiati.»

«Anch'io sono molto cambiata...» mormorai.

«Spero di no. Tu sei rimasta fuori.»

«Sì. Ma appunto» aggiunsi «ci sono cose che possono capire soltanto quelli che sono rimasti fuori.»

Egli si avvicinò alla finestra, senza rispondere. «Com'è bello, quassù» disse. «Non credevo che avessero tanta importanza quattro sbarre che ci dividono dalla campagna e dal sole. Eppure fanno intendere certe verità che credevamo di conoscere e che non conoscevamo affatto. Servono più di tutti questi libri. È innegabile che, uscendo di carcere, si ha l'impressione di possedere alcune essenziali cognizioni che si possono apprendere solo lì dentro»; parlava senza guardarmi: lasciava scorrere lo sguardo sul paesaggio, campagna e grandi case nuove. «Si è molto forti, lì dentro» continuava. «Io ero crucciato soltanto per te e per mia madre. È un po' invecchiata, ma, in complesso, anche lei sta bene.»

«Come lo sai?» chiesi stupita.

«Sono passato da casa sua, per un momento: era la più vicina al carcere. Sta bene.»

«Certo, hai fatto bene» dissi. Poi mi volsi e m'avviai alla porta.

«Dove vai?» egli mi domandò, trattenendomi per una mano.

«A prepararti il bagno.»

Erano tre grandi pentole, le presi con due stracci perché i manici scottavano; le portai nel bagno, una dopo l'altra, traballando per il peso e l'ondeggiare dell'acqua. Vuotavo nella vasca quel fiotto bollente: e il vapore mi saliva al viso, procurandomi un lieve capogiro. Avrei voluto trasportare un numero infinito di pentole, per sfogarmi nel gesto di versare l'acqua bollente, di colpo, in un fiotto. Aspiravo a portare pesi e scaricarli per provare almeno un attimo di sollievo.

«Perché non mi hai chiamato ad aiutarti?» Francesco disse premurosamente; e poi esclamò: «Oh, il bagno...» Il suo felice stupore mi commosse. "Sì, il bagno" avrei voluto dirgli, "e la casa, e il sole libero dietro le finestre e io, Francesco, amore, io."

Immaginai che egli volesse ricondurre il suo sguardo su di me, a mano a mano, attraverso tutto ciò che ci aveva accompagnato fino al momento della separazione: la casa, i libri, il panorama che vedevamo dalla finestra. Ma intanto aveva chiuso la porta e io ero rimasta sola. Nell'ingresso trovai la sua valigetta. Forse, da lì, egli mi sarebbe venuto incontro, pensavo aggrappandomi a una scialba speranza. Dentro c'era solamente biancheria sporca, un pettine, un quaderno. Sfogliai a caso il quaderno: era un diario. D'improvviso, illuminata, compresi che, da quelle pagine, Francesco mi avrebbe parlato, finalmente. Cercavo il mio nome attentamente, seduta in terra, presso la valigia aperta. Non c'era. Leggevo, avida, seguendo col dito le righe: era un diario bellissimo, una lunga lettera del rivoluzionario alla vigilia dell'esecuzione. Come lo amavo, scoprendolo tanto superiore agli altri uomini. Ancora una volta mi innamoravo di lui, mi sentivo legata, avvinta: sventolavamo insieme come una grande bandiera. Eppure in quelle pagine egli non parlava mai di me né di un sentimento amoroso. A un certo punto diceva, alludendo all'eventualità di una sua prossima fine: "Mi auguro che mia madre e mia moglie capiscano".

Francesco si era coricato presto: nello stendere adagio le membra aveva detto: «La mia camera, le mie lenzuola...». Sul comodino io avevo posto un ramo di gelsomini in un bicchiere. Egli si era rallegrato di ritrovarli ancora vivi e fioriti; gli avevo raccontato della sera in cui Denise ed io avevamo sepolto i documenti nei vasi: era miracoloso che, dopo aver servito a quegli scopi, le piante continuassero a fiorire.

Intanto lo guardavo teneramente e, guardandolo, mi era facile immaginare i giorni duri che aveva trascorso. Quegli avvenimenti – e proprio a causa della totale adesione che avevano richiesto da noi – erano stati tali da rivelare la trama del nostro carattere e da mutare il nostro modo di vivere e di giudicare. Entrambi eravamo divenuti molto più generosi e in ogni senso migliori. Sicché la nostra vita in comune, arricchita di esperienze dalle quali uscivamo vittoriosi, sembrava incominciare per la prima volta. Commossa dalla delicata bellezza del momento che stavamo attraversando, io mi stesi al suo fianco e dolcemente chiusi gli occhi.

«Ho letto il tuo diario» dissi: «scusami, sono stata indiscreta.» Poi aggiunsi con una calda intenzione nella voce: «Volevo dirti che tua moglie avrebbe capito».

Egli taceva ed io continuai: «È molto difficile capire tutto ciò che si interpone tra l'amore e noi. Tuttavia, quando si è molto innamorati, si finisce sempre per capire. Io ho incominciato a capirti la sera in cui uscimmo dalla casa di tua madre, ricordi?, ed eravamo assolutamente soli. Poi... Insomma, via via ti racconterò tutto. Siamo arrivati alla stessa conclusione attraverso strade molto diverse, ma ciò che intendevamo salvare entrambi era l'incolumità del sentimento che ci aveva spinti l'uno verso l'altro. Tu non sai quanto coraggio mi sia stato necessario...».

«Lo so, cara: Luigi mi ha detto...»

«No, Luigi non ti ha detto nulla. Del resto abbiamo tempo per parlarne, ormai. Anch'io vorrei che mio marito capisse. Fu per questo che incominciai a lavorare: mi pareva un modo di parlarti, raggiungerti. Te lo scrissi e...»

«Già» Francesco m'interruppe «perciò mi arrestarono. Naturalmente la colpa non fu tua.»

«Quale colpa?» domandai stupita.

«Ero venuto a casa perché non volevo che tu lavorassi con noi. Sapevo che le lettere non ti avrebbero convinto.»

«Eri venuto per questo?»

«Sì. Intendevo rimanere pochi minuti, il tempo necessario a convincerti: non immaginavo che il portone fosse vigilato.»

«Ah. Ho capito.»

Mi baciò come per perdonarmi. Disse che non bisognava pensarci più: ormai tutto era da ricominciare. Ma io non potevo ricominciare così: non bastava riprendere la nostra sfilacciata consuetudine. Sentivo che Francesco s'avvicinava a me, come quando mi domandava quale libro leggessi. «Non pensiamo più a niente, Sandra» diceva. Io non potevo permettergli di avvicinarsi a me solo perché era mio marito, o perché era stato in prigione, se non lo avevo permesso a Tomaso che comprendeva tutto e che mi amava. Pensavo questo e intanto l'accoglievo nelle mie braccia. «Francesco» gli susurravo amorosamente all'orecchio. «Francesco» mormorai durante la notte mentre, sveglia dietro il muro, ascoltavo il monotono ticchettìo della sveglia misurare il tempo della mia solitudine.

E il giorno seguente non dimenticai. Ero riuscita a prender sonno verso l'alba, confidando nella naturale consolazione che il nascere di un nuovo giorno avrebbe dovuto portare con sé. Ma, al risveglio, avevo ritrovato, intatti, rancore e rimpianto. Era presto e il ticchettìo della sveglia col suo ritmo inumano, inesorabile, copriva le strida delle rondini che circondavano di voli la nostra casa. Da tempo ormai ero abituata a dormire sola: perciò sobbalzai nell'avvedermi di una ingombrante forma estranea che giaceva accanto a me, sotto il lenzuolo bianco.

Francesco dormiva supino; la pesantezza del sonno, la chiusa fermezza del suo viso, non concedevano neppure uno spiraglio per penetrare in lui. Mi domandavo perché quell'uomo trovasse naturale dormire nel mio letto, senza avermene data alcuna giustificazione. Quell'uomo che mostrava soltanto l'ottusa soddisfazione di dormire nel mio letto, non poteva essere Francesco: egli, tornando dopo una lunga assenza, avrebbe voluto riprendere il suo posto in virtù dell'amore, e non del diritto.

Seguitavo a guardarlo, senza osare muovermi. Nella camera i suoi indumenti avevano turbato l'armonia dalla quale m'ero lasciata blandire: erano indumenti scuri e i calzoni lunghi, rigidi, pendevano scompostamente dalla spalliera della seggiola. Non riuscivo a trovare in lui alcun segno che appartenesse al nostro passato felice. Mi rialzavo sui gomiti per meglio osservare il suo viso; seguivo i contorni delle guance, la fronte, il disegno dei sopraccigli, le labbra. Ma era, dappertutto, sconosciuto. Avevo paura. Nella paura che mi stringeva riconoscevo la qualità della paura che avevo provato il giorno precedente, quando Francesco era tornato. No, dicevo dentro di me con furore: e ormai mi pareva di sapere come resistere a una arbitraria invasione.

«Francesco» chiamai, ma egli non si mosse. «Francesco» insistevo «Francesco...» Temetti che fosse divenuto sordo nel carcere; sicché io non avrei potuto parlargli, mai più; gli sarei andata attorno coi miei racconti senza che lui potesse ascoltarli. Forse aveva fatto apposta a diventare sordo per rimanere chiuso nel suo mondo e impedirmi di raggiungerlo. Ricordavo che, finora, egli aveva parlato soltanto di sé, senza interessarsi a ciò che dicevo io, noncurante di rispondere alle mie domande.

«Francesco...» chiamai più forte.

Col solo aprirsi degli occhi, Francesco faceva scorrere sotto la mia pelle un flusso caldo e benefico. Mi attirò a sé per un braccio, mi strinse al suo fianco.

Immobile, egli osservava la mobilia della camera, i quadri appesi alla parete; forse temeva di tornare ad affezionarsi alle vecchie abitudini e di non poter più essere all'altezza dei sentimenti espressi nel diario. Certo egli voleva rimanere quale era stato durante il lungo giorno che ci aveva costretti a non arrenderci. E anch'io desideravo lo stesso per me. Ma il lungo giorno era finito, ormai: noi eravamo ancora giovani e quindi certi di vivere a lungo. Non ci eravamo neppure accorti che una bonaria invasione era incominciata: Francesco era tornato a casa, allegro, sorridente, e tutti gli facevano festa, così come nelle strade tutti applaudivano gli amici che per tanto tempo, attraverso la radio, avevano bussato alla porta della nostra prigione e adesso nei lucidi autocarri percorrevano la città, allegri, sorridenti, spargendo manciate di caramelle. Intanto Francesco aveva invaso la mia camera coi suoi scuri indumenti, il mio letto col suo sonno pesante, sordo, ostile. Sui muri della città erano affisse ordinanze che comminavano la pena di morte, e i palazzi, le belle ville, i ritrovi dove ora finalmente avremmo potuto trovare svago, erano anch'essi stati invasi, con sistematica bonomia. Eravamo cani fuori dei luoghi ove i nostri amici si sfamavano o si divertivano; e noi che non avevano più mangiato e sorriso, da tanto tempo, sollecitavamo l'umiliazione di un'elemosina. Io ero un cane che vegliava dietro le spalle di Francesco, aspettando un gesto amoroso o una dolce parola.

M'aggiravo in questi pensieri quando Francesco si volse e mi carezzò una spalla. Io mi volsi a lui, sorridendo; ma vidi che egli aveva gli occhi chiusi e forse credeva d'essere ancora in prigione quando, al risveglio, tutti i compagni di cella, e anche lui, tacevano nel torturante desiderio di una donna. La sua carezza era così insistente, limitata, esatta che rivelava appunto lo stimolo di una pertinace ossessione. Non volevo servire soltanto ad appagare quell'ossessione, non potevo ridurmi ad essere guida alla fantasia. Mi avrebbe chiamato col mio nome, mi avrebbe detto: "Alessandra" e così, ritrovandomi, sarebbe uscito dall'incubo della nostra lontananza. Ma egli seguitava a tacere e la sua mano invadeva tutto il geloso territorio della mia persona. «No» io mormoravo: «No, Francesco» dicevo affannosamente, ma egli non sentiva la mia voce, non ci conoscevamo più, non ricordavamo più nulla di ciò che l'uno aveva amato nell'altra. Egli conosceva il mio carattere romantico, come poteva aver dimenticato tutto ciò e ricordare soltanto gli articoli del codice che il prete ci aveva letto? Mi pareva che ci fosse pure un codice intimo che bisognava rispettare e al quale entrambi, finora, avevamo voluto tener fede. Se fossimo vissuti al tempo della schiavitù egli avrebbe rivendicato i diritti dell'uomo, si sarebbe battuto, si sarebbe fatto uccidere per impedire che un uomo fosse padrone di un altro uomo. Perché nessuno ha il diritto di avere in proprietà il corpo di una persona umana. Non si poteva comperare il corpo di uno schiavo, ma si poteva godere la proprietà del corpo di una donna, invece. Lo si acquistava con l'obbligo di mantenerla, proprio come gli schiavi; e qualora io avessi deciso di abbandonare Francesco, la legge gli avrebbe ugualmente riconosciuto il diritto di rimanere padrone del mio corpo. Durante anni e anni, durante tutta la mia vita, poteva impedirmi di disporne, seppure egli fosse stato cattivo, o infedele, o abitasse, da decenni, a centinaia di chilometri da me. Poiché c'è più libertà per uno schiavo che per una donna. E se io avessi usato della libertà del mio corpo, non avrei avuto soltanto frustate, come gli schiavi, ma addirittura il carcere e il disonore. L'unico modo in cui potevo disporre del mio corpo era quello di gettarlo nel fiume.

Presto al mattino, Tullio tornò a cercare Francesco. «Che vuole?» gli domandai, appena aperta la porta. Egli sorrise lievemente, quasi per ricordarmi che invece avrei dovuto dire, come lui disse: «Buongiorno». Voleva parlare con Francesco, obiettai che era nel bagno. «Non importa» rispose: «aspetterò.» Conoscevo la sua irremovibile fermezza, eppure ancora una volta lo guardai misurandolo: era magro, biondo, non molto alto; la sua decisione si esprimeva tutta nella forza delle mani. Se avesse lottato contro qualcuno facilmente avrebbe potuto annientarlo.

Andai ad avvertire Francesco. Lo trovai che si radeva, a torso nudo, davanti al lavabo, la gonfia spuma bianca gli conferiva una espressione scherzosa. «Amore...» dissi, e lui si volse sorridendo.

Da mesi non vedevo vivere un uomo in casa mia, con la sua presenza, le sue abitudini che potevano persino essere rappresentate da un pennello da barba: nell'aspirare l'odore aspro del sapone misto a quello forte del tabacco che stagnava nell'esigua stanza da bagno, avevo l'impressione che i miei pori respirassero, i polmoni si aprissero e mi ribellai al ricordo del tempo in cui ero stata sola. Mi avvicinai a Francesco, e gli chiesi sottovoce: «Non esci mica con Tullio, vero?».

Ero liberata dall'incubo che mi aveva oppresso durante la notte: anzi, riconoscendo Francesco, mi compiacevo ch'egli fosse mio marito. D'improvviso, forse per disprezzo alla donna sola che ero stata fino allora, provai una spavalda gioia, un'allegrezza incontenibile.

Francesco si volse a guardarmi stupito, col rasoio a mezz'aria.

«Mi porti a Villa Borghese?» gli chiesi sorridendo scherzosamente e avvicinandomi alla sua gota insaponata.

Mi scusai con Tullio per averlo lasciato solo nello studio. «Francesco viene subito» aggiunsi: «è pronto.»

Tullio si era alzato in piedi vedendomi entrare e, siccome io andavo verso di lui, ci scontrammo quasi: «Scusi» io dissi arrossendo, mentre anch'egli diceva: «Scusi». Ci trovammo l'uno dirimpetto all'altro, come era stato il giorno in cui era venuto a prendere la valigia di Francesco.

Disse: «Vorrei accomiatarmi da lei, Alessandra».

Accadeva raramente che Tullio chiamasse qualcuno col nome, lo faceva soltanto nei momenti che giudicava importanti; altrimenti sembrava rifuggire dalla confidenza come dal pericolo di intenerirsi o cedere.

«Perché?» domandai sottovoce, insospettita.

«Perché tutti abbiamo creduto in questi giorni che almeno la nostra lotta fosse giunta al termine. Lo pensavo anch'io. Per un momento ho provato soltanto la tentazione di distendermi, riposare. Poi ho capito che non potevo a meno di andare a raggiungere coloro che debbono ancora liberarsi.»

«Lei pensa davvero che sia così importante liberarsi?»

«No, forse no» egli rispose dopo una pausa: «soprattutto perché non si è mai liberati e a un'invasione segue un'altra invasione. Ma è importante sentire la necessità di liberarsi, e lottare per questo.»

«Capisco» dissi chinando la testa. «Ho l'impressione che non finiremo mai di lottare, anche perché ci saranno sempre territori invasi e gente che vuole liberarsi...»

Francesco entrò e noi tacemmo. Tullio partiva la sera stessa e perciò doveva prendere accordi coi compagni. Ebbi ancora la speranza che Francesco dicesse: "Scusa, Tullio, ma non posso: la cosa più importante, oggi, è quella di restare con Alessandra". Disse invece: «Andiamo pure». Gettò uno sguardo rapido alla finestra con la soddisfazione visibile di goder l'aria libera, tra poco. «Credi» gli avevo detto un momento prima, nella stanza da bagno: «niente è più importante di essere insieme, oggi, noi due, andare a Villa Borghese.» «Sii ragionevole» egli aveva risposto: «perché proprio oggi?» Avevo tentato di fargli comprendere che ancora un filo sottile ci legava alla possibilità di fare in tempo, e che tra poco si sarebbe spezzato. Allora egli sorridendo mi consolò col vezzo che aveva di trattarmi come se, dopo il matrimonio, io fossi tornata bambina. Mi disse che avremmo sempre avuto tempo per noi: disse anche che questi, certo, erano giorni difficili, ma che presto sarebbero passati. «L'essenziale» diceva in tono di bonario ammonimento «è quello d'essere tornato a casa.» Aveva detto la stessa cosa la sera precedente; compresi che ormai mi avrebbe rinfacciato spesso il suo ritorno: sembrava che, rimanendo vivo, egli avesse compiuto un sacrificio del quale io avrei dovuto essergli grata per sempre. Disse che in quei primi giorni avrebbe avuto molto da fare; aveva tentato di convincermi, usando parole e argomenti che echeggiavano la lettera del rivoluzionario, ma adattata ad uso delle scuole. Io l'avevo guardato senza scorgere un piccolo spiraglio attraverso il quale il mio amore potesse farsi strada fino a lui. E, mentre egli parlava, sentivo un violento furore conquistarmi, invadermi. "Vattene" gli gridavo contro con lo sguardo: "non raccontarmi queste frottole. Forse avrei potuto crederti prima di portare le bombe tra la verdura o di leggere Rilke con la mano sulla pistola." Non avevo neppure più pietà di lui; pensavo a ciò che Lydia aveva detto: «Vedrai che lo faranno deputato».

Sulla porta Francesco mi abbracciò, Tullio mi strinse la mano, disse: «Addio». Allora improvvisamente m'avvidi che, dopo la partenza di lui, io non avrei saputo più a chi chiedere aiuto: per molti mesi Tullio aveva disposto gli orarî e i compiti della nostra giornata; e, così facendo, noi ci eravamo salvati dalle insidie dei nostri impulsi, delle nostre reazioni. Avrei voluto trattenerlo pel braccio, domandargli: "E adesso, che cosa devo fare? Mi faccia portare ancora bombe, ancora manifesti, mi obblighi ancora a scacciare Tomaso, mi obblighi, mi obblighi a mostrare l'aspetto migliore di me". Ma egli era già nelle scale con Francesco. Io rimasi a lungo immobile, dietro l'uscio, seguendo col pensiero i loro passi che s'allontanavano.

"Perdonami" Francesco mi dice, ora, teneramente "perdonami, Alessandra, di', mi hai perdonato?" Come si potrebbe non perdonare a un uomo che parla con un accento così amoroso? E poiché quest'uomo è Francesco, io subito mi arrendo, sono vinta. "Perdonami" egli insiste. "Sì: fu un errore tutto, dopo il mio ritorno. Ma forse il mio ritorno fu l'errore. Eravamo tutti sopravvissuti al giorno della nostra morte. Poiché se c'è un momento in cui si tocca l'ultimo limite delle nostre risorse ideali, è quello in cui si aspetta di ora in ora che ti vengano a chiamare per morire. Io non ero mai stato puro, nobile, generoso, come in quei giorni e, appunto perché mi sentivo tale, mi doleva morire. Non comprendevo che era proprio quel supremo addio a suggerirmi d'essere l'eroe di tutti i migliori sentimenti virili. E infatti, forse istintivamente, quando sapemmo che eravamo liberi, io mi attardai, fui l'ultimo a uscire dalla cella. Volevo trattenermi nel personaggio che, lì dentro, pareva così facile di essere. Ero solo e volgendo gli occhi in giro, mormorai: 'Alessandra'. Poiché ogni attimo di quel tempo e ogni progresso che avevo compiuto in me, ti era stato dedicato. Non ne parlavo, nel diario: se appena fossi entrato nel giro vorticoso del tuo nome ogni mio proponimento sarebbe stato travolto. Ti avrei scritto che ero disperato di morire, magari ti avrei chiesto 'aiutami', mi sarei avvilito, umiliato; invece ero fiero d'essere il solo tra i miei compagni che non avesse pianto. Se tu avessi letto questa amorosa disperazione nel diario mi avresti giudicato un uomo debole, che era morto colmo di sentimenti torbidi, di odio e di rancore. Volevo invece che tu pensassi a un uomo in cui la fedeltà ai propri precetti morali era ancora più forte dell'amore. Volevo rimanere, nel tuo ricordo, simile a quello che ti ero apparso nei nostri primi giorni. Molto spesso, all'inizio di quegli acerbi mesi di lotta, ero stato sul punto di cedere. Non avrei voluto riprendere a lavorare con Tullio, dopo l'armistizio. Avevo anche paura. E fu molto duro accettare di non aver paura e, anzi, di combattere: se lo feci fu proprio per te, a costo di sembrarti disamorato. Preferivo che tu mi immaginassi tale piuttosto che, vedendomi nascosto in una cantina o vestito da frate in un convento, tu potessi ricordare ciò che ti avevo detto di me, dei miei propositi, e constatare che ero soltanto un millantatore. Vedi, ora posso parlarti sinceramente: in carcere temevamo sempre d'essere messi al muro e fucilati. E io pensavo continuamente ai gesti che avrei fatto in quel momento, al contegno che avrei tenuto, all'ultima parola che avrei detto. Mi pareva che la scelta di quella parola fosse molto importante: non avrei potuto certo gridare 'Alessandra' vedendo i fucili spianati contro di me; eppure era proprio Alessandra che avrei gridato nel gridare 'evviva la libertà'. Ti avrei parlato subito di tutto questo se, dalla cella, fossi rientrato, con un passo, nel nostro studio. Invece i compagni vennero a prendermi e uscii con loro. Così m'avvidi che la città, da quando io ero entrato in prigione, non era affatto mutata. La prima cosa che vidi fu una signora che portava guanti bianchi e teneva a guinzaglio un cane. Vedi, queste sono minute considerazioni che, forse, quelli che sono rimasti fuori non possono capire: ma non si può credere che, mentre tu sei in prigione, tra le cimici, qualcuno pensi a portare a spasso il cane. Sono considerazioni tante volte espresse, scontate, lo so bene. Ma, insomma, noi pensavamo addirittura che la città stesse senza respiro, raccolta attorno a quelli che morivano e a quelli che stavano in prigione. Poi vidi una coppia che camminava sottobraccio, mostrando un'amorosa consuetudine nel passo. Io pensavo che, forse, l'ultima parola d'amore che avrei potuto rivolgerti sarebbe stata nel gridare Alessandra mentre gridavo evviva la libertà. E quello mi pareva il modo più intenso per dire una parola d'amore. Ma ancora una volta non avevamo fatto in tempo ad esprimerci nel nostro modo migliore. Sui muri della città erano affisse targhe che recavano indicazioni in lingue straniere, frecce, cartelloni. Altri soldati passavano negli autocarri, ma questi sorridevano, e avevano le guance rosee, ben rasate. Poi, quando imboccai la strada ove abitavamo, rimasi stupito di non trovare la nostra casa rósa, smozzicata dalla sofferenza. E, invece, nulla testimoniava ansia per me; neppure un vetro rotto, o una scalfittura sul muro delle scale. Considerai freddamente che tutto sarebbe stato così, anche se io fossi morto. L'errore era stato mio, nel sopravvivere. Speravo in te solamente: credevo che tu fossi rimasta salva dalle sofferenze crudeli, dagli amari ritorni, e perciò mi basavo su di te per ritornare quello che ero stato in prigione e nel diario. Tu sola avresti riconosciuto in me una qualità superiore, mi avresti contemplato, attonita, io avrei potuto raccontarti la mia storia e tu l'avresti ascoltata con ammirato sgomento, senza intuire quanto sia facile, a volte, ridursi alla necessità dell'eroismo. Solo tu avresti potuto salvarmi, e me ne convincevo vedendoti sempre uguale, così bella, anche se circondata da cose superflue alla scarna vita di un uomo. Anche se, poco dopo, m'avvidi che avevi imparato a dire ogni tanto 'no?' come Tomaso. Quando mi informarono di quel che avevi fatto, non lo credevo quasi: perché non volevo saperlo. Essi insistevano, però. E io notai la veemenza con la quale tu volevi impedire che parlassero. Fu proprio quella tua insistenza che mi sorprese: poiché riconoscevo in essa la tara segreta di tutti coloro che sono stati in prigione, o hanno portato le bombe nella sporta. Ormai anche tu, come me, sapevi tutto: non avresti potuto aiutarmi. Per questo chiesi a Tullio di continuare a lavorare con lui, lo pregai di farmi lavorare accanitamente. Mi rimordeva di lasciarti sola, ma continuavo a farlo, volevo essere solo solo, proprio solo, come ero stato in prigione, per ritrovare la mia sicurezza d'allora. E a poco a poco, invece, sentivo il tempo della nostra morte allontanarsi: in me il modello dell'eroe virile era scomparso. Sì, è vero: mi dissero che sarei stato eletto deputato. E come, quando ero in prigione, dietro i doverosi sentimenti nascondevo il mio amore per te, così dietro gli imprescindibili obblighi che mi sforzavo di farti rispettare, nascondevo la misera ambizione di non essere soltanto una persona sopravvissuta al mito dell'uomo eroe, sublimato nella morte. Oh, perdonami, Alessandra, perdonami."

Non perdonavo più, invece: ero sempre sola e, da quando avevo congedato Tomaso, non sapevo a chi parlare, confidarmi. Vedevo raramente Francesco, durante il giorno; spesso egli si tratteneva in città e, non potendo avvertirmi a causa dell'interruzione telefonica, accadeva che io lo aspettassi, riscaldando ogni poco la colazione. Egli era sempre occupato con i suoi amici e pareva volermi tenere lontana dai suoi interessi e dalla sua attività. A volte mi domandavo perché lo amassi ancora: anche il rancore, lo sprezzo, e tutti i cattivi sentimenti che nutrivo per lui erano altrettanti modi di amarlo. Una sera in cui egli era rimasto in casa, avevo tentato di parlargli del tempo in cui eravamo rimasti divisi: m'avvedevo che evitava sempre di parlarne; speravo almeno che s'interessasse al lavoro che avevo svolto con Tullio e che lui andava continuando. Francesco mi concedeva un'attenzione affettuosa e distratta. Mi ridussi persino a parlare di un vestito nuovo che avrei voluto comperare. Ma le mie parole non suscitavano più echi in lui; e se di notte un muro ci divideva, di giorno un libro stava tra di noi.

I compagni venivano a trovarci spesso, di sera, per parlare di Tullio e del lavoro che stava svolgendo lassù. Rapidamente il lungo giorno si ritraeva dalla città e appena dileguatosi assumeva, anche agli occhi di chi l'aveva vissuto, il valore di una eroica leggenda. Eppure era stato il nostro tempo più bello, al quale dovevamo rifarci, per giustificare alcuni aspetti di noi, come all'infanzia. Infatti spesso, nel parlare, dicevamo: «Ricordi?», come accadeva tra Fulvia e me. Anche con i compagni, ormai, non trovavamo più nulla da dirci: l'amicizia che fingevamo era fittizia: in realtà essi erano tornati ad essere gli amici di Francesco. Infatti, quando conducevano con loro un nuovo amico o compagno me lo presentavano dicendo brevemente «la signora Minelli» e già, trascinandolo pel braccio mentre costui avrebbe voluto indugiarsi in qualche frase di convenienza, lo presentavano a Francesco con una voce del tutto diversa. Poi illustravano le ormai famose avventure di mio marito. Io ero contenta che non accennassero alle modeste missioni che io avevo compiuto: poiché, per me, esse possedevano un valore assolutamente personale e mi infastidiva che altri ne disponesse liberamente. Tuttavia mi veniva fatto di sospettare che le bombe che avevo portato io fossero false: se solamente quelle che gli uomini avevano portato rappresentavano un pericolo; dubitavo del contenuto dei manifesti; ricordavo che i messaggi erano per lo più frasi insulse, simili a quelle che si trovano nelle grammatiche di una lingua straniera. Non significavano nulla, forse; incominciavo a credere che fossero stati preparati al solo scopo di beffarmi. Ma, se anche fossero stati falsi, ciò non avrebbe avuto importanza; io li avevo portati con la stessa paura, avevo ugualmente accettato di correre quel rischio. E ora tutti eravamo qui, tutti ugualmente salvi, tutti scampati.

Così intimidita spesso rimanevo in un canto, tacendo. Francesco, preso nei suoi discorsi e nel circolo di simpatia che si formava intorno a lui, talvolta, durante tutta la serata mi si rivolgeva soltanto per chiedere: «Vuoi darci un po' di limonata, cara, per piacere?». Poi tornavo a sedermi, zitta. E ricordavo il modo col quale Sista stirava la bianca camicia di mio padre, quel crudele insistere al giro del colletto. Doveva provare un certo sollievo.


Era di pomeriggio, tardi, quando venne Tomaso. «C'è il capo?» domandò sorridendo. Sussultai nel vederlo. Inoltre, con quella frase che ci riallacciava al tempo dei nostri primi incontri, temevo di dover ancora tutto ricominciare.

«No» risposi a mezza voce: «Non c'è.»

Tomaso non aveva ancora rivisto Francesco perché, appena la città era stata liberata, egli aveva dovuto recarsi a Napoli per conto del giornale. Tutte le mattine comperavo il giornale e, quando vi trovavo il suo nome, lo ripiegavo e me lo portavo a casa sottobraccio. In quei momenti mi pareva ancora di essere una donna molto bella.

Tomaso entrò nello studio e lì subito si guardò attorno, adagio come aveva fatto Francesco: ma il suo sguardo ardente e malinconico sentivo che ricercava me sulle care pareti, le fattezze del mio viso.

«Sei felice, Alessandra?» mi domandò fissando un punto vago ove certo aveva ritrovato i miei occhi.

Esitai per un attimo, poi dissi piano: «Sì».

Vi fu un silenzio fra noi, grave, impacciato. «Già, capisco» egli disse: «io ero più tranquillo quando non potevo uscire dalla casa di Saverio o, dopo, mentre ero a Napoli. Pensavo che tu m'aspettassi e che ti avrei trovata, al ritorno. Ora, non ho un minuto di pace.» Fece una pausa e seguitò: «Dovevo rimanere, quella sera. Non avrei dovuto obbedirti. In quei giorni, valeva più un ordine di Tullio che un certificato di matrimonio. Dovevo approfittare di quelle leggi. Anche per il tuo bene».

Non volevo che parlasse così. «Tomaso...» lo rimproverai.

«Scusami» egli mormorò, pentito. Tacque ancora, e io avevo in me un timore confuso, ma irresistibile. Con due passi, indolentemente, misi tra noi il tavolino ingombro di carte. Tomaso sfogliava una rivista e intanto domandava: «Dove hai messo la traduzione?».

«Di là, perché qui...»

«Ho capito.»

In pochi giorni il tavolino, docilmente, s'era lasciato invadere da Francesco.

«Che ha detto della traduzione?»

«Chi?» domandai. Tomaso seguitava a sfogliare la rivista senza rispondere. «Ah» feci piano: «Non l'ha vista ancora...»

«E non ti ha chiesto di...»

Io l'interruppi:

«Ma se non sa neppure che la sto facendo.»

Allora, per la prima volta, egli alzò gli occhi per guardarmi: il suo sguardo salendo dalla rivista a me esprimeva una interrogazione. E, adesso che Francesco era tornato, io mi sentivo inerme.

«Che sei venuto a fare?» gli domandai con un accento ostile.

«Per vederti. Ho telefonato subito: ma la linea è ancora interrotta; ugualmente mi pareva di udire il campanello squillare nella casa: ne conosco le vibrazioni, l'eco: so che, parlando, tu metti una mano tra la bocca e il microfono come se ti vergognassi di ciò che dici.» S'arrestò e a me parve che il fiato mi si arrestasse di colpo. Ma Tomaso aveva paura di ferirmi, perciò, riprendendo a sfogliare la rivista disse, cambiando tono: «Sono venuto a salutare il capo».

Mi avvidi che non avevo più parlato, da molto tempo. Poi Francesco rincasò e con Tomaso s'abbracciarono. Io stavo per impedirlo: temevo che in quel gesto, Francesco venisse a conoscenza di tutto; forse avrebbe ritirato una mano, di scatto, e l'avrebbe guardata sbigottito, mormorando "che c'è?". Gridai dentro di me, per avvertirlo. "No" dicevo, "no, aiutami, non abbracciarlo, insultalo, mandalo via." Ma Francesco non udiva la stanza risonare dei miei gridi supplichevoli: era sordo e fu quella l'unica volta in cui io lo guardai godendo dell'inganno, come facevo con mio padre quando andavo a telefonare a villa Pierce.

«Sono venuto a salutare il capo» Tomaso disse.

«Finalmente» egli esclamò con giocoso rimprovero. «Scherzi sempre» e battendogli una mano sulla spalla soggiunse: «sono proprio contento di vederti.»

Durante tutta la notte che seguì, i miei pensieri furono sconvolti. "No" smaniavo, "non voglio che Francesco mi riduca a questo." Mentre Tomaso era sulla porta gli aveva detto «Torna presto». Tomaso aveva risposto: «Grazie: forse domani» e intanto fissava me come per chiedere conferma di un appuntamento. Conoscevo la tenacia di Tomaso e sentivo che l'avrebbe adoperata anche contro il mio volere. Nel lavarmi il viso, mi ero guardata allo specchio: «Sì» avevo ripetuto per misurare con quanta fermezza avessi risposto alla sua domanda: «Sei felice?». Poi mi ero assicurata che il telefono fosse ancora interrotto e avevo tratto un sospiro di sollievo. L'indomani sarei rimasta tutto il giorno fuori di casa; ma non sapevo dove andare. Così mi resi conto che mia madre ed io non avevamo mai avuto amicizie. Tullio sembrava essere il solo ad avere intuito il mio carattere e anche l'appassionato fervore che era in esso. Ma ormai era impossibile comunicare con Tullio: aveva passato il fronte e Francesco si rammaricava di non averlo seguito. «Perché non l'hai fatto?» gli avevo domandato. «Per te» aveva risposto lui. Allora non m'era stato possibile di trattenere un riso dispettoso, maligno. «Per me? E a quale scopo? Non siamo usciti mai una volta insieme, non abbiamo parlato mai, neppure un momento.» Egli aveva protestato; e nel sentirlo ripetere che quelli erano giorni particolarmente difficili, io ero balzata a sedere sul letto e il mio viso lo aveva inquietato. «Ah, no, Francesco, no, vero?, ormai né tu né io crediamo più a queste cose.» Egli s'era girato sul fianco e aveva spento la sua lampada. Nel breve cerchio di luce, sull'altra sponda del letto, io giacevo presso un tenebroso abisso.

Non riuscivo più a dominare i miei pensieri: vedevo lo sguardo di Tomaso raggiungermi attraverso l'esigua difesa del tavolino. Non mi sentivo al sicuro, sembrandomi che egli avesse intuito la mia debolezza. Ammonita dall'inclemente ticchettìo della sveglia, sentivo che il fatale trascorrere del tempo non mi avrebbe permesso d'indugiare in questo conflitto. Tomaso sarebbe venuto certamente, l'indomani. Lo udivo salire le scale a due a due. Era il passo col quale avevo immaginato che Francesco salisse verso di me, al suo ritorno. Non volevo confonderli in quella inaccettabile promiscuità, non volevo che si salutassero con affetto. Li preferivo avversari. Invece sarebbero divenuti amici. Era questo che temevo: sarebbero divenuti inseparabili, avrebbero manifestato gli stessi gusti, preso le stesse abitudini. Tomaso sarebbe venuto sempre più spesso da noi: ogni giorno. Se un giorno non fosse potuto venire Francesco avrebbe sentito la sua mancanza, forse sarebbe stato di cattivo umore. "No", mi dicevo, ma il mio sangue circolava sul ritmo di quel passo. L'indomani Tomaso avrebbe sonato il campanello e, dopo qualche momento d'attesa, sarebbe tornato a sonare. Poi più a lungo, poi ancora più a lungo, senza smettere: un richiamo supplichevole. "Deve aprire" si sarebbe detto: "aprirà." Non è possibile che una persona innamorata chiami e nessuno risponda: eppure io chiamavo Francesco tutta la notte e lui non rispondeva mai. Tesi l'orecchio; udii un suono di campanello sordo, insistente: Tomaso era già venuto e sonava. Il suono scaturiva continuo, instancabile. Tentavo inutilmente di distrarmi, schiacciare l'orecchio contro il cuscino per non ascoltarlo: era un trapano nella mia mente. «Presto, Alessandra» Tomaso aveva detto quel giorno: «sono seguito.» Il suono non smetteva. Allora mi alzai e andai alla porta perché quando qualcuno è in pericolo bisogna sempre rispondere. «Eccomi» dicevo, rispondendo a quel suono. Aprii, ma non vidi nessuno, le scale erano buie, le porte chiuse. Il suono persisteva implacabile. Temetti che fosse Francesco a chiamare e subito accorsi nella camera. Dormiva, col volto fermo, le braccia strette a sé per difendersi. "Ma se tu non riuscissi..." mi sfidava la Nonna. Le risposi spavaldamente: "Se non riuscissi mi ammazzo".

Uscii, presto nel pomeriggio, l'indomani, pur non sapendo dove andare: non avevo danaro e, del resto, non avevo mai avuto, a guisa di molte altre donne, il gusto di comperare che è anche quello un modo di farsi valere. Avevo pregato Francesco di uscire con me, ma egli era occupato. Ero andata a sedermi a Villa Borghese e avevo portato un libro con me, come spesso facevo quando frequentavo il liceo. Via via che la luce scemava mi coglieva una malinconica paura. Avrei voluto che la nostra casa avesse una bella finestra attorno alla quale gli alberi s'accostassero e le rondini girassero in volo. Le nostre finestre, invece, guardavano una campagna triste dalla quale ci divideva una fila di alte e disordinate case bianche. Verso sera le cucine si illuminavano l'una sopra l'altra: quando ero bambina tutte le finestre illuminate mi incuriosivano: avrei voluto conoscere la storia di chi vi abitava; ma ormai sapevo che nelle case c'è sempre una storia sfortunata, e perciò non volevo più guardare.

Rincasai piuttosto tardi e il portiere mi porse un biglietto di Tomaso. «Mi ha detto di darglielo quando l'avrei vista sola» disse sommessamente. Subito io pensai di rintuzzarlo, ma mi tratteneva la complicità stabilitasi tra noi a causa della fotografia: il suo, del resto, era un mestiere delicato nel quale si sanno sempre troppe cose che invece bisogna fingere di non sapere. Ormai avevo capito che era un brav'uomo: non avrebbe voluto lasciarmi sola, la notte in cui Francesco fu arrestato. Spesso consideravo con stupore che molta gente è veramente buona. In verità non avevo mai incontrato qualcuno che, dentro, fosse tutto cattivo: anche l'ufficiale che aveva arrestato Francesco doveva essere buono: l'avevo capito nel sentirlo parlare con tanto rammarico della sua casa e dei libri. Mi pareva che con tante persone buone al mondo, sarebbe stato facile essere sempre felici. E invece accadevano certe cose che non permettevano mai di esserlo: sicché l'uno era costretto ad arrestare o uccidere, invece di leggere Rilke.

Appena entrata in casa aprii il biglietto: Tomaso diceva che era venuto e aveva sonato per mezz'ora, circa. Io non avevo voluto aprire, ma lui sarebbe tornato l'indomani e poi il giorno seguente, finché mi sarei decisa ad aprire. Tutto ciò era detto amorosamente, come sempre egli usava parlarmi. Io avevo camminato a lungo, ero sfinita, e non avevo più che pensieri sconvolti, elementari. Pensavo: sonno fame Francesco Tomaso.

Andai in cucina, presi un pezzo di pane e lo intinsi nell'acqua come faceva Sista. Riconobbi quel sapore molle e mi parve di tornare al tempo in cui mia madre era viva e noi l'aspettavamo in cucina. Anche Sista era buona; la rivedevo mentre, curva, allacciava le scarpe di mia madre. Tutti eravamo buoni, al mondo: ma disposti a provarlo in momenti diversi, sicché non c'incontravamo mai.

Se Tomaso avesse avuto il telefono lo avrei chiamato per dirgli: "Non sonare alla porta, ti prego: non farlo. Non farlo" lo avrei supplicato "poiché alla fine, certo, finirò per rispondere".

Dopo cena Francesco e io sedemmo nello studio: egli era tornato a casa di umore sereno e io subito avevo tentato di intonarmi a lui, sperando di far in tempo a trascorrere una felice serata. Oltre le finestre si stendeva la disperata vastità dell'aria estiva e lo studio invece era intimo, accogliente: tuttavia, guardandomi attorno, riconoscevo dappertutto i segni della solitudine da me vissuta tra quelle pareti. I cuscini delle poltrone, non più gonfi e arroganti, mostravano la loro casalinga arrendevolezza. Francesco era seduto sulla stessa poltrona ove sedeva Tomaso quando veniva a trovarmi.

Anche le visite di Tomaso, pensai in un brivido, erano servite a dar vita a quella stanza. Mi pareva anzi che proprio alle ore che vi avevamo trascorso insieme lo studio dovesse quel carattere intenso che sorprendeva tutti quanti vi entravano per la prima volta. «Com'è piacevole questa stanza, Alessandra» dicevano. E io rispondevo sempre nello stesso modo che ormai era divenuto un vezzo: «Si sente che ci vivo: la casa è piccolissima e sono costretta a vivere tutto il giorno qui dentro».

Dalla poltrona ove Francesco sedeva, vedevo venirmi incontro lo sguardo tenero e sorridente di Tomaso. «Non so se tu ami più me o questa stanza» gli avevo rimproverato scherzosamente, una volta. «Tutt'e due» egli aveva risposto senza esitazione: «questa stanza sei tu: priva di te non avrebbe più alcun incanto.» Io sorridevo e lui continuava: «È il tuo mondo. Del tuo mondo ci si invaghisce appena se ne fa conoscenza. Per questo non ci si può rassegnare a prendere da te soltanto un'ora, o una giornata».

Nel compatto tepore di quella stanza scoprivo una sorta di eroismo: mi pareva che essa fosse divenuta tanto intima e accogliente a prezzo delle mie sofferenze. I bracciuoli della poltrona erano lisi per il febbrile passarvi delle mie mani, quando non riuscivo a dominare l'angoscia per Francesco, o il desiderio di telefonare a Tomaso. Sicché, in un'onda di gratitudine, riandavo con la memoria a tutte le ore tormentose che vi avevo vissuto, la sera in cui leggevo Rilke e avevo una mano sulla pistola; e alla mia inquietudine che si era dibattuta nel fumo delle cattive sigarette che mi preparavo quando ero sola. Era stata una prigione, una cella, la sala della tortura, ma adesso Francesco mi stava dirimpetto, e io potevo guardarlo mentre leggeva. Bisognava difendere quella stanza come ci eravamo difesi dalla tentazione di arrenderci.

«Francesco» dissi: «vorrei parlarti.»

Sorpreso egli alzò gli occhi dal libro: «Che c'è?» domandò sfiorandomi appena con lo sguardo, prima di tornare a leggere.

Io contemplavo il suo viso, il bel taglio della persona, le mani che, nel muoversi, suscitavano in me un'amorosa avidità. Oh, lo amavo intensamente. Splendevo, nel guardarlo; m'arricchivo di una soave tenerezza, un consapevole orgoglio. Non ero mai stata bella come in quel momento.

«Vorrei parlarti» ripresi dolcemente e Francesco, posando il libro aperto sulle ginocchia, restò in attesa.

«In quei mesi» continuai «mentre tu eri nascosto, prima, e poi in prigione, qualcuno si è innamorato di me. Ero sola; e questo amore, così devoto, così insistente...»

«Hai avuto un amante?» egli m'interruppe serio, ma calmo, tentando di dissimulare la gravità della sua domanda.

«No» io risposi subito, vittoriosa e sbigottita. «No... Ma è stata una tentazione assillante.» Dopo una pausa, aggiunsi piano: «Era un tuo amico».

Francesco non mi domandò subito chi fosse e questo mi deluse. Non volevo che immaginasse un rivale scadente, un uomo mediocre, al quale sarebbe stato facile resistere. Aspettavo che mi domandasse "chi è?", formulavo dentro di me questa domanda, gliela suggerivo, e il suo silenzio mi lasciava incerta.

Per un poco, Francesco giocò sprezzantemente con le dita tra le pagine del libro. Infine disse: «Non mi piacciono questi uomini che approfittano dell'assenza del marito per corteggiare la moglie. Soprattutto quando il marito è in prigione. Non sono leali né buoni giocatori».

«Ma lui era innamorato di me!...» io corressi angosciata, temendo che Tomaso venisse frainteso, avvilito.

«Oh, sai!...» Francesco esclamò con ironia. «Innamorato!... No, non mi piacciono questi uomini. Sono sicuro che non piacciono nemmeno a te.»

Disse così, e poi tornò a leggere. Non mi aveva chiesto chi era, non voleva saperlo: come accadeva per molti altri problemi che egli respingeva brevemente, con un facile giudizio. Il timore di un siffatto giudizio mi impediva di parlare, ormai: se gli avessi confessato quanto forte era stata la mia tentazione, egli mi avrebbe disprezzata, forse, o forse avrebbe dubitato del mio amore per lui. Inoltre era difficile parlargli dopo aver sentito dire «innamorato» come mio padre aveva detto «divertirsi», parlando di Francesco. Tentavo di mantenermi calma, allo scopo di difendermi e insieme difendere Francesco e quella stanza. Bisognava, perciò, che mi capisse; avrei voluto fargli intendere che dibattersi in una simile guerra, affidati soltanto alla nostra coscienza, non era stato facile come lui credeva. Volevo parlargli delle notti che avevo passato sveglia, delle parole che mi aveva detto Tomaso. Non doveva ignorare la battaglia che avevo sostenuto, i dubbi che mi avevano assediato, il desiderio contenuto, soffocato con violenza. Avevo dovuto combattere tutto quel che era bello, vivo, attraente. E se lui aveva resistito a forze brutali e malvagie, contro le quali è naturale lottare, io avevo resistito all'amore.

«Francesco...» dissi chiamandolo smarrita: lo supplicavo di capire che era stato molto difficile, e lui non doveva dire «le mogli», doveva dire "tu, Alessandra", una donna, con la trepida favola che ogni donna porta dentro di sé e che le è più cara di tutto, più cara anche della libertà. Lo guardavo spaurita temendo che non fosse più l'uomo col quale andavo a spasso sul Gianicolo, se neppure ricordava il mio carattere romantico né quanto importanti fossero certi sentimenti per me; temevo che avesse dimenticato tutto ciò che mi aveva dato rapimento e gioia con lui, aspettando lui, nelle sue braccia, temevo che fosse divenuto un mio parente, mio marito. Che diritto aveva "mio marito" di sedere in quella stanza?

«Aiutami, Francesco» gli chiesi: «perché non mi hai aiutato mai?»

Egli tornò a posare il libro; mi fissò sorpreso e, pareva, finanche infastidito.

«Come potrei aiutarti, Sandra?» disse calmo. «Ci sono momenti in cui ognuno di noi sa bene quello che deve fare. Una donna deve saperlo meglio degli altri, deve portarlo in se stessa. Tu l'hai saputo, infatti. Mi sembra inutile soffermarci oltre su questo argomento.»

Io non risposi, ammutolita dalla sua forza. Non è vero che una donna sa bene quello che deve fare, lo sa solamente per principio e i princìpi non contano. Non lo sapevo affatto, soprattutto da quando lui era tornato, e la sua persona contrastava con l'immagine che mi ero fatta di lui, nell'assenza, e alla quale m'ero appoggiata.

Avrei voluto cacciarlo dallo studio, respingerlo dai miei pensieri, dalla mia vita; ma sentivo che non avrei mai osato chiudere la porta alle sue spalle. "Aiutami, Francesco" lo supplicavo dentro di me, giacché lo amavo troppo per ridurmi a supplicarlo con le parole. Avevo preso l'abitudine di chiamarlo col mio silenzio, sperando che sapesse udire. "Siamo ancora in tempo" gli dicevo "tu solo puoi salvarmi: salvami." Ma egli non udiva mai.

I miei singhiozzi lo strapparono dalla lettura: venne presso di me, mi carezzò i capelli.

«Perché piangi, cara?» mi disse teneramente. «Sono certo che non hai fatto nulla di male.»

Ecco, riconosco che da quella sera i miei ricordi si fanno annebbiati, confusi. Le sensazioni sono rimaste in me nitide, nel loro esasperato groviglio, ma non saprei collocarle in un giorno né in un'ora precisa, poiché esse tutte paiono disperdersi in una notte buia e interminabile.

Fu dopo questo colloquio, in apparenza pacifico, che la tremenda notte incominciò. Ebbe inizio con un sonno pesante in cui soffrii di un incubo che poi tornò sovente ad opprimermi nei rari momenti in cui dormivo.

Sognai di essere un cane. Nel sogno avevo in me la coscienza di questo nuovo stato. Ero un cane vecchio, e sebbene non potessi vedermi, sentivo il peso della vecchia pelle sulla umiliante magrezza del mio corpo. Era notte e io camminavo a testa bassa, forse a causa delle orecchie pendenti come mi accadeva con le trecce quando ero bambina. Camminavo lungo il muro, perché il muro mi riparava dal freddo; camminavo, camminavo, sperando che il muro si aprisse e io fossi accolta in una casa calda ove infine potessi riposarmi e dormire. Ero esausta, avevo lo stomaco torto dai crampi della fame. Talvolta sorprendevo una porta aperta e subito chiedevo asilo: animata da una fiduciosa contentezza, mi sedevo guardando gli abitanti della casa e promettendo di dedicare loro tutta la vita che mi rimaneva. Li guardavo impegnandomi in una grave promessa che traspariva dal portamento della testa, dal muso nobile e fiero. Ma subito tutti mi cacciavano duramente e io ero di nuovo fuori senza aver placato la mia fame e, soprattutto, senza aver potuto manifestare la mia amorosa fedeltà. Mortificata sedevo nella polvere all'ombra del muro. Ricominciavo, di nuovo ero cacciata. A volte sedevo per ore, pazientemente, fuori delle porte aspettando che mi richiamassero: era impossibile che nessuno volesse un cane buono come me.

Mi destavo e duravo fatica a togliermi di dosso il senso di quella grave umiliazione. A poco a poco non ero più cane, ma rimanevo tesa, sconvolta, il cuore batteva affannosamente. Francesco dormiva accanto a me, poteva dormire anche quando ero cane e tutti mi cacciavano. La sveglia non s'arrestava, non saltava mai un giorno, un'ora. Così la notte non finiva mai.

Svegliavo Francesco, gli dicevo del cane e lui mi confidava che spesso sognava di essere ancora in prigione. Credo che rimanessi a lungo sola perché ho il ricordo di un campanello che suona insistentemente, e mi vedo passeggiare in su e in giù, impazzita, tra le deserte pareti, torcendomi le mani, tappandomi gli orecchi, trovando tuttavia la forza di non andare ad aprire.

Talvolta per tutto il giorno non lasciavo il letto. Francesco mi carezzava i capelli, mi diceva che ero troppo stanca, avrei dovuto chiamare un medico. Avevo un tremito continuo in me, sotto la pelle, e la mia fronte, la nuca, divenivano rigide come l'acciaio. Ormai anche quando Francesco era in casa io udivo il campanello sonare. Egli era sordo, o forse fingeva di non sapere che cosa quel suono significasse. «Resta con me» lo pregavo. Ma ero sempre sola, anche quando lui rimaneva. E ormai avevo paura di trovarmi sola: sentivo che ero comandata da una forza che mi trascinava. «Non lasciarmi» lo supplicavo. Allora egli mi indicava la sveglia, la confrontava col suo orologio da polso, sussultava e, poco dopo, udivo la porta sbattere dietro di lui. Correvo ad affacciarmi alla terrazza; forse se, buttandomi giù, gli fossi caduta davanti, Francesco mi avrebbe guardato, finalmente. "Sì" pensavo sporgendomi dal davanzale: "proprio lì, dove finisce l'asfalto." Francesco usciva dal portone e senza accorgersene camminava su di me, sentivo le sue dure scarpe sul mio viso, sul mio corpo disteso, inerte nell'atteggiamento molle della morte. Ero pungolata dalle parole della Nonna: "E se tu non riuscissi?". "Se non riesco mi ammazzo" le rispondevo. "Mi ammazzo, mi ammazzo." Queste parole si ripetevano in me convulsamente, come in un disco inceppato. Non vedevo mai il viso di Francesco: allora provavo a raffigurarmelo con tanta intensità da averne gli occhi annebbiati dal pianto. "Amore" avrei voluto dirgli "ho paura, temo proprio che possa accadermi ciò che è accaduto a mia madre." Avevo la precisa sensazione che non sarei più riuscita a dominare i miei gesti: mi stringevo a Francesco perché egli, tenendomi ferma, mi impedisse di eseguire ciò che, durante tutto il giorno, mi proponevo di fare. I miei nervi si stendevano solamente quando immaginavo il freddo della pistola contro la mia tempia. Mi addormentavo, allora, in un benefico refrigerio. "Dormi" sognavo che Francesco mi dicesse, "dormi nelle mie braccia, ti amo tanto." Era una bella notte fresca e mia madre girava attorno a me come una brezza. Io ero un cane e sedevo nel giardino di villa Pierce all'ombra di un grande albero: felice, posavo il muso sul prato. Potevo finalmente vedere i pavoni bianchi che aprivano il ventaglio della coda e le orchidee sugli alberi, le farfalle dalle ali colorate e il grande cedro del Libano abitato da un cavallo. "Sandi" mia madre diceva, venendomi incontro col suo passo aggraziato: "oh, dovresti pentirti di essere venuta con tanto ritardo."

Allora io mi addormentavo presso l'albero. Forse nessuno può comprendere che cosa voglia dire per un povero cane stanco posare la testa sull'erba folta e umida di un prato. Tomaso s'inginocchiava presso di me e, sfiorandomi i capelli, mi diceva che non sarei mai più uscita da villa Pierce, egli mi avrebbe vegliato, avrebbe impedito a chiunque di accostarmisi: mi carezzava dolcemente e io sentivo di nuovo sotto la pelle tutta la corsa felice della gioventù. Beata, alzavo la testa per guardare negli occhi di Tomaso. Era la prima volta che gli occhi di un uomo erano così buoni verso di me.

Stavo sempre in casa e la voce di Tomaso mi raggiungeva col telefono che era stato riallacciato perché Francesco era ormai un personaggio influente e qualcuno diceva che presto lo avrebbero fatto sottosegretario. Mi proponevo di non rispondere e poi temevo che si trattasse di una telefonata per Francesco. In realtà, sapevo che era Tomaso. Io gli domandavo: «Mi ami davvero? Allora, ti prego, fatti mandare in viaggio dal giornale».

Ma neppure Tomaso che mi amava tanto voleva aiutarmi.

Francesco ed io ci guardavamo come due nemici, o almeno io lo guardavo come se fosse tale, e certo la cosa che più aspramente lo osteggiava era il mio amore per lui. Eravamo usciti insieme una sera e io mi sentivo trepida, impacciata, come se fosse stata la prima volta che uscivo con un uomo. Immaginavo che avremmo passeggiato adagio, parlando senza guardarci, al modo dei primi tempi, affidati alla dolce complicità della notte estiva. Invece egli disse che voleva vedere non so quale documentario in un cinematografo. Era un cinema rionale, vicino alla nostra casa: al ritorno tacevamo assonnati, le strade erano deserte, malinconiche, tra case bianche. Molte lucciole s'animavano improvvisamente nell'aria odorosa di caprifoglio. E alla loro vista la decisione che avevo preso di morire vacillava: non resistevo al pensiero di non più vedere le lucciole, non più sentire l'odore del caprifoglio.

Eravamo in letto quando io dissi a Francesco: «Senti, amore, ho qualcosa da dirti».

Egli si volse alla sveglia e obiettò: «Adesso?».

«Quando dovrei parlarti altrimenti? Non ci vediamo mai.»

«Mi rimproveri di lavorare, allora?»

«Oh, perché dici così, Francesco? Ma non basta soltanto lavorare. Non dobbiamo ridurci a questo. Io sono disposta a rinunciare a tutto meno che a stare insieme con te, parlare. Non so più ciò che tu pensi: e così io stessa non so più a che cosa rifarmi. Temo, in tal modo, di prendere un indirizzo diverso dal tuo...»

«Ma no» egli disse «non ti tormentare...»

«Mi tormento, invece. I nostri colloqui, la nostra intimità sono posposti a tutto, è proprio così. Basta l'arrivo di un amico, un editoriale importante per distrarti. Vedi? a un amico dirai "scusa, non posso riceverti, debbo uscire, ho un appuntamento con Alberto", non dirai mai "non posso riceverti perché debbo parlare con Alessandra". Se ti convocano a una riunione e tu hai un impegno precedente dici "scusatemi, mi dispiace, non posso". Invece accetteresti subito se l'impegno fosse quello di trascorrere la serata con me. Per noi abbiamo sempre tempo, credi, e così non ne abbiamo mai: sicché tu parli con tutti meno che con me, e tutti ti conoscono, conoscono ciò che pensi e solo io non so nulla di te.»

«Abbiamo avuto tutta la sera per parlare...»

«Come potevamo, dimmi, al cinematografo?» Ero tanto sconsolata che ricorsi all'ultimo tentativo: «Senti» gli dissi: «perché non andiamo ad abitare a Capri, io e te? Tu potresti scrivere libri, io guadagno abbastanza con le traduzioni. Del resto siamo abituati a spendere poco».

Gli parlai della grande finestra, e insomma di tutto quello che diceva Tomaso. Ma egli scrollava la testa come mio padre; «Magari» sospirava. «Più tardi, forse.» E quando rispondeva così io sentivo un cattivo rancore conquistarmi. Infine, dopo avermi baciato sulla guancia mi accarezzò i capelli. «Adesso dormi, cara» disse, disponendosi a dormire. Soffrivo tanto che la carezza della sua mano mi scottava sui capelli, al modo di un ferro rovente.

«Scusa, non posso dormire, Francesco: tienimi compagnia. Ho tanta paura di...»

Mi vergognavo di confessargli l'ossessione che mi perseguitava: avevo paura che mi sgridasse come i genitori fanno coi bambini. «Sì, insomma, penso che non vivrò ancora molto.» Arrossii nel dir questo: e intanto pensavo che era proprio finito tutto tra noi, se io arrossivo nel confidargli i miei pensieri. Egli mi rassicurò, dicendomi

510

che avevo una salute buonissima e premurosamente mi consigliò di andare qualche giorno da mio padre ora che il caldo era divenuto opprimente. «Anch'io non mi sento bene» soggiunse.

Allora mi parve necessario che egli sapesse, sentii il dovere di manifestargli il mio disperato proposito, acciocché mi venisse in aiuto. «Ascolta, Francesco» gli dissi. «Ho paura di finire come mia madre.» Egli mostrò di dar poca importanza alle mie parole. «Che sciocchezze» disse: «non devi pensare a queste sciocchezze. Tu sei molto diversa da tua madre.» «E cioè?» gli domandai già pronta a difendermi. «Tu sei tranquilla, seria, ragionevole...» Io lo guardavo, stupita, chiedendomi se era di me che stava parlando. «Tua madre invece...» Esitava e io ormai volevo spingerlo a rivelarsi fino in fondo: «Mia madre?» insistevo. «Non so...» proseguì incerto. «Io non l'ho conosciuta... ma...» «Ma? Di', di'.» «Penso che fosse un po' esaltata...» «Ah» feci, gelida: «ho capito.» Francesco tentava di scusarsi: «Non so, forse ti potrà dispiacere ciò che ho detto. Ti dispiace?». «No, figurati.» «Ma questo è proprio ciò che penso» egli continuava gravemente «e, anzi, vorrei che anche tu potessi convincertene.» «Già. Capisco. Ma credo che non sia facile.»

Poi tacqui e l'ira mi colmava: ero simile a un lago liscio, di ghiaccio, sotto il quale l'acqua scorre veloce, torrenzia. Francesco caricò il suo orologio, lo controllò con la sveglia. «Buona notte, cara» mi disse; e, dopo avermi baciata su una guancia, mi volse la schiena lasciandomi sola coi miei pensieri, dietro il muro.

Desta, immobile, ricordavo il tempo in cui eravamo fidanzati e andavamo a baciarci nell'ombra del Lungotevere, presso il luogo ove mia madre era morta. Io parlavo di lei e Francesco mostrava di ascoltarmi con devozione. Forse fin da allora egli la giudicava severamente. Tuttavia s'avvedeva che, dopo quei discorsi, io lo baciavo con accresciuto ardore e perciò m'incitava a parlare. Ci affacciavamo al parapetto, nel vento, io rialzavo il bavero del vecchio impermeabile. Egli era un uomo solitario, allora: s'incantava scoprendo il fantastico mondo di una ragazza giovane che aveva la madre suicida per amore. Ma adesso si trattava di sua moglie; pian piano, misuratamente, egli si proponeva di modificare i miei connotati. Gli sarebbe piaciuto che, nella mia vecchiaia, somigliasse a sua madre; col collarino bianco stretto stretto, la cameriera dalla crestina inamidata, le belle tazze da tè. Aveva detto che ero calma, tranquilla, ragionevole: come poteva davvero pensare questo di me? Mi colse il sospetto che, attraverso quelle parole, Francesco intendesse propormi un modello. Una volta mi aveva detto: «Vorrei vederti vestita in modo più elegante». Forse, egli già pensava a me come alla moglie del sottosegretario.

«Allora» gli avevo domandato in uno dei momenti di quella notte buia, nebulosa «allora tu pensi che noi dovremmo rassegnarci, accettare il matrimonio?»

Aspettavo, tremante: tutto nella mia vita dipendeva dalla sua risposta. Egli aveva alzato le spalle, sospirando, e aveva detto:

«È la più antica delle istituzioni.»

Mi ero gettata in terra presso di lui, gli avevo stretto le ginocchia, scongiurandolo: «No, Francesco, no, no» e l'odio e l'amore si confondevano in me così profondamente che lo abbracciavo mentre avrei voluto ferirlo.

«Che ho detto? È una considerazione di ordine generale. Tutto ciò non ha nulla a vedere con te e me. Io ti voglio bene, Alessandra, il nostro è un matrimonio felice.»

Sentivo sbattere la porta di casa. Sognavo d'essere un cane stanco e camminare dietro il muro.

Bisognava accettare il matrimonio. Perciò egli non aveva mai voluto lasciarmi parlare di Tomaso. Molte altre volte avevo tentato. «Vorrei parlarti» incominciavo. Francesco non alzava la testa dallo scritto, dal giornale, dal libro. «Vorrei parlarti» ripetevo tentando di far udire la mia voce oltre il muro. «Ascoltami, vorrei parlarti.» Ma c'era sempre un'automobile che aspettava al portone, un amico nello studio. Avrei finito col non parlare più. Poiché quella dell'adulterio era un'istituzione altrettanto antica. E io ero troppo innamorata di lui, per non cedere: già accettavo i biglietti che Tomaso mi mandava per mezzo del portiere, non rifuggivo più dalla complicità di costui e anzi, una volta, nel dirgli «Grazie», lo avevo compensato con un po' di danaro. Tuttavia ero rimasta lungamente sveglia, quella sera: non potevo dimenticare Lydia che scriveva all'indirizzo dell'usciere Salvetti: quando, esausta, caddi nel sonno, sognai d'essere un cane fuori l'uscio delle cucine. Mi beavo nel grasso odore dei cibi, le serve mi gettavano i rifiuti. Inoltre nella pattumiera trovavo sempre qualcosa e perciò non avevo più fame, mi addormentavo in un sazio benessere. «Francesco» chiamavo destandomi. «Ho avuto un triste sogno, un incubo, è stata una notte terribile.» Sentivo che stentava a credermi.

«Adesso dormi» mi diceva: «non ci pensare, dormi.»

Lydia aveva detto che da giovani è bello incontrarsi di nascosto: si mente facilmente, da giovani, ella aveva osservato, è un giuoco. Sembra che persino incontrarsi nelle camere mobiliate sia una stupenda avventura. Io ero una donna fatta, ormai, e perciò bisognava che perdessi il vizio di arrossire con tanta facilità. Francesco era un personaggio influente e aveva diritto a pretendere che sua moglie vestisse con eleganza. Avrei imparato a uscire disinvolta: "Vado dalla sarta" avrei detto, "vado dal parrucchiere". Egli mi avrebbe festeggiato, al ritorno, come Tomaso festeggiava Casimira che l'aspettava con un vestito nuovo. Non mi sarei più rammaricata dei suoi silenzi, non gli avrei detto più: "Aiutami" o "Rimani in casa con me". Allora egli avrebbe pensato, soddisfatto, che ero divenuta proprio tranquilla, seria, ragionevole, come lui desiderava, e che le donne sono contente soltanto quando hanno un bel vestito nuovo: "Non chiedono altro" avrebbe concluso con un po' d'amarezza. Ogni giorno Tomaso mi avrebbe detto "come sei bella" e poi "ti amo" e tutte le altre ineffabili cose che egli sempre mi diceva. Eravamo giovani, avremmo riso guardandoci attorno nella camera mobiliata; poi, mentre Francesco credeva ch'io fossi dalla sarta o dal parrucchiere, Tomaso avrebbe incominciato a sbottonarmi devotamente il vestito nuovo.

No, mi ribellavo con furia, non volevo che egli mi spingesse a questo. Se l'amore che io avevo per Francesco poteva imbrattarsi o scadere, tutto poteva scadere di me, ne ero certa. Avrei perduto tutto, perciò, nell'arrendermi. Non volevo arrendermi. Del resto, egli non aveva voluto arrendersi, quando io l'avevo supplicato di farlo: era stato proprio lui a fornirmi l'esempio di questa costosa intransigenza. Nell'accettare le sue ragioni avevo, insieme, rafforzato le mie. Bisogna resistere, mi dicevo. Monotona udivo la voce della Nonna insinuarsi nel mio sonno, turbare i lunghi dormiveglia che blandivano i miei affanni: "E se tu non riuscissi?". "Mi ammazzo" le rispondevo: "mi ammazzo." In questo pensiero potevo placarmi. Mi pareva di giacere sul fondo verde del fiume: sul mio corpo l'acqua scorreva, verde, opalescente, lucida. In me si specchiavano gli alberi e il cielo. Attraverso l'acqua vedevo Tomaso chinarsi su di me, chiamarmi angosciato, stravolto dalla disperazione: ma io non udivo più nulla e sorridevo senza rispondere. Poi vedevo il volto di Francesco, severo, triste, i suoi occhi freddi. "Alessandra" egli diceva piano e la sua voce mi accerchiava con l'acqua. "Alessandra." Al suo richiamo subito mi levavo. Francesco camminava innanzi a me e io lo seguivo, ma ero cane mentre lo seguivo, cane stanco e grondante acqua dalla vecchia pelle.

Non avrei mai cessato d'amarlo, neppure nella morte. Mia madre, invece, riposava nel fiume, graziosamente atteggiata. Allora un iroso dispetto mi coglieva contro di lei. Avrei voluto che ella fosse fuggita con Hervey, che avessero vissuto insieme, per anni, nella stessa casa, nello stesso letto. Forse non sarebbe più riuscita ad alzarsi, al mattino, col passo leggero che aveva nello scendere la scala per recarsi a villa Pierce.

«Francesco» lo destai scotendolo pel braccio: «Francesco, senti.» Benché umiliata di mostrare l'acerba trama della mia sofferenza, gli dissi: «Ti prego, non dormire: sono troppo sconvolta, ho paura».

Insonnolito domandò: «Che c'è, Sandra?».

«Non ce la faccio a stare sola, stanotte. Aiutami.»

Egli rispose: «Calmati, cara, io debbo alzarmi presto, domattina».

Sembrava che fosse già sulla porta, cappello in testa, cappotto indosso come nella fotografia. Mi salutava, udivo la porta sbattere. Era uno sconosciuto, sebbene dividesse il mio letto: io guardavo la sua testa scura posare sul bianco cuscino. «Francesco» mormoravo. Avrei voluto ricordargli certe notti, nei primi tempi del nostro matrimonio, quando rimanevamo fino a tardi ad amarci, nel fresco odore che veniva dalla finestra aperta. Dopo, discorrevamo, fumando, con la mente sveglia, il corpo giovane, libero, felice. Finché le rondini venivano ad ammonirci e noi spegnevamo la luce, frettolosi, come sorpresi in colpa. Spesso Francesco doveva alzarsi soltanto un'ora dopo; eppure non si rammaricava mai del sonno perduto. Volevo dirgli "Non dormire affatto, stanotte, ho paura, butta via una notte per me, Francesco, ti prego: regalamela". Ma, quando mi volgevo a lui, lo trovavo già calato nel sonno. Forse tutto sarebbe stato diverso se avessimo avuto camere separate e io non lo avessi visto dormire.

Mi rialzavo sul gomito e fissavo Francesco, disperatamente chiamandolo: i miei occhi erano dolci nomi, ardenti parole d'amore. Nella penombra, consumate dal furore del mio sguardo, le precise fattezze del suo viso si perdevano: talvolta mi pareva persino che il suo profilo magro assumesse la massiccia fermezza del profilo di mio padre. Somigliava a lui, ne ero certa: era lui. Sbigottita mi passavo la mano sugli occhi per scacciare quella allucinazione. Tentavo di rasserenarmi considerando che essi non avevano nulla in comune tra loro, se non la grande forma delle spalle. In estate Francesco dormiva senza la giacca del pigiama. Le sue spalle nude biancheggiavano come un'alta muraglia invalicabile. E, al solo vederle, io sentivo un tremito invadermi, scuotermi, via via più violento. Ero un cane rabbioso, avevo voglia di addentare, mordere. Sgomenta da tale orrenda sensazione, tentavo di calmarmi, dominare lo spavento che mi incuteva quella maligna rabbia e tornare a sfinirmi nel dolore. Ma ormai ero un cane idrofobo: il cane idrofobo era dentro di me. Per dissipare quell'impressione mi sforzavo di ricordare che alla rabbia dei cani va accompagnata la ripugnanza all'acqua e considerare come avessi bevuto volentieri la sera precedente. Ma nessuna considerazione valeva più, ormai. Camminavo rasente un muro interminabile e avevo la lingua asciutta, la testa bassa. Oltre il muro udivo il passo di mia madre, un lieve passo di fanciulla. "Non hai mai saputo camminare come me" ella diceva schernendomi. La sentivo ridere e non mi riusciva di vederla. Il muro mi divideva da tutto: dalle case calde, accoglienti, dalle cucine dove mi procuravo i rifiuti. Persino dal ricordo di mia madre. Ella rideva con Hervey, appena oltre il muro. Io camminavo persistente, paziente, annusando, cercandoli. Li trovavo, finalmente. Bastava un morso e li vedevo cadere in terra, sdraiarsi nella morte: erano fermi nella stagione della loro giovinezza, nella castità del loro amore senza scadimento, o colpa. Avrei voluto storpiarli, distruggerli. Mi accanivo con le zampe sul viso di mia madre, sugli occhi, ma era come graffiare il viso e gli occhi di una statua. Seguitavo a graffiare per ore, raspavo, mi pareva di scavare la sabbia del fiume, la mota grigia, dura. Nella mota il corpo di mia madre affiorava, intatto, vestito d'azzurro.

Mi destai in un sussulto. La prima luce, ancora fredda, trapelava dalle imposte. Conoscevo ormai tutta la cerimonia del risveglio: prima cantava l'usignuolo, solo, ardito, poi i passeri e infine, col sole, giungevano le strida laceranti delle rondini. Da tempo mi pareva di non aver più visto il chiarore che annunzia l'aurora: perciò avevo la certezza che ormai anche la lunga notte nebulosa, in cui la mia coscienza si rifugiava, fosse sul punto di respingermi. Dovevo accettare che un implacabile ritmo di giorni incominciasse. Ogni giorno avrei udito la porta sbattere dietro Francesco, poi il telefono avrebbe squillato e io avrei risposto a Tomaso. «No, no» dicevo. «Francesco, aiutami.» Le mie tempie pulsavano, il cane rabbioso era in me, ansimava. "No, no" scongiurava mia madre, affannosamente accorrendo in mio soccorso. Il suo passo era rapido, morbido, pareva che ella scendesse da una scala. La nonna Editta s'avvicinava adagio, tenendosi la gonna con la mano: s'arrestò presso il mio letto, triste nel volto, in attesa. E, pur amandole teneramente, io m'agghiacciai nel vederle apparire. Avevo paura, avrei voluto farmi indietro, fuggire. Una paura orribile che ormai non contenevo più. Anche Natalia Donati s'avvicinava adagio, senza rumore. Era una ragazzina dalle trecce rosse, il suo innamorato sguardo scintillava dietro le lenti. «Conoscerai tutto questo anche tu» mi aveva promesso, leggendomi le lettere d'amore nel polveroso giardino dei Prati. Sembrava immutata da allora. Soltanto reggeva in braccio un bambinetto dai capelli rossi e aveva gli occhi sbarrati nel terrore.

La luce si rinforzava a poco a poco, le rondini giravano attorno alla mia casa come nel cortile di via Paolo Emilio e così la lunga notte era finita. Fra breve avrei dovuto alzarmi, ricominciare. «Francesco» imploravo «ti prego, Francesco.» Le sue spalle erano un muro interminabile di pietra. Mia madre sedeva presso il mio letto carezzandomi i capelli e la sua mano d'aria non mi recava calma né refrigerio. Mi carezzava così quando ero bambina e indugiavamo presso la finestra. Le dissi che avrei voluto vedere almeno una volta i pavoni di villa Pierce. E tornare al Gianicolo con Francesco, tornare a Villa Borghese. «Francesco» lo supplicavo, «andiamo a Villa Borghese.» Lo chiamavo, avevo il viso molle di lacrime, e non riuscivo a farmi ascoltare. "Ma se tu non riuscissi?" Ero in piedi di fronte alla Nonna, come la prima volta in cui la vidi. "Se non riuscissi mi ammazzo" mormorai senza più spavalderia.

Aprii il cassetto, presi la pistola. Era fredda, dura, e il mio braccio, sfinito da quel peso, s'abbandonò lungo il fianco del letto. La stanchezza e la disperazione si placavano in me e anche il cane rabbioso s'acquietava. Sarebbe stato difficile, molto più difficile di quando avevo portato le bombe sotto la verdura. Ancora più difficile della sera in cui avevo chiuso la porta sul viso angosciato di Tomaso. Ma, dopo, non avrei più dormito dietro il muro, non sarei più andata a raccogliere gli avanzi fuori la porta delle cucine. Avevo paura. Anche mia madre e la nonna Editta avevano paura. Impietosite seguivano i miei gesti e mia madre era pallida nel vestito azzurro. Le chiamavo e non mi rispondevano. Ancora una volta pensai di fuggire, rifugiarmi nella vecchia casa in Abruzzo. Avrei trovato lo zio Rodolfo seduto alla scrivania, nel pacifico studio, ov'era dipinto il grande albero che imprigionava il mio nome tra i rami. Zio Rodolfo era un uomo del mio sangue e in lui potevo fidare. Era il solo che potesse prendermi tra le braccia, portarmi via, farmi riposare in un letto dalle cortine bianche. Non avevo incontrato che lui, in tutta la vita, al quale potessi appoggiarmi. «Zio Rodolfo...» ripetevo: «Zio Rodolfo...» Non venne. Ero sola dietro le spalle di Francesco, un muro livido nella fioca luce dell'aurora. Provavo finalmente il refrigerio della fredda pistola sulla tempia. «*Tous mes adieux sont faits*» mi dicevo guardando in viso mia madre: «*Tous mes adieux...*»

«Francesco» proruppi disperata: «Aiutami, Francesco...»

518

Egli si scosse appena: «Dormi» mormorò: «sta' tranquilla, dormi. Parleremo domani».

In me il cane rabbioso ebbe un balzo, si slanciò. M'avventai contro Francesco e gli scaricai la pistola nella schiena. Subito vidi il sangue scorrere sul lenzuolo bianco. Rimasi vuota di ogni pensiero; poi chiamai: «Francesco», scotendolo piano, come sempre facevo per destarlo. «Francesco, ti amo. Perdonami, perdonami, ti amo.»

Non rispondeva e allora lo scrollai più forte. «Rispondimi, Francesco» gridai atterrita: «Rispondimi.» Continuavo a scrollarlo e, quando mi arrestai, il suo corpo ricadde pesantemente supino. «Francesco» lo supplicavo con la voce strozzata: «Amore, rispondi. Rispondi!» Infine balzai dal letto, selvaggiamente chiamando aiuto; spalancai le finestre, la porta di casa, «Aiuto» gridavo.

I vicini mi trovarono inginocchiata presso di lui. «Fate qualche cosa» dicevo: «non mi risponde. Fate qualche cosa» imploravo. Tutti erano accorsi in vestaglia, spettinati, e rimanevano zitti attorno a noi, scostandosi, formando un cerchio di curiosità e terrore. Ci lasciavano soli. Io carezzavo la mano di Francesco, guardavo il suo viso fermo, chiuso, inesorabile, la sua mascella dura; e gli parlavo con l'amore struggente che era stato sempre in me dal primo giorno. «Rispondimi» gli dicevo «non far così, ti prego, rispondi.» Accostavo le labbra alle sue mani. «Ti amo» gli dicevo sotto lo sguardo inorridito della bambina del portiere.

Poi vennero gli agenti.

Il giorno del processo tutte le donne inveirono contro di me. Abituata al silenzio e all'isolamento in cui ero rimasta undici mesi nel carcere delle Mantellate, io m'avvedevo per la prima volta delle reazioni che aveva suscitato il mio gesto: fino allora credevo che esse avrebbero interessato soltanto me, la mia vita, e i tutori della legge. Invece, quando entrai nell'aula, le donne parevano soddisfatte

di sfogare un odio lungamente represso. Alcune gridavano e io vedevo i loro volti infuriati volgersi al mio banco
con occhi che nulla più avevano di pietoso o solamente di
umano. Le contemplavo allibita: loro almeno avrebbero
dovuto comprendere e, viceversa, si accanivano contro di
me. Quelle che furono chiamate a deporre mi conoscevano appena, tuttavia assicurarono che Francesco era stato
un ottimo marito: le vicine dissero che la domenica mi portava sempre le paste. Fulvia, durante la sua testimonianza, non osò mai guardarmi: era la mia sola amica e ciò che
ella depose fece molta impressione. Disse che non avevo
mai apprezzato la fortuna di essermi sposata con un uomo
onesto e leale; e che, anzi, indifferente a tale privilegio, accusavo sovente Francesco di alcune immaginarie, trascu-
rabili manchevolezze. Il mio avvocato smaniava e io pure
l'ascoltai stupita e addolorata finché compresi che ella non
deponeva contro di me, ma contro la figlia del droghiere.

Poi fu la volta degli amici di Francesco. Si recavano a
deporre gravi e malinconici, e tutti mi giudicarono con severità, ma senza astio. Parlavano poco di me e si dilunga-
vano a parlare di Francesco; mi piaceva ascoltarli poiché
mi convincevo di aver avuto ragione nell'innamorarmi di
lui, che era veramente un uomo straordinario. Quando
Alberto parlò, il pubblico lo seguiva commosso; e, dopo,
le donne inveirono ancora contro di me, sì che il presidente minacciò di far sgomberare l'aula. Io avrei voluto ringraziare Alberto con un cenno del capo; mi pareva che la
sua fosse stata proprio una sincera e degna commemora-
zione. Ma egli non mi guardò; nessuno mi guardava con
amicizia. Di tutta la mia vita trascorsa nulla esisteva più,
fuorché il momento in cui avevo sparato. E del resto, a
sentirla in tanti modi interpretata, io stessa non riconoscevo più la mia vita. Si parlò anche di ciò che avevo fatto durante il periodo dell'odiata invasione e furono tutti
d'accordo nel riconoscere che il mio singolare coraggio
era un'altra prova palese della mia incoscienza e della mia

fredda crudeltà. Tomaso si trovava in Inghilterra con la moglie quale corrispondente del suo giornale. Lessero la sua deposizione in cui egli parlava di Francesco con rispetto e di me con devota ammirazione. Tuttavia a questa favorevole testimonianza non fu attribuito alcun valore poiché dalle asserzioni del portiere risultò chiaro che Tomaso era stato il mio amante.

Dopo la madre di Francesco, deposero alcuni miei parenti. Erano giunti in ritardo a causa di una indisposizione del babbo. Questi entrò al braccio della zia Sofia e la sua alta persona, i suoi capelli bianchi, e la tetra infermità che lo affliggeva subito riscossero la simpatia dell'aula. Nonostante il motivo doloroso che lo conduceva lì, io comprendevo che egli era fiero di presentarsi, finalmente, nel personaggio al quale credeva di essersi sempre tenuto fedele: quello dell'uomo intransigente e rigido che non esita a sacrificare la figlia in osservanza alle leggi dello Stato. Disse infatti che ero stata stravagante fin da bambina e soggetta ad accessi di violenza. Mi credeva, soprattutto, scervellata e crudele. Era cieco e quindi gli riusciva facile parlare senza reticenze, come se io non fossi presente: seppi così ciò che pensava di me e che mai aveva osato dirmi in tanti anni. Non di meno tentò di scagionarmi, dicendo che avevo ricevuto un'educazione sbagliata, imputabile all'indole di mia madre. Accennò alla tragica fine di lei e, con la sua austera rassegnazione, ci accusava entrambe: sicché alla fine fu lui, più di Francesco, a suscitare la pietà degli astanti.

La zia Sofia si mostrò incerta: dopo ogni domanda mi guardava sperando che le suggerissi ciò che avrebbe dovuto rispondere. Disse che ero una ragazza buona, sebbene non praticassi la religione: mi attribuì anche molte altre qualità che non sapevo di possedere, tra le quali la pazienza e l'ordine. Disse però che, durante il tempo in cui mi ero trattenuta in Abruzzo, ella aveva sempre avuto una segreta paura di me: non riusciva a comprendermi, e solo intuiva confusamente quale sarebbe stata la violenza di una ribellione in un carattere solitario e paziente come il mio. A esempio di quanto andava dicendo citò la forza con cui avevo ucciso il gallo e su questo episodio l'attenzione della Corte si soffermò particolarmente. Si parlò della madre di mia madre, che era stata un'artista di teatro. Io non capivo perché indugiassero tanto su quegli inutili particolari.

Giunse la volta della Nonna e quando ella pronunziò il giuramento si fece un rispettoso silenzio nell'aula. Non era mai venuta a Roma, mai entrata in un tribunale, eppure senza impaccio salì sulla pedana dei testimoni e vi prese posto con la sua naturale solennità. Da lì, superando lo spazio che ci divideva, subito con lo sguardo cercò il mio sguardo e io mi nascosi il viso tra le mani. Fu inclemente nell'accusare mia madre per l'esempio di debolezza che m'aveva dato; poi, diffusamente, parlò di me, delle speciali condizioni in cui avevo vissuto e, soprattutto, del mio carattere, lumeggiandolo nei più riposti aspetti, insistendo nel descrivere la mia natura dolce, leale, onesta, e l'acuta sensibilità di cui soffrivo. Commossa io m'avvedevo che ella sola aveva sempre capito tutto. Infatti fu la sola persona che depose in mio favore.

Così fu pronunciata contro di me la sentenza più dura. Francesco era stato un uomo integro e non aveva fatto nulla che fosse condannato dalla legge. Durante il processo io neppure tentai di difendermi. Se mi fosse stato possibile svelare, dinanzi a tanta gente, tutto ciò che m'aveva offeso nella vita, non sarei stata più Alessandra, ma un'altra. E allora anche la mia vita sarebbe stata altra. Non ero mai riuscita a parlare fin dalla prima volta in cui il giudice mi aveva interrogato, aspro, ostile, dettando poi freddamente al cancelliere. Mi avevano condotto in una stanzetta grigia nel palazzo di giustizia che, guardando in una strada dei Prati, somigliava alle stanze della casa dove avevo trascorso la mia infanzia. Lì, rincorata, avevo incominciato a parlare con spontanea confidenza. Ma il giudice, subito, alla mia sincerità aveva opposto un incredulo sarcasmo, come faceva mio padre. Era già tanto difficile esprimere in poche parole ciò che m'aveva spinto ad agire così: e, soprattutto, citare fatti concreti. Mia madre usava dire che le donne sono sempre in torto di fronte ai fatti concreti. Sentivo che quell'uomo sarebbe stato sordo alle mie ragioni, come certo lo era a quelle delle donne di casa sua. Perciò, da allora, ho preferito tacere sempre, accettando intiera la mia colpevolezza.

Anche l'avvocato che mi difende, un abruzzese officiato da mio padre, sa ben poco di me. Non mi conosceva prima né io mi sono aperta con lui nei nostri rari colloqui: ha dovuto quindi attenersi alle cause tradizionali di altri orribili gesti simili al mio. Ha parlato di una infedeltà di Francesco e di una probabile scena di gelosia avvenuta, di notte, prima del fatto. Ha accennato persino a un improvviso accesso di follia. Anche lui, per scagionarmi, ha alluso al suicidio di mia madre e ad alcuni fenomeni di ereditarietà. L'ho lasciato parlare giacché quello era il suo ufficio e lo assolveva con fervore.

Credo che se avessi avuto per avvocato una donna mi sarebbe stato facile spiegarmi; e così se tra i componenti della Corte avessi visto una figura femminile. Invece, pur avvedendomi che i miei ostinati silenzi sollevavano indignazione tra i presenti e allontanavano da me ogni movimento di simpatia e di pietà, non potevo parlare. Se non era stato possibile farmi comprendere dall'uomo che mi viveva accanto e che amavo con tutte le mie forze, se non avevo potuto parlare con lui, come sarebbe stato possibile con gli altri? Perciò, accennando col capo di non aver nulla da replicare, accolsi serenamente la condanna per sottostare alle norme che la lunga consuetudine della comunità ha stabilito. Ma non appena fui qui, nella casa di pena, e mentre attendo l'esito del ricorso, ho voluto narrare la cronaca esatta di questo tragico avvenimento poiché mi sembra giusto che esso sia visto anche dalla parte di chi lo ha vissuto essendone protagonista. Non so se coloro che mi giudicheranno avranno tempo di leggere questa memoria. È una lunga memoria, infatti, perché infinitamente lunga è, giorno dopo giorno, ora dopo ora, anche la breve vita di una donna; e raramente è una sola la causa che la costringe a un'improvvisa ribellione.

Nella severa pace di questo luogo mi è stato agevole riandare la mia storia; e, scriverla, addirittura un sollievo. Mi sono studiata di esporla obiettivamente anche per dissipare la diffidenza suscitata dal mio silenzioso riserbo che era, certamente, uno dei motivi per cui mia madre e io avevamo così scarse amicizie. Io penso che, dopo aver letto, un uomo potrà più facilmente comprendere il mio agire sebbene, per sua natura, non gli riuscirà di giustificarlo. Del resto se la sentenza verrà confermata e io dovrò scontare intera la condanna, non mi rammarico di rimanere tanti anni chiusa in una cella, benché la mia età sia ancora giovane. Questa cella, per esempio, guarda in un cortile dove al crepuscolo calano le rondini: a quell'ora le suore mi conducono a prendere aria e mi permettono di annaffiare i gerani. E ormai chi conosce queste pagine sa che restarmene in silenzio presso una finestra è, fin dai più remoti giorni dell'infanzia, una delle mie condizioni di felicità.

Inoltre, ogni sera, Francesco viene a trovarmi. Entra e, al solo vederlo, io mi sento pervasa da un effuso benessere. Ora ha perduto quell'abitudine di mostrarsi sempre frettoloso e distratto, che tanto mi faceva soffrire. Siede di contro a me, sulla poltrona di casa, e mi guarda. Non è mai stanco di guardarmi. Ogni sera ritroviamo l'incanto di discorrere insieme e di rivelarci, come durante i primi tempi. Egli è ora, insomma, come io avevo sempre sognato che fosse. Sicché mi viene fatto di sospettare che solo il gesto violento da me compiuto gli abbia dato la consapevolezza del suo amore e il modo di riconoscermi per quella che, amata da lui, avevo ambito di essere.

# APPENDICE

# Prefazione
di Alba de Céspedes

Questo libro è la storia di un grande amore e di un delitto. Quando lo scrissi io non sapevo come sarebbe andato a finire. Ma in quell'epoca io credevo assolutamente all'eternità dell'amore. Credevo anche in molte altre cose delle quali la realtà attorno mi ha appreso l'inconsistenza. Erano trascorsi solo quattro anni dalla fine della guerra e con altre italiane e italiani anche io avevo creduto che la soluzione di tutti i nostri problemi fosse nella fine del fascismo.

Benché io avessi superato i 35 anni ignoravo tutto circa i meccanismi economici che avevano scatenato le due guerre mondiali. Questo libro fu anche una mia presa di coscienza circa l'entusiasmo che mi aveva ingenuamente guidata nel combattimento per la libertà e nel convincimento che fosse possibile vivere l'amore come un'avventura senza limiti e senza ambiguità.

Già in quegli anni, tra il 1946 ed il 1949, queste mie convinzioni cominciavano a vacillare. L'amore che avevo portato ardentemente durante il passaggio della linea del fuoco e durante la superiore solidarietà generata dallo spirito della Resistenza, incominciava a raffreddarsi al contatto con la vita tornata a essere banale e compromissoria. Già sopravveniva l'amarezza anche per quanto concerneva la mia vita pubblica. La rivista «Mercurio» che io avevo fondata nel 1944 e che dirigevo, terminò le sue pubblicazioni nel 1948. Il finanziatore della rivista, che, tenuto conto prima della particolare situazione bellica e poi della svolta di Salerno, mi aveva lasciato le briglie lente sul collo, d'un tratto mi proponeva di sterzare verso posizioni di ortodosso atlantismo. Scoprivo come il potere mercantile sia permissivo agli inizi e come si serva di un titolo di giornale allorché un congruo numero di lettori si è abituato a seguirlo. Rifiutai.

Soltanto in alcuni vecchi cuori può ancor vivere la delusione legata al grigiore di quegli anni. Avvedersi che la lotta, la prigione, e per tanti la morte non erano servite che a fare dell'Italia un protettorato nordamericano. Una coltre di grigiore, di tristezza, discese su tutte le cose. Il fascismo con la sua presunzione e teatralità aveva ceduto il passo ad una classe dirigente infida e cupida di servilismo. Questi eravamo noi? Questo ci spettava? Ricordo il giorno in cui un Presidente del Consiglio scatenò l'entusiasmo del Senato, sventolando un assegno americano come una bandiera. Io non me ne rendevo conto ancora, ma quella era divenuta la nostra bandiera. I rimproveri che mi rivolgevo, circa gli agi della mia condizione che mi permetteva di sprezzare il clientelismo politico e la pronitudine al sistema, non mi impedivano di domandarmi: «Il travestimento in eroismo delle ambizioni che avevano animato i combattenti per la libertà, a questo dunque serviva?».

Io non potevo ancora sapere a qual punto di corruzione la nazione italiana potesse giungere. Ma lo presentivo. Vedevo i protagonisti politici della Resistenza avvilirsi e a poco a poco spegnersi nell'accettazione dei riti della democrazia parlamentare. La tragedia diveniva commedia. Il mio Paese di adozione usciva dalla Storia e il mio Paese d'origine – Cuba – si preparava a rientrarvi, ma ciò sarebbe accaduto una decina di anni più tardi.

D'altronde l'insofferenza dei vincoli che rattenevano le donne dall'esprimere la loro volontà di azione, pesava vieppiù su di me. Tale insofferenza si era già espressa nel mio primo romanzo *Nessuno torna indietro*, ma non avevo più ventisette anni come all'epoca della pubblicazione di esso. L'esperienza della guerra e dell'impegno politico avevano resi ancor più intollerabili tali vincoli. L'eguaglianza della donna e dell'uomo di fronte al pericolo e alla morte era ormai divenuta palese per me.

Il passaggio delle linee del fronte sul fiume Sangro aveva rafforzato irrevocabilmente tale convinzione. Sapevo ormai che un uomo può tremare e una donna restare impavida durante un bombardamento di artiglieria. In seguito la documentazione storica mi avrebbe reso edotta del supremo sacrificio compiuto da donne combattenti sia antifasciste che fasciste. Mi esasperava dunque con il ritorno alla normalità ritrovarmi nella condizione di subalterna che la società mi attribuiva in quanto donna.

Soltanto una donna poteva capire in quel tempo quanto fosse irritante sentirsi sotto tutela. La libertà della quale io godevo, dovuta al mio buon successo letterario, confermava, come un'eccezione conferma la regola, la realtà della condizione femminile. Forse per una giovane donna di oggi è difficile comprendere tutto ciò. Poichè una seconda economia fondata per più di trenta anni sullo stimolo alla domanda di beni ha aperto alle donne la porta del lavoro retribuito nelle attività private e nelle funzioni pubbliche. La conquista di alcuni diritti fondamentali permetterà dunque a molte mie lettrici di non comprendere quale sarebbe stata la loro sorte nel 1948. In uno di quei giorni mi trovavo a Milano, alla Mondadori, e il mio editore mi chiedeva ragguagli sul mio nuovo romanzo. Io gliene parlavo con la difficoltà che ogni autore prova nel parlare al suo editore del libro che sta scrivendo. A un certo punto gli dissi che si trattava di una storia d'amore vista però dalla parte di lei. Il geniale Arnoldo mi interruppe illuminandosi in viso e gridando: «Dalla parte di lei... dalla parte di lei». Il titolo fu deciso così.

Già da un anno mi trovavo a Washington, all'Ambasciata d'Italia, ove avevo seguito mio marito. Parte del libro fu scritta in quella sede. Al momento della pubblicazione di *Dalla parte di lei* io ero ancora negli Stati Uniti e non potei seguire né il lancio del libro né le reazioni della stampa. Quale differenza con *Nessuno torna indietro*, il cui lancio fu per me un'esperienza molto vicina all'entusiasmo. Rimasi negli Stati Uniti fino al 1952. E la rubrica con la quale collaboravo al settimanale *Epoca* si chiamò: "Dalla parte di lei". Lasciai senza rimpianto l'America maccarthysta di quegli anni d'inizio della guerra fredda per l'Unione Sovietica ove mio marito era stato trasferito.

Nei brevi soggiorni che io passavo in Italia ritrovavo il Paese da me tanto amato, come sotto una cappa di piombo. Non si era ancora prodotto il «miracolo economico» e la lontananza rendeva ancor più struggente per me il riscoprire, ogni volta di più, che il Paese aveva perduto la propria indipendenza ed era divenuto politicamente quantità trascurabile. Gli anni Sessanta avrebbero dato a molti italiani, con il miglioramento della loro condizione economica, l'illusione della libertà. Potrà sembrar severo questo mio giudizio poiché negli anni Sessanta e Settanta uomini e donne in Italia hanno lottato affinché venissero loro riconosciuti diritti fondamentali. Le vittorie riportate soprattutto dalle donne italiane in quanto alla equiparazione dei loro diritti, e dei compensi al loro lavoro, non possono lasciarmi indifferente. E così la battaglia vinta per il diritto al divorzio.

Tuttavia la mia ascendenza cubana mi esorta a non separare la politica interna di un Paese dalla sua politica estera. E a privilegiare l'indipendenza di esso e la legittimità del suo governo quali garanzie superiori della sua libertà. È quanto io ho potuto desumere oltre che dall'esempio eroico della morte in combattimento di mio nonno Carlo Manuel de Céspedes y del Castillo, padre della Patria cubana e liberatore degli schiavi, altresì dall'insegnamento di mio padre Carlos Manuel de Céspedes y de Quesada, presidente della Repubblica cubana, morto nel 1939. Le sue parole a tal proposito mi sorprendevano nei più giovani anni quando io le ascoltavo ed ero ancora inesperta. Le prove del vivere mi avrebbero chiarito il senso delle parole di mio padre quando egli mi diceva che, a difesa della libertà e degli interessi della Patria, il cittadino poteva anche affrontare la prigione e la morte. Oggi Cuba la mia patria (ho la doppia cittadinanza come ogni donna cubana sposata con uno straniero) è strangolata da un blocco economico iniquo che dura da trent'anni, e la sua nobile, integerrima Guida dileggiata e discreditata dai mercenari della stampa occidentale.

Oggi, io, donna al crepuscolo della mia vita, ritorno sempre nel pensiero ai miei giovani anni e alle loro fervide speranze. Io non potevo capire come la libertà dei cittadini potesse conciliarsi con la perdita dell'indipendenza della nazione; né comprendere come una nazione potesse ridursi a una filiale di un supermercato.

Così con gli anni mi è sembrato di scoprire quanta illusione è nel termine stesso libertà. Ho visto Cuba conquistare la propria indipendenza politica nel 1959 al prezzo della più feroce sanzione economica impostale per avere essa osato ambire a tanto. Ho visto l'Italia perdere la propria indipendenza nel 1945 in nome di una libertà di cui io mi domando il senso oggi e nel momento in cui una crisi di assestamento dell'economia mondiale mette in questione l'unità della nazione oltre che la prosperità e il lavoro degli italiani. Io mi domando anche qual senso abbia l'amore e se parlarne non sia un'ipocrisia o una prova di debolezza. Posso dire che in una donna anche dalle vicissitudini più deludenti la forza dell'amore emerge sempre come da una fonte inestinguibile.

*Dalla parte di lei*, pur nella sua tragica fine, voleva opporsi a che l'amore fosse una illusione.

1994

530

# Indice

«Dalla parte di lei»
di Alba de Céspedes
Oscar
Mondadori Libri

Questo volume è stato stampato
presso ELCOGRAF S.p.A.
Stabilimento - Cles (TN)
Stampato in Italia. Printed in Italy